SUSAN ELIZABETH PHILLIPS

Cottage gesucht, Held gefunden

Buch

Peregrine Island vor der Küste von Maine. Annie Hewitt, Schauspielerin und Puppenspielerin, war sich sicher, nie wieder hierher zurückzukehren. Die letzten Monate hat sie ihre kranke Mutter gepflegt und dadurch ihre letzten Ersparnisse verbraucht. Deshalb ist sie nun doch auf die Insel zurückgekehrt, zwar pleite und mutlos, aber doch hoffnungsvoll und noch nicht bereit aufzugeben. Denn hier soll der Nachlass ihrer Mutter versteckt sein – im Moonraker Cottage, dem Sommersitz ihrer Familie, das sich auf dem Grund von Harp House, einem großen alten Herrenhaus, befindet. Annies Plan: ihr Erbe suchen, möglichst wenig auffallen und möglichst schnell wieder abreisen. Doch es gibt ein Problem: In Harp House lebt Annies größte Schwäche, Theo Harp. Er war ihre erste Liebe, doch nun ist er der Mann, den sie am meisten fürchtet. Und natürlich ist Theo der Erste, dem sie in die Arme läuft …

Autorin

Susan Elizabeth Phillips ist eine der meistgelesenen Autorinnen der Welt. Ihre Romane erobern jedes Mal auf Anhieb die Bestsellerlisten in Deutschland, England und den USA. Die Autorin lebt mit ihrem Mann und zwei Söhnen in der Nähe von Chicago.

Von Susan Elizabeth Phillips bei Blanvalet lieferbar:

Bleib nicht zum Frühstück (35029) · Küss mich, Engel (35066) · Träum weiter, Liebling (35105) · Kopfüber in die Kissen (35298) · Verliebt, verrückt, verheiratet (35339) · Wer will schon einen Traummann? (35394) · Ausgerechnet den? (35526) · Der und kein anderer (38358) · Dinner für drei (35670) · Vorsicht, frisch verliebt (35829) · Frühstück im Bett (38149) · Komm, und küss mich (38263) · Die Herzensbrecherin (36290) · Küss mich, wenn du kannst (36299) · Dieser Mann macht mich verrückt (36300) · Mitternachtsspitzen (36605) · Kein Mann für eine Nacht (36981) · Aus Versehen verliebt (36912) · Der schönste Fehler meines Lebens (36913) · Wer Ja sagt, muss sich wirklich trauen (38105)

Susan Elizabeth Phillips

Cottage gesucht, Held gefunden

Roman

Aus dem Amerikanischen
von Claudia Geng

blanvalet

Die Originalausgabe erschien 2014
unter dem Titel »Heroes Are My Weakness« bei William Morrow,
An Imprint of HarperCollins*Publishers*, New York.

Verlagsgruppe Random House FSC® N001967

12. Auflage
Deutsche Erstausgabe Mai 2015 bei Blanvalet Verlag,
einem Unternehmen der
Verlagsgruppe Random House GmbH, München

Umschlaggestaltung: www.buerosued.de
Umschlagmotive: Getty Images/daitoZen; Getty Images/Tonic
Photo Studios, LLC; www.buerosued.de
Redaktion: Margit von Cossart
LH · Herstellung: sam
Satz: Buch-Werkstatt GmbH; Bad Aibling
Druck und Bindung: GGP Media GmbH, Pößneck
Printed in Germany
ISBN: 978-3-7341-0111-3
www.blanvalet.de

Kapitel 1

Annie redete normalerweise nicht mit ihrem Gepäck, aber sie war in letzter Zeit nicht ganz sie selbst. Das Fernlicht ihrer Autoscheinwerfer vermochte das chaotische Schneetreiben kaum zu durchdringen, die Scheibenwischer ihres uralten Kia waren dem Zorn des Sturms, der die Insel gerade überfiel, nicht gewachsen.

»Das ist nur ein bisschen Schnee«, erklärte sie dem übergroßen roten Koffer, der auf den Beifahrersitz gepfercht war. »Nur weil es sich wie das Ende der Welt anfühlt, heißt das nicht, dass es das auch ist.«

Du weißt, ich hasse die Kälte, antwortete Crumpet, die verwöhnte kleine Prinzessin, in ihrem Koffer. Sie sprach in dem nervtötenden Quengelton eines Kindes, das seinen Standpunkt gern verdeutlichte, indem es mit dem Fuß aufstampfte. *Wie konntest du mich an diesen schrecklichen Ort bringen?*

Weil mir die Alternativen ausgegangen sind …

Ein heftiger Windstoß brachte Annies Wagen zum Schaukeln, die Äste der hohen alten Tannen, die die ungepflasterte Straße säumten, wurden erbarmungslos hin und her gepeitscht. Jeder, der glaubte, die Hölle sei ein Glutofen, musste total im Irrtum sein. Die Hölle war diese trostlose, unwirtliche Insel im eiskalten Winter.

Hast du noch nie was von Miami Beach gehört?, nörgelte Crumpet weiter. *Warum verschleppst du uns auf eine verlassene Insel mitten im Nordatlantik, wo wir wahrscheinlich von* Polarbären *gefressen werden!*

Das Getriebe knirschte, während der Kia sich auf der schmalen, rutschigen Inselstraße voranskämpfte. Annie hatte Kopfschmerzen, ihre Rippen taten weh vom Husten, und die simple Anstrengung, einen langen Hals zu machen, um durch eine nicht beschlagene Lücke in der Windschutzscheibe hinausspähen zu können, machte sie schwindlig. Sie war ganz allein auf der Welt, ihr blieben lediglich die imaginären Stimmen ihrer Puppen, die sie in der Realität verankerten. Selbst in ihrem angeschlagenen Zustand entging Annie nicht die Ironie.

Sie beschwor die besänftigendere Stimme von Crumpets Gegenpart herauf, der praktisch denkenden, vernünftigen Dilly, die in dem kleineren roten Koffer auf dem Rücksitz verstaut war. *Wir sind hier nicht mitten im Nordatlantik,* sagte Dilly. *Wir sind auf einer Insel, die zehn Meilen vor der Küste Neuenglands liegt, und nach allem, was ich gehört habe, gibt es in Maine keine Polarbären. Außerdem ist Peregrine Island nicht verlassen.*

Die Prinzessin stieß einen verächtlichen Laut aus. *Man könnte es aber meinen.* Wäre Crumpet auf Annies Hand gewesen, hätte sie ihre kleine Nase hoch in die Luft gereckt. *Die Leute können schon im Hochsommer hier kaum überleben, geschweige denn im Winter. Ich wette, die essen ihre Toten, um nicht zu verhungern.*

Der Wagen geriet leicht ins Schleudern. Annie steuerte dagegen und umklammerte das Lenkrad fester. Die Heizung funktionierte nicht richtig, sie schwitzte dennoch.

Crumpet, hör auf mit der Nörgelei, mahnte Dilly ihren mürrischen Gegenpart. *Peregrine Island ist im Sommer ein beliebtes Urlaubsziel.*

Aber es ist nicht Sommer!, konterte Crumpet. *Es ist der erste Februar, wir kommen gerade von einer Autofähre, die mich seekrank gemacht hat, und außerdem können es nicht mehr als fünfzig Menschen sein, die hier leben. Fünfzig* dumme *Menschen!*

Du weißt genau, Annie hatte keine andere Wahl, als hierherzukommen, sagte Dilly.

Weil sie eine totale Versagerin ist, höhnte eine unfreundliche männliche Stimme.

Leo hatte die schlechte Angewohnheit, Annies tiefste Ängste auszusprechen, und es war unvermeidlich, dass er in ihre Gedanken eindrang. Leo war ihre ungeliebteste Puppe, doch jede Geschichte brauchte einen Bösewicht.

Sehr unhöflich, Leo, sagte Dilly. *Selbst wenn es wahr ist.*

Die bockige Crumpet fuhr fort, sich zu beschweren. *Du bist die Heldin, Dilly, für dich geht es immer gut aus. Für den Rest von uns leider nicht. Nie. Wir sind verdammt! Verdammt, sage ich! Wir sind für immer …*

Die Theatralik der Puppe wurde von Annies Husten unterbrochen. Ihr Körper würde sich früher oder später von den hartnäckigen Folgen der Lungenentzündung erholen, zumindest hoffte Annie das, aber was war mit ihrer Seele? Sie hatte den Glauben an sich selbst verloren, das Gefühl, dass ihre beste Zeit noch vor ihr lag – kein Wunder mit dreiunddreißig Jahren. Sie war körperlich geschwächt, emotional leer und mehr als nur ein bisschen verstört, nicht gerade die beste Verfassung für jemanden, der gezwungen war, die nächsten zwei Monate auf einer abgelegenen Insel in Maine zu verbringen.

Es sind nur sechzig Tage, Annie, versuchte Dilly zu beschwichtigen. *Außerdem hast du keinen anderen Ort, an den du gehen kannst.*

Und da war sie. Die hässliche Wahrheit. Annie hatte keinen anderen Ort. Hatte nichts anderes zu tun, als nach dem Vermächtnis zu suchen, das ihre Mutter Mariah ihr hinterlassen hatte oder vielleicht auch nicht.

Der Kia erwischte eine schneegefüllte Spurrille, und Annies Sicherheitsgurt blockierte. Der Druck auf ihren Brustkorb brachte sie wieder zum Husten. Könnte sie doch nur im Dorf übernachten, doch der Inselgasthof war bis Mai geschlossen. Egal, sie konnte sich eine Übernachtung sowieso nicht leisten.

Der Wagen kam kaum den Hügel hoch, den sie überwinden musste, um ihr Ziel zu erreichen. Annie hatte jahrelange Praxis darin, ihre Puppen bei jedem Wetter quer durch das ganze Land zu transportieren, eine Straße wie diese würde allerdings selbst ein wintererprobter Autofahrer nur eingeschränkt meistern können, besonders mit ihrem Kia. Es hatte seinen Grund, warum die Bewohner von Peregrine Island alle Pick-ups fuhren.

Lass es langsam angehen, riet eine andere männliche Stimme aus dem Koffer auf dem Rücksitz. *Langsam und stetig führt sicher ans Ziel.* Peter, ihre Heldenpuppe – ihr Ritter ohne Furcht und Tadel – fand stets aufmunternde Worte, anders als ihr letzter Lover, ein Schauspieler, der immer nur sich selbst aufmunterte.

Auf der Hügelkuppe brachte Annie den Wagen kurz

zum Stehen, bevor sie langsam die Abfahrt begann. Und auf halbem Weg nach unten geschah es.

Die Erscheinung kam wie aus dem Nichts. Sie flog am Fuß des Hügels auf einem Pferd mit wehender Mähne über die Straße. Annie hatte schon immer eine lebhafte Fantasie besessen – man brauchte nur die inneren Gespräche mit ihren Puppen als Beispiel zu nehmen – und dachte zuerst, sie würde ihr wieder einmal einen Streich spielen. Aber die Vision war real. Es waren Teufelskreaturen: ein schwarz gekleideter Wahnsinniger mit einem glänzenden Rappen wie aus einem Albtraum, der gegen die tosende Naturgewalt angaloppierte.

Ross und Reiter verschwanden so rasch, wie sie aufgetaucht waren, Annie trat dennoch unwillkürlich auf die Bremse, und der Wagen geriet ins Schleudern. Er schlitterte quer über die Straße und kam mit einem unangenehmen Ruck in dem verschneiten Seitengraben zum Stehen.

Du bist so eine Loserin, höhnte Leo der Bösewicht.

Tränen der Erschöpfung traten Annie in die Augen. Ihre Hände zitterten. Waren der Mann und das Pferd wirklich real gewesen, oder hatte sie sich das nur eingebildet? Sie musste sich konzentrieren. Vorsichtig legte sie den Rückwärtsgang ein und versuchte, den Wagen aus dem Graben zu manövrieren, doch die Reifen bohrten sich nur tiefer in den Schnee. Annies Kopf sackte gegen die Kopfstütze. Wenn sie lange genug ausharrte, würde irgendwer sie schließlich hier finden. Aber wann? Nur das Cottage und Harp House, das große Haus auf der Klippe, lagen am Ende dieser Straße.

Sie dachte angestrengt nach. Ihre einzige Kontaktperson auf der Insel war Will Shaw, der sich um das Haus und das Cottage kümmerte, aber sie hatte von ihm nur eine E-Mail-Adresse, über die sie ihn mit der Bitte, den Generator und den kleinen Heizkessel im Cottage einzuschalten, über ihre Ankunft verständigt hatte. Selbst wenn sie die Telefonnummer des Mannes gehabt hätte, wäre das nicht hilfreich gewesen, denn sie bezweifelte, dass sie hier draußen ein Funksignal empfangen konnte.

Loserin. Leo redete nie in einem normalen Ton. Er konnte nur höhnen.

Annie zog ein Taschentuch aus einer zerknitterten Packung, und statt über ihr Dilemma nachzudenken, dachte sie wieder an das Pferd und den Reiter. Was für ein Verrückter ritt bei diesem Wetter aus? Sie kniff die Augen zu und kämpfte gegen einen Anflug von Übelkeit an. Wenn sie sich doch nur zusammenrollen und schlafen könnte. Wäre es denn so schlimm, sich einzugestehen, dass das Leben sie untergekriegt hatte?

Hör sofort damit auf, sagte die vernünftige Dilly.

Annies Kopf hämmerte. Sie musste Shaw bitten, ihren Wagen aus dem Graben zu ziehen.

Vergiss Shaw, verkündete Peter der Held. *Ich kümmere mich darum.*

Aber Peter war – genau wie Annies Exfreund – nur gut darin, fiktive Krisensituationen zu bewältigen.

Bis zum Cottage war es noch ungefähr eine Meile. Kein Problem für eine gesunde Person bei anständigem Wetter. Das Wetter war jedoch furchtbar, und an Annie war nichts gesund.

Gib auf, höhnte Leo. *Du weißt, dass du nicht mehr kannst.*

Leo, hör auf, so ein Arsch zu sein. Diese Stimme kam von Scamp, Dillys bester Freundin und Annies Alter Ego.

Obwohl Scamp für viele Meinungsverschiedenheiten zwischen den Puppen verantwortlich war – Meinungsverschiedenheiten, die Dilly und Peter klären mussten –, liebte Annie Scamps Mut und ihr großes Herz.

Reiß dich zusammen, befahl Scamp. *Steig aus dem Wagen.*

Annie hätte am liebsten erwidert, sie solle zur Hölle fahren, aber was machte das für einen Sinn? Sie stopfte ihre schwer zu bändigenden Haare in den Kragen ihrer Steppjacke und zog den Reißverschluss bis zum Kinn hoch. Ihre Strickhandschuhe hatten am Daumen ein Loch, und der Türgriff fühlte sich an der entblößten Hautstelle eiskalt an. Annie zwang sich, die Tür aufzustoßen.

Die Kälte, die ihr gleich ins Gesicht schlug, raubte ihr den Atem. Sie musste ihre Beine mit Gewalt aus dem Wagen hieven. Ihre ausgetretenen braunen Stadtstiefel aus Wildleder versanken im Schnee, und auch ihre Jeans war für dieses Wetter nicht geeignet. Annie zog den Kopf ein vor dem Wind und bahnte sich einen Weg zum Kofferraum, in dem ihr schwerer Daunenmantel lag, nur um festzustellen, dass sich das Heck ihres Wagens so fest in dem Hang verkeilt hatte, dass der Kofferraum sich nicht öffnen ließ. Warum sollte sie das überraschen? Es war so lange nichts mehr nach ihren Vorstellungen gelaufen, dass sie ganz vergessen hatte, wie es sich anfühlte, Glück zu haben.

Sie stapfte wieder vor zur Fahrertür. Ihre Puppen dürften über Nacht in dem Wagen sicher sein, aber was, wenn nicht? Annie brauchte sie. Sie waren alles, was sie noch hatte, und wenn sie die Puppen verlor, blieb nichts von ihr übrig.

Erbärmlich, höhnte Leo.

Annie hatte das Bedürfnis, ihn in Stücke zu reißen.

Babe … Du brauchst mich mehr als ich dich, erinnerte er sie. *Ohne mich hast du keine Show.*

Sie stellte ihn kalt. Dann hievte sie schwer keuchend die beiden Koffer aus dem Wagen, zog den Autoschlüssel ab, schaltete die Scheinwerfer aus und schlug die Tür zu.

Augenblicklich tauchte sie in dichte, wirbelnde Schwärze ein. Panik machte sich in ihrer Brust breit.

Ich werde dich retten!, verkündete Peter.

Annie umklammerte die Koffergriffe fester und versuchte, sich nicht von ihrer Panik lähmen zu lassen.

Ich kann nichts sehen!, jammerte Crumpet. *Ich hasse die Dunkelheit!*

Annie hatte keine praktische Taschenlampen-App auf ihrem uralten Handy, doch dafür hatte sie … Sie setzte einen Koffer im Schnee ab und kramte in ihrer Jackentasche nach ihrem Schlüsselbund, an dessen Ring eine kleine LED-Lampe hing. Sie hatte sie seit Monaten nicht benutzt, und sie wusste nicht, ob sie noch funktionierte. Das Herz schlug ihr bis zum Hals, als sie die Lampe anknipste.

Ein neonblauer Lichtstrahl schnitt einen kleinen Pfad durch den Schnee, so schmal, dass man leicht von der Straße abkommen konnte.

Reiß dich zusammen, befahl Scamp wieder.

Gib auf, höhnte Leo.

Annie machte die ersten Schritte in den Schnee hinein.

Der Wind pfiff durch ihre zu dünne Jacke und zerrte an ihren Haaren, peitschte ihr die Locken ins Gesicht. Schneeflocken klatschten ihr in den Nacken, und sie fing an zu husten. Ihre Lunge zog sich schmerzhaft zusammen. Viel zu früh musste sie ihr Gepäck absetzen, um ihren Armen eine Pause zu gönnen.

Im Bemühen, sich so gut es ging vor der eiskalten Luft zu schützen, kauerte Annie sich tief in ihre Jacke. Ihre Finger brannten vor Kälte, sie hatte noch niemals so sehr gefroren. Als sie sich wieder in Bewegung setzte, wandte sie sich erneut an die imaginären Stimmen ihrer Puppen, um wenigstens ein bisschen Gesellschaft zu haben.

Crumpet: *Wenn du mich fallen lässt und mein lavendelblaues Glitzerkleid ruinierst, werde ich dich verklagen.*

Peter: *Ich bin der Tapferste! Ich bin der Stärkste! Ich werde dir helfen!*

Leo (höhnisch): *Kannst du überhaupt irgendwas richtig machen?*

Dilly: *Hör nicht auf Leo. Geh einfach weiter. Wir werden schon ankommen.*

Und Scamp, ihr nutzloses Alter Ego: *Kommt eine Frau mit einem Koffer in eine Bar …*

Eiskalte Tränen stiegen Annie in die Augen, und sie sah nur noch verschwommen. Der Wind zerrte an den beiden Koffern, drohte, sie fortzureißen. Dumm von ihr, dass sie sie mitgenommen hatte. Dumm, dumm, dumm. Aber sie konnte ihre Puppen nicht zurücklassen.

Jeder Schritt fühlte sich an wie eine Meile. Dabei hatte sie schon gedacht, dass ihr Glück sich zum Besseren wendete, nachdem sie es geschafft hatte, die Fähre zu erwischen, die im Winter nur alle paar Wochen verkehrte.

Doch je weiter sich das Schiff von der Küste entfernt hatte, desto schlimmer war der Sturm geworden.

Annie stapfte durch den Schnee, setzte mühsam einen Fuß vor den anderen, versuchte, ruhig zu atmen, um nicht gleich dem nächsten Hustenanfall zu unterliegen. Warum hatte sie ihren warmen Daunenmantel nicht auf die Rückbank gelegt statt in den Kofferraum? Warum hatte sie so viele Dinge versäumt? Zum Beispiel eine dauerhafte Beschäftigung zu finden. Vorsichtiger mit dem Geld umzugehen. Mit anständigen Männern auszugehen.

Es war so viel Zeit verstrichen seit ihrem letzten Besuch auf der Insel. Früher endete die Straße an einer Abzweigung, die links zum Cottage und rechts zum Klippenhaus führte. Aber was, wenn sie die Abzweigung verpasste? Wer wusste schon, was sich in all den Jahren verändert hatte?

Annie stolperte und fiel auf die Knie. Der Schlüsselbund glitt ihr aus der Hand, und das Licht ging aus. Sie stützte sich auf einen der Koffer, steif vor Kälte, rang nach Luft und tastete verzweifelt im Schnee herum. Wenn sie ihre Taschenlampe nicht fand …

Ihre Finger waren so taub, dass sie sie kaum noch bewegen konnte. Als sie die Lampe schließlich wieder in der Hand hielt, schaltete sie erleichtert das Licht an und sah vor sich die Baumgruppe, die immer das Ende der Straße markiert hatte. Sie schwenkte den Lichtstrahl nach rechts, wo er auf den großen Granitfelsen an der Abzweigung fiel. Annie stemmte sich vom Boden hoch, nahm die Koffer und stolperte weiter durch das Schneegestöber.

Ihre Erleichterung darüber, dass sie die Abzweigung gefunden hatte, schwand wieder. Das raue Klima in Maine hatte diesen Landstrich über Jahrhunderte hinweg kahl gefegt, abgesehen von ein paar besonders widerstandsfähigen Fichten. Ohne einen Windschutz war es kaum möglich, sich auf den Beinen zu halten. Annie gelang es nur mit größter Mühe, sich die Koffer nicht aus den Händen reißen zu lassen. Mühsam schleppte sie sich Schritt für Schritt durch die hohen Schneeverwehungen, gegen das Bedürfnis ankämpfend, sich einfach fallen zu lassen und sich der Kälte auszuliefern.

Sie war so damit beschäftigt, der Sturmgewalt zu trotzen, dass sie beinahe an ihrem Ziel vorbeigestapft wäre. Erst als sie mit einem ihrer Koffer an eine zugeschneite Steinmauer stieß, erkannte Annie, dass sie Moonraker Cottage erreicht hatte. Das kleine Haus mit der grauen Schindelfassade war völlig zugeschneit. Kein freigeschaufelter Weg, keine Willkommenslichter. Bei Annies letztem Besuch war die Vordertür scharlachrot gewesen, inzwischen hatte man ihr einen kühlen lavendelblauen Anstrich verpasst. Unter dem Erkerfenster standen zwei alte Hummerfallen aus Holz, ein Hinweis auf den Ursprung des Cottage – es war eine ehemalige Fischerhütte. Annie bahnte sich einen Weg durch den tiefen Schnee zur Tür und setzte ihre Koffer ab. Sie stocherte mit ihrem Schlüssel in dem Türschloss herum, bis ihr einfiel, dass die Inselbewohner selten ihre Häuser abschlossen.

Die Tür flog mit dem Wind auf. Annie schleifte die Koffer hinein und drückte mit letzter Kraft die Tür von innen zu. Mit pfeifender Lunge ließ sie sich auf den nächsten Koffer sinken und rang nach Luft.

Schließlich wurde ihr der Modergeruch in dem eiskalten Raum bewusst. Sie presste die Nase in ihren Jackenärmel und tastete nach dem Lichtschalter. Nichts passierte, als sie ihn umlegte. Entweder war ihre E-Mail nicht angekommen, oder Shaw hatte sie einfach ignoriert.

Annies steif gefrorene Glieder pochten. Sie ließ ihre eisverkrusteten Handschuhe auf den kleinen Läufer aus grobem Leinen fallen, der direkt hinter der Tür lag, hielt sich aber nicht damit auf, den Schnee aus ihren sturmzerzausten Haaren zu schütteln. Ihre Jeans war an ihren Beinen festgefroren, um sie auszuziehen, musste sie ihre Stiefel abstreifen, und dafür war ihr zu kalt. Zudem musste sie, wie erbärmlich sie sich auch fühlen mochte, zuerst ihre Puppen aus den verschneiten Koffern holen.

Annie entdeckte eine Taschenlampe, die ihre Mutter immer in der Nähe der Tür aufbewahrt hatte, und knipste sie an. Bevor die Mittel für die Schulen und Büchereien drastisch gekürzt worden waren, hatten die Puppen ihr ein regelmäßiges Einkommen als Bauchrednerin verschafft, was ihr darüber hinweghalf, dass ihre Schauspielkarriere gescheitert war. Die Teilzeitjobs als Hundesitterin und Kellnerin waren nicht besonders lukrativ gewesen.

Zitternd vor Kälte, verfluchte sie Shaw, der offenbar keine Skrupel hatte, ein Pferd durch das Unwetter zu treiben, aber sich die Mühe sparte, seinen eigentlichen Job zu machen. Der schwarze Reiter musste Shaw gewesen sein. Niemand sonst lebte im Winter an diesem Ende der Insel. Annie öffnete die Reißverschlüsse beider Koffer und nahm ihre fünf Puppen heraus. Sie ließ sie in ihren Schutzhüllen und drapierte sie vorläufig auf der pinkfarbenen viktorianischen Samtcouch im Wohnzimmer, bevor sie dann, die Taschenlampe in der Hand, durch das Haus wanderte.

Die Einrichtung des Cottage entsprach in keiner Weise den gängigen Vorstellungen von einer traditionellen Fischerhütte in Neuengland. Mariah hatte überall ihren exzentrischen Stempel hinterlassen – angefangen von einer gruseligen Schüssel, die mit kleinen Vogelschädeln gefüllt war, bis hin zu einer versilberten Louis-XIV.-Kommode, die sie mit schwarzen Graffitibuchstaben besprüht hatte. Annie selbst bevorzugte ein gemütlicheres Ambiente, aber in Mariahs Glanzzeit, als sie Modedesigner und eine ganze Generation junger Künstler inspiriert hatte, waren das Cottage wie auch ihre Wohnung in Manhattan von exklusiven Einrichtungszeitschriften porträtiert worden.

Diese glorreichen Zeiten lagen schon viele Jahre zurück. Mariah war in Manhattans zunehmend jüngeren Künstlerkreisen in Ungnade gefallen. Die New Yorker Upperclass hatte schließlich begonnen, sich bei anderen Rat für die Zusammenstellung ihrer privaten Kunstsammlungen zu holen, und Annies Mutter war gezwungen gewesen, ihre Wertsachen nach und nach zu verscherbeln, um ihren Lebensstil beibehalten zu können. Als sie krank geworden war, war bereits alles verkauft. Alles bis auf etwas, das sich in diesem Cottage befinden sollte: das mysteriöse »Vermächtnis« für ihre Tochter.

Es ist im Cottage. Damit wirst du … ausgesorgt haben, hatte Mariah Annie in den letzten Stunden vor ihrem Tod, als sie kaum noch bei klarem Verstand gewesen war, zugeraunt.

Es gibt kein Vermächtnis, höhnte Leo. *Deine Mutter hatte einen starken Hang zum Übertreiben.*

Hätte Annie mehr Zeit auf der Insel verbracht, würde sie wahrscheinlich wissen, ob Mariah die Wahrheit gesagt hatte, aber sie verabscheute diesen Ort. Sie hatte ihn seit ihrem zweiundzwanzigsten Geburtstag nicht mehr besucht. Das war jetzt elf Jahre her.

Sie leuchtete mit der Taschenlampe in das Schlafzimmer ihrer Mutter. Ein aufwendig geschnitztes italienisches Kopfbrett zierte das riesige Doppelbett. Zwei Wandteppiche aus Wolle und Teilen, die wie Restposten aus einem Baumarkt aussahen, hingen neben dem Wandschrank. Der Schrank selbst roch immer noch nach dem unverwechselbaren Duft ihrer Mutter, einem wenig bekannten japanischen Herrenparfüm, dessen Import ein Vermögen gekostet hatte. Annie atmete den Duft ein und wünschte sich, sie würde die Trauer einer Tochter empfinden, die nur fünf Wochen zuvor einen Elternteil verloren hatte, doch sie fühlte sich lediglich erschöpft.

Erst als sie Mariahs alten scharlachroten Wollumhang und ein Paar dicke Socken entdeckte, zog Annie ihre nasse Kleidung aus. Dann packte sie jede Decke, die sie finden konnte, auf das Bett ihrer Mutter, kletterte zwischen die klammen Laken, knipste die Taschenlampe aus und versuchte, in den Schlaf zu finden.

Annie hätte nicht gedacht, dass ihr jemals wieder warm werden würde, aber tatsächlich war sie schweißgebadet, als sie gegen zwei Uhr morgens von einem Hustenanfall wach wurde. Ihre Rippen fühlten sich an, als wären sie gequetscht worden, ihr Kopf hämmerte, und ihr Hals war wund. Zudem musste sie auf die Toilette, und das in einem Cottage, in dem das Wasser abgestellt war. Als der

Hustenkrampf schließlich nachließ, strampelte sie sich unter den Decken hervor. Sie wickelte sich in den Umhang, schaltete die Taschenlampe ein und machte sich auf den Weg ins Bad.

Sie richtete die Taschenlampe weit weg von dem Spiegel, der über dem altmodischen Waschbecken hing. Sie wusste, was sie darin sehen würde: ein blasses, schmales Gesicht, von Krankheit gezeichnet, mit einem sehr spitzen Kinn und großen haselnussbraunen Augen, umrahmt von einer unkontrollierbaren Mähne aus hellbraunem Haar, das sich lockte, wie es wollte. Kinder mochten Annies Gesicht, die meisten Männer fanden es jedoch eher skurril als verführerisch. Annie hatte ihre Gesichtszüge und ihr Haar von ihrem Vater geerbt.

Ein verheirateter Mann sei er gewesen, hatte Mariah immer wieder geschimpft. Er habe nichts mit ihr zu tun haben wollen. Gott sei Dank sei er mittlerweile tot … Die Worte ihrer Mutter schossen ihr wieder durch den Kopf. Das war nicht die einzige Nettigkeit, die sie ihrer Tochter um die Ohren gehauen hatte. Um eine erfolgreiche Schauspielerin zu sein, muss man entweder eine außergewöhnliche Schönheit besitzen oder ein außergewöhnliches Talent, hatte Mariah eines Tages am Telefon gesagt. Du bist einigermaßen hübsch, Antoinette, und du bist eine sehr gute Stimmenimitatorin, aber wir müssen realistisch sein …

Deine Mutter war nicht gerade dein Cheerleader. Dilly stellte das Offensichtliche fest.

Ich werde dein Cheerleader sein, verkündete Peter. *Ich werde mich um dich kümmern und dich immer lieben.*

Peters heroische Erklärungen brachten Annie normalerweise zum Lächeln, im Moment konnte sie allerdings nur an die emotionale Kluft zwischen den Männern, denen sie ihr Herz geschenkt hatte, und ihren geliebten fiktiven Helden denken. Und an die andere Kluft – die zwischen dem Leben, das sie sich erträumt hatte, und dem, das sie tatsächlich führte.

Trotz der Einwände Mariahs hatte Annie Schauspiel und Theater studiert und sich danach zehn Jahre lang durch Vorsprechproben geplagt. Sie hatte Moderationen gemacht, Laientheater gespielt und sogar ein paar wenige Charakterrollen an kleinen New Yorker Bühnen ergattert. Zu wenige. Im Laufe des letzten Sommers hatte sie schließlich eingesehen, dass Mariah recht hatte. Sie war definitiv eine bessere Bauchrednerin als Schauspielerin. Was sie allerdings kein Stück weiterbrachte.

Annie entdeckte eine Flasche Wasser mit Ginsengaroma, die irgendwie vom Frost verschont geblieben war. Doch selbst das Schlucken tat ihr weh. Sie nahm die Flasche und machte sich auf den Weg in das Wohnzimmer.

Mariah war im vergangenen Sommer das letzte Mal auf der Insel gewesen, kurz bevor der Krebs diagnostiziert wurde, aber es war trotzdem relativ sauber. Shaw hatte offenbar zumindest einen Teil seiner Aufgaben erledigt. Ihr Blick fiel auf ihre Puppen. Die Puppen und ihr Kia waren alles, was Annie noch hatte.

Nicht ganz alles, sagte Dilly.

Richtig. Da waren noch die gigantischen Schulden, die Ann[illegible] nicht zurückzahlen konnte. Während der letzten [illegible] Monate vor dem Tod ihrer Mutter hatte sie eine [illegible] Geld leihen müssen, um Mariahs Bedürfnisse be[illegible] zu können.

Und um endlich Mommys Anerkennung zu gewinnen, höhnte Leo.

Annie nahm die Puppen aus ihren Schutzhüllen. Jede war ungefähr achtzig Zentimeter groß und hatte bewegliche Augen, einen beweglichen Mund und abnehmbare Beine. Sie griff sich Peter und schob ihre Hand unter sein T-Shirt.

Wie schön du bist, meine geliebte Dilly, sagte Peter mit seiner männlichsten Stimme. *Die Frau meiner Träume.*

Und du bist der beste Mann von allen, seufzte Dilly. *Tapfer und furchtlos.*

Nur in Annies Fantasie, bemerkte Scamp mit untypischer Boshaftigkeit. *Ansonsten bist du genauso nutzlos wie ihre Exfreunde.*

Es gibt nur zwei, Scamp, rügte Dilly ihre Freundin. *Und du solltest deine Verbitterung über die Männer wirklich nicht an Peter auslassen. Ich bin mir sicher, dass du das nicht mit Absicht machst, du klingst trotzdem wie ein Tyrann. Und du weißt ja, wie wir zu Tyrannen stehen.*

Annie hatte sich auf themenorientiertes Puppentheater spezialisiert mit dem Schwerpunkt Mobbing. Sie setzte Peter auf das Sofa und schob Leo ganz an den Rand, wo er höhnisch flüsterte: *Du hast immer noch Angst vor mir …*

Manchmal kam es Annie so vor, als würden die Puppen ihr eigenes Leben leben.

Sie zog den scharlachroten Umhang fester um sich und schlenderte zu dem Erkerfenster. Der Sturm hatte inzwischen ein wenig nachgelassen, es schneite nicht mehr. Fahles Mondlicht schien ins Zimmer. Annie blickte hinaus auf die trostlose Winterlandschaft – auf die tintenschwarzen Schatten der Fichten, auf das kahle Moor. Dann hob sie den Blick.

In der Ferne, auf der Spitze einer kargen Klippe, stand Harp House. Der in der Dunkelheit dramatisch wirkende Turm zeichnete sich vor dem trüben Halbmond ab. Nur hinter einem der oberen Turmfenster schimmerte Licht. Die Szenerie erinnerte Annie an die Titelbilder alter Schauerromane, die man manchmal noch in Antiquariaten entdeckte. Sie brauchte nicht viel Fantasie, um sich eine Heldin vorzustellen, die barfuß, nur mit einem hauchdünnen Negligé bekleidet, aus dem gespenstischen Haus floh, vom Turmlicht bedrohlich beleuchtet. Die alten Schauergeschichten waren kurios, verglichen mit den erotisch aufgeladenen Vampiren, Werwölfen und Gestaltwandlern von heute, aber Annie hatte sie schon immer mit Begeisterung verschlungen. Sie hatten ihre Tagträume genährt.

Über dem zerklüfteten Dach des Hauses jagten dunkle Wolken am Mond vorüber, ihr Flug so wild wie der Galopp des schwarzen Reiters auf seinem Pferd. Annie bekam eine Gänsehaut, nicht von der Kälte, sondern von ihrer eigenen Fantasie. Sie wandte sich von dem Erkerfenster ab und sah hinüber zu Leo.

Schwerlidrige Augen, ein schmallippiges, spöttisches Lächeln … der perfekte Bösewicht. Sie hätte sich so viel Kummer ersparen können, wenn sie diese grüblerischen Männer, in die sie sich verliebt hatte, nicht zu Fantasiehelden idealisiert, sondern erkannt hätte, dass einer ein Fremdgänger war und der andere ein Narziss. Leo war allerdings eine andere Geschichte. Annie hatte ihn selbst erschaffen. Sie hatte die Kontrolle über ihn.

Das denkst du, flüsterte er.

Sie fröstelte und kehrte in das Schlafzimmer zurück. Doch selbst als sie wieder unter die Decken schlüpfte, konnte sie das düstere Bild von dem Haus auf der Klippe nicht abschütteln.

Gestern Nacht träumte ich, ich sei wieder in Manderley.

Annie hatte keinen Hunger, als sie am nächsten Morgen aufstand, aber sie zwang sich trotzdem, eine Handvoll pappige Cornflakes zu essen. Im Cottage war es kalt, draußen war es grau, und alles, was sie wollte, war, ins Bett zurückzukehren. Ohne Ofen und fließendes Wasser war das Cottage allerdings nicht bewohnbar, und je mehr sie über den abwesenden Will Shaw nachdachte, desto wütender wurde sie. Sie kramte die einzige örtliche Telefonnummer heraus, die sie hatte, die des Gemeindehauses, das gleichzeitig auch Postamt und Bücherei war, nur um festzustellen, dass ihr Handy zwar noch ausreichend Akku hatte, aber keinen Empfang. Desillusioniert ließ Annie sich auf die Samtcouch sinken und stützte den Kopf in die Hände. Sie musste sich auf die Suche nach Will machen, und das bedeutete, sie musste zum Haus auf der Klippe hochgehen. Zurück an den Ort, den sie sich geschworen hatte, nie wieder zu betreten.

Sie zog so viele wärmende Kleidungsstücke übereinander, wie sie finden konnte und hüllte sich in den Wollumhang ihrer Mutter. Dann nahm sie ihre ganze Energie und Willenskraft zusammen und brach auf. Der Tag war so trüb wie ihre Zukunft, die salzige Luft nasskalt. Die Entfernung zwischen dem Cottage und dem Haus auf der Klippenspitze schien unüberwindbar.

Ich werde dich jeden einzelnen Schritt auf dem Weg tragen, verkündete Peter.

Scamp schnaubte nur verächtlich.

Es war gerade Ebbe, doch in dieser Jahreszeit über die vereisten Felsen an der Küste zu klettern war zu gefährlich, also musste Annie den längeren Weg um das Moor nehmen. Aber es war nicht nur der Weg, der ihr Angst machte.

Dilly versuchte, ihr Mut zuzusprechen. *Es ist fast zwanzig Jahre her, dass du das letzte Mal oben in Harp House warst. Die Geister und Kobolde sind längst verschwunden.*

Annie presste sich einen Zipfel ihres Umhangs gegen Nase und Mund.

Keine Sorge, sagte Peter. *Ich werde auf dich achtgeben.*

Peter und Dilly machten ihren Job. Sie waren dafür zuständig, die von Scamp entfachten Diskussionen zu klären und einzuschreiten, wenn Leo jemanden tyrannisierte. Sie waren diejenigen, die vor Drogen warnten und die Kinder mahnten, ihr Gemüse zu essen, ihre Zähne zu pflegen und sich von niemandem an ihren Genitalien anfassen zu lassen.

Aber es würde sich so gut anfühlen, höhnte Leo und kicherte.

Manchmal wünschte Annie, sie hätte ihn nie erschaffen, leider war er so ein perfekter Bösewicht. Leo war der Tyrann, der Drogendealer, der Fast-Food-König und der Fremde, der versuchte, Kinder vom Spielplatz wegzulocken.

Kommt mit mir, meine Kleinen, und ich gebe euch so viel Süßes, wie ihr wollt …

Hör auf damit, Annie, sagte Dilly. *Von den Harps kommt keiner vor dem Sommer auf die Insel. Nur Will Shaw lebt dort oben.*

Leo weigerte sich, Annie in Ruhe zu lassen. *Ich habe Andenken an deine ganzen Misserfolge. Wie läuft es eigentlich mit deiner dir so wichtigen Schauspielkarriere?*

Annie zog ihre Schultern bis zu den Ohren hoch. Sie musste unbedingt anfangen zu meditieren oder einen Yogakurs machen, irgendwas, das sie lehrte, ihren Geist zu disziplinieren, statt ihn frei umherwandern zu lassen, wie es ihm – beziehungsweise wie es ihm nicht – beliebte. Und wenn schon, ihr Traum von einer Schauspielkarriere hatte sich nicht auf die Art erfüllt, die sie sich gewünscht hatte, dafür wurde ihr Puppentheater von den Kindern heiß geliebt.

Annies Stiefel knirschten im Schnee. Vertrocknetes Schilfrohr lugte aus der Eisschicht, die das schlafende Moor überzog. Im Sommer wimmelte es hier von Leben, aber nun war alles öde und grau und so trostlos wie Annies Hoffnungen.

Als Annie sich der frisch vom Schnee geräumten Kiesauffahrt näherte, die zum Klippenhaus führte, blieb sie kurz stehen, um zu verschnaufen. Wenn Shaw die Zufahrt freischaufeln konnte, konnte er auch ihren Wagen aus dem Graben ziehen. Sie schleppte sich weiter. Vor ihrer Lungenentzündung hätte sie die Klippe im Laufschritt hochstürmen können, als sie nun die Spitze erreichte, brannte ihre Lunge allerdings wie Feuer, und ihr Atem ging wieder pfeifend. Von hier oben sah das Cottage wie ein verlassenes Spielzeug aus, das sich gegen die stürmische See und die schroffen Klippen verteidigen musste. Annie sog mehr Feuer in ihre Lunge und zwang sich dann, den Kopf zu heben.

Harp House erhob sich vor ihr, eine gezackte Silhouette vor dem zinnfarbenen Himmel. Verankert in Granit, den Sommerwinden und den Winterstürmen gnadenlos ausgesetzt, forderte es die Elemente heraus, es niederzureißen. Die anderen Ferienhäuser waren alle auf der besser geschützten Ostseite der Insel errichtet worden, aber Harp House verachtete den einfachen Weg. Hoch über dem Meer auf der felsigen Landspitze im Westen stand das Anwesen, eine mit Schindeln verkleidete, Furcht einflößende Festung aus Holz mit einem abweisenden Eckturm.

Alles war hier spitzwinklig: die Dächer, die Traufen und die Unheil verkündenden Giebel. Wie sehr Annie diese düstere Atmosphäre geliebt hatte in jenem Sommer, als ihre Mutter und Elliott Harp frisch verheiratet gewesen waren. Annie hatte sich damals ausgemalt, wie sie hier vorsprach, in einem mausgrauen Kleid und mit einem Handkoffer – von hoher Geburt, doch mittellos und verzweifelt, gezwungen, die bescheidene Stellung einer Gouvernante anzunehmen. Wie sie mit erhobenem Kinn und zurückgebogenen Schultern dem gewalttätigen, aber außerordentlich attraktiven Hausherrn derart mutig entgegentrat, dass er sich schließlich hoffnungslos in sie verliebte. Wie sie heirateten und Annie anschließend das Haus umgestaltete.

Es hatte nicht lange gedauert, bis die romantischen Träume einer Fünfzehnjährigen, die zu viel las und zu wenig erlebte, auf die harte Realität trafen.

Der Pool war inzwischen ein unheimlicher, gähnender Schlund, und die schlichte Holztreppe, die früher zum Hintereingang und zur Turmtür geführt hatte, war durch Steinstufen ersetzt worden, die von Wasserspeiern bewacht wurden. Annie kam am Pferdestall vorbei und folgte einem nachlässig freigeschaufelten Pfad zur Hintertür. Wehe, Shaw war nicht da, weil er wieder auf einem von Elliott Harps Pferden durch die Gegend galoppierte. Sie drückte auf die Klingel, hörte es drinnen jedoch nicht läuten. Das Haus war zu groß. Sie wartete, dann klingelte sie wieder. Niemand kam. Die Fußmatte sah allerdings so aus, als wäre dort erst vor Kurzem Schnee abgestreift worden. Annie klopfte kräftig an die Tür, die daraufhin knarrend aufschwang.

Annie war so kalt, dass sie ohne zu zögern den Windfang betrat. Eine bunte Sammlung von Jacken hing an einer Hakenreihe neben ein paar Schrubbern und Besen. Annie ging zu dem Durchgang, der zur Küche führte, und blieb wie angewurzelt stehen.

Alles hatte sich verändert. Die Küche war nicht mehr mit Walnussholzschränken und Edelstahlgeräten bestückt, wie Annie in Erinnerung hatte. Vielmehr sah der Raum nun aus, als wäre er durch eine Zeitschleife zurück ins 19. Jahrhundert katapultiert worden. Die Wand zwischen Küche und ehemaligem Frühstückszimmer war abgeschlagen worden, was den Raum doppelt so groß machte. Hoch angebrachte horizontale Fenster ließen viel Tageslicht herein, allerdings konnten nur große Menschen durch sie hinausschauen. Rauputz bedeckte die obere Hälfte der Wände, die untere war mit Kacheln gefliest, manche davon mit abgebrochenen Ecken, andere gerissen durch das Alter. Den Boden bedeckten alte

Steinfliesen, die Feuerstelle war eine rußige Höhle, groß genug, um darin ein Wildschwein zu braten ... oder einen Mann, der unklug genug war, sich beim Wildern auf dem Besitz Seiner Lordschaft erwischen zu lassen.

Die Hängeschränke waren derben Regalbrettern gewichen, auf denen Schalen und Töpfe aus Steingut standen. Hohe, frei stehende Schränke aus dunklem Holz ragten auf beiden Seiten eines mattschwarzen Industriekochers empor. Ein Spülstein barg einen unordentlichen Berg schmutziges Geschirr. Suppentöpfe und Pfannen aus Kupfer – nicht auf Hochglanz poliert, sondern verbeult und abgenutzt – hingen über einem großen, vernarbten Arbeitstisch aus massivem Holz, der dafür ausgelegt war, Hühnern die Köpfe abzuhacken, Hammelrippen zu Koteletts zu verarbeiten oder eine Weincreme zu schlagen für das Dinner Seiner Lordschaft.

Die Küche musste renoviert worden sein, aber im Stil eines anderen Jahrhunderts. Warum nur?

Lauf!, schrie Crumpet. *Irgendetwas ist hier oberfaul!*

Immer wenn Crumpet hysterisch wurde, zählte Annie auf Dillys sachlich-nüchterne Art, die Dinge zu betrachten, doch Dilly blieb stumm, und selbst Scamp fiel kein witziger Spruch ein.

»Mr. Shaw?« Annies Stimme mangelte es an ihrer normalen Ausdruckskraft.

Als keine Antwort erfolgte, setzte Annie ihren Weg durch die Küche fort, wobei sie nasse Schuhabdrücke auf dem Steinboden hinterließ. Sie würde ihre Stiefel trotzdem auf keinen Fall ausziehen. Falls sie weglaufen musste, würde sie das nicht auf Socken tun.

»Will?«

Nicht ein Mucks.

Sie ging an der Speisekammer vorbei, durchquerte einen schmalen Hinterflur, machte einen Schlenker um das Esszimmer und trat durch einen Türbogen in die Eingangshalle. Nur schwach drang milchiges Licht durch die sechs Fensterquadrate über der Haustür. Die massive Mahagonitreppe führte nach wie vor zu einem Zwischenabsatz mit einem Buntglasfenster, das farbenfrohe Blumenmuster des Treppenläufers war einem tristen Kastanienbraun gewichen. Auf den Möbeln lag ein Staubfilm, und oben in den Ecken hingen Spinnweben. Die Wände waren hier mit dunklem Massivholz getäfelt, die Meerlandschaften waren durch düstere Ölgemälde ersetzt worden, die wohlhabende Männer und Frauen in der Kleidung des 19. Jahrhunderts porträtierten, bei denen es sich ganz sicher nicht um die irischen bäuerlichen Vorfahren von Elliott Harp handelte. Alles, was fehlte, um die Eingangshalle noch deprimierender zu machen, waren eine Rüstung und ein ausgestopfter Rabe.

Annie hörte oben Schritte und näherte sich der Treppe. »Mr. Shaw? Hier ist Annie Hewitt. Die Hintertür war offen, also habe ich mir erlaubt einzutreten.« Sie sah hoch. »Ich brauche …« Die Worte blieben ihr im Hals stecken.

Auf dem oberen Treppenabsatz stand der Herr des Hauses.

Kapitel 2

Er kam langsam die Treppe herunter. Ein zum Leben erwachter Schauerromanheld in einem schneeweißen Hemd mit Halstuch, einer perlgrauen Weste und einer dunklen Hose, die in eng die Waden umschließenden Reitstiefeln aus schwarzem Leder steckte. In seiner linken Hand hielt er lässig eine Duellierpistole mit einem stählernen Lauf.

Annie rieselte ein eiskalter Schauer über den Rücken. Sie zog kurz die Möglichkeit in Betracht, dass ihr Fieber zurückgekehrt war – oder dass ihre Einbildungskraft sie endgültig über die Klippe der Realität gestoßen hatte. Aber es war keine Halluzination. Er war nur allzu real.

Nur langsam riss sie ihren Blick von der Pistole, den Stiefeln und der Weste los, um den Mann selbst zu betrachten. In dem trüben Halbdunkel erschien sein Haar rabenschwarz, seine Augen waren königsblau, das Gesicht kantig und ernst – alles an ihm verkörperte den Hochmut des 19. Jahrhunderts. Annie überkam das Bedürfnis, einen Knicks zu machen. Die Flucht zu ergreifen. Ihm zu sagen, dass sie auf die Gouvernantenstelle überhaupt nicht angewiesen sei.

Er erreichte nun das Ende der Treppe, und da sah Annie sie: die blasse helle Narbe am äußeren Rand seiner rechten Augenbraue. Die Narbe, die er ihr zu verdanken hatte.

Theo Harp.

Genau achtzehn Jahre waren vergangen seit ihrer letzten Begegnung. Achtzehn Jahre, in denen Annie versucht hatte, die Erinnerung an diesen schrecklichen Sommer zu begraben.

Lauf! Lauf so schnell du kannst! Dieses Mal war es nicht Crumpet, die sie in ihrem Kopf hörte, sondern die vernünftige, praktisch veranlagte Dilly.

Und noch jemanden ...

So ... Lernen wir uns also endlich kennen. Leos anhaltende Geringschätzung war plötzlich verschwunden und Ehrfurcht gewichen.

Theo Harps maskuline Schönheit passte perfekt in die schauerliche Umgebung. Er war groß, schlank und strahlte eine elegante Zügellosigkeit aus. Das Halstuch betonte seinen dunklen Teint, den er von seiner andalusischen Mutter geerbt hatte, der schlaksige Teenager von damals war nur noch eine entfernte Erinnerung. Aber an seiner Sohn-reicher-Eltern-Attitüde hatte sich nichts geändert. Er musterte Annie kühl.

»Was willst du hier?«

Sie hatte ihren Namen gerufen, er wusste also genau, wer sie war, doch er tat trotzdem so, als wäre eine fremde Person in sein Haus eingedrungen.

»Ich suche Will Shaw«, antwortete sie, wütend über das leichte Zittern in ihrer Stimme.

Er betrat nun den Marmorboden. »Shaw arbeitet hier nicht mehr.«

»Wer kümmert sich dann um das Cottage?«

»Das musst du meinen Vater fragen.«

Als könnte Annie einfach Elliott Harp anrufen, einen Mann, der die Wintermonate in Südfrankreich verbrachte, zusammen mit seiner dritten Frau, Cynthia, die sich von ihrer Vorgängerin nicht stärker unterscheiden könnte. Mariahs lebhafte Persönlichkeit und ihr exzentrischer Stil – Bleistifthosen, weiße Männerhemden, herrliche Seidentücher – hatten ein halbes Dutzend Liebhaber bezaubert, so auch Elliott Harp. Die Hochzeit mit Mariah war die Antwort auf seine Rebellion gegen ein ultrakonservatives Leben gewesen. Und Elliott hatte Mariah das Gefühl von Sicherheit gegeben, das sie sich selbst nie hatte geben können. Doch sie waren von Anfang an zum Scheitern verurteilt gewesen.

Annie befahl sich stumm, hart zu bleiben. »Weißt du, wo ich Shaw finden kann?«

Theos Schultern hoben sich kaum wahrnehmbar – er war wohl zu gelangweilt, um Energie für ein richtiges Achselzucken zu verschwenden.

»Keine Ahnung, wo er ist.«

Das Klingeln eines sehr modernen Mobiltelefons funkte dazwischen. Annie hatte nicht bemerkt, dass Theo ein elegantes schwarzes Smartphone in seiner Hand hielt – in der, die nicht die Duellierpistole liebkoste. Während er einen Blick auf das Display warf, wurde Annie auf einmal bewusst, dass Theo der schwarze Reiter gewesen war, den sie in der Nacht hatte vorbeigaloppieren sehen, ohne jede Rücksicht hatte er das Pferd über die Straße getrieben. Nicht verwunderlich, denn Theo besaß eine dunkle Vergangenheit, was das Wohl anderer Lebewesen betraf, sei es Tier oder Mensch.

Das flaue Gefühl kehrte in Annies Magen zurück. Sie beobachtete eine Spinne, die über den schmutzigen Marmorboden krabbelte. Theo schaltete das Handy auf lautlos. Durch die offene Tür hinter ihm, die in die Bibliothek führte, erhaschte Annie einen Blick auf Elliott Harps großen Mahagonischreibtisch. Er sah unbenutzt aus. Keine Kaffeetassen, keine Notizblöcke oder Nachschlagewerke. Falls Theo Harp gerade an seinem nächsten Buch arbeitete, tat er das nicht an diesem Platz.

»Ich habe das mit deiner Mutter gehört«, sagte er.

Kein Bedauern ... Andererseits hatte er mit eigenen Augen gesehen, wie Mariah ihre Tochter behandelt hatte.

Steh gerade, Antoinette. Sieh den Leuten in die Augen. Wie willst du sonst Respekt von den anderen erwarten? Schlimmer noch: *Gib das Buch her. Ab sofort wirst du keinen Schund mehr lesen. Nur noch die Romane, die ich dir gebe.*

Annie hatte jeden einzelnen dieser Romane gehasst. Andere mochten sich vielleicht für Melville, Proust, Joyce und Tolstoi begeistern, Annie wollte Geschichten über mutige Heldinnen lesen, die sich nicht unterkriegen ließen und sich nicht vor einen Zug warfen.

Theo musterte Annies improvisierte Kleidung – den roten Umhang, das alte Kopftuch, ihre ausgelatschten braunen Wildlederstiefel. Sie war in einem Albtraum gelandet. Die Pistole ... Seine bizarre Kleidung ... Warum sah das Haus aus, als hätte es sich zwei Jahrhunderte zurückentwickelt? Und warum hatte Theo einmal versucht, sie umzubringen?

Er ist mehr als ein Tyrann, Elliott, hatte Mariah ihrem

Mann damals erklärt. Mit deinem Sohn stimmt etwas ernsthaft nicht.

Annie begriff nun, was ihr in jenem Sommer nicht klar gewesen war: Theo Harp war geisteskrank – ein Psychopath. Die Lügen, die Manipulationen, die Grausamkeiten … Die Vorfälle, die sein Vater als jugendlichen Unfug abgetan hatte, waren ganz und gar kein Unfug gewesen.

Ihr Magen weigerte sich, sich zu beruhigen. Sie hasste es, so viel Angst zu haben. Theo steckte sein Handy in die Hosentasche und nahm die Pistole von der linken in die rechte Hand.

»Lass dich hier nie wieder blicken, Annie«, sagte er scharf.

Wieder einmal erwies er sich als der Stärkere, und sie hasste auch das.

Wie aus dem Nichts kroch ein gespenstisches Seufzen durch die Eingangshalle. Annie sah sich ruckartig um, auf der Suche nach der Ursache.

»Was war das?«

Sie richtete den Blick wieder auf Theo und sah, dass er überrascht wirkte. Er fasste sich rasch wieder. »Dies ist ein altes Haus.«

»Für mich klang das nicht wie ein Hausgeräusch.«

»Was geht dich das an?«

Er hatte recht. Nichts, was mit ihm zu tun hatte, ging sie etwas an. Annie war mehr als bereit zu verschwinden, aber sie war kaum ein halbes Dutzend Schritte gegangen, als das Seufzen sich wiederholte. Dieses Mal war es leiser, sogar noch unheimlicher als das erste Mal, und es kam aus einer anderen Richtung. Sie starrte zu Theo zurück.

Sein Stirnrunzeln hatte sich vertieft, seine Schultern waren angespannt.

»Hast du eine Wahnsinnige auf dem Dachboden versteckt?« Die Worte waren ihr herausgerutscht, ohne dass sie darüber hatte nachdenken können.

»Es ist der Wind«, erwiderte er, ihren erneuten Widerspruch herausfordernd.

Annies Hand umklammerte den weichen Wollumhang ihrer Mutter. »Wenn ich du wäre, würde ich überall das Licht anlassen.«

Sie hielt den Kopf aufrecht, bis sie aus der Eingangshalle in den Hinterflur verschwunden war, aber als sie die Küche erreichte, blieb sie stehen und holte tief Luft. Aus dem überfüllten Mülleimer, der in einer Ecke stand, ragten eine leere Tiefkühlpackung Waffeln, eine zerknitterte Fischli-Tüte und eine Ketchupflasche. Theo Harp war verrückt. Nicht lustig verrückt wie ein Mann, der schlechte Witze erzählte, sondern schlimm verrückt wie ein Mann, der im Keller Leichen stapelte. Als Annie schließlich in die arktische Luft hinaustrat, war es mehr als die Kälte, die sie zum Zittern brachte. Es war Verzweiflung.

Sie straffte sich. Sein Smartphone ... Im Haus musste es ein Funksignal geben. War es möglich, es auch hier draußen zu empfangen? Sie zog ihr Handy aus der Jackentasche, fand eine geschützte Stelle in der Nähe des verwaisten Gartenpavillons und schaltete ihr Gerät ein. Innerhalb von Sekunden hatte sie ein Signal. Ihre Hände zitterten, als sie die Nummer des sogenannten Gemeindehauses von Peregrine Island wählte.

Es meldete sich eine Frau, die sich als Barbara Rose

vorstellte. »Will Shaw hat mit seiner Familie die Insel verlassen«, erklärte sie. »Ein paar Tage, bevor Theo Harp hier ankam.« Annies Mut sank. »So machen das die jungen Leute«, sprach Barbara weiter. »Sie gehen fort. Die Hummerausbeute war in den letzten paar Jahren nicht gut.«

Zumindest verstand Annie nun, warum Shaw ihre E-Mail nicht beantwortet hatte. Sie befeuchtete ihre Lippen. »Ich frage mich ... Wie viel würde es kosten, jemanden zu mir rauskommen zu lassen, um mir zu helfen?«

Sie schilderte kurz das Problem mit ihrem Wagen und ihr Unvermögen, den kleinen Pelletofen und den Generator für das Cottage in Gang zu setzen.

»Ich werde meinen Mann zu Ihnen rausschicken, sobald er zurückkommt«, erwiderte Barbara in aufmunterndem Ton. »So handhaben wir das hier auf der Insel. Wir helfen uns gegenseitig. Sollte nicht länger als eine Stunde dauern.«

»Wirklich? Das wäre ... Das ist wirklich sehr nett.«

Annie hörte aus dem Stall ein leises Wiehern. Damals war das Gebäude in einem warmen Grauton gestrichen gewesen. Nun war es dunkelbraun, genau wie der Pavillon daneben. Annie richtete den Blick auf das Haus.

»Wir waren alle sehr betroffen, als wir erfahren haben, was mit Ihrer Mutter passiert ist«, sagte Barbara. »Wir werden sie vermissen. Sie hat Kultur auf die Insel gebracht, ganz zu schweigen von all den berühmten Leuten.«

»Danke.«

Annie dachte zuerst, das Licht würde ihr einen Streich spielen. Sie kniff kurz die Augen zusammen, aber es war immer noch da. Jemand stand an einem der oberen Fenster und sah zu ihr herunter.

»Booker wird Ihren Wagen rausziehen und Ihnen dann zeigen, wie man den Heizkessel und den Generator anwirft.« Barbara machte eine kurze Pause. »Sind Sie schon Theo Harp begegnet?«

So schnell wie es aufgetaucht war, verschwand das Gesicht am Fenster wieder. Annie war zu weit entfernt, als dass sie die Gesichtszüge hätte erkennen können, aber sie gehörten eindeutig nicht zu Theo. Zu einer Frau vielleicht? Der wahnsinnigen Ehefrau, die er weggesperrt hatte? Oder zu einem Kind?

»Nur kurz.« Annie starrte zu dem Fenster hoch. »Hat Theo jemanden mitgebracht?«

»Nein, er kam allein. Vielleicht haben Sie es noch nicht gehört ... Seine Frau starb im letzten Jahr.«

Sie starb? Annie wandte den Blick von dem Fenster ab und ließ ihrer Fantasie wieder freien Lauf. Sie bedankte sich bei Barbara für die Hilfe und machte sich anschließend auf den Rückweg zum Cottage.

Trotz der Kälte, ihrer schmerzenden Lunge und der unheimlichen Erscheinung am Fenster hatte sich ihre Stimmung ein wenig gebessert. Bald würde sie ihren Wagen wiederhaben, und auch das Haus würde zum Leben erweckt. Dann konnte sie ernsthaft mit der Suche nach Mariahs Vermächtnis beginnen, was auch immer sich dahinter verbarg. Das Cottage war nicht sehr groß. Es durfte also nicht so schwer sein, den Nachlass zu finden.

Nicht zum ersten Mal wünschte Annie sich, sie könnte das kleine Haus verkaufen, aber alles, was mit Mariah und Elliott zusammenhing, war schon immer kompliziert gewesen. Sie blieb stehen, um sich kurz auszuruhen. Elliotts Großvater hatte Harp House zu Beginn des 20. Jahrhunderts erbaut, und Elliott hatte später das umliegende Gelände dazugekauft, zu dem auch Moonraker Cottage gehörte. Aus irgendeinem Grund hatte Mariah sich in die kleine Fischerhütte verliebt und im Laufe des Scheidungsverfahrens von Elliott verlangt, ihr das Häuschen zu schenken. Er hatte das zunächst abgelehnt, als die Scheidungsvereinbarung schließlich unterschriftsreif war, hatten die beiden jedoch einen Kompromiss gefunden. Das Cottage sollte Mariah gehören, solange sie es jedes Jahr an sechzig aufeinanderfolgenden Tagen bewohnte. Anderenfalls würde es an die Familie Harp zurückfallen. Unwiderruflich. Verließ Mariah die Insel bevor die sechzig Tage vergangen waren auch nur für eine Nacht, verlor sie das Ferienhaus, ohne eine zweite Chance zu erhalten. Sie konnte nicht zurückkehren und wieder von vorn anfangen.

Mariah war ein Stadtmensch, und Elliott dachte, er hätte ihr ein Schnippchen geschlagen. Zu seiner Bestürzung arrangierte Mariah sich damit ganz gut. Sie liebte die Insel, auch wenn sie Elliott nicht mehr liebte, und da sie ihre Freunde auf dem Festland nicht besuchen konnte, lud sie sie einfach zu sich ein. Darunter waren bekannte Künstler und junge Talente, die Mariah unterstützen wollte. Sie alle begrüßten die Gelegenheit, im Atelier des Cottage zu malen, zu schreiben, kreativ zu sein. Mariah hatte die Künstler viel stärker gefördert, als sie jemals ihre eigene Tochter gefördert hatte.

Annie kauerte sich in ihren Umhang und setzte sich wieder in Bewegung. Sie hatte das Cottage geerbt, zusammen mit denselben Konditionen, denen ihre Mutter damals zugestimmt hatte. Keine Ausnahmen. Sie musste sechzig Tage in Folge hier verbringen, oder das Cottage gehörte wieder der Familie Harp. Im Gegensatz zu ihrer Mutter hasste Annie die Insel. Aber im Moment hatte sie keinen anderen Ort, an den sie gehen konnte – den mottenzerfressenen Futon im Lagerraum des Coffeeshops, in dem sie gekellnert hatte, nicht mitgezählt. Durch die Krankheit ihrer Mutter und dann durch ihre eigene Erkrankung war Annie nicht mehr in der Lage gewesen, ihren Jobs nachzugehen, und sie besaß weder die Kraft noch das Geld, um sich eine andere Unterkunft zu suchen.

Als sie das Moor erreichte, begannen Annies Beine zu rebellieren. Sie lenkte sich ab, indem sie Varianten ihres unheimlichen Seufzens übte. Etwas, das fast einem Lachen ähnelte, quälte sich aus ihr heraus. Als Schauspielerin mochte sie versagt haben, doch nicht als Bauchrednerin.

Und Theo Harp hatte keinen Verdacht geschöpft.

Ab dem kommenden Morgen hatte Annie Wasser, Strom und einen funktionierenden Ofen. Im Haus war es zwar immer noch kühl, aber es war bewohnbar. Und ihr Wagen stand vor der Tür. Von Barbara Roses geschwätzigem Ehemann Booker erfuhr sie, dass Theo Harps Rückkehr das Tagesgespräch auf der Insel war.

»Tragisch, was mit seiner Frau passiert ist«, sagte Booker, nachdem er Annie gezeigt hatte, wie man verhinderte, dass die Rohre zufroren, wie man den Generator bediente und wie man sparsam mit dem Gas umging, das den Heizkessel für das warme Wasser speiste. »Der Junge tut uns allen richtig leid, obwohl er immer schon ein sonderbarer Kauz war. Er hat hier viele Sommer verbracht. Haben Sie sein Buch gelesen?«

Annie widerstrebte es zuzugeben, dass sie es gelesen hatte, also antwortete sie mit einem unverbindlichen Achselzucken.

»Meine Frau bekam davon Albträume, schlimmer noch als von Stephen King«, fuhr Booker fort. »Kann mir nicht vorstellen, woher der Kerl so eine Fantasie hat.«

Die Heilanstalt war ein unnötig grausamer Roman über eine psychiatrische Klinik für geisteskranke Kriminelle, in der sich ein Raum befand, der die Patienten – besonders jene, die Freude am Quälen hatten – in eine andere Zeit zurückversetzte. Annie verabscheute das Buch. Theo besaß dank seiner Großmutter ein üppiges Vermögen und war nicht auf das Schreiben angewiesen, um seinen Lebensunterhalt zu sichern, was sein Werk in Annies Augen nur noch verwerflicher machte, selbst wenn es ein Bestseller gewesen war. Angeblich arbeitete er bereits an einer Fortsetzung, aber die würde sie ganz sicher nicht lesen.

Nachdem Booker gegangen war, packte Annie die Lebensmittel aus, die sie vom Festland mitgebracht hatte, überprüfte alle Fenster, schob den Beistelltisch aus massivem Stahl vor die Tür und schlief danach zwölf Stunden durch.

Wie immer in der letzten Zeit wachte Annie hustend auf und dachte als Erstes an ihre finanzielle Situation. Sie ertrank in Schulden, und sie war es leid, sich darüber den

Kopf zu zerbrechen. Sie lag unter den Decken, die Augen an die Decke geheftet, und dachte über einen Ausweg nach.

Nach ihrer Krebsdiagnose war Mariah zum ersten Mal auf Annie angewiesen gewesen, und Annie hatte ihre Mutter nicht im Stich gelassen. Sie hatte sogar ihre Jobs aufgegeben, als der Zeitpunkt gekommen war, an dem sie Mariah nicht mehr allein hatte lassen können.

Wie konnte ich so ein ängstliches Kind großziehen?, hatte ihre Mutter früher immer gesagt. Aber am Ende war Mariah diejenige gewesen, die sich fürchtete, die sich an Annie klammerte und sie anflehte, sie nicht zu verlassen.

Annie hatte ihre bescheidenen Ersparnisse aufgebraucht, um die Miete für Mariahs geliebte Wohnung in Manhattan zu bezahlen, damit ihre Mutter nicht ausziehen musste, und sich dann zum ersten Mal in ihrem Leben auf Kreditkarten verlassen. Sie kaufte die pflanzlichen Arzneimittel, auf die Mariah so sehr schwor, die Bücher, die den künstlerischen Geist ihrer Mutter nährten, und die spezielle Aufbaunahrung, die verhinderte, dass Mariah zu viel Gewicht verlor.

Je schwächer Mariah wurde, desto dankbarer wurde sie. Ich weiß nicht, was ich ohne dich tun würde, hatte sie wieder und wieder geflüstert. Ihre Worte waren Balsam für das kleine Mädchen, das immer noch in der Seele der erwachsenen Annie wohnte und das sich früher sehnlichst die Anerkennung seiner kritischen Mutter gewünscht hatte.

Annie wäre vielleicht in der Lage gewesen, sich über Wasser zu halten, hätte sie nicht beschlossen, den Traum ihrer Mutter von einer letzten Reise nach London zu erfüllen. Mithilfe eines weiteren Kredits hatte sie Mariah eine Woche lang in ihrem Rollstuhl durch die Londoner Museen und Galerien geschoben, die sie am meisten geliebt hatte. Allein jener Moment in der Tate Modern Gallery, als sie vor der riesigen Leinwand eines jungen Künstlers namens Niven Garr verweilt hatten, war Annies Opfer wert gewesen. Mariah hatte die Hand ihrer Tochter genommen, ihre Lippen daraufgedrückt und die Worte ausgesprochen, nach denen diese sich ihr ganzes Leben lang gesehnt hatte.

Ich hab dich lieb.

Annie quälte sich schließlich aus dem Bett und verbrachte den Vormittag damit, die fünf Räume des Cottage zu durchsuchen – Wohnzimmer, Küche, Bad, Mariahs Schlafzimmer und das Atelier, das gleichzeitig als Gästezimmer gedient hatte. All die Künstler, die im Laufe der Jahre hier zu Besuch gewesen waren, hatten ihrer Mutter Bilder und Skulpturen geschenkt, von denen Mariah die wertvollsten schon vor langer Zeit verkauft hatte. Aber was hatte sie behalten? Ein Chesterfield-Sofa und einen futuristisch anmutenden maulwurfgrauen Sessel, eine steinerne Thaigöttin, ein wandgroßes Gemälde einer kopfstehenden Ulme. Das Sammelsurium aus Kunstobjekten und verschiedenen Möbelstilen wurde durch Mariahs unfehlbaren Sinn für Farben geeint – Wände in zartem Vanillegelb und stabile Polstermöbel in Immergrün, Oliv und Braungrau. Die pinkfarbene Couch und ein hässlicher, in allen Farben schillernder Gipsstuhl in Form einer Meerjungfrau sorgten für den Schockeffekt.

Als Annie sich bei einer zweiten Tasse Kaffee eine Pause gönnte, beschloss sie, systematischer bei ihrer Suche vorzugehen. Sie fing im Wohnzimmer an und trug jedes Kunstobjekt samt seiner Beschreibung in ein Notizbuch ein. Es wäre so viel einfacher gewesen, wenn Mariah ihr gesagt hätte, wonach sie suchen sollte, beziehungsweise wie sie das Cottage verkaufen konnte.

Crumpet zog einen Flunsch. *Du hättest deiner Mutter diesen Trip nach London nicht zu spendieren brauchen. Stattdessen hättest du mir ein neues Kleid kaufen sollen. Und ein Diadem.*

Du hast das Richtige getan, sagte der stets motivierende Peter. *Mariah war kein schlechter Mensch, nur eine schlechte Mutter.*

Dilly sprach in ihrer sanften Art, was ihre Worte nicht weniger schmerzlich machte. *Hast du es für sie getan … oder für dich selbst?*

Leo reagierte lediglich mit Spott. *Alles, um Mommys Liebe zu gewinnen. Richtig, Antoinette?*

Und genau das war die Krux mit ihren Puppen – sie sprachen die Wahrheiten aus, denen Annie sich nicht stellen wollte.

Sie warf einen Blick aus dem Fenster und sah, dass sich in der Ferne etwas bewegte. Ein Reiter und ein Pferd, die sich deutlich vor einem grauweißen Meer abzeichneten, während sie durch die Winterlandschaft jagten, als wären die Dämonen aus der Hölle hinter ihnen her.

Es hatte keinen Sinn, Annie konnte nicht länger verdrängen, dass sie sich um ihr Handy kümmern musste. Der Schneefall in der Nacht zuvor hatte die bereits gefährliche Straße sicherlich vollends unpassierbar gemacht, und das bedeutete, dass sie wieder auf die Klippe hochsteigen musste, um ein Signal zu empfangen. Dieses Mal würde sie sich jedoch vom Haus fernhalten.

Mit ihrem dicken, daunengefütterten Mantel war sie für den Marsch besser gerüstet als beim letzten Mal. Es war zwar immer noch bitterkalt, zwischendurch kam jedoch die Sonne hervor, und der frische Schnee sah aus, als wäre er mit Glitzerstaub bestreut worden. Annies Probleme lasteten jedoch zu schwer auf ihr, um diese Schönheit genießen zu können. Sie brauchte mehr als nur Handyempfang. Sie benötigte einen Internetzugang. Wenn sie vermeiden wollte, dass ein Kunsthändler sie übers Ohr haute, musste sie alle Objekte recherchieren, die sie in ihrer Inventarliste notiert hatte. Und wie sollte sie das ohne das Internet bewerkstelligen? Das Cottage hatte keinen Satellitenempfang. Das Hotel und die Gasthäuser boten einen kostenlosen Internetservice an, aber jetzt im Winter waren sie geschlossen, und selbst wenn Annies Wagen die Strecke in die Stadt bewältigen würde, konnte sie sich nicht vorstellen, an Türen zu klopfen auf der Suche nach jemandem, der sie im Netz surfen ließ.

Trotz ihres Mantels, der roten Wollmütze, die sie über ihre übermütigen Haare gezogen hatte, und des Schals, den sie sich über ihren Mund und ihre Nase gewickelt hatte, um ihre Atemwege zu schützen, zitterte sie, als sie die Klippenspitze erreichte. Nach einem Blick in Richtung Haus, um sich zu vergewissern, dass Theo nicht in Sichtweite war, fand sie eine Stelle hinter dem Gartenpavillon, wo sie ihre Anrufe erledigen konnte – bei der Grundschule in New Jersey, die Annies letzten Besuch noch nicht bezahlt hatte, und in dem Kommissionsladen, wo sie die restlichen anständigen Möbel aus Mariahs Apartment hingebracht hatte. Annies eigene Möbel waren nichts wert gewesen, und sie hatte sie zum Sperrmüll gegeben. Sie hatte es so satt, sich wegen Geld Sorgen zu machen.

Ich werde deine Rechnungen bezahlen, verkündete Peter. *Ich werde dich retten.*

Ein Geräusch lenkte sie ab. Sie blickte sich um und entdeckte ein Kind, das unter den tiefen Ästen einer großen Rotfichte kauerte. Das Mädchen schien drei oder vier Jahre alt zu sein, zu jung, um sich allein draußen aufzuhalten. Es trug nur Turnschuhe, eine bauschige rosafarbene Jacke und eine dunkelrote Cordhose – keine Fäustlinge, keine warmen Stiefel, keine Mütze über dem hellbraunen Haar.

Annie musste an das Gesicht hinter dem Fenster denken. Dieses Kind hier war bestimmt Theos Tochter.

Die Vorstellung, dass Theo Vater war, entsetzte sie. Das arme kleine Mädchen. Es war nicht warm genug angezogen, und niemand schien es zu beaufsichtigen. In Anbetracht dessen, was Annie über Theos Vergangenheit wusste, waren das wahrscheinlich seine kleinsten Sünden.

Dem Kind wurde bewusst, dass Annie es gesehen hatte, und es wich zurück unter die Äste.

Annie ging in die Hocke. »Hey, du. Ich wollte dir keine Angst machen. Ich habe hier nur telefoniert.«

Die Kleine starrte sie lediglich an, aber Annie war in ihrem Leben mehr als genug schüchternen Kindern begegnet. »Ich bin Annie, eigentlich Antoinette, so nennt mich glücklicherweise niemand. Und wer bist du?« Das Kind gab keine Antwort. »Bist du eine Schneefee? Oder vielleicht ein Schneehase?« Immer noch keine Antwort. »Ich wette, du bist ein Eichhörnchen. Aber ich sehe gar keine Nüsse herumliegen. Vielleicht bist du ein Eichhörnchen, das Kekse knabbert?«

Gewöhnlich reagierte selbst das ängstlichste Kind auf diese Art von Unsinn, nicht jedoch dieses kleine Mädchen. Es war nicht taub – es hatte den Kopf nach einem zwitschernden Vogel gedreht –, als Annie die großen, wachsamen Augen musterte, wusste sie allerdings, dass etwas nicht stimmte.

»Livia!« Es war die Stimme einer Frau, gedämpft, als wollte sie vermeiden, dass jemand im Haus sie hören konnte. »Livia, wo bist du? Komm sofort hierher!«

Annies Neugier siegte, und sie kam hinter dem Pavillon hervor. Die Frau war sehr hübsch, hatte langes blondes Haar, das auf einer Seite gescheitelt war, und eine kurvige Figur, die selbst ihre weite Jeans und der Schlabberpullover nicht verhüllen konnten. Sie stützte sich unbeholfen auf ein Paar Krücken. Annie kam die Frau irgendwie bekannt vor.

»Jaycie?«

Die Frau schwankte auf ihren Krücken. »Annie?«

Jaycie Mills und ihr Vater hatten im Moonraker Cottage gewohnt, bevor es in Elliotts Besitz übergegangen war. Annie hatte Jaycie seit Jahren nicht mehr gesehen, aber man vergaß niemals eine Person, die einem das Leben gerettet hatte.

Wie ein rosafarbener Blitz schoss das kleine Mädchen an Annie vorüber und auf die Hintertür zu.

»Livia, ich hab dir nicht erlaubt rauszugehen«, zischte Jaycie. »Wir haben doch darüber gesprochen.«

Livia blieb stehen, sah zu Jaycie hoch, sagte allerdings kein Wort.

»Geh rein und zieh deine nassen Schuhe aus.«

Livia verschwand im Haus, und Jaycie richtete ihren Blick wieder auf Annie. »Ich hab schon gehört, dass du zurück auf der Insel bist, aber ich hätte nie erwartet, dich hier oben zu treffen.«

Annie blieb im Schatten der Bäume. »Ich habe unten im Cottage keinen Handyempfang, und ich musste ein paar Anrufe machen.«

Als Mädchen war Jaycie so blond gewesen, wie Theo Harp und seine Zwillingsschwester schwarzhaarig waren, und daran hatte sich nichts geändert. Auch wenn Jaycie heute nicht mehr so schlank war wie in ihren Teenagerjahren, hatte sie ihre hübschen Gesichtszüge behalten. Aber warum war sie im Klippenhaus?

Jaycie hatte offenbar ihre Gedanken gelesen. »Ich bin die neue Haushälterin hier.« Annie konnte sich keinen deprimierenderen Job vorstellen. Mit einer linkischen Geste deutete Jaycie auf die Tür hinter sich. »Komm rein.«

Annie konnte nicht, und sie hatte die perfekte Entschuldigung. »Lord Theo hat mir befohlen, mich von hier fernzuhalten.« Sein Name klebte an ihren Lippen wie ranziges Öl.

Jaycie war schon immer ernster gewesen als die anderen aus ihrer Clique, und sie reagierte nicht auf Annies Spöttelei. Als Tochter eines alkoholkranken Hummerfischers hatte sie früh Erwachsenenpflichten übernehmen müssen, und obwohl sie in ihrer Vierergruppe die Jüngste gewesen war – ein Jahr jünger als Annie und zwei Jahre jünger als die Harp-Zwillinge –, hatte sie von allen am reifsten gewirkt.

»Theo kommt immer nur nachts herunter«, sagte sie. »Er wird gar nicht mitkriegen, dass du da bist.«

Jaycie war offenbar nicht bewusst, dass Theo mehr als nur nächtliche Exkursionen unternahm.

»Ich kann wirklich nicht«, versuchte Annie um Verständnis zu bitten.

»Bitte«, insistierte Jaycie. »Es wäre eine schöne Abwechslung, mal wieder mit einem Erwachsenen zu reden.«

Ihre Einladung klang eher wie ein Appell. Annie stand tief in Jaycies Schuld, und obwohl sie am liebsten abgelehnt hätte, wusste sie, dass es falsch wäre zu gehen. Also gab sie sich einen Ruck und überquerte hastig die Wiese für den Fall, dass Theo gerade zufällig aus einem Fenster schaute. Als sie die von den Wasserspeiern bewachten Steinstufen hochstieg, musste sie sich selbst stetig daran erinnern, dass die Zeiten, in denen Theo Harp sie terrorisiert hatte, lange vorbei waren.

Jaycie stand im offenen Hintereingang. Sie sah, dass Annie das kleine lilafarbene Flusspferd musterte, das unter ihrer rechten Achselhöhle hervorragte, und den rosafarbenen Teddybär unter der linken.

»Die gehören meiner Tochter.«

Livia war also die Tochter von Jaycie, nicht die von Theo.

»Die Krücken schmerzen in den Achseln«, erklärte Jaycie, während sie zur Seite trat, um Annie hereinzulassen. »Die Plüschtiere dienen als Polsterung.«

»Und sorgen für interessanten Gesprächsstoff.«

Jaycie nickte nur, ihre Ernsthaftigkeit stand im Widerspruch zu den bunten Stofftieren. Obwohl sie Annie in jenem längst vergangenen Sommer vor dem Tod bewahrt hatte, waren die beiden sich nie richtig nähergekommen. Annie hatte sich bei ihrer letzten Stippvisite auf Peregrine Island um Jaycie bemüht, aber durch die Zurückhaltung ihrer Lebensretterin war das Treffen eher unbehaglich verlaufen.

Annie streifte ihre Stiefel auf der Fußmatte ab, die direkt hinter der Tür lag. »Wie ist das überhaupt passiert?«

»Ich bin vor zwei Wochen auf dem Eis ausgerutscht. Lass deine Stiefel ruhig an«, sagte Jaycie, als Annie sich bückte, um ihre Schuhe auszuziehen. »Der Boden ist so dreckig, da macht ein bisschen Schneematsch keinen Unterschied.« Sie humpelte unbeholfen vom Windfang in die Küche.

Annie zog trotzdem ihre Stiefel aus, nur um es gleich darauf, als die Kälte des Steinbodens durch ihre Socken drang, zu bereuen. Sie hustete und schnäuzte die Nase. Die Küche wirkte sogar noch düsterer, als Annie sie von ihrem Besuch am Tag zuvor in Erinnerung hatte. Der Stapel schmutziges Geschirr im Spülstein war größer geworden, der Mülleimer quoll vollends über, und der Boden hatte dringend eine Reinigung nötig. Der ganze Raum verursachte Annie Unbehagen.

Livia war verschwunden, und Jaycie ließ sich auf einen der Holzstühle sinken, die um die lange Tafel in der Mitte der Küche standen. »Ich weiß, hier sieht es aus wie im Saustall«, sagte sie. »Aber seit meinem Sturz fällt es mir sehr schwer, meine Arbeit zu verrichten.«

Jaycie strahlte eine Anspannung aus, die Annie nicht

von ihr kannte, nicht nur wegen ihrer abgekauten Fingernägel, sondern auch durch ihre schnellen, fahrigen Handbewegungen.

»Der Fuß tut immer noch weh?«, fragte Annie.

»Es hätte nicht zu einem schlechteren Zeitpunkt passieren können. Viele Leute kommen anscheinend wunderbar auf Krücken zurecht, ich gehöre ganz offensichtlich nicht dazu.« Sie benutzte beide Hände, um ihren Fuß auf den benachbarten Stuhl zu legen. »Theo will mich hier ohnehin nicht haben, und nun, da alles auseinanderfällt ...« Sie hob die Hände, schien dann aber vergessen zu haben, wohin sie damit wollte, und ließ sie wieder in ihren Schoß sinken. »Setz dich. Ich würde dir ja gern einen Kaffee anbieten, das ist allerdings zu anstrengend für mich.«

»Ich möchte nichts.«

Während Annie schräg gegenüber von Jaycie am Tisch Platz nahm, kehrte Livia in die Küche zurück, ein schmutziges rot-weiß getigertes Stoffkätzchen an sich gedrückt. Sie hatte ihre Jacke und ihre Schuhe ausgezogen, und der Saum ihrer Cordhose war nass. Jaycie sah es auch, machte aber nur ein resigniertes Gesicht.

Annie lächelte das Kind an. »Wie alt bist du, Livia?«

»Sie ist vier«, antwortete Jaycie für ihre Tochter. »Livia, der Boden ist eiskalt. Zieh deine Pantoffeln an.«

Die Kleine verschwand wieder, nach wie vor, ohne einen Ton gesagt zu haben.

Annie hätte Jaycie gern auf Livia angesprochen, das erschien ihr jedoch zu aufdringlich. »Was ist mit der Küche passiert?«, fragte sie stattdessen. »Sie sieht völlig anders aus.«

»Scheußlich, nicht wahr? Elliotts Frau hat sich, obwohl sie aus North Dakota stammt, in den Kopf gesetzt, das ganze Grundstück in einen alten englischen Landsitz aus dem 19. Jahrhundert zu verwandeln. Sie hat es irgendwie geschafft, Elliott zu überreden, ein Vermögen für den Umbau auszugeben, unter anderem für diese Küche. So viel Geld für so was Schreckliches. Und letzten Sommer waren Elliott und Cynthia nicht einmal hier.«

»Das kommt einem in der Tat verrückt vor.« Annie hob ihre Füße auf die vordere Quersprosse ihres Stuhls, damit sie nicht mehr mit dem Steinboden in Berührung kamen.

»Meine Freundin Lisa, du kennst sie wahrscheinlich nicht, sie war in jenem Sommer nicht auf der Insel, Lisa jedenfalls ist begeistert von Cynthias Werk, aber sie muss hier auch nicht arbeiten.« Jaycie senkte den Blick auf ihre abgekauten Fingernägel. »Ich war so aufgeregt, als Lisa Cynthia empfohlen hat, mich als Haushälterin einzustellen, nachdem Will fortgegangen war. Es ist nämlich unmöglich, im Winter hier Arbeit zu finden.« Ihr Stuhl knarzte, während sie versuchte, eine bequemere Position zu finden. »Jetzt, da ich mir den Fuß gebrochen habe, wird Theo mich jedoch wohl feuern.«

Annie biss die Zähne aufeinander. »Typisch für Theo, jemanden zu treten, der hilflos am Boden liegt.«

»Er scheint sich geändert zu haben. Ich weiß nicht.« Jaycies sehnsüchtiger Ausdruck erinnerte Annie an etwas, das sie beinahe vergessen hätte – die Art, wie Jaycie Theo in jenem Sommer stumm angehimmelt hatte, als bedeutete er für sie die ganze Welt. »Ich schätze, ich habe gehofft, wir würden uns öfter sehen. Um zu plaudern oder so.«

Dann hatte Jaycie also immer noch Gefühle für Theo.

Annie erinnerte sich, dass sie damals auf Jaycies Schönheit eifersüchtig gewesen war, auf ihr sanftes Wesen. Theo hatte dem kaum Beachtung geschenkt. Sie versuchte, taktvoll zu sein.

»Vielleicht solltest du dich glücklich schätzen. Theo ist nämlich nicht gerade eine verlässliche romantische Perspektive.«

»Wahrscheinlich nicht. Er ist irgendwie seltsam geworden. Er kriegt hier nie Besuch, und er fährt nur ganz selten in die Stadt. Er streift die ganze Nacht durch das Haus, und tagsüber reitet er entweder mit seinem Pferd aus, oder er sitzt oben im Turm und schreibt. Dort wohnt er auch, nicht im Hauptgebäude. Vielleicht sind ja alle Schriftsteller seltsam. Ich bekomme ihn manchmal tagelang nicht zu Gesicht.«

»Ich war gestern schon hier und bin ihm direkt über den Weg gelaufen.«

»Ach ja? Da waren Livia und ich krank, anderenfalls hätten wir dich gesehen. Wir haben die meiste Zeit geschlafen.«

Annie musste an das kleine Gesicht hinter dem Fenster im ersten Stock denken. Vielleicht hatte Jaycie geschlafen, aber Livia war umhergewandert.

»Theo wohnt im Turm wie seine Großmutter früher?«

Jaycie nickte und verlagerte ihren Fuß auf dem Stuhl. »Er hat dort eine eigene Küche. Bevor ich mir den Fuß gebrochen habe, habe ich immer seine Vorräte aufgefüllt. Jetzt, da ich die Treppe nicht mehr schaffe, muss ich alles mit dem Speiseaufzug hochschicken.«

Annie erinnerte sich nur allzu gut an den Speiseaufzug. Theo hatte sie eines Tages dort hineingestoßen und sie dann zwischen den Stockwerken hängen lassen. Sie warf einen Blick auf das runde Ziffernblatt der alten Wanduhr. Sie musste sich hinlegen. Wie lange noch, bevor sie gehen konnte?

Jaycie nahm ein Handy aus ihrer Hosentasche und legte es auf den Tisch. »Er schickt mir SMS, wenn er was braucht, aber mit meinem gebrochenen Fuß kann ich nicht viel machen. Er wollte mich von Anfang an hier nicht haben, Cynthia bestand allerdings darauf. Nun sucht er nach einem Vorwand, um mich wieder loszuwerden.« Annie hätte ihr gern Hoffnung gemacht, aber Jaycie sollte Theo eigentlich gut genug kennen, um zu wissen, dass er genau das tat, was er wollte. Jaycie zupfte an einem Glitzersticker, der an der grob gezimmerten Dienstbotentafel haftete. »Livia bedeutet mir alles. Sie ist alles, was ich noch habe.« Es klang nicht selbstmitleidig, sondern eher wie eine Feststellung. »Wenn ich diesen Job hier verliere, gibt es keinen anderen für mich.« Sie erhob sich umständlich von ihrem Stuhl. »Tut mir leid, dass ich mich bei dir ausheule. Die meiste Zeit habe ich nur eine Vierjährige zum Reden.«

Eine Vierjährige, die offenbar nichts sagte.

Jaycie humpelte mit einer Krücke auf einen sehr großen, altmodischen Kühlschrank zu. »Ich muss das Abendessen vorbereiten.«

Annie stand auch auf. »Lass mich dir helfen.« Trotz ihrer Müdigkeit würde es sich gut anfühlen, jemandem behilflich zu sein.

»Nein, schon okay.« Jaycie öffnete die Kühlschranktür, wodurch das Innenleben eines sehr modernen Geräts zum Vorschein kam. Sie starrte hinein. »Früher, als Kind, habe ich mir immer gewünscht, von der Insel wegzukommen. Dann habe ich einen Hummerfischer geheiratet und bin hier hängen geblieben.«

»Jemanden, den ich kannte?«

»Wahrscheinlich nicht. Ned war schon älter. Ned Grayson. Der attraktivste Mann der Insel. Eine Weile ließ mich das vergessen, wie sehr ich es gehasst habe, hier zu leben.« Sie nahm eine Schüssel aus dem Kühlschrank, die mit Plastikfolie abgedeckt war. »Ned ist letzten Sommer gestorben.«

»Das tut mir leid.«

Jaycie stieß ein reumütiges Lachen aus. »Das braucht dir nicht leidzutun. Es hat sich nämlich herausgestellt, dass er einen gemeinen Charakter hatte und große Fäuste besaß, die er ohne Skrupel benutzte. Hauptsächlich für mich.«

»O Jaycie …«

Ihre Verletzlichkeit ließ die Vorstellung, dass sie misshandelt worden war, doppelt so widerlich erscheinen.

Jaycie klemmte sich die Schüssel unter ihren freien Arm und zeigte auf ihren Fuß. »Was für eine Ironie. Ich dachte eigentlich, dass die Zeit der gebrochenen Knochen hinter mir liegen würde.« Sie stieß die Kühlschranktür mit der Hüfte zu, nur um im letzten Moment das Gleichgewicht zu verlieren. Ihre Krücke fiel auf den Boden, gefolgt von der Schüssel. Sie zerschellte, Glassplitter flogen umher.

»So ein Mist!«

Bittere Tränen der Wut verschleierten Jaycies Augen. Chilisoße war auf den Steinboden, den Schrank, ihre Jeans und Sneakers gespritzt. Überall lagen Glasscherben.

Annie eilte zu ihr hinüber. »Geh dich sauber machen. Ich kümmere mich um die Küche.«

Jaycie sackte gegen den Kühlschrank und starrte auf die Sauerei. »Ich kann mich nicht immer auf andere verlassen. Ich muss selbst klarkommen.«

»Musst du nicht, jedenfalls nicht im Moment.« Annie schlug ihren entschiedensten Ton an. »Sag mir, wo ich einen Eimer finden kann.«

Sie blieb den ganzen restlichen Nachmittag. Egal, wie müde sie war, sie wollte Jaycie in diesem Zustand nicht allein lassen. Annie beseitigte das Desaster auf dem Küchenboden und kümmerte sich danach um das schmutzige Geschirr in der Spüle, tunlichst bemüht, ihren Husten zu unterdrücken, sobald Jaycie in der Nähe war. Die ganze Zeit über hielt sie mit einem Auge Ausschau nach Theo. Zu wissen, dass er jederzeit auftauchen konnte, beunruhigte sie, aber sie ließ sich vor Jaycie nichts anmerken.

Bevor sie sich schließlich auf den Heimweg machte, tat Annie etwas, das sie sich nie hätte vorstellen können. Sie richtete für Theo Harp das Abendessen – Tomatensuppe aus der Dose, die mit weißem Reis und tiefgefrorenem Mais verfeinert war.

»Ich nehme an, du hast hier nicht zufällig irgendwo Rattengift rumliegen sehen«, sagte sie, während Jaycie durch die Küche humpelte. »Ach, was soll's. Der Fraß hier ist widerlich genug.«

»Er wird es nicht merken. Er macht sich nicht viel aus Essen.«

Er macht sich nur etwas daraus, anderen Menschen Schmerzen zuzufügen.

Annie trug das Tablett mit Theos Abendessen durch den Hinterflur. Als sie es in den Speiseaufzug stellte, erinnerte sie sich an das schreckliche Gefühl, im Stockdunkeln in diesem engen Kasten gefangen gewesen zu sein. Sie hatte sich zu einer Kugel zusammengerollt, die Knie an ihre Brust gequetscht. Theo hatte zur Strafe zwei Tage Zimmerarrest erhalten, und nur Annie hatte bemerkt, dass seine Zwillingsschwester Regan sich heimlich zu ihm hineingeschlichen hatte, um ihm Gesellschaft zu leisten.

Regan war so lieb und schüchtern gewesen, wie Theo grausam und selbstsüchtig war. Aber wenn sie nicht gerade auf ihrer Oboe gespielt oder Gedichte in ihr violettes Poesiebuch geschrieben hatte, waren Bruder und Schwester unzertrennlich gewesen. Annie vermutete, dass Regan und sie echte Freundinnen hätten werden können, wenn Theo nicht dafür gesorgt hätte, dass es nicht dazu kam.

Jaycies Augen füllten sich mit Tränen, als es für Annie Zeit wurde, sich zu verabschieden. »Ich weiß nicht, wie ich dir danken soll.«

Annie verbarg ihre Erschöpfung. »Das hast du bereits getan. Vor achtzehn Jahren.« Sie zögerte kurz, weil es ihr widerstrebte, die einzige Wahl zu treffen, mit der sie leben konnte. »Ich komme morgen wieder und gehe dir ein wenig zur Hand«, sagte sie schließlich.

Jaycie riss die Augen auf. »Das musst du nicht!«

»Es wird mir guttun«, log Annie. »Hält mich vom Grübeln ab.« Ihr kam ein neuer Gedanke. »Gibt es hier im Haus eigentlich WLAN?« Als Jaycie nickte, brachte sie ein Lächeln zustande. »Perfekt. Dann werde ich morgen meinen Laptop mitbringen. Das wäre für mich eine große Hilfe. Ich muss nämlich ein paar Sachen im Internet recherchieren.«

Jaycie schnappte sich ein Papiertaschentuch und drückte es an ihre Augen. »Danke. Das bedeutet mir viel.«

Jaycie machte sich auf die Suche nach Livia, während Annie in den Windfang ging, um ihre Jacke anzuziehen. Trotz ihrer Erschöpfung war sie froh, dass sie einen Anfang gemacht hatte, um ihre alte Schuld zu begleichen. Sie streifte den ersten Handschuh über, dann zögerte sie kurz. Sie konnte nicht aufhören, an den Speiseaufzug zu denken.

Mach schon, flüsterte Scamp. *Du weißt, dass du es willst.*

Meinst du nicht, das ist ein bisschen kindisch?, fragte Dilly.

Definitiv, erwiderte Scamp.

Annie musste an ihr jüngeres Ich denken, das sich so verzweifelt bemüht hatte, Theos Zuneigung zu gewinnen. Sie schlich zurück in die Küche, bewegte sich so leise wie möglich in Richtung Hinterflur und durchquerte den schmalen Gang bis zum Ende. Dort starrte sie auf die Klappe des Speiseaufzugs. Edgar Allan Poe hatte ein Monopol auf den Begriff »Nimmermehr«, und »Rosebud« würde kaum Angst und Schrecken verbreiten. »Du wirst in sieben Tagen sterben« schien ihr zu dramatisch. Aber sie hatte viel ferngesehen, als sie krank gewesen war, darunter auch *Apocalypse Now* …

Sie öffnete die Klappe des Speiseaufzugs, beugte den Kopf hinein und stöhnte mit leiser, schauriger Stimme: »Das Grauen …« Die Worte schlängelten sich nach oben wie eine zischelnde Schlange und hallten als Echo wider. »Das Grrrauen …«

Sie bekam selbst eine Gänsehaut.

Cool!, rief Scamp entzückt.

Kindisch, aber befriedigend, bemerkte Dilly.

Annie verließ das Haus eilig durch die Hintertür. Von dort bewegte sie sich weiter in Richtung Auffahrt, permanent in Deckung, damit sie vom Turm aus nicht gesehen werden konnte.

Harp House hatte endlich den Geist, den es verdiente.

Kapitel 3

Annie wachte in einer positiveren seelischen Verfassung auf. Die Vorstellung, Theo Harp nach und nach in den Wahnsinn zu treiben, war so befriedigend verdreht, dass sie gar nicht anders konnte, als sich besser zu fühlen. Theo musste eine gewaltige Fantasie besitzen, um diese grässlichen Geschichten zu schreiben, und was hatte er mehr verdient, als dass sich diese Fantasie gegen ihn selbst richtete? Annie überlegte, was für Streiche sie ihm sonst noch spielen konnte, und erlaubte sich kurz, sich Theo in einer Zwangsjacke auszumalen, eingesperrt hinter den Gittern einer geschlossenen Psychiatrie.

Mit Schlangen, die über den Boden kriechen!, fügte Scamp hinzu.

So leicht wirst du ihn nicht kleinkriegen, höhnte Leo.

Annie blieb mit dem Kamm in ihren verknoteten Haaren hängen und gab auf. Sie schlüpfte in eine Jeans, ein Trägerhemd und ein langärmeliges graues T-Shirt und streifte zum Schluss ein altes Sweatshirt darüber, das irgendwie ihre Collegezeit überlebt hatte. Dann ging sie vom Schlafzimmer ins Wohnzimmer hinüber und betrachtete ihr Werk vom Abend zuvor. Die Vogelschädel, die Mariah in einer mit Stacheldraht umwickelten Glasschüssel zur Schau gestellt hatte, waren auf dem Boden eines Müllsacks begraben. Mariah und Georgia O'Keefe mochten Knochen schön gefunden haben, aber Annie teilte diese Ansicht nicht, und wenn sie schon zwei Monate hier verbringen musste, wollte sie sich wenigstens ein bisschen heimisch fühlen. Leider war das Cottage zu klein, um den bunt schillernden Nixenstuhl aus Gips irgendwo zu verstauen. Annie hatte ihn ausprobiert, die beiden Meerjungfrauenbrüste bohrten sich einem allerdings in den Rücken, sodass man nicht darauf sitzen konnte.

Sie war auf zwei Dinge gestoßen, die sie beunruhigten: eine Ausgabe der *Portland Press Herald,* die genau sieben Tage alt war, und eine Packung frisch gemahlenen Kaffees in der Küche. Irgendwer musste vor Kurzem hier gewesen sein.

Rasch brühte sie sich eine Tasse von eben diesem Kaffee auf und zwang sich, einen Toast mit Marmelade zu essen. Sie fürchtete die Vorstellung, wieder zum Klippenhaus hochzugehen, auch wenn sie sich darauf freute, endlich einen Internetzugang zu haben. Nachdenklich kauend betrachtete sie das Gemälde von der kopfstehenden Ulme. Vielleicht würde sie am Ende des Tages wissen, wer sich hinter R. Connor verbarg und ob sein beziehungsweise ihr Werk etwas wert war.

Annie konnte es nicht länger hinausschieben. Sie stopfte ihr Notizbuch mit der Inventarliste, ihren Laptop und ein paar weitere Dinge in ihren Rucksack, packte sich selbst dick ein und machte sich dann widerwillig auf den Weg. Als sie den östlichen Rand des Moors erreichte, sah sie kurz zu der schmalen Holzbrücke. Sie zu meiden, bedeutete einen Umweg. Sie würde damit aufhören, sich Gedanken zu machen, würde sich den Dämonen der Vergangenheit stellen. Aber nicht heute.

Annie hatte Theo und Regan Harp zwei Wochen nach Mariahs und Elliotts gemeinsamem Karibikurlaub kennengelernt, aus dem sie als frisch vermähltes Paar zurückkehrten. Die Zwillinge kamen gerade die Klippenstufen vom Strand hoch. Regan erschien als Erste, mit gebräunten Beinen und langem schwarzem Haar, das ihr Gesicht umspielte. Dann sah Annie Theo. Schon als Sechzehnjähriger, hager, mit pickliger Stirn und einem Gesicht, das noch nicht groß genug war, um seine Nase zu tragen, wirkte er faszinierend unnahbar. Sie war sofort von ihm beeindruckt. Er dagegen betrachtete sie mit unverhohlener Langeweile.

Annie wünschte sich verzweifelt, die Zuneigung der Zwillinge zu gewinnen, doch deren selbstbewusste Art schüchterte sie so sehr ein, dass sie in ihrer Gegenwart kaum ein Wort herausbrachte. Während Regan unkompliziert und freundlich war, gab Theo sich ruppig und sarkastisch. Elliott war zwar sehr nachsichtig mit seinen Kindern, als Wiedergutmachung dafür, dass ihre Mutter sie im Stich gelassen hatte, als sie fünf gewesen waren, aber er bestand darauf, dass sie ihre neue Stiefschwester in ihre Aktivitäten einbezogen. Theo lud Annie daraufhin widerwillig ein, auf ihre nächste Segeltour mitzukommen. Als Annie an dem Anleger zwischen Harp House und Moonraker Cottage eintraf, hatten Theo, Regan und Jaycie bereits abgelegt, ohne auf sie zu warten. Am nächsten Tag ging sie eine Stunde früher zum Steg hinunter, nur um festzustellen, dass keiner der drei erschien.

Eines Tages schlug Theo ihr vor, das Wrack eines alten Hummerfängers zu besichtigen, der nicht weit von ihnen entfernt an der Küste gestrandet war. Annie erkannte zu spät, dass das Schiff inzwischen von den Seemöwen der Insel als Brutstätte genutzt wurde. Die Vögel griffen sie im Sturzflug an, schlugen mit den Flügeln nach ihr, eine Möwe pickte sie sogar in den Kopf wie in einer Szene aus Hitchcocks berühmtem Film. Seit diesem Tag war Annie auf der Hut vor Möwen.

Die Litanei von Theos Missetaten war unendlich lang: ein toter Fisch in ihrem Bett, unsportliches Benehmen im Swimmingpool, und eines Abends ließ er sie allein in der Dunkelheit am Strand zurück.

Sie schüttelte die Erinnerungen ab. Zum Glück würde sie nie wieder fünfzehn sein.

Annie fing an zu husten, und als sie stehen blieb, um Atem zu schöpfen, wurde ihr bewusst, dass dies ihr erster Hustenanfall an diesem Morgen war. Vielleicht war sie endlich auf dem Weg der Besserung. Sie stellte sich vor, wie sie eines Tages in einem warmen Büro an einem schönen Schreibtisch saß, einen neuen Computer vor sich, und in einem Job arbeitete, der sie zu Tode langweilte, aber ihr einen regelmäßigen Lohn einbrachte.

Was wird dann aus uns?, jammerte Crumpet.

Annie braucht einen richtigen Job, sagte die vernünftige Dilly. *Sie kann nicht bis in alle Ewigkeit als Bauchrednerin arbeiten.*

Scamp meldete sich mit einem eigenen Ratschlag zu Wort. *Du hättest mit Pornopuppen auftreten sollen. Dann hättest du viel mehr für die Vorstellungen verlangen können.*

Die Pornopuppen waren eine Idee, die sie in Erwägung gezogen hatte, als sie ihr schlimmstes Fieber durchlitten hatte.

Annie erreichte schließlich die Klippenspitze. Als sie am Stall vorbeikam, hörte sie ein Pferd wiehern. Sie verschwand gerade noch rechtzeitig hinter den Bäumen, bevor Theo aus dem Stall kam. Er trug lediglich einen schwarzen Pullover, eine Jeans und Reitstiefel, und sie fror sogar in ihrem Daunenmantel!

Theo blieb stehen. Er kehrte ihr den Rücken zu, aber die Bäume boten nur einen spärlichen Schutz, und Annie betete, dass er sich nicht umdrehte. Ein Windstoß wirbelte eine gespenstische Schneewolke auf. Theo zog sich seinen Pullover über den Kopf, er trug nichts darunter.

Annie beobachtete ihn verblüfft. Er stand da mit nacktem Oberkörper, während der Wind an seinem schwarzen Haar zerrte, und trotzte dem neuenglischen Winter, ohne sich zu bewegen. Die Szene hätte gut aus einer dieser alten Telenovelas stammen können, die dafür bekannt waren, dass sie jeden Vorwand nutzten, um ihre Helden aus ihren Hemden zu bekommen. Nur dass es bitterkalt war und Theo Harp kein Held, und dass sich sein Verhalten nur mit Wahnsinn erklären ließ.

Er ballte die Hände zu Fäusten, reckte das Kinn zum Himmel empor. Wie konnte ein so schöner Mann so grausam sein? Sein gestählter Rücken, die muskulösen, breiten Schultern … es war so eigenartig. Theo wirkte nicht wie ein Sterblicher, sondern eher wie ein Teil der Natur, eine primitive Kreatur, die auf die einfachen menschlichen Bedürfnisse nicht angewiesen war – Wärme, Nahrung … Liebe.

Annie fröstelte und beobachtete, wie Theo schließlich durch die Turmtür verschwand, seinen Pullover in der Hand.

Jaycie war gerührt vor Freude über ihren Besuch. »Ich kann nicht glauben, dass du wiedergekommen bist«, sagte sie, während Annie ihren Rucksack aufhängte und ihre Stiefel auszog.

Sie setzte ihr fröhlichstes Gesicht auf. »Sonst würde ich ja den ganzen Spaß verpassen.«

Sie ließ den Blick durch die Küche wandern. Trotz der düsteren Atmosphäre sah es hier ein bisschen besser aus als am Tag zuvor, aber es war immer noch furchtbar genug.

Jaycie humpelte vom Herd zum Tisch. »Theo wird mich rausschmeißen«, sagte sie dann in gedämpftem Ton. »Das weiß ich. Da er nur den Turm bewohnt, denkt er, dass er niemanden für das Haus braucht. Wenn Cynthia nicht wäre …« Sie umklammerte ihre Krücken so fest, dass ihre Knöchel weiß hervortraten. »Heute Morgen hat er meine Freundin Lisa hier gesehen. Sie bringt mir regelmäßig die Post. Ich dachte, er wüsste nichts davon, das war leider ein Irrtum. Er hasst es, fremde Leute im Haus zu haben.«

Und wie will er dann sein nächstes Mordopfer finden?, fragte Scamp. *Außer es ist Jaycie …*

Ich werde auf sie aufpassen, trompetete Peter. *Genau dafür bin ich da. Um auf schwache Frauen aufzupassen.*

Jaycie verlagerte ihr Gewicht auf den Krücken, wodurch das Flusspferd unter ihrer Achselhöhle unpassend mit dem Kopf nickte, und runzelte die Stirn. »Er … er hat mir per SMS mitgeteilt, dass er Lisa hier nicht mehr sehen möchte und dass die Post in der Stadt bleiben soll, bis er sie abholt. Aber Lisa bringt mir auch jede Woche Lebensmittel, davon bin ich im Moment abhängig. Ich darf diesen Job nicht verlieren, Annie. Ich bin darauf angewiesen.«

Annie versuchte, ihr Mut zu spenden. »Deinem Fuß wird es bald besser gehen, und dann kannst du wieder Auto fahren.«

»Das ist noch nicht alles. Theo will hier auch keine Kinder haben. Ich habe ihm gesagt, dass Livia ganz leise ist, und ihm versprochen, dass er überhaupt nichts von ihr mitbekommen wird, sie schleicht sich allerdings immer wieder unerlaubt aus dem Haus. Ich habe Angst, dass sie ihm irgendwann über den Weg läuft.«

Annie schob ihre Füße in die Sneakers, die sie mitgebracht hatte. »Lass mich das kurz klarstellen. Wegen Seiner Lordschaft darf eine Vierjährige nicht zum Spielen rausgehen? Das ist nicht richtig.«

»Ich schätze, Theo kann machen, was er will – es ist sein Haus. Außerdem, solange ich auf die Krücken angewiesen bin, kann ich mit Livia ohnehin nichts unternehmen, und ich möchte nicht, dass sie allein rausgeht.«

Annie hasste es, dass Jaycie ständig nach Entschuldigungen für Theo suchte. Eigentlich sollte sie schlau genug sein, um zu sehen, wie Harp junior wirklich war, aber nach all den Jahren schwärmte sie offenbar immer noch für ihn.

Teenager schwärmen für jemanden, flüsterte Dilly. *Jaycie ist eine erwachsene Frau. Vielleicht ist das mehr als nur eine Schwärmerei.*

Das ist nicht gut, sagte Scamp. *Überhaupt nicht gut.*

Livia kam in die Küche. Sie hielt eine durchsichtige Plastikbox mit zerbrochenen Wachsmalstiften in den Händen und einen Zeichenblock mit Eselsohren. Annie lächelte die Kleine an.

»Hallo, Livia.«

Das Kind zog den Kopf ein.

»Sie ist so schüchtern«, erklärte Jaycie.

Livia trug ihre Malsachen zum Tisch, kletterte auf einen Stuhl und machte sich an die Arbeit. Jaycie zeigte Annie, wo die Putzutensilien aufbewahrt wurden, während sie sich die ganze Zeit entschuldigte.

»Du brauchst das nicht zu machen. Das ist mein Problem, nicht deins.«

Annie unterbrach ihre Litanei. »Warum kümmerst du dich nicht solange um die Mahlzeiten Seiner Lordschaft? Nachdem du von meiner Idee mit dem Rattengift nicht so angetan warst, kannst du ja vielleicht versuchen, irgendwo ein paar giftige Pilze aufzutreiben.«

Jaycie lächelte. »So schlimm ist er nicht, Annie.«

Wie unwahr.

Mit Staublappen und einem Besen bewaffnet, ging Annie in die Eingangshalle und musterte mit Unbehagen die Treppe. Sie betete, dass Jaycie recht hatte und Theos Erscheinen hier tatsächlich eine Ausnahme gewesen war. Wenn er dahinterkam, dass Annie Jaycies Arbeit erledigte, würde er sich wirklich eine andere Haushälterin suchen.

Die meisten Türen hier unten waren geschlossen, um die Wärme zu konservieren, aber das Foyer, Elliotts Arbeitszimmer und der trostlose Wintergarten benötigten dringend Pflege. Annie beschloss, dem Foyer den Vorrang zu geben, nachdem sie die Spinnweben entfernt und die Wandvertäfelung abgestaubt hatte, begann ihre Lunge jedoch wieder zu pfeifen. Sie kehrte in die Küche zurück und traf Livia allein am Tisch an, die Kleine war immer noch mit ihren Wachsmalstiften beschäftigt.

Annie hatte sich über Livia Gedanken gemacht, und sie ging in den Windfang, wo ihr Rucksack hing, in dem Scamp steckte. Die meisten Kleider für ihre Puppen hatte Annie selbst genäht, so auch Scamps Regenbogenstrumpfhose, ihren kurzen pinkfarbenen Rock und das knallgelbe T-Shirt mit dem violetten Glitzerstern. Ein Haarreifen mit einer Mohnblume hielt Scamps wilde Locken aus karottenrotem Strickgarn im Zaum. Annie streifte die Puppe über ihre Hand und griff nach den Hebeln, mit denen man den Mund und die Augen bewegte. Sie versteckte Scamp hinter ihrem Rücken und kehrte in die Küche zurück.

Livia riss gerade das Papier von ihrem roten Wachsmalstift, als Annie schräg gegenüber von ihr Platz nahm. Sofort hob Scamp den Kopf über die Tischkante und sah Livia an.

»La ... la ... la!«, sang sie in ihrer aufsehenerregendsten Stimme. *»Ich, Scamp, auch bekannt als Genevieve Adelaide Josephine Brown, erkläre hiermit, dass heute ein herrrrlicher Tag ist!«* Livia hob ruckartig den Kopf und starrte die Puppe an. Scamp beugte sich vor, sodass ihr die wilden Locken ins Gesicht fielen, und versuchte, Livias Kunstwerk zu betrachten. *»Ich male auch sehr gern. Darf ich dein Bild mal sehen?«* Livia, die Augen fest auf die Puppe geheftet, bedeckte das Blatt mit ihrem Arm. *»Oh, ich schätze, manche Dinge sind eben privat«*, sagte Scamp. *»Aber ich teile mein Talent gern mit anderen. Ich kann zum Beispiel gut singen.«* Livia legte neugierig den Kopf schief. *»Ich bin eine wundervolle Sängerin«*, zwitscherte Scamp. *»Nicht dass ich meine unglaublich fabelhaften Lieder jedem vorsingen würde. Nein! Du zeigst ja auch nicht jedem deine Bilder.«*

Livia zog prompt ihren Arm von dem Blatt weg. Während Scamp sich über das Bild beugte, um es zu studieren, musste Annie sich auf das verlassen, was sie aus dem Augenwinkel erkennen konnte – etwas, das einer menschlichen Gestalt ähnelte, die neben einem primitiv gemalten Haus stand.

»Fa-bel-haft!«, rief Scamp. *»Ich bin auch eine große Künstlerin!«* Nun war sie diejenige, die den Kopf schief legte. *»Möchtest du mich mal singen hören?«*

Livia nickte. Scamp breitete die Arme aus und stimmte eine komische, opernhafte Version von *The Itsy Bitsy Spider* an, die bei ihren Zuhörern im Kindergarten immer kreischendes Gelächter auslöste.

Livia lauschte aufmerksam, aber sie lächelte nicht einmal.

Das Singen brachte Annie zum Husten. Sie überspielte es, indem sie Scamp einen wilden Tanz beginnen ließ. Am Schluss warf die Puppe sich auf den Tisch.

»Fabelhaft zu sein ist sooo anstrengend.« Livia nickte ernst. Annie hatte gelernt, dass es im Umgang mit Kindern am besten war aufzuhören, wenn man ihnen voraus war. Scamp rappelte sich also auf und schüttelte ihren Lockenkopf. *»Es ist Zeit für mein Mittagsschläfchen. Au revoir. Bis zum nächsten Mal …«* Sie tauchte unter den Tisch ab.

Livia beugte sich sofort hinunter, um zu sehen, wohin die Puppe verschwunden war, aber Annie stand vom Tisch auf, Scamp an sich gedrückt, und kehrte in den Windfang zurück, um sie wieder in ihrem Rucksack zu verstauen. Sie sah Livia nicht an, als sie die Küche verließ, doch sie spürte, dass das Kind sie genau beobachtete.

Später an jenem Tag, als Theo einen Ausritt machte, nutzte Annie seine Abwesenheit, um den Müll, der sich im Haus angesammelt hatte, nach draußen zu den Metallcontainern hinter dem Pferdestall zu bringen. Auf dem Rückweg warf sie einen Blick in den leeren Swimmingpool. Eine unansehnliche Schicht aus Schnee und festgefrorenen vertrockneten Blättern bedeckte den Grund. Da das Wasser um Peregrine Island selbst im Hochsommer ziemlich kalt war, waren Regan und Annie meistens im Pool schwimmen gegangen, Theo hatte das Meer vorgezogen. Wenn die Brandung gut war, hatte er sein Surfbrett in seinen Jeep geladen und war zum Gull Beach gefahren. Annie wäre liebend gern mitgekommen, hatte aber zu viel Angst vor einer Abfuhr gehabt.

Eine schwarze Katze kam um die Stallecke geschlichen und starrte mit gelben Augen zu ihr hoch. Annie erstarrte. Sofort schrillte eine Alarmglocke in ihrem Kopf.

»Verschwinde!«, zischte sie. Die Katze starrte sie weiter an. Annie stürmte auf sie zu und wedelte mit den Armen. »Hau ab! Verschwinde! Und komm nicht wieder. Nicht wenn du weißt, was gut für dich ist.«

Die Katze huschte davon.

Wie aus dem Nichts füllten sich Annies Augen mit Tränen. Sie zwinkerte sie weg und kehrte dann ins Haus zurück.

Annie schlief in der folgenden Nacht wieder zwölf Stunden lang und verbrachte den restlichen Vormittag damit, Möbel, Bilder und Skulpturen wie die Thaigöttin zu dokumentieren. Am Vortag war sie zu beschäftigt gewesen, um zu recherchieren, heute würde sie sich dafür

Zeit nehmen. Mariah hatte sich nie auf Kunsthändler verlassen, um den Wert ihrer Sammlung zu bestimmen. Sie hatte vorher ihre Hausaufgaben gemacht, und Annie würde das auch tun. Am frühen Nachmittag packte sie ihren Laptop in den Rucksack und machte sich erneut auf den Weg zu dem Haus auf der Klippenspitze. Ihre Muskeln schmerzten von der ungewohnten Anstrengung, sie schaffte es mit nur einem schweren Hustenanfall an ihr Ziel.

Als Erstes putzte sie Elliotts Arbeitszimmer, darunter auch den hässlichen Waffenschrank aus dunklem Walnussholz, anschließend kümmerte sie sich um das schmutzige Geschirr, während Jaycie sich Gedanken um Theos Verpflegung machte.

»Ich kann nicht besonders gut kochen«, sagte sie. »Ein Grund mehr für ihn, mich zu feuern.«

»Da kann ich dir leider nicht helfen«, erwiderte Annie.

Kurz darauf sah sie draußen wieder die schwarze Katze umherschleichen, und sie rannte ohne Jacke aus dem Haus, um das Tier zu verscheuchen. Danach setzte sie sich mit ihrem Laptop an den Küchentisch, nur um festzustellen, dass das WLAN im Haus passwortgeschützt war, etwas, womit sie hätte rechnen müssen.

»Ich benutze immer das Smartphone, das Theo mir gegeben hat«, erklärte Jaycie, die mit ihr am Tisch saß und Karotten schälte. »Ich habe nie ein Passwort gebraucht.«

Annie probierte diverse Namen, Geburtstage und sogar Schiffsnamen aus, ohne Erfolg. Sie reckte die Arme in die Höhe, um ihre Schultern zu lockern, starrte auf den Monitor und tippte dann langsam »Regan3006« ein – das waren Tag und Monat, an dem Regan Harp ertrunken war, als ihr Segelboot in einem Sturm vor der Insel kenterte. Regan war damals eine frischgebackene Collegeabsolventin gewesen, in Annies Vorstellung würde sie jedoch immer sechzehn sein, ein schwarzhaariger Engel, der göttlich Oboe spielte und Gedichte schrieb.

Plötzlich flog die Hintertür auf, und Annie fuhr auf ihrem Stuhl herum. Theo Harp kam in die Küche gestürmt. Unter dem Arm hielt er die zappelnde Livia.

Kapitel 4

Theo sah aus, als wäre er von einem scharfen Nordostwind hereingeweht worden. Das Erschreckendste an seinem plötzlichen Auftauchen war jedoch nicht seine finstere Miene, sondern das verängstigte kleine Mädchen, das unter seinem Arm klemmte und dessen Mund zu einem grässlichen stummen Schrei aufgerissen war.

»Livia!«

Jaycie stolperte auf ihre Tochter zu, verlor das Gleichgewicht und stürzte unbeholfen auf den Steinboden, ihre Krücken riss sie mit sich.

Annie sprang vom Tisch auf und stürmte ohne nachzudenken auf Theo zu, viel zu entsetzt über das, was sich gerade vor ihren Augen abspielte, um zu warten, bis Jaycie wieder auf die Beine kam.

»Was glaubst du eigentlich, was du hier tust?«

Seine dunklen Augenbrauen zogen sich vor Empörung zusammen. »Was *ich* tue? Das Mädchen war im Stall!«

»Gib sie mir!« Annie zog Livia von ihm weg, aber das Kind hatte vor ihr genauso viel Angst wie vor Theo. Jaycie hatte es inzwischen geschafft, sich in eine sitzende Position zu bringen. Annie setzte Livia auf den Schoß ihrer Mutter und stellte sich dann instinktiv zwischen die beiden und Theo. »Bleib, wo du bist«, warnte sie ihn.

Hey! Ich bin hier der Held, protestierte Peter. *Andere zu beschützen ist mein Job.*

»Sie war *in meinem Stall*!«, brüllte Theo.

Seine Anwesenheit füllte die riesige Küche. Annie schnappte nach Luft und baute sich vor Theo auf. »Könntest du deine Stimme bitte auf Zimmerlautstärke senken?«

Jaycie keuchte erschrocken auf.

»Sie war nicht nur im Stall, sie stand bei Dancer in der Box. In seiner Box. Dancer wird schnell nervös. Hast du eine Vorstellung, was ihr da drinnen hätte passieren können? Außerdem habe ich dir gesagt, dass du dich hier nicht mehr blicken lassen sollst. Was hast du hier zu suchen?« Theo dachte offenbar gar nicht daran, die Stimme zu senken.

Annie wollte sich von Theo nicht unter Druck setzen lassen – nicht dieses Mal.

»Wie ist Livia denn in den Stall gekommen?«

In Theos Augen blitzte Anschuldigung auf. »Woher soll ich das wissen? Vielleicht war die Tür nicht verriegelt.«

»Mit anderen Worten, du hast vergessen, sie zu verriegeln.« Annies Beine begannen zu zittern. »Vielleicht warst du in Gedanken zu sehr damit beschäftigt, dein Pferd in den nächsten Schneesturm hinauszutreiben?«

Es war ihr gelungen, ihn von Jaycie und Livia abzulenken. Leider lag seine ganze Aufmerksamkeit nun auf ihr. Er dehnte seine Hände, als würde er sich bereit machen, zum Schlag auszuholen.

»Was zum Teufel machst du hier?«

Die Puppen kamen zu ihrer Rettung. »Ausdrucksweise«, sagte sie in Dillys missbilligendem Tonfall, ohne zu vergessen, ihre Lippen beim Sprechen zu bewegen.

»Was hast du in meinem Haus verloren?«

Er artikulierte jede einzelne Silbe auf dieselbe unangenehme Weise wie Leo.

»Im Cottage habe ich kein Internet, und ich muss ein paar Sachen nachschauen.« Theo durfte nicht erfahren, dass sie Jaycie unter die Arme gegriffen hatte.

»Schau woanders nach.«

Wenn du ihm nicht die Stirn bietest, sagte Scamp, *wird er am Ende wieder gewinnen.*

Annie hob ihr Kinn. »Ich würde es schätzen, wenn du mir dein Passwort geben könntest.«

Er starrte sie an, als wäre sie von Sinnen. »Ich habe dir bereits gesagt, dass ich dich hier nicht mehr sehen möchte.«

»Hast du das? Kann mich nicht erinnern.« Sie musste Jaycie decken. »Jaycie hat mir gesagt, ich sei hier nicht erwünscht«, schwindelte sie. »Aber ich habe sie ignoriert.« Sie musste sicherstellen, dass er begriff. »Ich bin nicht mehr so nett wie früher.«

Jaycie gab einen erstickten Laut von sich, anstatt sich ruhig zu verhalten, wie es ratsam gewesen wäre, und lenkte damit prompt Theos Aufmerksamkeit wieder auf sich.

»Jaycie, du weißt, wie unsere Abmachung lautet.«

Jaycie drückte Livia an ihre Brust. »Ich habe versucht, Livia von dir fernzuhalten ...«

»Das wird nicht funktionieren«, sagte er ausdruckslos. »Wir müssen uns eine andere Lösung einfallen lassen.«

Mit dieser hochtrabenden Ankündigung wandte er sich zum Gehen, als gäbe es nichts mehr zu sagen.

Lass ihn gehen!, drängte Crumpet.

Das konnte Annie allerdings nicht, also stellte sie sich ihm rasch in den Weg. »In was für einem schlechten Film lebst du eigentlich? Sieh sie dir doch an!« Sie zeigte mit dem Finger auf Jaycie, in der Hoffnung, dass Theo nicht bemerkte, dass ihre Hand schrecklich zitterte. »Ziehst du ernsthaft in Erwägung, eine mittellose Witwe mit ihrem kleinen Kind mitten im Winter vor die Tür zu setzen? Hat dein Herz sich inzwischen ganz in Stein verwandelt?« Sie schlug sich die Hand an den Kopf. »Vergiss die letzte Frage. War rein rhetorisch gemeint.«

Er sah sie an mit der genervten Miene von jemandem, der von einer lästigen Mücke umschwirrt wird. »Was geht dich das eigentlich an?«, spie er aus.

Annie hasste Konfrontationen, aber das galt nicht für Scamp, also schaltete sie auf ihr Alter Ego um. »Es geht mich etwas an, weil ich ein Mensch bin und Mitgefühl empfinde. Unterbrich mich ruhig, falls ich Worte benutze, die du nicht verstehst.« Seine blauen Augen verdunkelten sich. »Livia wird in Zukunft den Stall nicht mehr betreten, weil du nicht mehr vergessen wirst, die Tür zu verriegeln. Und deine Haushälterin macht ihre Arbeit gut, selbst mit einem gebrochenen Fuß. Du kriegst schließlich regelmäßig deine Mahlzeiten, oder? Und schau dir die Küche an. Sie sieht picobello aus.« Eine Übertreibung, deshalb konzentrierte sie sich rasch auf seine vermeintliche Schwachstelle. »Wenn du Jaycie rausschmeißt, wird Cynthia eben jemand anderen einstellen. Überleg doch mal. Die nächste fremde Person, die in deine Privatsphäre eindringt. Die im Haus herumschnüffelt. Dich beobachtet. Bei der Arbeit stört.

Sogar versucht, sich mit dir zu *unterhalten.* Willst du das?«

Während sie pfeifend Luft holte, konnte Annie ihren Sieg am kaum merklichen Straffen seiner Augenlider ablesen, an den leicht nach unten gebogenen Winkeln seines zu schönen Mundes. Er sah zu Jaycie, die immer noch auf dem Boden saß und Livia in den Armen wiegte.

»Ich bin für ein paar Stunden weg«, sagte er dann schroff. »Mach solange im Turm sauber. Aber hüte dich davor, die Dachkammer zu betreten.«

Er stürmte mit fast so viel Schwung hinaus, wie er hereingekommen war.

Jaycie küsste Livia, die mit weit aufgerissenen Augen an ihrem Daumen nuckelte, auf beide Wangen, hob sie von ihrem Schoß und rappelte sich dann mit ihren Krücken vom Boden hoch.

»Ich kann nicht glauben, was du ihm gerade gesagt hast.« Dankbar sah sie Annie an.

Annie konnte es auch nicht glauben.

Da Jaycie sich mit dem Treppensteigen schwertat, musste Annie wohl oder übel den Putzauftrag übernehmen.

Der Turm stand auf einem höheren Fundament, sodass sein Erdgeschoss auf einer Höhe lag mit dem ersten Stockwerk des Hauptgebäudes, wo eine Tür am Ende des Flurs direkt in das Wohnzimmer des Turms führte. Die Fenster dort zeigten aufs Meer hinaus. Nichts schien sich verändert zu haben seit jenen Tagen, in denen die Großmutter der Zwillinge hier gewohnt hatte – die verwinkelten beigefarbenen Wände, die schweren Polstermöbel aus den Achtzigerjahren, die an manchen

Stellen verschlissen und von der Sonne ausgebleicht waren, der ausgetretene persische Teppich, der den größten Teil des Parkettbodens bedeckte, die beiden Landschaftmalereien in Öl über der hellen Couch mit den großen geschwungenen Armlehnen und den Fransenkissen, die Kerzenständer aus Holz mit den hohen weißen Kerzen, die die Pendeluhr flankierten, deren Zeiger um vier nach elf stehen geblieben waren. Der Turm war offenbar der einzige Gebäudeteil, der sich nicht zwei Jahrhunderte zurückentwickelt hatte, er wirkte trotzdem genauso düster.

Annie ging hinüber in die Kochnische mit dem Speiseaufzug. Das Geschirr, das mit Theos Mahlzeiten von der Küche hochgeschickt worden war, stapelte sich nicht schmutzig in der Spüle, sondern stand sauber in einem blauen Abtropfständer. Annie fand unter der Spüle ein Reinigungsmittel, doch sie machte sich nicht sofort an die Arbeit. Jaycie kochte nur abends für Theo. Wovon ernährte sich der Herr der Unterwelt in der restlichen Zeit? Sie stellte die Sprühflasche ab und öffnete die Küchenschränke.

Keine Spur von Molchaugen oder Froschzehen. Keine sautierten Augäpfel oder frittierten Fingernägel. Stattdessen fand sie Cheerios und Cornflakes. Nichts übermäßig Süßes. Nichts Amüsantes. Andererseits auch keine eingelegten menschlichen Leichenteile.

Dies war vielleicht ihre einzige Gelegenheit, sich ein wenig umzusehen, also setzte Annie ihre Schnüffelei fort. Ein paar uninteressante Konserven. Ein Sechserpack Mineralwasser, eine große Packung Kaffeebohnen und eine Flasche guter Scotch. Auf der Anrichte lag etwas Obst.

Während Annie daraufstarrte, kicherte die böse Königin in ihrem Kopf.

Hier, meine Hübsche, nimm einen Apfel …

Annie wandte sich ab und öffnete den Kühlschrank, in dem sie blutroten Tomatensaft, ein Stück Hartkäse, ölige schwarze Oliven und irgendeine widerliche Leberpastete in einem ungeöffneten Aluschälchen entdeckte. Sie schauderte. Nicht überraschend, dass Theo Innereien mochte.

Das Gefrierfach war praktisch leer, und die Gemüseschublade enthielt nur Karotten und Radieschen. Annie ließ den Blick durch die Küche schweifen. Wo waren die ungesunden Sachen? Schokolade und Eisbecher? Wo war der Vorrat an Kartoffelchips, der Turm aus Erdnussbuttergläsern? Kein Knabberzeug. Keine süßen Naschereien. Auf ihre Art war diese Küche hier so unheimlich wie die große unten im Haus.

Annie nahm den Reiniger von der Anrichte und zögerte kurz. Hatte sie nicht irgendwo gelesen, dass man von oben nach unten putzen sollte?

Schnüffler machen sich überall unbeliebt, sagte Crumpet überheblich.

Als hättest du keine Fehler, erwiderte Annie.

Eitelkeit ist kein Fehler, konterte Crumpet, *sondern eine Berufung.*

Ja, Annie wollte herumschnüffeln, und sie würde es jetzt tun. Solange Theo außer Haus war, konnte sie sich ein genaueres Bild von seinem Schlupfwinkel verschaffen.

Ihre schmerzenden Wadenmuskeln protestierten, als sie die Treppe in den ersten Stock hochstieg. Wenn man den

Hals reckte, konnte man die geschlossene Tür zur Dachkammer sehen, wo Theo angeblich an seinem nächsten sadistischen Roman schrieb. Oder vielleicht Leichen zerstückelte.

Die Tür zum Schlafzimmer im ersten Stock stand offen. Neugierig trat Annie ein. Abgesehen von der Jeans und dem Sweatshirt, die achtlos über das Fußende des schlampig gemachten Betts geworfen waren, sah das Zimmer aus, als würde hier immer noch eine alte Dame wohnen – grauweiße Wände, Vorhänge mit Kohlrosenmuster, ein himbeerroter Sessel ohne Armlehnen, ein runder Polsterhocker und ein Doppelbett mit einem gemusterten Überwurf. Theo hatte definitiv nichts getan, um sich hier häuslich einzurichten.

Annie ging wieder hinaus auf den Treppenabsatz und zögerte nur einen kleinen Moment, bevor sie die restlichen Stufen in die verbotene Dachkammer hochstieg. Sie öffnete oben die Tür.

Der fünfeckige Raum hatte eine offene Holzbalkendecke und fünf schmale Spitzbogenfenster. Hier waren die menschlichen Spuren, die sonst überall fehlten, sichtbar. Ein L-förmiger Schreibtisch, übersät mit Papieren, leeren CD-Hüllen, ein paar Notizbüchern, einem PC und einem Kopfhörer. Schräg gegenüber stand ein schwarzes Industrieregal aus Metall, das diverse elektronische Geräte beherbergte, darunter eine Hi-Fi-Anlage und einen kleinen Flachbildfernseher. Auf dem Boden vor den Fenstern stapelten sich Bücher, ein Laptop lag neben einem Ruhesessel.

Plötzlich schwang die Tür hinter ihr knarrend auf. Annie keuchte vor Schreck und wirbelte herum.

Theo. Er betrat den Raum, einen schwarzen Strickschal in den Händen.

Er hat schon einmal versucht, dich umzubringen, sagte Leo spöttisch. *Er kann es wieder versuchen.*

Annie schluckte.

Theo kam näher, ließ den schwarzen Schal durch seine Hände wandern wie eine Würgeschlinge ... oder einen Knebel ... oder vielleicht ein chloroformgetränktes Tuch. Wie lange würde er es ihr ins Gesicht drücken müssen, bis sie das Bewusstsein verlor?

»Diese Etage hier ist tabu«, sagte er. »Besonders für dich. Aber das weißt du selbst. Und trotzdem bist du raufgegangen.«

Er schlang den Schal um seinen Nacken, behielt die Enden in den Händen. Annies Zunge war wie gelähmt. Wieder einmal musste sie auf Scamp zurückgreifen, um den nötigen Mut aufzubringen, ihm etwas entgegenzusetzen.

»Du bist derjenige, der hier nichts verloren hat.« Sie hoffte, dass er nicht den piepsigen Unterton in ihrer normalerweise verlässlichen Stimme heraushörte. »Wie soll ich hier rumspionieren, wenn du viel früher zurückkommst, als du angekündigt hast?«

»Das ist ein Scherz, richtig?« Er zog an den Enden seines Schals.

»Das ist ... eigentlich ist es deine eigene Schuld.« Sie musste sich ganz schnell etwas einfallen lassen. »Ich wäre nicht hier reingekommen, wenn du mir das Passwort gegeben hättest, als ich dich danach gefragt habe.«

»Ich kann dir nicht folgen.«

»Viele Leute schreiben ihr Passwort auf einen Zettel

und kleben ihn an ihren Computer.« Annie umklammerte ihre Hände hinter dem Rücken.

»Ich nicht.«

Lass dich nicht unterkriegen, befahl Scamp. *Mach ihm begreiflich, dass er es nun mit einer erwachsenen Frau zu tun hat und nicht mehr mit einem extrem verunsicherten Teenager.*

Annie war in den Improvisationstheaterkursen besonders gut gewesen, und sie gab ihr Bestes. »Findest du das nicht ein bisschen idiotisch?«

»Idiotisch?«

»Schlechte Wortwahl«, sagte sie hastig. »Aber ... nehmen wir mal an, du vergisst dein Passwort. Willst du wirklich in die Situation kommen, bei deinem Provider anrufen zu müssen?« Sie hustete und schnappte kurz nach Luft. »Du kennst das ja bestimmt. Du hängst stundenlang in der Hotline, während eine Stimme vom Band dir erklärt, wie wichtig dein Anruf genommen wird. Oder dass du gut aufpassen sollst, weil die Menüführung geändert wurde. Ich meine, ist eine geänderte Menüführung nicht deren Problem statt deins? Wenn ich mir so was ein paar Minuten lang angehört habe, bekomme ich unwillkürlich das Bedürfnis, mich aus dem Fenster zu stürzen. Willst du wirklich durch diese Hölle gehen, wenn ein einfaches Post-it das Problem vermeiden könnte?«

»Oder eine einfache E-Mail«, sagte er mit dem Spott, den ihr Gefasel verdiente. »Dirigo.«

»Was?«

Er löste die Hände von seinem Schal und schlenderte zum nächsten Fenster, wo ein Teleskop stand, das auf das Meer gerichtet war.

»Du hast mich überzeugt. Das Passwort lautet Dirigo.«

»Was für ein Passwort ist das denn?«

»Das Landesmotto von Maine. Es bedeutet ›Ich dirigiere‹. Es bedeutet auch, dass du deinen Vorwand verloren hast, um hier weiter herumzuschnüffeln.«

Es gab nicht viel, was sie darauf erwidern konnte. Sie bewegte sich rückwärts zur Tür.

Er nahm das Teleskop von seinem Stativ und trug es zu einem anderen Fenster. »Denkst du wirklich, ich wüsste nicht, dass du Jaycies Arbeit erledigst?«

Annie hätte klar sein müssen, dass er dahinterkommen würde. »Was kümmert es dich, solange die Arbeit gemacht wird?«

»Es kümmert mich, weil ich dich hier nicht sehen möchte.«

»Verstehe. Lieber schmeißt du Jaycie raus.«

»Ich brauche hier niemanden.«

»Irrtum. Wer soll an die Tür gehen, wenn du in deinem Sarg liegst und schläfst?«

Er ignorierte sie und spähte stattdessen durch das Okular, justierte das Teleskop. Annie spürte ein Kribbeln im Nacken. Das Fenster, an das er sich gestellt hatte, war das, das in Richtung Cottage zeigte.

Das ist die Quittung dafür, dass du einen Schurken herausforderst, höhnte Leo.

»Ich habe ein neues Teleskop«, erklärte Theo. »Es ist erstaunlich, was ich alles damit sehen kann, wenn das Licht stimmt. Ich hoffe, die Sachen, die du im Cottage hin und her bewegt hast, waren nicht allzu schwer.«

Ein eiskalter Schauer durchrieselte Annie vom Scheitel bis zu den Zehenspitzen.

»Vergiss nicht, das Bett im Schlafzimmer frisch zu beziehen«, fügte er hinzu, ohne sich umzudrehen. »Es gibt nichts Besseres, als das Gefühl von sauberer Bettwäsche auf nackter Haut.«

Sie würde ihm nicht zeigen, wie sehr sie sich immer noch vor ihm fürchtete. Annie drehte sich um und zwang sich, das Zimmer mit langsamen Schritten zu verlassen. Sie hatte allen Grund, Jaycie zu erklären, dass sie nicht länger ihre Arbeiten übernehmen konnte. Allen Grund, abgesehen von der absoluten Gewissheit, dass sie niemals damit leben könnte, aus Angst vor Theo Harp die Frau im Stich gelassen zu haben, die ihr einmal das Leben gerettet hatte.

Annie arbeitete so rasch, wie sie konnte. Sie wischte im Wohnzimmer den Staub von den Möbeln, saugte den persischen Teppich, putzte die Kochnische und ging anschließend mit einem unguten Gefühl im Bauch hoch in das Schlafzimmer. Sie fand frische Bettwäsche. Die alte abzuziehen war zu persönlich, zu intim, doch sie biss die Zähne zusammen und tat es trotzdem.

Als sie nach dem Staublappen griff, hörte sie, dass oben die Tür der Dachkammer zugezogen wurde, gefolgt von dem klackenden Geräusch eines Schlüssels und Schritten auf der Treppe. Obwohl Annie sich befahl, sich nicht umzudrehen, tat sie es trotzdem.

Er stand in der Tür, mit der Schulter an den Rahmen gelehnt. Sein Blick wanderte von ihren unordentlichen Haaren hinunter zu ihren Brüsten – die unter ihrem dicken Pullover kaum sichtbar waren – und schweifte dann weiter zu ihren Hüften, verweilte dort kurz, glitt tiefer. Seine Musterung hatte etwas Berechnendes.

Etwas Invasives und Beunruhigendes. Schließlich wandte er sich ab.

Und in diesem Moment geschah es.

Ein unmenschlicher, furchterregender Laut, halb Stöhnen, halb Knurren waberte durch das Zimmer.

Theo blieb wie angewurzelt stehen.

Annie drehte den Kopf in Richtung Treppe und sah zum Dachgeschoss hoch. »Was war das?«

Er öffnete den Mund, als wollte er eine Erklärung anbieten, aber es kam kein Wort heraus. Sekunden später war er verschwunden. Gleich darauf knallte unten die Tür zu.

Annie machte ein entschlossenes Gesicht.

Bastard. Geschieht dir recht.

Theos Atem bildete Nebelwolken in der Luft, während er den Riegel an der Stalltür hochschob. Dies war der Ort, an den er sich immer zurückzog, wenn er nachdenken musste. Er hatte geglaubt, alles einkalkuliert zu haben, aber ihre Rückkehr hatte er nicht einkalkuliert, und er würde es nicht tolerieren.

Die Stallkammer roch nach Heu, Dung, Staub und Kälte. Sein Vater hatte früher bis zu vier Pferde gehalten, die das ganze Jahr hier im Stall untergebracht waren, selbst wenn die Familie sich nicht auf der Insel aufhielt. Inzwischen war der schwarze Wallach das einzige Pferd hier.

Dancer stieß ein leises Wiehern aus und streckte den Kopf aus seiner Box. Theo hätte sich nie träumen lassen, dass er Annie jemals wieder begegnen würde, und doch war sie auf der Insel. In seinem Haus. In seinem Leben. Brachte die Vergangenheit mit sich.

Er rieb sanft über Dancers Maul. »Es gibt nur dich und mich, mein Junge«, flüsterte er. »Nur dich und mich … und die neuen Teufel, die gekommen sind, um uns zu quälen.«

Der Wallach schüttelte seine Mähne. Theo öffnete die Tür der Stallbox. Er konnte das nicht länger hinnehmen. Er musste sie loswerden.

Kapitel 5

Nachts allein im Cottage zu sein hatte Annie von Anfang an ein mulmiges Gefühl verursacht, aber diese Nacht war bisher die schlimmste. An den Fenstern waren keine Vorhänge angebracht, sodass Theo sie jederzeit durch sein Teleskop beobachten konnte. Sie ließ das Licht aus und stolperte im Dunkeln umher, bis sie schließlich ins Bett ging, wo sie sich die Decke über den Kopf zog. Die Schwärze weckte in ihr jedoch nur Erinnerungen daran, wie sehr sich alles verändert hatte.

Es geschah nicht lange nach dem Vorfall mit dem Speiseaufzug. Regan war entweder bei ihrer Reitstunde oder hatte sich in ihr Zimmer zurückgezogen. Annie saß unten am Strand auf den Klippen und malte sich gerade aus, eine atemberaubend schöne und talentierte Schauspielerin zu sein und in einer großen Kinoproduktion mitzuspielen, als Theo vorbeikam. Er setzte sich zu ihr, seine langen Beine ragten aus der kurzen Khakihose, die ihm ein bisschen zu groß war. Ein Einsiedlerkrebs krabbelte durch einen kleinen Priel vor ihren Füßen. Theo blickte auf die Brandung hinaus, wo die Wellen sich brachen.

»Annie, es tut mir leid, was passiert ist. Im Moment ist alles ziemlich seltsam.«

Dummm, wie sie war, verzieh sie ihm sofort.

Von da an verbrachte sie ihre Zeit mit Theo, wenn Regan beschäftigt war. Er zeigte ihr seine Lieblingsplätze auf der Insel. Er fing an, sie ins Vertrauen zu ziehen, zögerlich zunächst, dann immer bereitwilliger. Er erzählte ihr, dass er das Internat bis auf den Tod hasste und dass er Kurzgeschichten schrieb, die er niemandem zeigte. Sie unterhielten sich über ihre Lieblingsbücher. Annie redete sich ein, dass sie das einzige Mädchen war, dem er sich jemals anvertraut hatte. Sie zeigte ihm ein paar ihrer Skizzen, die sie inzwischen heimlich zeichnete, damit Mariah sie nicht kritisieren konnte. Schließlich küsste er sie. *Sie,* Annie Hewitt, eine schlaksige fünfzehnjährige Vogelscheuche mit einem zu schmalen Gesicht, zu großen Augen und zu krausen Haaren.

Danach nutzten sie jeden Moment, in dem Regan abwesend war, um zusammen zu sein und bei Ebbe in der Höhle am Strand im feuchten Sand zu liegen und herumzuschmusen. Annie glaubte, vor Glück sterben zu müssen. Als Theo ihr das Oberteil herunterzog, schämte sie sich für ihre kleinen Brüste und versuchte, sie mit den Händen zu bedecken. Er nahm ihre Hände weg und streichelte sanft über ihre Brustwarzen. Sie war in Ekstase.

Bald berührten sie sich gegenseitig am ganzen Körper. Er zog den Reißverschluss ihrer Shorts auf und schob seine Hand in ihren Slip. Kein Junge hatte sie jemals dort berührt. Sein Finger drang in sie ein. Ihre Hormone explodierten. Genau wie sie selbst. Sie fasste ihn auch an, und als sie zum ersten Mal die Feuchtigkeit in ihrer Hand spürte, glaubte sie zuerst, ihn verletzt zu haben.

Sie war verliebt.

Dann änderten sich die Dinge. Theo begann ohne

Grund, ihr aus dem Weg zu gehen. Er fing plötzlich an, sie vor Jaycie und seiner Schwester herunterzumachen.

Annie, tu nicht so dämlich. Du benimmst dich wie ein Kind …

Annie versuchte, mit ihm unter vier Augen zu reden, um den Grund für sein Verhalten herauszufinden, doch er wich ihr aus. Kurz darauf entdeckte sie ein halbes Dutzend ihrer heiß geliebten Schauerromane auf dem Grund des Swimmingpools.

An einem sonnigen Julinachmittag überquerten sie zu viert die Holzbrücke über das Moor. Annie führte die Zwillinge und Jaycie an und versuchte, Theo zu beeindrucken, indem sie von ihrem Leben in Manhattan erzählte.

»Ich fahre seit meinem zehnten Lebensjahr mit der U-Bahn und …«

»Hör auf mit der Angeberei«, unterbrach Theo sie. Und dann gab er ihr von hinten einen kräftigen Schubs.

Annie fiel vom Steg und landete mit dem Gesicht voraus in dem trüben Morast, der an ihren Armen und Beinen sog. Als sie sich mühsam hochzustemmen versuchte, hingen faulige, aalähnliche Schlickgrassträhnen und blaugrüne Algenknäuel in ihren Haaren und an ihrer Kleidung. Sie spuckte Schlamm aus und rieb ihre Augen. Schließlich brach sie in Tränen aus.

Regan und Jaycie waren genauso entsetzt wie Annie, und letzten Endes mussten sie beide Annie aus dem Moor ziehen. Annie hatte sich ihr rechtes Knie böse aufgeschürft, und ihre Ledersandalen, die sie sich von ihrem eigenen Geld gekauft hatte, waren ihr von den Füßen gerutscht und im Schlick versunken. Tränen rannen durch den Schmodder auf ihren Wangen, während sie auf der Brücke stand wie eine Kreatur aus einem Horrorfilm.

»Warum hast du das getan?«

Theo starrte sie mit steinerner Miene an. »Ich kann Angeber nicht leiden.«

Regans Augen füllten sich mit Tränen. »Bitte, Annie, erzähl es niemandem! Bitte nicht. Sonst bekommt Theo furchtbaren Ärger. Er wird so was nie wieder machen. Versprich es ihr, Theo.«

Theo stolzierte davon, ohne irgendetwas zu versprechen.

Annie erzählte es niemandem. Nicht damals. Erst sehr viel später.

Am nächsten Morgen, nach einer unruhigen Nacht, wanderte Annie durch das Cottage und versuchte, richtig wach zu werden vor dem gefürchteten Marsch zum Klippenhaus. Letzten Endes hatte sie sich ins Atelier verkrochen, außerhalb der Reichweite von Theos Teleskop. Mariah hatte die Rückseite des Cottage ausbauen lassen, um einen geräumigen, hellen Arbeitsbereich zu schaffen, die Farbkleckse auf dem Holzboden zeugten von den unzähligen Künstlern, die im Laufe der Jahre hier gewirkt hatten. Auf dem Gästebett stapelte sich ein halbes Dutzend Kartons, unter denen eine knallrote Decke hervorblitzte. Neben dem Bett standen zwei gelb gestrichene Bambusstühle.

Die lilafarbenen Wände, die rote Decke und die gelben Stühle waren eine Anspielung auf van Goghs Gemälde »Das Schlafzimmer in Arles«. Eine lebensgroße Illusionsmalerei an der größten Wand stellte die Front eines

Taxis dar, das gerade durch ein Schaufenster krachte. Annie hoffte inständig, dass es sich bei dem Wandbild nicht um das geheimnisvolle Vermächtnis handelte, weil sie keine Ahnung hatte, wie sie es anstellen sollte, eine ganze Wand zu verkaufen.

Sie stellte sich ihre Mutter in dem Atelier vor, wo Mariah das Selbstwertgefühl der Künstler gestärkt hatte, wie sie das ihrer Tochter nie gestärkt hatte. Im Gegensatz zu den Künstlern, die nach Mariahs Überzeugung gefördert werden mussten, hatte sie ihre Tochter nie zum Malen oder Schauspielern ermuntert, obwohl Annie beides geliebt hatte. Die Künstlerbranche ist eine Schlangengrube, hatte sie ihr erklärt. Selbst wenn man ungemein talentiert ist, und das bist du nicht, frisst sie einen bei lebendigem Leib. Ich möchte nicht, dass es dir auch so ergeht …

Mariah wäre weitaus besser mit einem temperamentvollen kleinen Mädchen zurechtgekommen, das keinen Wert auf die Meinung anderer Leute legte. Stattdessen hatte sie ein scheues Kind zur Welt gebracht, das in seinen Tagträumen lebte. Und doch, am Schluss war Annie die Starke gewesen und der Rückhalt Mariahs, die nicht mehr in der Lage gewesen war, für sich selbst zu sorgen.

Annie setzte ihre Kaffeetasse ab, als sie draußen das Geräusch eines Wagens hörte, der sich dem Cottage näherte. Sie ging ins Wohnzimmer und beobachtete durch das Erkerfenster, dass ein verbeulter weißer Pick-up vor dem Grundstück hielt. Gleich darauf öffnete sich die Fahrertür, und eine Frau stieg aus, die Annie auf Anfang sechzig schätzte. Ihre massige Gestalt war in einen grauen Daunenmantel gehüllt, ihre schwarzen Stiefel sanken im Schnee ein. Über ihrer blonden Hochsteckfrisur trug sie keine Mütze, aber um ihren Hals war ein Wollschal geschlungen. Ihr knallroter Lippenstift hob sich stark von ihrer winterblassen Haut ab. Die Frau beugte sich kurz in ihren Wagen und brachte eine pinkfarbene Geschenktüte zum Vorschein, aus der Seidenpapier ragte.

Annie war so glücklich, ein Gesicht zu sehen, das nicht zu Harp House gehörte, dass sie beinahe über den Läufer aus Leinen gestolpert wäre in ihrer Eile, zur Tür zu gelangen. Als sie sie aufmachte, rieselte Schnee vom Dach.

»Hallo, ich bin Barbara Rose«, sagte die Besucherin und winkte freundlich. »Sie sind schon seit fast einer Woche hier, und ich dachte mir, es ist Zeit, dass jemand mal nach Ihnen schaut.«

Annie bat die Besucherin herein und nahm ihr den Mantel ab. »Danke, dass Sie gleich am ersten Tag Ihren Mann zu mir rausgeschickt haben. Möchten Sie vielleicht einen Kaffee?«

»Sehr gern.« Unter dem Mantel kamen eine schwarze Stretchhose und ein ultramarinblauer Pullover zum Vorschein. Barbara zog ihre Stiefel aus und folgte Annie in die Küche, den stark blumigen Duft ihres Parfüms brachte sie mit. »Jede alleinstehende Frau auf der Insel kämpft mit der Einsamkeit, aber hier draußen, mitten im Nichts ...« Ihr kurzes Achselzucken verwandelte sich in ein Schaudern. »Es kann viel passieren, wenn man auf sich allein gestellt ist.«

Das waren nicht gerade die Worte, die Annie von einer erfahrenen Inselbewohnerin hören wollte. Dennoch sagte sie: »Das stimmt.«

Während sie die Kaffeemaschine mit Wasser füllte und

Kaffeepulver in den Filter gab, sah Barbara sich in der Küche um. Ihr wehmütiger Blick blieb an der kitschigen Sammlung von Salz- und Pfefferstreuern auf der Fensterbank hängen, wanderte dann zu den Schwarz-Weiß-Lithografien an der Wand.

»Früher kamen alle möglichen berühmten Leute im Sommer zu Besuch, aber ich kann mich nicht erinnern, Sie hier oft gesehen zu haben.«

Annie schaltete die Kaffeemaschine ein, die gleich zu gurgeln begann. »Ich bin eher ein Stadtmensch.«

»Peregrine Island ist sicher kein guter Ort für einen Stadtmenschen, besonders nicht im Winter.« Barbara war sehr mitteilsam. Sie redete über das außergewöhnlich kalte Wetter und darüber, wie hart der Winter für die Inselfrauen war, wenn ihre Männer draußen auf der rauen See arbeiteten. Annie hatte die komplizierten Vorschriften ganz vergessen, die genau regelten, wann und wo Berufsfischer ihre Hummerfallen auswerfen durften, und Barbara war mehr als glücklich, sie darüber aufklären zu dürfen. »Wir fischen hier nur von Anfang Oktober bis Ende Mai. In der restlichen Zeit konzentrieren wir uns auf die Touristen. Auf den meisten anderen Inseln dauert die Fangsaison von Mai bis Dezember.«

»Ist die Arbeit bei wärmerer Witterung nicht leichter?«

»Definitiv. Obwohl, beim Hochziehen der Fallen kann immer noch jede Menge schiefgehen, selbst wenn das Wetter gut ist. Und Hummer erzielen im Winter einen höheren Preis. Es hat also auch Vorteile, jetzt zu fischen.«

Annie schenkte ihnen Kaffee ein. Sie nahmen ihre Tassen mit ins Wohnzimmer und setzten sich an den Tisch vor dem Erkerfenster. Barbara gab Annie die Geschenktüte. Darin steckte ein selbst gestrickter schwarz-weißer Schal.

»Vielen Dank! Der ist hübsch.« Annie lächelte erfreut.

Barbara fegte die Toastkrümel von Annies Frühstück in ihre Hand. »Viele von uns beschäftigen sich im Winter mit Stricken. Ohne diese Ablenkung würde ich mir ständig Sorgen machen. Mein Sohn lebt mittlerweile in Bangor. Früher habe ich meinen Enkel jeden Tag gesehen, heute kann ich froh sein, wenn ich ihn alle paar Monate zu Gesicht bekomme.« Ihre Augen verschleierten sich, als würden ihr gleich die Tränen kommen. Sie stand abrupt auf und trug die gesammelten Krümel in die Küche. Als sie zurückkehrte, hatte Barbara ihre Fassung noch nicht ganz wiedergefunden. »Meine Tochter Lisa redet auch schon davon, die Insel zu verlassen. Wenn das passiert, verliere ich meine beiden Enkeltöchter.«

»Lisa, Jaycies Freundin?«

Barbara nickte. »Sieht so aus, als wäre der Brand in der Schule der Tropfen gewesen, der das Fass zum Überlaufen gebracht hat.«

Annie erinnerte sich vage an das kleine Holzhaus, in dem die Inselkinder unterrichtet wurden. Es stand auf dem Hügel direkt hinter dem Hafen.

»Ich wusste nicht, dass es dort gebrannt hat.«

»Es ist Anfang Dezember passiert, direkt nach Theo Harps Ankunft. Das Feuer wurde durch ein defektes Elektrogerät ausgelöst. Das Gebäude ist vollständig abgebrannt.« Barbara tippte mit den Spitzen ihrer rot lackierten Fingernägel auf den Tisch. »Unsere Inselkinder haben seit fünfzig Jahren in dieser Schule gelernt, bis sie auf die Highschool auf dem Festland wechselten.

Momentan findet der Unterricht in einer alten Baracke statt – mehr kann die Gemeinde sich nicht leisten. Lisa sagt, sie will es nicht länger hinnehmen, dass ihre beiden Mädchen in einem Container unterrichtet werden.«

Annie konnte es den Frauen nicht verübeln, die fortgehen wollten. Das Leben auf einer kleinen Insel war eher in der Theorie romantisch als in der Praxis.

Barbara spielte an ihrem Ehering, ein schmales Goldband mit einem ganz kleinen Edelstein. »Ich bin nicht die einzige Großmutter mit diesem Problem. Der Sohn von Judy Kester bekommt von seiner Frau ziemlich viel Druck, sie will zu ihren Eltern nach Vermont ziehen, und Tildy …« Sie machte eine wegwerfende Handbewegung, als wollte sie sich nicht länger mit dem Thema beschäftigen. »Wie lange werden Sie bleiben?«

»Bis Ende März.«

»Das ist eine lange Zeit im Winter.«

Annie zuckte mit den Achseln. Offensichtlich waren die Bedingungen, die an den Besitz des Cottage geknüpft waren, nicht allgemein bekannt, und Annie hatte nicht die Absicht, das zu ändern. Sonst würde es so aussehen, als stünde sie unter der Kontrolle eines anderen so wie ihre Puppen.

»Mein Mann sagt ja immer, ich soll meine Nase nicht in fremde Angelegenheiten stecken«, plapperte Barbara weiter, »aber ich würde es mir niemals verzeihen, wenn ich Sie nicht davor warnen würde, dass es hart ist, so ganz allein hier draußen.«

»Ich werde schon zurechtkommen«, sagte Annie, als würde sie es glauben.

Barbaras besorgte Miene war nicht gerade ermutigend. »Sie sind hier weitab von der Stadt. Und ich habe Ihren Wagen gesehen … Auf den ungepflasterten Straßen wird er Ihnen bei diesen Winterverhältnissen nichts nützen.«

Etwas, das Annie bereits herausgefunden hatte.

Zum Abschied lud Barbara sie zu einem Bunko-Nachmittag ein. »Die Runde besteht hauptsächlich aus uns Großmüttern, doch ich werde dafür sorgen, dass Lisa auch kommt. Sie ist ungefähr in Ihrem Alter.«

Annie sagte sofort zu. Sie hatte zwar keine Lust auf einen Spielenachmittag, aber sie brauchte zur Abwechslung auch mal andere Gesprächspartner als ihre Puppen oder Jaycie, die trotz ihrer liebenswerten Art nicht gerade sehr unterhaltsam war.

Theo wurde von einem Geräusch wach. Nicht wie sonst so oft von einem Albtraum, sondern von einem widerhallenden Ton, der nicht zum Haus gehörte. Er schlug die Augen auf und lauschte.

Trotz seines schlaftrunkenen Zustands dauerte es nicht lange, bis er erkannte, was er gerade hörte. Das Schlagen der Pendeluhr unten im Wohnzimmer. Drei … vier … fünf …

Er setzte sich im Bett auf. Diese Uhr hatte nicht mehr geschlagen, seit seine Großmutter Hildy vor gut sechs Jahren gestorben war.

Theo schlug die Decke zurück und horchte. Die melodischen Glockenschläge waren gedämpft, doch deutlich hörbar. Er zählte mit. Sieben … acht … neun … zehn … Schließlich, nach dem zwölften Mal, verstummte der Gong.

Theo sah auf seine Uhr neben dem Bett. Es war drei Uhr morgens. Was zum Teufel …?

Er kletterte aus dem Bett und machte sich auf den Weg nach unten. Er war nackt, aber die kalte Luft machte ihm nichts aus. Sie sorgte dafür, dass er sich lebendig fühlte.

Das Licht eines Viertelmonds sickerte durch die Fensterreihe und warf Schatten der Gitterstäbe auf den Teppich. Das Wohnzimmer roch muffig, unbenutzt, das Pendel von Hildys Wanduhr schwang in rhythmischem Ticktack hin und her. Die Zeiger standen auf Mitternacht. Die Zeiger der Uhr, die jahrelang stumm gewesen war.

Theo mochte beruflich mit zeitreisenden Kriminellen zu tun haben, aber er glaubte nicht an das Übersinnliche. Trotzdem wäre ihm aufgefallen, wenn die Uhr bereits getickt hätte, bevor er schlafen gegangen war. Und dann waren da noch diese rätselhaften Klagelaute. Für all das musste es eine Erklärung geben.

Noch hatte er keine. Allerdings würde er nun reichlich Zeit zum Überlegen haben, weil für die restliche Nacht sicher nicht mehr an Schlaf zu denken war. Auch gut. Der Schlaf war zu seinem Feind geworden, ein finsterer Ort, bewohnt von den Geistern der Vergangenheit, Geistern, die noch bedrohlicher geworden waren, seit Annie auf der Insel aufgetaucht war.

Die Straße war nicht mehr so stark vereist wie bei Annies Ankunft acht Tage zuvor, aber die Schlaglöcher waren noch größer geworden. Statt fünfzehn brauchte Annie vierzig Minuten in die Stadt zum Spielenachmittag mit den Damen. Während der Fahrt versuchte sie, nicht an Theo zu denken, er schwirrte ihr dennoch ständig im Kopf herum. Seit ihrer Auseinandersetzung im Turm hatten sie sich nur aus der Ferne gesehen. Annie hatte nicht vor, das zu ändern, aber sie ahnte, dass dies nicht so einfach werden würde.

Sie war dankbar für die Gelegenheit, aus dem Cottage herauszukommen. Trotz ihrer anstrengenden Ausflüge zum Klippenhaus spürte sie, dass sie sich wenigstens körperlich allmählich erholte. Sie trug ihre beste Jeans und eins der weißen Männerhemden ihrer Mutter. Ihre widerspenstigen Haare hatte sie zu einem lockeren Knoten gesteckt, die Lippen in dezentem Rosenholz geschminkt und ihre Wimpern getuscht – das Beste, was sie mit dem, was vorhanden war, aus sich machen konnte. Annie dachte manchmal, dass sie auf Mascara verzichten sollte, um ihre Augen nicht noch zusätzlich zu betonen, doch ihre Freundinnen fanden sie zu selbstkritisch und argumentierten, dass ihre haselnussbraunen Augen das Schönste an ihrem Gesicht seien.

Rechts von der Straße ragte die große Kaimauer des Hafens, in dem die Fangschiffe abends ankerten, ins Meer hinaus. Die offenen Schuppen, die Annie in Erinnerung hatte, waren inzwischen durch geschlossene Bootshäuser ersetzt worden. Wenn sich nichts geändert hatte, waren dort, neben den Fallen und Bojen der Hummerfischer, die Privatboote der Sommergäste, die auf einen neuen Anstrich warteten, eingelagert.

Auf der anderen Seite der Straße befanden sich ein paar kleine Restaurants, die im Winter geschlossen waren, ein Souvenirladen und zwei Galerien. Das Gemeindehaus der Insel, ein kleines, grau geschindeltes Mehrzweckgebäude, in dem auch das Postamt und die Bücherei untergebracht waren, hatte das ganze Jahr geöffnet. Auf dem Hügel, der sich hinter der Stadt erhob, konnte Annie gerade noch so die schneebedeckten Grabsteine des Friedhofs ausmachen. Noch ein Stück höher, mit Ausblick über den Hafen, thronte das Peregrine Island Inn, das auf den Mai wartete, um wieder zum Leben zu erwachen.

Die Häuser in der Stadt standen dicht an der Straße. In den Vorgärten stapelten sich Hummerfallen aus Draht, Kabeltrommeln und Autowracks, die noch nicht den Weg zu einem Schrottplatz außerhalb der Insel gefunden hatten. Das Haus der Roses sah so aus wie alle anderen Häuser – sie waren zweckmäßig gebaut. Barbara bat Annie herein und nahm ihr die Jacke ab, dann führte sie sie durch ein schlichtes Wohnzimmer, in dem es nach verbranntem Holz und dem blumigen Parfüm der Gastgeberin roch, in die Küche. Mintgrüne Gardinenschals hingen am Fenster über der Spüle, eine Sammlung von Souvenirtellern hing über den Einbauschränken aus dunklem Holz. Barbaras Stolz auf ihre Enkel offenbarte sich in den vielen Kinderfotos, die am Kühlschrank befestigt waren.

An einem der beiden Tische saß eine jüngere Frau, eine zierliche Brünette mit einem halblangen Bob, einer schwarzen Hornbrille und einer Stupsnase. Barbara stellte Annie die junge Frau als ihre Tochter Lisa McKinley vor – Jaycies Freundin. Sie hatte Cynthia Harp empfohlen, Jaycie als Haushälterin einzustellen.

Annie erfuhr rasch, dass Lisa die ehrenamtliche Bibliothekarin und zugleich die Besitzerin des einzigen Cafés auf der Insel war, zu dem eine eigene Bäckerei gehörte.

»Die Bäckerei ist bis zum ersten Mai geschlossen«, erklärte Lisa. »Und ich hasse Bunko, aber ich wollte Sie gern kennenlernen.«

Barbara deutete auf ihre Fotogalerie am Kühlschrank. »Lisa hat zwei bildhübsche Mädchen. Meine Enkeltöchter. Sie sind hier geboren.«

»Meine Strafe dafür, dass ich einen Hummerfischer geheiratet habe, statt mit Jimmy Timkins von der Insel abzuhauen, als ich die Chance dazu hatte«, bemerkte Lisa.

»Beachten Sie sie nicht. Sie liebt ihren Mann«, sagte Barbara, bevor sie Annie mit den anderen Damen bekannt machte.

»Macht es Ihnen denn nichts aus, so ganz allein in dem abgelegenen Cottage zu wohnen?« Die Frage kam von Marie, einer Seniorin mit ausgeprägten Falten, die ihrem Gesicht einen griesgrämigen Ausdruck verliehen. »Vor allem, wenn Ihr einziger Nachbar Theo Harp ist?«

»Ich bin nicht besonders ängstlich«, antwortete Annie.

Die Puppen in ihrem Kopf fielen vor Lachen in Ohnmacht.

»Nehmt euch alle einen Drink«, lud Barbara sie ein.

»Ich würde nicht einmal für Geld dort draußen wohnen wollen«, sagte Marie. »Nicht solange Theo sich im Klippenhaus aufhält. Regan war so ein nettes Mädchen.«

Barbara wackelte am Zapfhahn des Weinfässchens. »Marie ist von Natur aus misstrauisch. Hören Sie nicht auf sie.«

Marie ließ sich nicht beirren. »Alles, was ich sage, ist, dass Regan Harp genauso gut segeln konnte wie ihr Bruder. Und ich bin nicht die Einzige, die es merkwürdig findet, dass sie bei aufziehendem Sturm mit dem Boot rausfuhr.«

Während Annie versuchte, diese neuen Informationen zu verarbeiten, führte Barbara sie zu einem freien Platz an Lisas Tisch. »Machen Sie sich keine Sorgen, falls Sie noch nie Bunko gespielt haben. Die Regeln sind ganz einfach.«

»Bunko ist für uns hauptsächlich ein Vorwand, um Wein zu trinken und Ruhe vor unseren Männern zu haben.«

Der Kommentar Judy Kesters verdiente nicht ihr lautes Lachen, doch Judy lachte anscheinend über so gut wie alles. Mit ihrer guten Laune und ihren leuchtend rot gefärbten Haaren, die von ihrem Kopf abstanden wie eine Clownsperücke, war es schwer, sie nicht sympathisch zu finden.

»Echte intellektuelle Stimulation ist auf Peregrine nicht erlaubt«, bemerkte Lisa scharf. »Zumindest nicht im Winter.«

»Du bist bloß immer noch sauer, weil Mrs. Harp letzten Sommer nicht gekommen ist, stimmt's?« Barbara ließ die Würfel rollen.

»Cynthia ist meine Freundin«, erwiderte Lisa. »Ich will nichts Schlechtes über sie hören.«

»Wie zum Beispiel die Tatsache, dass sie ein Snob ist?« Barbara würfelte wieder.

»Sie ist kein Snob«, widersprach Lisa. »Nur weil sie kultiviert ist, heißt das nicht, dass sie ein Snob ist.«

»Mariah Hewitt war weitaus kultivierter als Cynthia Harp«, warf Marie säuerlich ein. »Trotzdem hat sie nicht alle von oben herab behandelt.«

Obwohl Annie mit ihrer Mutter so ihre Probleme gehabt hatte, war es nett, wohlwollende Worte über sie zu hören.

Während Lisa mit dem Würfeln an der Reihe war, erklärte sie Annie: »Cynthia und ich sind Freundinnen geworden, weil wir so viele gemeinsame Vorlieben haben.«

Annie fragte sich, ob das auch den Einrichtungsgeschmack betraf.

»Mini-Bunko«, rief jemand am Nebentisch.

Die Spielregeln waren einfach, wie Barbara gesagt hatte, und Annie lernte nach und nach, die Namen und Charaktere der Damen an den beiden Tischen gedanklich einzuordnen. Lisa gefiel sich in der Rolle der Intellektuellen, Louise Nelson, eine attraktive ältere Dame mit hohen Wangenknochen und einer afrikanisch anmutenden breiten Nase, war als Braut auf die Insel gekommen, Marie Camerons Gemüt war so griesgrämig wie ihr Gesichtsausdruck, und Judy Kester steckte alle mit ihrem fröhlichen Naturell an.

Als Inselbibliothekarin lenkte Lisa das Gespräch bald auf Theo Harp. »Er ist ein begabter Schriftsteller. Er sollte sein Talent nicht für Schund wie *Die Heilanstalt* verschwenden.«

»Oh, ich fand das Buch interessant«, sagte Judy, deren purpurroter Pullover sie als BESTE OMA DER WELT betitelte, »obwohl ich mich so sehr gegruselt hab, dass ich eine Woche lang das Licht beim Einschlafen anlassen musste.«

»Was für ein Mensch denkt sich solche Foltermethoden aus?«, fragte Marie und schürzte die Lippen. »Ich hab in meinem ganzen Leben noch nie so etwas Grausames gelesen.«

»Das Buch hat sich nur wegen der Sexszenen so gut verkauft.«

Diese Einschätzung kam von einer rotgesichtigen Frau namens Naomi. Ihre beachtliche Körpergröße, ihr pechschwarz gefärbter Pagenschnitt und die laute Stimme machten sie zu einer imposanten Gestalt, und Annie war nicht überrascht, als sie später erfuhr, dass Naomi ihren eigenen Hummerfänger steuerte.

Die eleganteste Person in der Runde – und zugleich die Besitzerin des örtlichen Souvenirladens – war Naomis Bunko-Partnerin Tildy, eine vielleicht Sechzigjährige mit einer blonden Kurzhaarfrisur.

»Ja, die Sexszenen waren das Beste daran«, sagte sie. »Dieser Mann hat wirklich Fantasie.«

Obwohl Lisa ungefähr in Annies Alter war, benahm sie sich fast so puritanisch wie Marie. »Er hat damit seine Familie in Verlegenheit gebracht. Ich habe nichts gegen gut geschriebene Sexszenen, aber …«

»Aber«, unterbrach Tildy, »du hast was gegen Sexszenen, die die Leute tatsächlich antörnen.«

Lisa hatte die Güte zu lachen.

Barbara würfelte wieder. »Du lehnst das Buch doch nur ab, weil Cindy nichts davon hält.«

»Cynthia«, verbesserte Lisa. »Niemand nennt sie Cindy.«

»Bunko!«

Die kleinen silbernen Kreuzanhänger wackelten an Judys Ohrläppchen, als sie auf den Buzzer, der auf ihrem Tisch stand, schlug. Die anderen stöhnten auf.

Sie tauschten ihre Mitspieler. Die Unterhaltung driftete ab zu den Gaspreisen und den häufigen Stromausfällen, dann sprachen sie über die Hummerfischerei. Annie erfuhr nicht nur, dass Naomi ihren eigenen Kutter besaß, sondern auch, dass die meisten Frauen zu bestimmten Zeiten auf den Fangschiffen ihrer Männer als Skipper ausgeholfen hatten, ein gefährlicher Job, zu dem gehörte, die schweren Hummerfallen zu leeren, ihren Inhalt nach der vorgeschriebenen Mindestgröße zu sortieren und die Fallen anschließend wieder mit stinkenden Fischködern zu bestücken. Hätte Annie nicht bereits sämtliche Traumvorstellungen vom Inselleben verworfen, hätte diese Unterhaltung sie auf den harten Boden der Realität zurückgeholt.

Aber das Hauptthema waren die Wettervorhersagen der Seewacht und deren Folgen auf den Nachschub mit Versorgungsgütern. Ein kleines Schiff, ein ehemaliges Hummerfischerboot, belieferte die Insel nur einmal in der Woche mit Lebensmitteln, der Post und anderen Waren. Unglücklicherweise war es in der Woche zuvor von riesigen Wellen aufgehalten worden, sodass die Inselbewohner sich eine weitere Woche gedulden mussten, bis die nächste planmäßige Fahrt anstand.

»Falls eine von euch ein bisschen Butter übrig hat, würde ich sie derjenigen gern abkaufen«, sagte Tildy und zupfte erwartungsvoll an ihren Silberketten.

»Ich habe Butter, aber ich brauche Eier.«

»Ich habe noch eingefrorenes Zucchinibrot.«

Tildy verdrehte die Augen. »Davon haben wir alle selbst genug.«

Die anderen lachten.

Annie wurde bewusst, dass auch ihre Lebensmittelvorräte zur Neige gingen und dass sie die Sache in Zukunft organisierter angehen musste. Wenn sie nicht den ganzen Winter von Konserven leben wollte, empfahl es sich, gleich am kommenden Morgen eine Bestellung aufzugeben. Was bedeutete, dass sie ihr Konto noch weiter überziehen musste …

Judy würfelte. »Wenn die Fähre nächste Woche wieder nicht kommt, brate ich die Meerschweinchen meiner Enkelkinder, das schwöre ich euch.«

»Du kannst dich glücklich schätzen, dass du deine Enkel alle noch hier hast«, sagte Marie.

Judy wurde ernst. »Ich kann mir nicht vorstellen, was ich machen würde, wenn sie fortgingen.«

Louise hielt sich bedeckt, und Tildy beugte sich zu ihr hinüber. Sie tätschelte ihren zerbrechlich wirkenden Arm. »Johnny wird nicht von hier weggehen. Du wirst sehen. Eher lässt er sich von Galeann scheiden, bevor sie ihn überreden kann, die Insel zu verlassen.«

»Ich hoffe, du hast recht«, erwiderte die alte Dame. »Bei Gott, ich hoffe, du hast recht.«

Als der Nachmittag sich dem Ende neigte und die Frauen ihre Jacken und Mäntel holten, winkte Barbara Annie zur Seite. »Ich habe mir seit meinem Besuch neulich Gedanken über Sie gemacht, und ich hätte kein gutes Gefühl, wenn ich Sie nicht warnen würde … Viele Leute denken, dass wir hier alle eine große Familie sind, aber die Insel hat auch ihre Schattenseiten.«

»Erzählen Sie mir davon«, sagte Annie.

»Ich meine nicht Marie und ihre Besessenheit, was Regan Harp betrifft. Niemand macht Theo für den Tod seiner Schwester verantwortlich. Peregrine ist dennoch ein guter Ort für Menschen, die vom Radar verschwinden wollen. Die Hummerfischer heuern Matrosen vom Festland an, ohne zu viele Fragen zu stellen. Draußen bei Ihrer Mutter wurde ein paar Mal eingebrochen. Ich habe Prügeleien beobachtet, Messerstechereien. Immer wieder werden Reifen aufgeschlitzt. Und unter unseren Fischern finden sich nicht nur aufrechte Bürger. Wer seine Fallen zu oft in fremden Fanggründen versenkt, wird vielleicht irgendwann feststellen, dass die Leinen durchtrennt wurden und die Ausrüstung auf dem Meeresboden liegt.«

»Ich …« Annie wollte darauf hinweisen, dass sie nicht die Absicht hatte, irgendwem etwas anzutun, doch Barbara war noch nicht fertig.

»Solche Querelen schwappen auf das Land über. Ich habe zwar fast jeden hier in mein Herz geschlossen, dennoch gibt es einige unerwünschte Elemente auf der Insel. Jaycies Mann Ned Grayson gehörte dazu. Weil er gut aussah und seine Familie seit drei Generationen auf der Insel lebt, war er der Meinung, dass er tun und lassen konnte, was er wollte.« Genau wie Theo, dachte Annie. Barbara tätschelte ihren Arm. »Alles, was ich damit sagen möchte, ist, dass Sie dort draußen völlig abgeschnitten sind. Sie haben kein Telefon, und Sie sind zu weit weg von der Stadt, um schnell Hilfe zu bekommen. Passen Sie also auf sich auf, und werden Sie nicht leichtsinnig.«

Diese Gefahr bestand nicht. Annie verließ das Haus dennoch mit einem ernsthaften Gefühl der Beunruhigung. Sie checkte den Rücksitz ihres Wagens, bevor sie sich ans Steuer setzte, und behielt ständig den Rückspiegel im Auge, während sie nach Hause fuhr. Abgesehen von ein paar harmlosen Rutschpartien und einem tiefen Schlagloch, das sie beinahe ihre vordere Stoßstange gekostet hätte, verlief die Rückfahrt ohne weitere Zwischenfälle.

Dies gab Annie das Selbstvertrauen, drei Tage später die nächste Tour in die Stadt zu unternehmen, um ein paar Bücher auszuleihen.

Als Annie die kleine Gemeindebücherei betrat, saß Lisa McKinley hinter dem Schreibtisch, eins ihrer rothaarigen Mädchen tobte durch den Raum. Lisa begrüßte Annie und deutete dann auf eine Titelliste.

»Das hier sind meine Empfehlungen für den Monat Februar.«

Annie überflog die Buchvorschläge. Sie erinnerten sie an die schwere, deprimierende Literatur, die Mariah ihr immer aufgezwungen hatte.

»Ich bevorzuge ein bisschen unterhaltsamere Lektüre«, sagte sie.

Lisas Schultern sackten enttäuscht herunter. »Jaycie ist genauso. Als Cynthia hier war, haben wir uns gemeinsam für jeden Monat eine Auswahl an Büchern überlegt, aber fast niemand interessierte sich dafür.«

»Ich schätze, das ist eine Frage des Geschmacks.«

In diesem Moment stieß Lisas Tochter einen Stapel Kinderbücher um, und Lisa eilte davon, um das Chaos aufzuräumen.

Annie machte sich schließlich mit einer Reihe von Taschenbüchern und Lisas Missbilligung auf den Rückweg. Nach der halben Strecke tat sich plötzlich ein kraterähnliches Schlagloch vor ihr auf.

»Verdammter Mist!«, rief sie und bremste gefühlvoll.

Der Kia geriet trotzdem ins Schleudern, und sie rutschte wieder in den Straßengraben. Annie versuchte, sich herauszuschaukeln, doch sie war damit genauso wenig erfolgreich wie am Tag ihrer Ankunft. Sie stieg aus, um sich ein Bild von der Lage zu machen. Dieses Mal steckte der Wagen zwar nicht so tief im Schnee, aber tief genug, dass sie Hilfe benötigte. Und hatte sie die Möglichkeit, Hilfe zu holen? Hatte sie eine Notfallausrüstung im Wagen oder ein paar Sandsäcke im Kofferraum wie jeder vernünftige Inselbewohner? Hatte sie nicht. Sie war extrem schlecht ausgestattet dafür, dass sie an einem Ort lebte, der auf Selbstversorgung ausgerichtet war.

Loser, flüsterte Leo.

Peter, ihr Held, blieb still.

Annie blickte die Straße entlang. Der Wind, der auf der Insel anscheinend immer wehte, peitschte ihr entgegen.

»Ich hasse diesen Ort!«, brüllte sie, was sie nur zum Husten brachte.

Zu Fuß setzte sie ihren Weg fort. Der Tag war wie immer wolkenverhangen. Schien auf dieser gottverlassenen Insel eigentlich jemals die Sonne? Annie schob ihre behandschuhten Hände in die Jackentaschen und krümmte die Schultern nach vorn, versuchte, nicht an ihre warme rote Strickmütze zu denken, die auf ihrem Bett im Cottage lag. Wahrscheinlich starrte Theo gerade durch sein Teleskop darauf.

Ihr Kopf fuhr ruckartig hoch, als sie Zweige knacken hörte, gefolgt von einem dumpfen Stampfen. Es war ein Geräusch, das nicht zu einer Insel passte, auf der es keine größeren Tiere gab als Hunde oder Katzen. Und ein mitternachtsschwarzes Pferd.

Kapitel 6

Pferd und Reiter kamen wie aus dem Nichts aus einem alten Fichtenhain galoppiert. Als Theo Annie sah, zügelte er das Tempo. Annie schmeckte kaltes Metall in ihrem Rachen. Sie war auf einer gesetzlosen Insel am Ende einer verlassenen Straße allein mit einem Mann, der schon einmal versucht hatte, sie umzubringen.

Und vielleicht wieder mit dem Gedanken spielte.

Crumpets stumme Schreie deckten sich mit dem Rhythmus von Annies Herzschlag.

Wage nicht zu kneifen, befahl Scamp, während Theo sich auf seinem Wallach näherte.

Annie hatte normalerweise keine Angst vor Pferden, aber dieses hier war riesig, und sie glaubte, einen irren Ausdruck in seinen Augen zu erkennen. Sie fühlte sich, als würde sie einen alten Albtraum von Neuem durchleben, und trotz Scamps Befehl wich sie ein paar Schritte zurück.

Feigling, höhnte Scamp.

»Hast du was Besonderes vor?«

Theo war nicht warm genug angezogen für die Kälte. Er trug nur seine schwarze Wildlederjacke und Handschuhe. Keine Mütze. Keinen wärmenden Schal um den Hals. Wenigstens war seine Kleidung aus dem 21. Jahrhundert.

Maries Worte kamen ihr in den Sinn. *Alles, was ich sage, ist, dass Regan Harp genauso gut segeln konnte wie ihr Bruder. Und ich bin nicht die Einzige, die es merkwürdig findet, dass sie bei aufziehendem Sturm mit dem Boot rausfuhr.*

Annie unterdrückte ihre Beklommenheit, indem sie auf den Modus ihrer Lieblingspuppe umschaltete. »Ich bin gerade auf dem Weg zu einem netten Abend mit meinen Inselfreunden. Wenn ich nicht erscheine, werden sie nach mir suchen.«

»So?« Theo legte den Kopf schief.

Sie fuhr eilig fort: »Leider steckt mein Wagen im Graben fest. Ich könnte Hilfe gebrauchen beim Rausziehen.« Ausgerechnet Theo um Hilfe bitten zu müssen, war schlimmer als alles andere, und Annie konnte das nicht so stehen lassen. »Oder sollte ich jemanden fragen, der mehr Muskeln hat?«

Theo hatte mehr als genug Muskeln, und es war töricht von ihr, ihn zu provozieren. Er sah die Straße entlang zu ihrem Wagen, dann starrte er wieder zu ihr hinunter.

»Ich glaube, deine Einstellung gefällt mir nicht.«

»Da bist du nicht der Einzige.«

Seine Augenlider flackerten, als hätte er einen dieser Psychopathentics. »Du hast eine seltsame Art, um Hilfe zu bitten.«

»Wir haben alle unsere Macken. Wie wäre es, wenn du schiebst?«

Es kostete sie viel Überwindung, ihm den Rücken zuzukehren, aber sie tat es dennoch. Dancers Hufe knirschten unheimlich im Schnee, während Theo ihr zum Wagen folgte, und ihr lief ein Schauer über den Rücken. Annie fragte sich, ob Theo sich schon Gedanken darüber gemacht hatte, dass es im Klippenhaus spuken könnte. Sie hoffte es.

Ticktack, ticktack ....

»Lass es mich so ausdrücken«, sagte er, während er zu ihr aufschloss. »Ich helfe dir, wenn du mir hilfst.«

»Das würde ich ja gern, nur dass es mir so schwerfällt, Leichen zu zersägen. Die ganzen Knochen ...«

Verdammt! Genau das passierte, wenn man zu viel Zeit allein mit Puppen verbrachte. Deren Persönlichkeiten übernahmen das Kommando.

Unsere Persönlichkeiten kommen von dir, wandte Dilly ein.

»Wovon redest du?«, fragte Theo.

»Was für eine Art von Hilfe benötigst du?«, wollte sie wissen. Abgesehen von einer psychiatrischen?

»Ich möchte das Cottage mieten.«

Annie blieb abrupt stehen. Sie wusste nicht, was sie erwartet hatte, aber das ganz bestimmt nicht. »Und wo soll ich wohnen?«

»Geh zurück nach New York. Du gehörst nicht hierher. Ich sorge dafür, dass es sich für dich lohnt.«

Sie schob trotzig die Hände in ihre Jackentaschen. »Hältst du mich wirklich für so dumm?«

»Ich habe dich nie für dumm gehalten.«

Sie setzte sich wieder in Bewegung, hielt jedoch Abstand zu Theo. »Warum sollte ich gehen, bevor die sechzig Tage um sind?«

Er sah zu ihr hinunter, gab sich zuerst verdutzt und schaute schließlich bestürzt drein, als wäre es ihm plötzlich wieder eingefallen.

»Das habe ich ganz vergessen!«

»Sicher.« Sie blieb wieder stehen. »Warum willst du das Cottage mieten? Du hast doch bereits mehr Zimmer, als du brauchst.«

Er lächelte spöttisch, genau wie Leo. »Um das alles hinter mir lassen zu können.«

Ich werde ihn für dich verprügeln, sagte Peter hörbar verängstigt. *Aber er ist schrecklich groß.*

Theo musterte ihren Kia, dann stieg er ab und band Dancer an einen Baum auf der anderen Straßenseite. »Ein Wagen wie dieser ist hier nutzlos. Das solltest du eigentlich wissen.«

»Ich werde gleich losgehen und mir einen neuen kaufen.«

Er schenkte ihr einen langen Blick, dann öffnete er die Fahrertür und glitt hinter das Lenkrad.

»Los, schieb an.«

»Ich?«

»Es ist dein Wagen.«

Arschloch.

Sie besaß nicht genügend Kraft, um einen Wagen anzuschieben, was Theo ganz genau wusste, aber er scheuchte sie trotzdem nach hinten und rief ihr von vorn Befehle zu. Erst als sie zu husten begann, überließ er ihr den Platz hinter dem Lenkrad und schob den Wagen an. Beim ersten Versuch hatte er ihn aus dem Graben. Theo hatte sich kaum die Hände schmutzig gemacht.

Er hatte sie nicht in den Wald verschleppt, um ihr dort die Kehle aufzuschlitzen, sondern ihr geholfen. Also hatte sie keinen Grund, sich zu beschweren.

Annie dachte immer noch über ihre Begegnung mit Theo nach, als sie am nächsten Tag im Windfang des Klippenhauses ihre Jacke und ihren Rucksack an die Garderobe hängte und ihre Stiefel gegen Sneakers tauschte. Nur weil Theo nicht versucht hatte, ihr körperlichen Schaden zuzufügen, bedeutete das nicht, dass er nicht die Absicht hatte. Nach allem, was sie über ihn wusste, hatte er sie wahrscheinlich nur verschont, um sich die Unannehmlichkeit zu ersparen, dass die Polizei ihm einen Hausbesuch abstattete, ausgelöst durch eine weibliche Leiche, die an den Strand gespült worden war.

Genau wie Regan …

Annie schob den Gedanken beiseite. Regan war die einzige Person, die Theo jemals gerngehabt hatte.

Annie ging in die Küche und sah Jaycie regungslos am Tisch sitzen. Sie trug wie üblich Jeans und Sweatshirt – Annie hatte sie nie in anderen Sachen gesehen. Dieser saloppe Stil passte nicht wirklich zu ihr. Jaycie sollte verführerische Kleider tragen.

Annie stellte ihren Laptop auf den Küchentisch. »Guten Morgen«, begrüßte sie die Freundin.

Jaycie sah sie nicht an. »Es ist vorbei«, sagte sie matt. Sie stützte die Ellenbogen auf den Tisch und massierte ihre Schläfen. »Heute Morgen hat er mir eine SMS geschickt, nachdem er von seinem Ausritt zurückkam. Er hat mir mitgeteilt, dass er in die Stadt fahren muss und dass er sich nach seiner Rückkehr mit mir unterhalten will.«

Annie unterdrückte den Impuls, eine Hetztirade anzustimmen. »Das heißt nicht zwingend, dass er dich feuern wird.« Doch, genau das hieß es.

Jaycie sah sie schließlich an, und eine lange blonde Haarsträhne fiel ihr ins Gesicht. »Wir wissen beide, dass er mich feuern wird. Ich kann für die ersten paar Tage bei Lisa unterkommen, aber was mache ich danach? Meine Kleine …« Ihr Gesicht verzog sich. »Livia hat schon so viel durchgemacht.«

»Ich werde mit Theo reden.« Es war das Letzte, worauf Annie Lust hatte, doch ihr fiel keine andere Möglichkeit ein, um Jaycie Trost zu spenden. »Er ist … noch in der Stadt?«

Jaycie nickte. »Er bringt den recycelbaren Müll weg, weil ich dazu nicht in der Lage bin. Ich kann es ihm nicht verübeln, dass er mich loswerden will. Es ist für mich unmöglich, das zu tun, wofür ich eingestellt wurde.«

Annie konnte es ihm durchaus verübeln, und ihr gefiel der wehmütige, weiche Ausdruck in Jaycies Augen nicht. War es ihr Muster, sich zu grausamen Männern hingezogen zu fühlen?

Jaycie stemmte sich vom Tisch hoch und angelte nach ihren Krücken. »Ich muss mal nach Livia schauen.«

Annie kochte vor Wut. Theo musste aufs Festland zurückgejagt werden. Je früher er verschwand, desto besser. Sie nahm eine Flasche Ketchup aus dem Kühlschrank und machte sich damit auf den Weg in das Obergeschoss zu der Tür am Flurende, durch die man den Turm betrat. Sie ging hoch in das Bad, in dem ein feuchtes Handtuch neben der Duschkabine hing.

Das Waschbecken sah aus, als hätte Theo es nach seiner Morgenrasur gereinigt. Sie drehte die Ketchupflasche auf den Kopf und drückte ein paar Spritzer in ihre Hand. Keine große Menge. Nur ein bisschen. Dann spreizte sie die Finger und legte ihre Hand sachte auf den Spiegel, wodurch sie einen schwachen roten Abdruck hinterließ. Es durfte nicht zu offensichtlich sein. Man konnte darin einen blutigen Handabdruck erkennen oder auch nicht. Er war so schwach, dass Theo sich fragen würde, ob er ihn am Morgen übersehen hatte, beziehungsweise falls nicht, was sich in der Zwischenzeit ereignet hatte, dass er dorthin gelangt war. Es wäre ungleich befriedigender gewesen, ein Messer in Theos Kopfkissen zu rammen, aber wenn sie zu weit ging, würde er nicht mehr an Geister glauben, sondern anfangen, sie zu verdächtigen. Sie wollte, dass er seinen Geisteszustand hinterfragte, statt nach einem Täter zu suchen.

Genau das hatte sie sich auch erhofft, als sie ein paar Tage zuvor die Pendeluhr seiner Großmutter manipuliert hatte. Sie hatte sich mitten in der Nacht auf den Weg zum Klippenhaus gemacht, ein gefährliches Unterfangen, zu dem sie sich erst hatte überwinden müssen. Aber es hatte sich mehr als gelohnt. Bei ihrem vorherigen Besuch tagsüber hatte sie die Außentür des Turms überprüft, um sicherzustellen, dass die Türangeln nicht quietschten. Sie hatten nicht gequietscht, und nichts hatte Annie verraten, als sie sich Zutritt zum Turm verschaffte. Es war ein Kinderspiel gewesen, sich in das Wohnzimmer zu schleichen, während Theo oben schlief. Sie hatte eine neue Batterie eingesetzt und die Zeit so eingestellt, dass die Uhr als Nächstes zwölf Mal schlagen würde, aber erst, wenn Annie bereits sicher zurück im Cottage war. Ein wahrer Geniestreich.

Die Erinnerung heiterte sie leider nicht auf. Angesichts all dessen, was Theo getan hatte, erschienen diese

Streiche eher kindisch als bedrohlich. Annie musste sich schon etwas Besseres einfallen lassen, sie hatte allerdings keine Ahnung, wie sie das anstellen sollte, ohne erwischt zu werden.

Plötzlich vernahm sie ein Geräusch hinter sich. Mit einem erschrockenen Keuchen fuhr sie herum. Es war die schwarze Katze.

»O mein Gott …« Annie sank auf die Knie. Die Katze starrte sie aus ihren goldenen Augen an. »Wie bist du hier hereingekommen? Hat er dich ins Haus gelockt? Du musst dich von ihm fernhalten. Du darfst nicht hier umherstrolchen.« Die Katze wandte sich ab und stolzierte wieder hinaus in Theos Schlafzimmer. Annie folgte ihr, aber das Tier verkroch sich unter dem Bett. Sie legte sich bäuchlings auf den Boden und versuchte, es hervorzulocken. »Komm da raus, Mieze. Komm zu mir, Mieze.« Die Katze rührte sich nicht vom Fleck. »Er füttert dich, nicht?«, sagte Annie. »Nimm nichts von ihm. Du hast keine Ahnung, was er in dein Katzenfutter mischt.« Als die Katze ihre Bemühungen weiterhin ignorierte, gab Annie auf. »Du dummes Vieh! Ich versuche doch nur, dir zu helfen.«

Die Katze bohrte ihre Krallen in den Teppich, streckte sich und gähnte Annie ins Gesicht.

Annie streckte einen Arm unter das Bett. Die Katze hob den Kopf, und dann, wie durch ein Wunder, kam sie langsam näher. Annie hielt den Atem an. Das Tier erreichte nun ihre Hand, schnupperte kurz daran und begann, ihre Finger abzulecken.

Eine Katze, die auf Ketchup stand.

Solange Annie noch ein bisschen Ketchup an den Fingern hatte, ließ die Katze sich bereitwillig von ihr hochnehmen und zurück in das Hauptgebäude bis in die Küche tragen. Jaycie war immer noch bei Livia, und so gab es keine Zeugen für Annies Kampf, eine extrem verärgerte Katze in den Picknickkorb zu verfrachten, den sie in der Speisekammer entdeckte. Die Katze heulte den ganzen Weg bis zum Cottage.

Als Annie schließlich die Haustür hinter sich schloss, waren ihre Nerven genauso angespannt, wie ihre Hände und Unterarme verkratzt waren.

»Glaub mir, mir gefällt das genauso wenig wie dir.«

Sie klappte den Deckel des Korbs hoch. Die Katze sprang heraus, machte einen Buckel und fauchte sie an.

Annie füllte Wasser in eine Schale. Eine dicke Schicht aus Zeitungspapier auf dem Boden war das Beste, was sie als Katzenklo improvisieren konnte. An diesem Abend würde sie für die Katze ihre letzte Dose Thunfisch opfern, die sie eigentlich für ihr eigenes Dinner eingeplant hatte.

Am liebsten hätte Annie sich ins Bett gelegt, aber dummerweise hatte sie Jaycie versprochen, mit Theo zu reden. Während sie also wieder zur Klippenspitze hochstapfte, einen Schal über Mund und Nase gewickelt, fragte sie sich, wie lange sie diesen Weg noch würde auf sich nehmen müssen, bevor sie ihre Schuld bei Jaycie beglichen hatte.

Wie lange noch? Sie hatte ja gerade erst damit angefangen.

Annie roch das Feuer, noch bevor sie den Rauch sah, der von den Mülltonnen hinter der Garage emporstieg. Jaycie konnte den vereisten Pfad dorthin nicht bewältigen, also war Theo wohl zurück aus der Stadt. Schon als Teenager hatte er immer einen Vorrat an Treibholz am Strand deponiert, damit sie jederzeit ein Feuer machen konnten. Wenn man in die Flammen blickt, hatte er Annie erklärt, kann man die Zukunft sehen. Eines Tages hatte Annie ihn dabei beobachtet, wie er etwas in die Glut warf, das Annie zunächst für ein Stück Treibholz hielt, bis ihr bewusst wurde, dass er gerade Regans kostbares Poesiealbum in die Flammen geschleudert hatte. An jenem Abend hatte sie die Zwillinge in Theos Zimmer streiten hören. Das warst du!, hatte Regan geschrien, ich weiß, dass du es warst! Warum bist du so gemein?

Was auch immer Theo darauf erwiderte, war in der Auseinandersetzung untergegangen, die Elliott und Mariah unten vor der Treppe geführt hatten.

Zwei Wochen später war Regans geliebte Oboe verschwunden. Ein Hausgast entdeckte schließlich die verkohlten Überreste in einer der Mülltonnen. War es so unvorstellbar, dass Theo etwas mit Regans Tod zu tun hatte?

Annie hätte ihr Versprechen an Jaycie, dass sie mit ihm reden würde, am liebsten zurückgenommen. Stattdessen sammelte sie ihren ganzen Mut und ging zur Rückseite der Garage. Theos Jacke lag über einem Baumstumpf, und er trug nichts weiter als eine Jeans und ein langärmeliges graues T-Shirt. Während sie sich ihm näherte, wurde ihr bewusst, dass es zu ihrem Vorteil war, ihn zu konfrontieren, wenn sie direkt vom Cottage kam. Da Theo nicht wusste, dass dies heute bereits ihr zweiter Besuch am Klippenhaus war, hatte er keinen Grund, sie mit dem Handabdruck auf seinem Badspiegel in Verbindung zu bringen. Jaycie konnte die Treppe nicht bewältigen, und Livia war zu klein, um an den Spiegel zu kommen. Somit blieb nur ein nicht so freundliches Wesen aus der anderen Welt übrig.

Ein Funkenregen stob aus der Tonne empor. Theo durch diese glühend roten Flammen zu beobachten – das schwarze Haar, die wilden blauen Augen und die säbelscharfen Gesichtszüge – war, als würde man einen Blick auf den Teufel erhaschen, der im Winter zum Spielen herausgekommen war.

Annie ballte die Hände in ihren Jackentaschen und trat nah an das Feuer heran. »Jaycie sagt, du willst sie rausschmeißen.«

»Sagt sie das?« Er hob das Gerippe eines Huhns auf, das auf den Boden gefallen war.

»Ich hab dir letzte Woche erklärt, dass ich Jaycie helfen werde, und das habe ich getan. Das Haus sieht anständig aus, und du bekommst regelmäßig deine Mahlzeiten.«

»Wenn man das Mahlzeiten nennen kann, was ihr beide mir hochschickt.« Er warf das Gerippe ins Feuer. »Die Welt ist ein grausamer Ort für ein mitfühlendes Herz wie deins.«

»Besser ein mitfühlendes Herz als gar keins. Selbst wenn du Jaycie großzügig abfindest, wie lange wird das Geld reichen? Es ist ja schließlich nicht so, als würden hier jede Menge andere Jobs auf sie warten. Außerdem seid ihr schon eine Ewigkeit miteinander befreundet.«

»Ich musste den Müll heute Morgen selbst in die Stadt bringen.« Er klaubte eine Handvoll vertrocknete Orangenschalen vom Boden auf.

»Das hätte ich machen können.«

»Sicher.« Er warf die Orangenschalen in das Feuer. »Wir haben ja gesehen, wie gut es gestern mit deinem Ausflug in die Stadt geklappt hat.«

»Das wird nicht noch mal passieren.« Annies Miene blieb unbewegt.

Theo starrte sie an, musterte ihre zweifellos geröteten Wangen und das wirre Haar, das unter ihrer roten Strickmütze hervorragte. Es gefiel ihr nicht, wie er sie taxierte. Nicht bedrohlich, eher so, als würde er sie wirklich sehen. Alles an ihr. Beulen und Blutergüsse. Narben. Sogar … Sie versuchte, den Gedanken abzuschütteln. Sogar ein paar heilige Stellen.

Statt mit Angst und Abscheu auf seinen prüfenden Blick zu reagieren, überkam Annie ein verstörendes Verlangen danach, sich auf einen der Baumstümpfe zu setzen und Theo von ihren ganzen Sorgen zu erzählen. Genau so hatte sie sich damals von ihm einwickeln lassen. Ihr Hass brach hervor.

»Warum hast du Regans Poesiealbum verbrannt?«

Das Feuer loderte auf. »Ich weiß es nicht mehr.«

»Regan hat immer versucht, dich zu schützen. Egal was für schreckliche Dinge du getan hast, sie hat dich immer verteidigt.«

»Zwillinge sind sonderbar.« Mit seinem spöttischen Lächeln erinnerte er sie so stark an Leo, dass sie fröstelte. »Weißt du was?«, sagte er. »Vielleicht können wir beide ja einen Deal machen.«

Sein berechnender Blick ließ Annie vermuten, dass er wieder einmal versuchte, ihr eine Falle zu stellen. »Vergiss es.«

Er zuckte mit den Achseln. »Okay.« Er warf eine volle

Mülltüte in das Feuer. »Ich werde mich gleich mal mit Jaycie unterhalten.«

Die Falle schnappte zu. »Du hast dich kein Stück geändert! Was willst du?«

Er richtete seine Teufelsaugen auf sie. »Ich möchte das Cottage benutzen.«

»Ich werde die Insel nicht verlassen«, erwiderte sie und schnappte nach Luft, denn der beißende Gestank von brennendem Plastik drang in ihre Lunge.

»Kein Problem. Ich brauche das Cottage nur tagsüber.« Die Hitzeschwaden, die von den Flammen zwischen ihnen hochstiegen, verzerrten seine Gesichtszüge. »Du bleibst tagsüber hier oben im Klippenhaus. Du kannst das WLAN benutzen und tun, was immer du willst. Und wenn es Abend wird, tauschen wir die Plätze.«

Er hatte eine Falle ausgelegt, und sie war zugeschnappt. Hatte er jemals tatsächlich gesagt, dass er Jaycie feuern würde, oder hatten Jaycie und sie das lediglich angenommen? Annie überlegte noch, ob sein Vorschlag ein Trick von ihm war, um sie zu manipulieren, als ihr eine weitere Erkenntnis kam.

»*Du* warst derjenige, der das Cottage benutzt hat, bevor ich hier ankam, richtig? Der Kaffee, den ich gefunden habe, stammt von dir. Und auch die Zeitung.«

Theo warf den restlichen Abfall in die Feuertonne. »Und? Deine Mutter hatte nie etwas dagegen, anderen das Cottage zur Verfügung zu stellen.«

»Meine Mutter ist nicht mehr da«, entgegnete Annie. Ihr fiel ein, dass die Zeitung, die sie gefunden hatte, nur wenige Tage alt gewesen war. »Du hast bestimmt gewusst, wann ich komme – jeder auf der Insel hat das gewusst. Und trotzdem hatte ich nach meiner Ankunft weder Wasser noch Strom im Cottage, die Heizung war auch aus. Das war Absicht.«

»Ich wollte nicht, dass du bleibst.«

Er zeigte keine Spur von Scham, aber unter diesen Umständen würde sie ihm kein goldenes Sternchen für seine Ehrlichkeit überreichen.

»Was ist denn so besonders am Cottage?«

Theo nahm seine Jacke von dem Baumstumpf. »Es ist nicht Harp House.«

»Aber wenn du das Haus so sehr hasst, warum bist du dann hier?«

»Ich könnte dich dasselbe fragen.«

»Ich hatte keine Wahl.« Sie zog mit einem Ruck ihre Mütze über die Ohren. »Bei dir ist das was anderes.«

»Ach ja?« Er warf seine Jacke über seine Schulter und wandte sich in Richtung Haus.

»Ich stimme nur unter einer Bedingung zu!«, rief sie ihm hinterher, wohl wissend, dass sie nicht in der Position war, Bedingungen zu stellen. »Ich kann deinen Range Rover benutzen, wann immer ich will.«

Er marschierte weiter. »Der Autoschlüssel hängt an einem Haken neben der Hintertür.«

Annie musste an ihre Unterwäsche denken, die im Schlafzimmer herumlag, und an den Fotoband über pornografische Kunst, den sie aufgeschlagen auf der Couch zurückgelassen hatte. Und dann war da noch die schwarze Katze.

»Gut. Aber unsere Abmachung gilt erst ab morgen. Ich werde dir morgen früh einen Schlüssel für das Cottage bringen.«

»Nicht nötig. Ich habe schon einen.«

Mit zwei großen Schritten war er im Stall und damit aus ihrem Blickfeld verschwunden.

Annie war erpresst worden, doch sie hatte auch etwas für sich herausschlagen können. Nicht nur verfügte sie nun über ein verlässliches Transportmittel, auch brauchte sie sich keine Sorgen mehr zu machen, dass sie Theo tagsüber im Haus begegnen könnte. Sie fragte sich, ob er den Handabdruck auf seinem Badspiegel entdeckt hatte. Wenn sie ihn doch nur hätte schreien hören können.

Vielleicht würde sie am Abend Krallenspuren in die Turmtür ritzen. Sollte er sich darüber als Nächstes den Kopf zerbrechen.

Als sie die Küche betrat, saß Jaycie am Tisch und sortierte einen Berg frisch gewaschene Wäsche. Livia, die auf dem Boden saß, sah von ihrem Puzzle auf und richtete ihre Aufmerksamkeit zum ersten Mal auf Annie. Annie lächelte und schwor sich, Scamp wieder hervorzuholen, noch bevor der Tag vorüber war.

Sie setzte sich zu Jaycie, um ihr mit der Wäsche zu helfen. »Ich habe mit Theo gesprochen. Du brauchst dir keine Sorgen zu machen.«

Jaycies Augen leuchteten auf. »Wirklich? Bist du sicher?«

»Ja, ganz sicher.« Annie nahm sich ein Handtuch und begann, es zu falten. »Ich werde von nun an die Besorgungen in der Stadt erledigen. Du brauchst mir nur zu sagen, was ich machen soll.«

»Ich hätte mehr Vertrauen in ihn haben sollen.« Jaycie klang beinahe atemlos. »Er ist schließlich immer so nett zu mir.«

Annie biss sich auf die Zunge.

Schweigend arbeiteten sie eine Weile weiter. Annie konzentrierte sich auf die Bettwäsche und die Handtücher, damit sie Theos persönliche Sachen nicht anfassen musste. Jaycie tat genau das Gegenteil. Beim Falten einer seidig glänzenden Boxershorts ließ sie sich besonders viel Zeit.

»Erstaunlich, dass so ein feines Material den weiblichen Klauen standhält.« Ganz zu schweigen von einem anderen, einem männlichen Körperteil …

Jaycie nahm Annies Kommentar ernst. »Es ist erst ein Jahr her, dass seine Frau gestorben ist, und die einzigen weiblichen Wesen in Theos Umfeld sind momentan du, ich und Livia. Ich glaube nicht, dass er eine Affäre hat.«

Annie richtete die Augen auf die Vierjährige. Die Stirn des Mädchens war vor Konzentration gerunzelt, während es die Puzzleteile an die richtigen Stellen drückte. Mit Livias Intelligenz war alles in Ordnung, und Annie hatte sie beim Hereinkommen leise summen hören, also funktionierten ihre Stimmbänder. Warum wollte Livia nicht reden? War es aus Schüchternheit, oder war die Sache komplizierter? Was immer der Grund für ihr Schweigen war, es machte sie verwundbarer als andere Kinder in ihrem Alter.

Livia hatte ihr Puzzle nun fertig und verließ die Küche. Annie gefiel es nicht, dass sie über das Mädchen im Ungewissen gelassen wurde, obwohl sie so viel Zeit im Klippenhaus verbrachte.

»Ich habe gesehen, dass Livia bereits Zahlen schreiben kann. Sie ist wirklich ein kluges Kind«, sagte sie.

»Sie bringt manchmal die Reihenfolge durcheinander«, erwiderte Jaycie, doch sie war unverkennbar stolz.

Annie fiel keine andere Möglichkeit ein, als das Thema direkt anzusprechen. »Ich habe sie noch nie ein Wort sagen hören. Vielleicht redet sie ja mit dir, wenn ich nicht in der Nähe bin?«

Jaycie presste die Lippen zusammen. »Ich habe auch erst spät mit dem Sprechen angefangen.«

Sie sagte es in einem Ton, der nicht dazu ermunterte, weitere Fragen zu stellen, aber Annie war nicht bereit aufzugeben. »Ich möchte nicht aufdringlich sein, ich habe dennoch das Gefühl, als müsste ich mehr darüber wissen.«

»Livia wird schon klarkommen.« Jaycie stemmte sich auf ihren Krücken hoch. »Denkst du, ich sollte Theo einen Burger zum Abendessen machen?«

Annie wollte sich nicht ausmalen, was Theo davon halten würde. »Sicher.« Sie nahm ihren Mut zusammen, um ein schwierigeres Thema anzuschneiden. »Jaycie, ich denke, du solltest sicherstellen, dass deine Tochter nicht mehr in Theos Nähe kommt.«

»Ich weiß. Er war wirklich sauer, weil sie im Stall war.«

»Nicht nur wegen des Stalls. Theo ist … unberechenbar.«

»Wie meinst du das?«

Annie konnte Theo nicht einfach unterstellen, dass er Livia Schaden zufügen wollte, solange sie das nicht sicher wusste, doch sie konnte die Möglichkeit auch nicht ignorieren.

»Er … kann nicht gut mit Kindern umgehen. Und das Haus hier ist nicht gerade der sicherste Ort für ein Kind.«

»Annie, du bist kein Inselgewächs, du weißt also nicht, wie es ist, hier aufzuwachsen.« Jaycie klang beinahe herablassend. »Die Kinder werden hier nicht verhätschelt. Ich habe mit acht schon Fallen geschleppt, und ich glaube, es gibt kein einziges Inselkind, das nicht schon mit zehn ein Auto fahren kann. Bei uns läuft es anders als auf dem Festland. Unsere Kinder lernen früh, selbstständig zu sein. Deshalb ist es ja so furchtbar, dass ich Livia nicht aus dem Haus lassen kann.«

Annie bezweifelte, dass eins der selbstständigen Inselkinder stumm war. Trotzdem, nach allem, was sie wusste, war es gut möglich, dass Livia mit ihrer Mutter redete, wenn Annie nicht in der Nähe war. Und vielleicht war Annies Sorge auch völlig unbegründet. Theo hatte aufrichtig bestürzt gewirkt darüber, dass Livia im Stall hätte verletzt werden können.

Sie sortierte die Geschirrtücher. »Theo möchte das Cottage tagsüber benutzen.«

»Er hat dort oft gearbeitet vor deiner Ankunft.«

»Warum hast du mir das nicht gesagt?«

»Ich dachte, das wüsstest du.«

Annie wollte gerade einwenden, dass Theo im Turm doch ein voll ausgestattetes Arbeitszimmer hatte, als ihr noch rechtzeitig einfiel, dass Jaycie nichts von ihrer Schnüffelei in der Dachkammer wusste. Die einzige Möglichkeit, wie sie die Vorstellung ertragen konnte, für Theo die Dienstmagd zu spielen, war, dass sie sich ständig vor Augen hielt, dass sie es nicht für ihn tat, sondern für Jaycie. Um damit ihre Schuld zu begleichen.

Nachdem Annie die gefaltete Wäsche in einen Korb gelegt hatte, um sie später wegzuräumen, ging sie mit ihrem

Laptop in den ehemals freundlichen Wintergarten, der nun, mit seinen dunkel getäfelten Wänden und dem dicken weinroten Teppich, eher an eine Vampirhöhle erinnerte. Wenigstens hatte der Raum Meerblick, im Gegensatz zu Elliotts Arbeitszimmer. Annie entschied sich für einen tiefen Ledersessel, von dem aus man die große Veranda und das Wasser sehen konnte, das an diesem Tag schiefergrau war und Schaumkronen ausspie.

Sie öffnete die Inventarliste, die sie auf ihrem Laptop gespeichert hatte, und machte sich an die Arbeit in der Hoffnung, nicht auf zu viele Sackgassen zu stoßen. Sie hatte inzwischen die meisten Künstler, deren Werke die Wände des Cottage schmückten, identifiziert. Der Schöpfer des Wandbilds im Atelier war ein Teilzeitprofessor, der am College lehrte und künstlerisch nie den Durchbruch geschafft hatte, folglich musste Annie sich nicht mit dem potenziellen Verkauf auseinandersetzen. Die Schwarz-Weiß-Lithografien in der Küche dagegen durften ihr wohl ein paar hundert Dollar einbringen. R. Connor, der Maler der kopfstehenden Ulme, verkaufte seine Werke zu bescheidenen Preisen auf Sommerkunstmessen. In Anbetracht der Provision, die Annie an den Kunsthändler abführen musste, würde der Gesamterlös der Bilder kaum mehr sein als ein Tropfen auf dem heißen Stein.

Sie ließ sich dazu hinreißen, Theos Namen zu googeln. Es war nicht so, als hätte sie das nicht schon früher getan, aber nun gab sie hinter seinem Namen ein weiteres Wort in die Suchmaschine ein. *Ehefrau.*

Sie fand nur ein einziges klares Bild. Das Foto war vor anderthalb Jahren auf einer exklusiven Benefizgala für das Philadelphia Orchestra aufgenommen worden. Theo sah darauf aus, als wäre er dafür geboren, einen Smoking zu tragen, und die Frau an seiner Seite – die Bildunterschrift identifizierte sie als Kenley Adler-Harp – passte perfekt zu ihm, eine Schönheit mit fein geschnittenen Gesichtszügen und langen dunklen Haaren. Irgendetwas an ihr kam Annie bekannt vor, doch sie konnte nicht genau sagen, was.

Ein paar weitere Recherchen brachten Kenleys Todesanzeige zum Vorschein. Sie war letztes Jahr gestorben, genau wie Barbara gesagt hatte. Sie war drei Jahre älter als Theo gewesen. Sie hatte ihren Bachelor am Bryn Mawr College gemacht und ihren Master in Dartmouth, also war sie nicht nur schön, sondern auch klug gewesen. Sie hatte in der Finanzbranche gearbeitet und hinterließ ihren Mann, ihre Mutter und ein paar Tanten. Nicht gerade eine fruchtbare Familie. Über die Todesursache wurde nichts erwähnt.

Warum kam Annie Kenley so bekannt vor? Die dunklen Haare, die perfekten symmetrischen Gesichtszüge … Schließlich ging ihr ein Licht auf. Regan Harp hätte so aussehen können, wenn sie über dreißig geworden wäre.

Das ungleichmäßige Klappern von Krücken unterbrach diesen unheimlichen Gedanken. Gleich darauf erschien Jaycie im Eingang des Wintergartens.

»Livia ist weg. Sie hat sich wieder rausgeschlichen.«

Annie stellte ihren Laptop beiseite. »Ich werde sie suchen gehen.«

Jaycie lehnte sich gegen den Türrahmen. »Sie würde das nicht machen, wenn ich hin und wieder mit ihr rausgehen könnte. Ich weiß, es ist falsch, sie im Haus einzusperren. Gott, ich bin eine schreckliche Mutter.«

»Du bist eine tolle Mutter, und ich brauche ohnehin ein bisschen frische Luft.«

Tatsächlich war frische Luft das Letzte, was Annie brauchte. Sie hatte die frische Luft satt. Sie hatte den Wind satt, der ihr ins Gesicht pustete, und sie hatte ihre strapazierten Muskeln satt, die schmerzten, weil sie zweimal täglich zum Klippenhaus hochstapfte. Aber wenigstens kehrten ihre körperlichen Kräfte allmählich zurück.

Annie schenkte Jaycie ein beruhigendes Lächeln und machte sich auf den Weg in den Windfang, wo sie sich warm einpackte. Sie betrachtete ein paar Sekunden lang ihren Rucksack, dann beschloss sie, dass es Zeit war, Scamp noch einmal herauszuholen.

Livia hockte unter den Ästen ihres Lieblingsbaums. Der Schnee um den Stamm war geschmolzen, und die Kleine saß im Schneidersitz auf dem kahlen Boden und spielte mit zwei Kiefernzapfen, als wären es Spielfiguren.

Annie streifte Scamp über ihre Hand und zupfte den pinkfarbenen Rock der Puppe über ihren Unterarm. Livia tat so, als würde sie ihr Kommen nicht bemerken. Annie setzte sich auf einen alten Felsen neben dem Baum, stützte ihren Ellenbogen auf den Oberschenkel und ließ Scamp frei.

»Psst … psst …«

Das P war ein Buchstabe, den Amateurbauchredner zu vermeiden versuchten, genau wie die Buchstaben B, F, M, Q, V und W – für die man alle die Lippen bewegen musste. Doch Annie hatte jahrelange Übung mit Ersatzlauten, und selbst Erwachsene merkten nicht, dass sie für ein P oft ein weiches T benutzte.

Livia hob den Kopf, ihre Augen hefteten sich auf die Puppe.

»Wie gefällt dir mein Outfit?« Scamp präsentierte zappelnd ihre bunte Strumpfhose und das T-Shirt mit dem Glitzerstern. Bewegung war eine weitere Methode, um die Zuhörer von den Ersatzlauten abzulenken. Sie warf ihre wilde Mähne aus Wollgarn über die Schulter. *»Ich hätte meine Leopardenhose anziehen sollen. Röcke sind total unpraktisch, wenn man einen Purzelbaum schlagen will oder wenn man auf einem Bein hüpft. Nicht dass du dich damit auskennen würdest. Du bist schließlich noch zu klein, um auf einem Bein zu hüpfen.«*

Livia schüttelte heftig den Kopf.

»Nein?«

Livia krabbelte unter dem Baum hervor, richtete sich auf, zog ein Bein hoch und hüpfte unbeholfen auf dem anderen.

»Fantastico!« Scamp klatschte mit ihren kleinen Händen. *»Kannst du auch im Stehen deine Zehen berühren?«*

Livia beugte die Knie und berührte ihre Zehen, sodass die Spitzen ihrer glatten braunen Haare den Boden streiften. Sie drehte ein paar Runden um den Baum, und Scamp trieb sie an, schneller zu laufen.

»Du bist erstaunlich sportlich für jemanden, der erst drei ist«, rief die Puppe.

Das brachte Livia abrupt zum Stehen. Sie sah Scamp böse an und hielt mit einem Stirnrunzeln vier Finger hoch.

»Mein Fehler«, sagte Scamp. *»Ich schätze, ich hab dich für jünger gehalten, weil du nicht reden kannst.«* Annie sah mit Erleichterung, dass Livia eher beleidigt wirkte als

beschämt. Scamp legte den Kopf schief, sodass ihr eine dicke karottenrote Haarsträhne über ein Auge fiel. *»Es muss echt hart sein, nicht zu reden. Ich rede die ganze Zeit. Reden, reden, reden. Find ich toll. Magst du mich eigentlich?«*

Livia nickte ernst.

Scamp schaute in den Himmel, als würde sie kurz über etwas nachdenken. *»Hast du schon mal was von ... ›Ein Geheimnis frei‹ gehört?«*

Livia schüttelte den Kopf, ihre Aufmerksamkeit war ausschließlich auf Scamp gerichtet, als würde Annie gar nicht existieren.

»Ich liebe dieses Spiel«, fuhr die Puppe fort. *»Wenn ich sage ›Ein Geheimnis frei‹, kann ich dir ein Geheimnis erzählen, und du darfst dann nicht sauer werden. Annie und ich spielen das öfter, und Junge, Junge, sie hat mir schon ein paar richtig schlimme Geheimnisse erzählt. Zum Beispiel dass sie meinen lilafarbenen Lieblingswachsmalstift zerbrochen hat.«* Scamp warf den Kopf zurück, öffnete weit ihren Mund und schrie: *»Ein Geheimnis frei!«*

Livias Augen wurden groß vor Erwartung.

»Ich bin zuerst dran!«, rief Scamp. *»Und vergiss nicht ... du darfst nicht sauer werden, wenn ich dir mein Geheimnis verrate. So wie ich nicht sauer werden darf, wenn du mir dein Geheimnis verrätst.«* Scamp ließ den Kopf hängen und fuhr in gedämpftem Ton fort: *»Mein Geheimnis ist ... Ich mochte dich anfangs nicht leiden, weil du so hübsche braune Haare hast und ich nicht. Das hat mich neidisch gemacht.«* Sie hob den Kopf. *»Bist du jetzt sauer?«*

Livia schüttelte den Kopf.

»Das ist gut.«

Es war Zeit zu sehen, ob Livia die Verbindung zwischen Bauchrednerin und Puppe akzeptierte. Annie tat so, als würde sie der Puppe etwas ins Ohr flüstern.

Scamp drehte den Kopf zu ihr. *»Müssen wir wirklich, Annie?«*

Annie sprach zum ersten Mal. »Ja, müssen wir.«

Scamp seufzte und richtete ihre Aufmerksamkeit wieder auf Livia. *»Annie sagt, wir müssen reingehen.«*

Livia nahm ihre Kiefernzapfen und stand auf.

Annie zögerte kurz, dann ließ sie die Puppe etwas in Livias Ohr flüstern. *»Annie hat auch gesagt, falls du Theo wieder allein begegnest, sollst du ganz schnell zu deiner Mommy laufen, weil Theo kleine Kinder nicht versteht.«*

Livia huschte in Richtung Haus davon, ohne Annie einen Anhaltspunkt zu geben, was sie von ihrem Rat hielt.

Draußen war es gerade dunkel geworden, als Annie Harp House verließ, aber dieses Mal ging sie nicht zu Fuß zurück zum Cottage. Sie war nur mit einer Taschenlampe gegen ihre lebhafte Fantasie bewaffnet. Sie nahm den Schlüssel für Theos Range Rover vom Haken neben der Hintertür und fuhr nach Hause.

Das Cottage hatte keine Garage, nur einen gekiesten Stellplatz an der Seite. Annie parkte den Wagen dort, betrat durch den Nebeneingang das Haus und schaltete das Licht an.

Was sie sah, ließ sie vor Schreck erstarren.

Kapitel 7

Die Küche war verwüstet. Küchenschränke und Schubladen standen offen, der Boden war übersät mit Besteck, Geschirrtüchern, Schachteln und Dosen. Der Inhalt des Abfalleimers war im ganzen Raum verteilt, neben Papierservietten, abgewickelter Plastikfolie und einem Pfund Nudeln. Mariahs kitschige Salz- und Pfefferstreuer standen noch auf der Fensterbank, aber Siebe, Messbecher und Kochbücher lagen auf einem Bett aus verschüttetem Reis.

Annie ließ ihren Rucksack fallen. Sie blickte in Richtung Wohnzimmer und spürte ein Kribbeln im Nacken. Was, wenn noch jemand im Haus war? Langsam ging sie rückwärts durch die Tür hinaus, durch die sie gerade hereingekommen war, rannte zum Range Rover und schloss sich im Wagen ein. Es gab keinen Notruf, den sie wählen konnte. Keinen freundlichen Nachbarn, zu dem sie rüberlaufen konnte. Was sollte sie tun? In die Stadt fahren, um Hilfe zu holen? Und wer genau sollte ihr auf einer gesetzlosen Insel ohne Polizei helfen? Bei schwerwiegenden Vergehen kam immer die Festlandpolizei heraus, aber das konnte dauern.

Keine Polizei also. Keine Feuerwehr. Keine Nachbarschaftswache. Egal was die Landkarten sagten, Annie hatte den Bundesstaat Maine für den Bundesstaat Anarchie verlassen.

Eine Möglichkeit war, zum Klippenhaus hochzufahren, aber das war der letzte Ort, wo sie um Hilfe bitten konnte. Annie hatte sich für so raffiniert gehalten mit ihrem schaurigen Seufzen und ihren gruseligen Streichen. Offensichtlich hatte sie sich geirrt. Dies hier war Theos Werk. Seine Vergeltung. Annie wollte eine Waffe haben, so wie alle anderen Inselbewohner. Auch wenn es damit endete, dass sie sich versehentlich selbst erschoss, würde sie sich mit einer Waffe weniger verwundbar fühlen.

Sie erkundete das Innere von Theos Wagen. Ein hochwertiges Soundsystem gab es, ein eingebautes Navigationsgerät, ein Handyladekabel und ein Handschuhfach mit den Fahrzeugpapieren und der Bedienungsanleitung. Ein Eiskratzer lag im Fußraum auf der Beifahrerseite, ein Taschenschirm auf dem Rücksitz. Alles nutzlos.

Sie konnte nicht ewig hier sitzen.

Ich würde das tun, sagte Crumpet. *Ich würde so lange im Wagen sitzen bleiben, bis jemand kommt und mich rettet.*

Was nicht passieren würde. Annie drückte auf den Schalter für die Heckklappe und stieg dann langsam aus dem Wagen. Sich immer wieder umblickend, um sicherzugehen, dass niemand sich von hinten an sie heranschlich, bewegte sie sich vorsichtig zum Kofferraum. Darin entdeckte sie eine kleine Schaufel. Genau die Art von Gegenstand, die ein schlauer Inselbewohner mit sich führte, um seinen Wagen freizuschaufeln, wenn er sich festgefahren hatte.

Oder um rasch eine Leiche zu vergraben, flüsterte Crumpet.

Und was war mit der Katze? War sie noch im Haus,

oder hatte Annie das Tier vor einer eingebildeten Gefahr gerettet, nur um es letztendlich in den Tod zu treiben?

Sie schnappte sich die Schaufel, nahm die Taschenlampe heraus, die sie jetzt immer in ihrer Jackentasche hatte, und schlich zurück zum Cottage.

Es ist schrecklich dunkel hier draußen, sagte Peter. *Ich glaube, ich steige wieder in den Wagen.*

Der Schnee hatte angefangen zu tauen und eine Eisschicht gebildet, auf der wahrscheinlich keine Fußabdrücke zu sehen waren, selbst wenn Annie genügend Licht gehabt hätte. Sie schlich zur Vorderseite des Cottage. Theo würde bestimmt nicht mehr hier herumlungern, nachdem er das Chaos angerichtet hatte, aber wie konnte sie sicher sein? Sie manövrierte sich an den antiquierten Hummerfallen in der Nähe der Haustür vorbei und kauerte sich unter das Erkerfenster, dann spähte sie vorsichtig in das Wohnzimmer.

Es war dunkel, doch Annie konnte genug erkennen, um zu sehen, dass auch dieser Raum nicht verschont geblieben war. Der maulwurfgraue Sessel, der wie ein Flugzeugsitz aussah, war seitlich umgekippt worden, die Couch stand schräg, die Kissen waren verstreut, und das Ulmenbild hing schief an der Wand.

Annies Atem beschlug die Scheibe. Vorsichtig hob sie die Taschenlampe und leuchtete in den Raum. Bücher waren aus den Regalen geworfen worden, zwei Schubladen der Louis-XIV.-Kommode waren herausgezogen. Die Katze war nirgendwo zu sehen, weder tot noch lebendig.

Annie duckte sich und tastete sich dann am Haus entlang zu der Rückseite. Hier war es noch abgeschiedener. Sie hob langsam den Kopf, Zentimeter um Zentimeter, bis sie schließlich in das Schlafzimmer schauen konnte. Es war zu finster, um etwas darin zu erkennen. Es konnte durchaus sein, dass Theo ihr auf der anderen Seite auflauerte.

Annie nahm ihren ganzen Mut zusammen, hob die Taschenlampe und leuchtete in das Zimmer. Es sah noch genauso aus, wie sie es verlassen hatte – kein Chaos außer dem, das sie am Morgen selbst angerichtet hatte.

»Was zur Hölle machst du da?«

Annie stieß einen Schrei aus und ließ vor Schreck die Schaufel fallen, als sie herumfuhr. Theo stand keine fünf Meter von ihr entfernt in der Dunkelheit.

Sie stürmte los. Den gleichen Weg zurück, den sie gekommen war. Rannte zurück zum Wagen. Ihre Beine zitterten, ihr Gehirn schien explodieren zu wollen. Sie rutschte aus und verlor im Fall die Taschenlampe, rappelte sich wieder auf und lief weiter.

Spring in den Wagen. Verriegle die Türen. Und dann gib Gas, bevor er dich erwischt.

Sie würde ihm über die Füße rennen, wenn es sein musste. Sie würde den ganzen Mann über den Haufen rennen.

Mit hämmerndem Herzschlag erreichte sie die Vorderseite des Cottage. Hob den Kopf und kam mit einem Ruck zum Stehen.

Theo lehnte an der Beifahrertür des Range Rover, die Arme vor der Brust verschränkt. Das Licht aus dem Küchenfenster fiel auf sein Gesicht, und sie sah, dass er einen völlig gelassenen Eindruck machte. Theo trug seine schwarze Wildlederjacke und Jeans. Keine Mütze und keine Handschuhe.

»Es ist seltsam«, sagte er. »Ich hab dich als Teenie gar nicht so verrückt in Erinnerung.«

»*Mich? Du* bist hier doch der Psychopath!«

Es war nicht ihre Absicht gewesen zu schreien – beziehungsweise überhaupt so etwas zu sagen. Das letzte Wort hing wie ein Feuerball zwischen ihnen in der Luft. Aber Theo stürzte sich nicht auf sie.

»Das muss aufhören«, sagte er. Wieder in diesem ruhigen Ton. »Das ist dir doch klar, oder?«

Der sicherste Weg für ihn, dem Ganzen ein Ende zu bereiten, war, sie umzubringen. Annies Brust hob sich schwer.

»Du hast recht. Was immer du sagst.«

Sie begann, sich rückwärts zu bewegen, ganz langsam und vorsichtig.

»Ich verstehe schon.« Er löste die Arme vor seiner Brust. »Mit sechzehn war ich fürchterlich. Glaub nicht, ich hätte das vergessen. Aber ein paar Jahre Therapie haben mich geheilt.«

Für diese Form von pathologischem Verhalten gab es keine Therapie. Annie nickte dennoch.

»Gut. Super. Freut mich für dich.« Sie wich zitternd einen weiteren Schritt zurück.

»Das ist jetzt schon so viele Jahre her. Du machst dich lächerlich.«

Das brachte ihr Blut in Wallung. »Verschwinde! Du hast hier schon genug angerichtet!«

Er stieß sich vom Wagen ab. »Verdammt, ich habe überhaupt nichts angerichtet. Außerdem bist du diejenige, die verschwinden soll!«

»Ich war in der Küche. Ich hab deine Botschaft verstanden.« Sie senkte ihre Stimme, bemühte sich, ruhig zu klingen. »Sag mir nur … Hast du … hast du der Katze was angetan?«

Er neigte den Kopf zur Seite. »Mariahs Tod hat dich offenbar sehr mitgenommen. Vielleicht solltest du mal mit jemandem reden.«

Dachte er wirklich, dass *sie* diejenige war, die psychische Probleme hatte? Sie musste ihn beschwichtigen.

»Mach ich. Ich werde mit jemandem reden. Du kannst also jetzt nach Hause gehen. Nimm ruhig den Wagen.«

»Du meinst *meinen* Wagen? Den Wagen, mit dem du einfach davongefahren bist, ohne um Erlaubnis zu fragen?«

Er hatte sich damit einverstanden erklärt, dass sie den Wagen benutzen konnte, wann immer sie ihn brauchte, doch sie würde jetzt nicht mit ihm darüber diskutieren.

»Es wird nicht wieder vorkommen. Okay, es ist schon spät, du hast sicher noch zu tun. Wir sehen uns dann morgen früh.«

Nein. Nicht nach diesem Zwischenfall. Sie musste eine andere Möglichkeit finden, um sich bei Jaycie zu revanchieren, weil sie auf keinen Fall mehr zum Klippenhaus raufgehen konnte.

»Ich verschwinde, sobald du mir sagst, warum du um das Cottage herumschleichst.«

»Ich schleiche nicht herum. Ich wollte mir nur … ein bisschen Bewegung verschaffen.«

»Blödsinn.« Er stolzierte zum Seiteneingang des Cottage, zog die Tür auf und verschwand im Haus. Annie stürmte sofort los zum Range Rover, aber sie war nicht schnell genug. Theo kam aus dem Haus geschossen.

»Was zur Hölle ist da drinnen passiert?«

Seine Empörung war so überzeugend, dass Annie sie ihm abgekauft hätte, wenn sie es nicht besser gewusst hätte.

»Ist schon okay«, sagte sie leise. »Ich werde es niemandem sagen.«

Er stieß den Zeigefinger in Richtung Cottage. »Du denkst, das war ich?«

»Nein, nein. Natürlich nicht.«

»Du glaubst tatsächlich, das war ich.« Sein Stirnrunzeln verwandelte sich in einen finsteren Blick. »Du kannst dir nicht vorstellen, wie groß meine Lust ist, auf der Stelle zu verschwinden und dich mit dem Chaos hier allein zu lassen.«

»T… tu, was dein Instinkt dir sagt.«

»Führ mich nicht in Versuchung.« Mit zwei großen Schritten war er bei ihr. Sie zuckte zusammen, als seine Finger sich um ihr Handgelenk schlossen. Er schleifte sie zur Tür. »Würdest du bitte aufhören zu schreien?«, sagte er. »Mir klingeln bereits die Ohren. Ganz zu schweigen davon, dass du unseren gesamten Seemöwenbestand aufschreckst.«

Der Umstand, dass er genervt und nicht gefährlich klang, hatte eine seltsame Wirkung auf Annie. Sie kam sich dumm vor, statt sich bedroht zu fühlen. Wie eine dieser nicht sehr hellen Heldinnen in alten Schwarz-Weiß-Filmen, die immer von John Wayne oder Gary Cooper herumgezerrt wurden. Dieses Gefühl gefiel ihr nicht, und sie hörte auf, sich zu wehren.

Theo ließ sie los, aber er blickte sie todernst an. »Wer war das?«

Er musste sie an der Nase herumführen. Das Komische war nur, dass sie sich nicht so fühlte. Ihr fiel nichts anderes ein, als die Wahrheit zu sagen.

»Ich dachte, du wärst das gewesen.«

»Ich?« Er wirkte aufrichtig verwirrt. »Du bist zwar eine Nervensäge, und ich wünsche mir nichts lieber, als dass du hier niemals aufgekreuzt wärst, aber warum sollte ich den Ort verwüsten, an dem ich gern arbeiten möchte?«

Annie hörte ein Miauen. Die Katze kam in die Küche geschlichen.

Ein Rätsel war gelöst.

Sekunden verstrichen, während Theo zuerst das Tier anstarrte, dann sie. Schließlich schlug er diesen übergeduldigen Ton an, den die Leute benutzen, wenn sie mit einem Kind oder einem geistig Behinderten reden.

»Was macht meine Katze bei dir?«

»Sie … ist mir hierher gefolgt.«

»Den Teufel hat sie getan.« Er nahm die Katze hoch und kraulte sie hinter den Ohren. »Was hat diese Verrückte mit dir gemacht, Hannibal?«

Hannibal?

Der Kater drückte seinen Kopf an Theos Jacke und schloss die Augen. Theo trug ihn hinüber ins Wohnzimmer. Annie, deren Verwirrung immer größer wurde, folgte ihm. Er schaltete das Licht an.

»Hast du den Eindruck, dass etwas fehlt?«

»Ich … ich weiß nicht. Ich hatte mein Handy und meinen Laptop bei mir, aber …«

Die Puppen!

Scamp war noch in ihrem Rucksack. Was war mit den anderen?

Sie stürmte an Theo vorbei zum Atelier. Unter dem Fenster war ein Ablagebrett für Malutensilien angebracht. Annie hatte es geputzt und anschließend ihre Puppen daraufgesetzt. Sie saßen noch genauso da wie am Morgen, bevor sie das Haus verlassen hatte. Dilly und Leo, Crumpet und Peter.

Theo steckte den Kopf durch die Tür. »Nette Freunde.«

Annie hätte am liebsten ihre Puppen genommen und mit ihnen geredet, aber vor Theo wollte sie das auf keinen Fall tun. Er machte sich auf den Weg in ihr Schlafzimmer. Sie folgte ihm.

Ein wüster Haufen aus Mariahs Kleidern wartete darauf, von Annie aussortiert zu werden, um Platz für ihre eigenen Sachen zu schaffen. Über dem Stuhl zwischen den Fenstern hing ein BH, zusammen mit ihrem Pyjama von letzter Nacht. Normalerweise machte sie immer ihr Bett, an diesem Morgen hatte sie es versäumt, hatte sogar ihr Duschhandtuch auf der Matratze vergessen. Am allerschlimmsten war jedoch, dass ein knallorangefarbener Slip, den sie am Tag zuvor getragen hatte, auf dem Boden lag.

Theo musterte das Chaos. »Hier drinnen waren sie besonders gründlich.«

Sollte das ein Scherz sein?

Die Katze schlummerte auf seinem Arm, während Theos lange Finger in dem schwarzen Fell versanken. Er schlenderte zurück ins Wohnzimmer und dann in die Küche. Annie folgte ihm wieder und kickte im Vorübergehen rasch den pornografischen Bildband unter die Couch.

»Ist dir irgendetwas Ungewöhnliches aufgefallen?«, fragte Theo.

»Ja! Mein Haus wurde verwüstet.«

»Das meine ich nicht. Schau dich um. Siehst du irgendetwas, das dir seltsam erscheint?«

»Mein Leben, das an mir vorbeizieht?«

»Lass das.«

»Ich kann nichts dafür. Ich neige dazu, albern zu werden, wenn ich unter Schock stehe.«

»Ah …«

Annie versuchte zu sehen, was auch immer sie laut Theo sehen sollte, doch sie war zu durcheinander. War Theo tatsächlich unschuldig oder einfach nur ein guter Schauspieler? Ihr fiel sonst niemand ein, dem sie so etwas zutrauen würde. Barbara hatte sie vor Fremden auf der Insel gewarnt, aber hätte ein Fremder nicht etwas gestohlen? Wenn es auch kaum etwas zu stehlen gab.

Außer Mariahs Vermächtnis.

Die Vorstellung, dass jemand anderes von dem Vermächtnis wissen könnte, ließ Annie abrupt erstarren. Ihr Blick schweifte durch die Küche. Das größte Chaos stammte von dem umgekippten Abfalleimer und den ausgeleerten Reis- und Nudelpackungen. Aber anscheinend war nichts zu Bruch gegangen.

»Ich schätze, es könnte schlimmer sein«, sagte sie.

»Stimmt. Ich sehe nicht einmal Scherben herumliegen. Und soweit du das auf den ersten Blick beurteilen kannst, fehlt auch nichts. Das sieht nach einer kalkulierten Tat aus. Hegt jemand auf der Insel einen Groll gegen dich?«

Sie starrte ihn an. Sekunden verstrichen, bevor er begriff.

»Sieh mich nicht so an«, sagte er. »Du bist diejenige, die Groll gegen mich hegt.«

»Aus gutem Grund!«

»Ich sage ja nicht, dass ich dir das zum Vorwurf mache. Ich war früher ein übler Bursche. Alles, was ich sage, ist, dass ich kein Motiv habe.«

»Und ob du ein Motiv hast. Sogar mehr als nur eins. Du willst das Cottage haben. Ich bringe schlechte Erinnerungen zurück. Du bist …« Sie bremste sich rechtzeitig, bevor sie aussprach, was sie gerade dachte.

Er las ihren Gedanken. »Ich bin kein Psychopath.«

»Das habe ich auch nicht gesagt.« Aber sie hatte es gedacht.

»Annie, ich war noch ein halbes Kind, und ich hatte in jenem Sommer große Probleme.«

»Ach ja?« Sie hätte gern so viel mehr gesagt, dies war jedoch nicht der richtige Zeitpunkt.

»Lass uns meinen Namen vorerst von der Verdächtigenliste streichen. Sobald wir fertig sind, kannst du ihn wieder an die Spitze der Liste setzen.«

Er machte sich über sie lustig. Eigentlich hätte sie wütend werden müssen, seltsamerweise beruhigten seine Worte sie. »Es gibt keine weiteren Verdächtigen«, sagte sie.

Außer wer auch immer davon wusste, dass sich hier angeblich etwas Wertvolles befand. Hatte der Einbrecher es gefunden? Annie hatte zwar die Bücherregale durchforstet, aber die Wandschränke und den Inhalt der Kartons, die im Atelier auf dem Bett standen, hatte sie noch nicht systematisch inspiziert. Würde sie einen Diebstahl überhaupt bemerken?

»Hattest du mit jemandem Streit, seit du hier bist?« Wieder ging seine Hand hoch. »Abgesehen von mir.«

Sie schüttelte den Kopf. »Ich bin allerdings vor Vandalen gewarnt worden.«

Er setzte den Kater auf den Boden. »Mir gefällt das nicht. Du solltest die Sache der Festlandpolizei melden.«

»So wie ich das in Erinnerung habe, muss es schon mindestens ein Mord sein, damit die hier rauskommt.«

»Du hast recht.« Er zog den Reißverschluss seiner Jacke auf. »Lass uns dieses Chaos hier aufräumen.«

»Ich kümmere mich darum«, sagte sie rasch. »Du kannst ruhig gehen.«

Er schenkte ihr einen mitleidigen Blick. »Wenn ich die Absicht hätte, dich umzubringen oder zu vergewaltigen oder was auch immer du mir zutraust, hätte ich das schon längst getan.«

»Da bin ich aber froh.«

Er murmelte etwas vor sich hin und stolzierte dann hinüber ins Wohnzimmer.

Während Annie ihre Jacke auszog, musste sie an die Leute denken, die einem immer empfahlen, dass man seinem Instinkt folgen sollte. Aber der eigene Instinkt konnte trügen, oder? Sie fühlte sich nämlich plötzlich fast sicher.

Als Annie sich an jenem Abend in ihrem Bett zusammenrollte, war an Einschlafen nicht zu denken. Wie sollte sie sich auch entspannen, wenn Theo Harp drüben auf der Wohnzimmercouch lag? Er hatte sich geweigert, nach Hause zu gehen. Und das Schlimme war, ein Teil von ihr hatte sich gewünscht, dass er blieb. Es war genau wie damals: Theo hatte sich wie ein Freund verhalten und ihr

Vertrauen gewonnen. Dann hatte er sich allerdings in ein Monster verwandelt.

Der Tag war anstrengend gewesen, und Annie schlummerte schließlich ein. Tatsächlich schlief sie tief und fest bis zum nächsten Morgen. Als das fahle Tageslicht durch ihre Augenlider sickerte, erlebte sie diesen herrlichen Moment der Schlaftrunkenheit, wenn man realisierte, dass es noch zu früh zum Aufstehen war. Sie fühlte sich warm und behaglich und reckte sich.

Was war das?

Ihre Augen flogen auf.

Theo lag neben ihr im Bett. Nur wenige Zentimeter von ihr entfernt.

Annie stockte der Atem.

Theos Augen blieben geschlossen, aber seine Lippen bewegten sich. »Warn mich, falls du gleich schreist«, murmelte er. »Damit ich mich vorher umbringen kann.«

»Was machst du hier?«, schrie sie.

»Die verdammte Couch ist für meinen Rücken tödlich. Viel zu kurz.«

»Ich hab dir gesagt, du sollst das Bett im Atelier benutzen!«

»Da stehen lauter Kartons drauf. Und es ist nicht bezogen. Zu viel Mühe.«

Er lag auf dem Federbett, in Jeans und Pullover, die Steppdecke, die sie ihm am Abend gegeben hatte, bis zur Brust hochgezogen. Im Gegensatz zu dem Vogelnest auf ihrem Kopf, war sein Haar nur ein bisschen zerzaust. Wahrscheinlich hatte er nicht einmal schlechten Atem. Und er machte keinerlei Anstalten, sich zu rühren.

In Annie war jegliches Bedürfnis weiterzuschlummern

erloschen. Alle möglichen Dinge, die sie ihm sagen wollte, schossen ihr durch den Kopf. Wie kannst du es wagen! Scher dich zum Teufel! Aber das klang wie aus einem schlechten Dialog in einem Schauerroman. Sie biss die Zähne zusammen.

»Verlass bitte mein Bett.«

»Hast du was an?«, fragte er, die Augen immer noch geschlossen.

»Ja, habe ich!« Sie traf den perfekten Ton. Selbstgerechte Empörung.

»Gut. Dann haben wir ja kein Problem.«

»Wir würden auch kein Problem haben, wenn ich nichts anhätte!«

»Bist du dir da sicher?«

Baggerte er sie gerade an?

Wäre Annie nicht bereits hellwach gewesen, hätte dies den Rest erledigt. Sie schwang sich aus dem Bett, im nächsten Moment wurde ihr bewusst, dass sie ihren gelben Flanellpyjama mit den Weihnachtsmännern trug, den ihr eine Freundin aus Spaß vor Jahren geschenkt hatte. Sie schnappte sich Mariahs Morgenmantel, klaubte ihre Socken vom Boden auf und ließ Theo allein zurück.

Ihre Schritte verklangen. Theo lächelte. Er konnte sich nicht erinnern, wann er das letzte Mal so gut geschlafen hatte. Er fühlte sich beinahe ausgeruht. Sich einfach in ihr Bett zu legen und sie zu ärgern, war …

Er suchte nach dem richtigen Wort und fand es schließlich. Aber es kam ihm so fremd vor, dass er es kurz prüfen musste, um sicherzugehen, dass es passte.

Annie zu ärgern, war *spaßig* gewesen.

Sie hatte eine Todesangst vor ihm und gab trotzdem nicht klein bei. Schon als linkischer Teenager hatte sie mehr Mut besessen, als sie sich selbst zugetraut hatte – mehr als sie hätte haben dürfen in Anbetracht ihrer überkritischen Mutter. Sie besaß zudem ein starkes Gespür für Recht und Unrecht. Keine schmutzigen Grautöne für Antoinette Hewitt. Vielleicht hatte er sich deswegen vor all den Jahren zu ihr hingezogen gefühlt.

Er fand ihre Anwesenheit unerträglich, doch es wurde immer offensichtlicher, dass sie vorerst bleiben würde. Diese verdammte Vereinbarung. Er wollte das Cottage benutzen, wann immer es ihm passte, und Annie machte ihm einen Strich durch die Rechnung. Es ging jedoch nicht nur um das Cottage. Es ging um Annie selbst, ihre Verbindung zu einer Vergangenheit, die er am liebsten vergessen würde.

Annie wusste zu viel.

Er war sauer gewesen, als er sie auf der Straße entdeckt hatte. Er hatte sie dafür büßen lassen, indem er sie ihren Wagen selbst aus dem Graben hatte schieben lassen, obwohl er gewusst hatte, dass sie dazu nicht in der Lage war. Während er sie hinter dem Lenkrad herumkommandiert hatte, hatte er sich ganz eigenartig gefühlt, fast so, als wäre er in eine andere Haut geschlüpft. In die Haut eines normalen Menschen, der mit anderen gern kleine Späße trieb.

Eine Illusion. Nichts an ihm war normal. Seltsamerweise fühlte er sich an diesem Morgen fast normal.

Theo stand auf. Er fand Annie in der Küche, wo sie an der Spüle stand. Am Abend hatten sie zusammen das schlimmste Chaos beseitigt, und nun spülte Annie das

Besteck ab, das auf dem Boden verstreut gewesen war. Sie stand mit dem Rücken zu ihm, ihre Amok laufenden honigbraunen Locken waren wie üblich eine gesetzesfreie Zone. Theo hatte sich immer zu klassischen Schönheiten hingezogen gefühlt, und Annie war keine. Seine Erregung ärgerte ihn. Aber er lebte schon länger ohne Sex, als er zurückdenken wollte, und es passierte unwillkürlich.

Er erinnerte sich an die pubertierende Annie – linkisch, witzig und so sehr in ihn verschossen, dass er nicht den geringsten Anreiz gespürt hatte, sie zu beeindrucken. Seine sexuellen Annäherungsversuche waren aus heutiger Sicht komisch, damals aber für einen Pubertierenden normal gewesen. Vielleicht das Einzige, was an ihm normal gewesen war.

Ihr schlichter dunkelblauer Morgenmantel reichte bis zu den Waden, darunter ragte eine gelbe Pyjamahose hervor, mit Weihnachtsmännern, die versuchten, sich durch einen Kamin zu zwängen.

»Hübscher Pyjama.«

»Du kannst jetzt nach Hause gehen«, erwiderte sie.

»Hast du auch einen mit Osterhasen?«

Sie wandte sich um und stemmte eine Hand in die Hüfte. »Ich mag eben sexy Nachtwäsche. Verklag mich doch.«

Er lachte. Es war kein richtiges Lachen, trotzdem ein Lachen. An Annie Hewitt gab es nichts Düsteres. Mit ihren großen Augen, der sommersprossigen Nase und den Locken erinnerte sie ihn eher an eine Fee. Nicht an eine dieser zerbrechlichen Elfen, die anmutig von Blume zu Blume flatterten, sondern an eine beschäftigte Fee. An die Art von Fee, die eher über eine dösende Grille stolperte, als magischen Glitzerstaub zu verstreuen. Er spürte, dass er sich entspannte, wenn auch nur ein bisschen.

Sie musterte ihn von Kopf bis Fuß. Er war es gewohnt, von Frauen angestarrt zu werden, normalerweise machten sie dabei jedoch kein finsteres Gesicht. Zugegeben, er hatte in seinen Kleidern geschlafen und benötigte eine Rasur, aber wie schlimm konnte er aussehen? Sie runzelte die Stirn.

»Hast du Mundgeruch?«

Er hatte keine Ahnung, wovon sie redete. »Ich habe gerade deine Zahnpasta benutzt, darum glaube ich nicht. Gibt es einen Grund, warum du das wissen möchtest?«

»Ich fertige gerade eine Liste darüber an, was an dir abstoßend ist.«

»Da ganz oben auf deiner Liste schon ›Psychopath‹ steht, brauchst du eigentlich nichts mehr hinzuzufügen.«

Er sagte es so, als wäre es ein Scherz, obwohl beide wussten, dass es keiner war.

Annie schnappte sich den Besen und machte sich daran, die Küche gründlich zu kehren.

»Interessant, dass du gestern Abend genau im richtigen Moment aufgetaucht bist.«

»Ich kam hierher, um meinen Wagen zu holen. Du erinnerst dich bestimmt an meinen Wagen. Den Wagen, den du *gestohlen* hast.«

Er fing schon wieder damit an, aber egal. Annie war klug genug, sich auf das Wesentliche zu beschränken, also überging sie seine unberechtigte Anschuldigung.

»Du warst ziemlich schnell hier.«

»Ich bin am Strand entlanggegangen.«

»Zu schade, dass du gestern nicht dein kleines Spionageteleskop benutzt hast. Dann wüsstest du jetzt vielleicht, wer das hier getan hat.«

»Ich werde in Zukunft gewissenhafter sein.«

Sie verfolgte mit dem Besen eine Nudel, die sich unter dem Herd verkeilt hatte. »Warum warst du bei unserem ersten Wiedersehen angezogen wie Beau Brummell?«

Er brauchte einen Moment, bis ihm einfiel, was sie meinte. »Recherche. Um ein Gespür dafür zu bekommen, wie es sich anfühlt, sich in solchen Kleidern zu bewegen.« Und dann, weil er ein richtiges Arschloch sein konnte: »Ich versetze mich gern möglichst tief in meine Figuren hinein. Besonders in die ganz bizarren.« Sie machte ein derart entsetztes Gesicht, dass er sich beinahe entschuldigt hätte. Aber warum? Rasch richtete er den Blick auf die Küchenschränke. »Ich habe Hunger. Wo finde ich hier Cornflakes?«

Sie verstaute den Besen im Putzschrank. »Sind alle.«

»Wie wäre es mit ein paar Eiern?«

»Hab keine mehr.«

»Brot?«

»Nichts mehr da.«

»Irgendwelche Reste?«

»Schön wär's.«

»Sag mir, dass noch was von meinem Kaffee da ist.«

»Nur noch ein bisschen, und ich gebe nichts davon ab.«

Er fing an, die Schränke zu öffnen auf der Suche nach dem Kaffee. »Offenbar bist du mit dem Lebensmittelnachschubproblem auf der Insel noch nicht vertraut.«

»Lass die Finger von meinen Sachen.«

Er entdeckte auf dem Kühlschrank das, was von seinem gemahlenen Kaffee noch übrig war. Annie grapschte eilig nach der Packung, doch er hielt sie hoch.

»Sei nett.«

Nett.

Ein blödes Wort. Eins, das er kaum jemals benutzte. Das Wort hatte keinerlei moralisches Gewicht. Ein Mensch brauchte keinen Mut, um nett zu sein. Nett sein verlangte kein Opfer, keine Charakterstärke. Wäre doch alles, was er tun musste, nett zu sein …

Er ließ den Arm sinken und zog mit seiner freien Hand ruckartig am Gürtel ihres Morgenmantels. Als dieser vorn aufklaffte, drückte er seine Hand flach auf die entblößte Haut im V-Ausschnitt ihres Pyjamaoberteils. Annies Augen wurden groß, sie starrte ihn bestürzt an.

»Vergiss den Kaffee«, sagte er. »Zieh dein Oberteil aus, damit ich sehen kann, ob das, was sich darunter befindet, wenigstens noch ein bisschen gewachsen ist.«

Nicht nett. Überhaupt nicht nett.

Statt ihm eine Ohrfeige zu geben, die er verdient gehabt hätte, betrachtete sie ihn mit einer beunruhigenden Abscheu.

»Du bist krank im Kopf.« Mit finsterem Blick stapfte sie an ihm vorbei ins Bad.

Das hast du richtig erkannt, dachte er. Und vergiss das bloß nicht.

Kapitel 8

Annie stand neben dem Küchenfenster und beobachtete, wie die Katze bereitwillig in Theos Wagen sprang und die beiden zusammen davonfuhren. Dreh ihm niemals den Rücken zu, Hannibal, dachte sie.

Es hatte nichts Verführerisches gehabt, als Theo ihren Morgenmantel geöffnet hatte. Es lag in der Natur eines Mistkerls, sich wie ein Mistkerl zu verhalten, und er hatte nur einem natürlichen Impuls nachgegeben. Aber als Annie sich vom Fenster abwandte, musste sie an den berechnenden Ausdruck denken, den sie in seinen Augen gesehen hatte, während er an dem Gürtel gezogen hatte. Er hatte absichtlich versucht, sie aus dem Gleichgewicht zu bringen, doch es war ihm nicht gelungen. Er war ein hinterhältiger Bastard.

War er auch gefährlich?

Annies Instinkt sagte Nein, aber ihr verlässlicher Verstand ließ genügend Warnsignale aufleuchten, um einen Güterzug zum Stehen zu bringen.

Sie ging hinüber ins Schlafzimmer. Heute würde Theos sogenannte Mitbenutzung des Cottage beginnen, und sie musste verschwinden, bevor er zurückkehrte. Rasch zog sie das an, was zu ihrer Standarduniform auf der Insel geworden war – Wollsocken, Jeans, ein langärmeliges Top und einen dicken Pullover. Sie vermisste die luftigen

Stoffe. Sie vermisste ihre altmodischen Kleider aus den Fünfzigern mit den engen Miedern und den weiten Röcken. Eins ihrer Lieblingskleider war mit roten Sommerkirschen bedruckt. Ein anderes hatte einen Ziersaum mit tanzenden Martinigläsern. Im Gegensatz zu Mariah liebte Annie ausgefallene Kleider. Die Jeans und die schlichten Wollpullover, die sie für den Winter auf die Insel mitgebracht hatte, waren weit davon entfernt.

Annie kehrte ins Wohnzimmer zurück und warf einen Blick aus dem Fenster. Von Theos Wagen war noch nichts zu sehen. Sie schnappte sich ihr Notizbuch mit der Inventarliste und ging dann Raum für Raum durch, um zu überprüfen, ob etwas fehlte. Das hätte sie am liebsten schon am Abend zuvor getan, aber Theo durfte nichts von dem Vermächtnis erfahren beziehungsweise von ihrem Verdacht, dass der Einbruch damit zusammenhing.

Alles, was sie auf die Liste geschrieben hatte, war noch an seinem Platz, doch es war gut möglich, dass das, wonach Annie suchte, tief versteckt in einer Schublade lag oder in einem der Wandschränke, die sie noch nicht gründlich durchforstet hatte. Hatte der Einbrecher gefunden, was sie selbst noch nicht aufgespürt hatte?

Theo bereitete ihr Kopfzerbrechen. Während sie den Reißverschluss ihrer Jacke zuzog, zwang Annie sich, erneut die Möglichkeit in Betracht zu ziehen, dass der Einbruch nicht das Geringste mit Mariahs Vermächtnis zu tun hatte, sondern ausschließlich damit, dass Theo versuchte, sich für den Spuk zu rächen. Sie hatte geglaubt, mit der Pendeluhr davongekommen zu sein, aber was, wenn nicht? Was, wenn er sie durchschaut hatte und dies hier seine Vergeltung war? Sollte sie auf ihren Verstand hören oder auf ihren Instinkt?

Definitiv auf ihren Verstand. Theo Harp zu trauen, war, als würde man einer Giftschlange vertrauen, dass sie nicht zubiss.

Annie marschierte nicht sofort los, sondern machte draußen zunächst eine Runde um das Cottage. Theo hatte dasselbe getan, bevor er gefahren war, angeblich, um nach Spuren Ausschau zu halten … oder um sämtliche Beweise zu vernichten, die er vielleicht hinterlassen hatte. Anschließend hatte er ihr erklärt, dass es unmöglich sei, in dem zertrampelten Schnee etwas Ungewöhnliches zu erkennen. Sie glaubte ihm das nicht ganz, doch auch sie konnte nichts Verdächtiges finden.

Annie blickte auf das Meer. Es war Ebbe. Wenn Theo es im Dunkeln über den Strand geschafft hatte, dann sollte sie das bei Tageslicht erst recht schaffen.

Die zerklüfteten Klippen bewachten die Küste unterhalb des Cottage, der eisige Meerwind trug den Geruch von Salz und Algen zu ihr herüber. Bei wärmerem Wetter hätte Annie direkt an der Wassergrenze entlanggehen können, nun hielt sie sich ein Stück davon entfernt, bewegte sich vorsichtig über einen schmalen vereisten Pfad aus festgetretenem Schnee. Sie musste immer wieder über kleinere Felsen klettern, auf die sie sich früher gern zum Lesen gehockt hatte. Hier hatte sie Stunden damit verbracht, mit offenen Augen von den Figuren in ihren Romanen zu träumen. Die Heldinnen waren ausschließlich von Charakterstärke befeuert, die sie den abweisenden Männern von edler Abstammung mit ihren grausamen Anwandlungen und ihrem Adlerprofil entgegensetzten.

Die Helden waren einem gewissen Theo Harp nicht unähnlich. Obwohl Theo kein Adlerprofil hatte. Annie erinnerte sich, wie enttäuscht sie gewesen war, als sie diesen romantisch klingenden Begriff nachgeschlagen und herausgefunden hatte, was er tatsächlich bedeutete.

Zwei Seemöwen kämpften in der Luft gegen den schneidenden Wind. Annie blieb einen Moment stehen, um die wilde Schönheit der Wellen zu betrachten, die gegen die Küste schlugen, die grauen Schaumkronen, die in strudelnde dunkle Täler stürzten. Annie hatte so lange in der Stadt gelebt, dass sie das Gefühl, ganz allein im Universum zu sein, völlig vergessen hatte. Es war ein angenehmes, verträumtes Gefühl im Sommer, aber ein beunruhigendes im Winter.

Sie setzte ihren Weg fort. Die Eiskruste knackte unter ihren Stiefeln, bis sie schließlich den Strand des Klippenhauses erreichte. Sie war seit dem Tag, an dem sie beinahe gestorben wäre, nicht mehr hier gewesen. Die Erinnerung, die sie mit aller Macht zu verdrängen versucht hatte, kehrte schlagartig zurück.

Annie und Regan hatten die Welpen kurz vor dem Ende des Sommers entdeckt. Annie litt immer noch unter Theos Feindseligkeit, und sie hielt sich nach Möglichkeit von ihm fern. An jenem speziellen Vormittag, als Theo draußen beim Surfen war, bestaunten Annie, Regan und Jaycie im Stall die winzigen Welpen der Mischlingshündin, die seit einiger Zeit im Garten von Harp House herumstreunte und die in der Nacht geworfen hatte.

Die Welpen, an ihre Mutter gekuschelt, waren erst wenige Stunden alt, sechs zappelige schwarz-weiße Fellknäuel, deren Augen noch geschlossen waren und deren weiche rosarote Bäuche sich mit jedem Atemzug hoben und senkten. Die kurzhaarige Mutter, die so viele Rassen in sich trug, dass es unmöglich war, ihren Stammbaum zu bestimmen, war zu Beginn des Sommers plötzlich wie aus dem Nichts aufgetaucht. Theo hatte die Hündin anfangs für sich beansprucht und das Interesse an ihr verloren, als sie sich am Lauf verletzt hatte.

Die drei Mädchen hockten im Schneidersitz im Stroh, beobachteten die Welpen und unterhielten sich leise.

»Den hier finde ich am niedlichsten«, erklärte Jaycie.

»Ich wünschte, wir könnten sie mitnehmen, wenn wir abreisen.«

»Ich würde gern jedem einen Namen geben.«

Regan war schließlich verstummt. Als Annie sie fragte, ob alles in Ordnung sei, wickelte sie eine glänzende dunkle Haarsträhne um ihren Finger.

»Wir sollten Theo nichts von den Welpen sagen.«

Annie hatte nicht die Absicht, Theo überhaupt etwas zu sagen, trotzdem wollte sie wissen, was Regan damit meinte. »Und warum nicht?«

Regan zog die Haarsträhne über ihre Wange. »Er ist manchmal …«

Jaycie fiel dazwischen. »Er ist ein Junge. Jungen sind eben grober als Mädchen.«

Annie musste an die Oboe und an das lilafarbene Poesiealbum, in das Regan ihre Gedichte geschrieben hatte, denken, dann an sich selbst – im Speiseaufzug eingesperrt, von Möwen attackiert, ins Moor gestoßen.

Regan sprang auf, als wollte sie das Thema wechseln. »Kommt schon. Lasst uns gehen.«

Die drei Mädchen verließen den Stall. Als sie am Nachmittag zurückkehrten, um nach den Welpen zu sehen, war Theo bereits da. Er saß im Stroh und streichelte eins der kleinen, sich windenden Fellknäuel. Regan hockte sich neben ihn.

»Die sind total süß, nicht?« Sie formulierte ihre Aussage als Frage, als bräuchte sie seine Bestätigung.

»Es sind Promenadenmischungen«, erwiderte er. »Nichts Besonderes. Ich mag keine Straßenköter.«

Er stemmte sich hoch und stolzierte aus dem Stall, ohne Annie eines Blickes zu würdigen.

Am nächsten Tag traf Annie ihn erneut im Stall an. Draußen regnete es, und in der Luft lag bereits Herbstgeruch. Theo hatte einen Welpen in der Hand. Annie musste plötzlich an Regans Worte denken, und sie machte einen Satz auf Theo zu.

»Leg ihn zurück zu den anderen!«, rief sie.

Er diskutierte nicht mit ihr, sondern legte den Welpen einfach wieder zu dem Wurf. Dann sah er sie an – in Annies Augen eher bestürzt als missmutig. Der romantische Bücherwurm in ihr verdrängte Theos Grausamkeit und dachte einzig an ihre geliebten missverstandenen Helden mit ihren dunklen Geheimnissen, ihrer verborgenen Noblesse und ihrer ungeheuerlichen Leidenschaft.

»Was hast du?«

Er zuckte mit den Achseln. »Der Sommer ist vorbei. Blöd, dass es an unserem letzten Tag regnet.«

Annie mochte den Regen. Er lieferte ihr einen guten Vorwand, um es sich mit einem Buch gemütlich zu machen. Außerdem war sie froh, dass sie abreisten. Die letzten paar Wochen waren zu hart gewesen.

Annie und die Zwillinge würden in ihre jeweiligen

Schulen zurückkehren: Theo und Regan in ihr nobles Internat in Connecticut und Annie in die LaGuardia High School in New York, die »Künstlerschmiede«.

Theo vergrub die Fäuste in den Taschen seiner Shorts. »Es läuft nicht so toll zwischen deiner Mutter und meinem Vater.«

Annie hatte die Auseinandersetzungen auch mitbekommen. Mariahs skurrile Art, die Elliott anfangs so bezaubernd gefunden hatte, ging ihm mittlerweile auf die Nerven. Annie hatte zufällig gehört, dass ihre Mutter Elliott einen Spießer nannte, was er auch war, aber schließlich war gerade seine Bodenständigkeit das, was Mariah gewollt hatte, sogar mehr noch als sein Geld. Mariah hatte entschieden, dass sie und Annie zunächst in ihre eigene Wohnung zurückkehren würden, wenn sie wieder in der Stadt waren. Nur um ein paar Sachen zusammenzupacken, erklärte sie, doch Annie glaubte ihr nicht.

Regen schnippte gegen die staubigen Stallfenster. Theo bohrte seine Schuhspitze in das Stroh. »Ich ... Es tut mir leid, dass es zwischen uns ein bisschen ausgeartet ist.«

Nicht *es* war ausgeartet, *er* war ausgeartet. Aber Annie scheute Konfrontationen, und so murmelte sie bloß: »Schon okay.«

»Ich ... ich fand unsere Gespräche toll.«

Sie hatte die Gespräche mit ihm auch genossen, und die Schmusestunden noch viel mehr. »Ich auch.«

Annie wusste nicht genau, wie es geschah, es endete jedenfalls damit, dass Theo und sie sich auf eine Holzbank setzten, den Rücken an die Stallwand lehnten und sich über die Schule unterhielten, über ihre Eltern, über die Bücher, die sie im kommenden Jahr lesen mussten.

Es war genau wie früher, und Annie hätte stundenlang weiterreden können, aber dann kamen Jaycie und Regan in den Stall. Theo sprang von der Bank auf, spuckte ins Stroh und deutete mit einem schroffen Nicken zur Tür.

»Lasst uns in die Stadt fahren«, sagte er zu den beiden. »Ich hab Bock auf frittierte Muscheln.«

Er lud Annie nicht ein mitzukommen.

Sie kam sich dumm vor, weil sie wieder mit ihm geredet hatte. Am selben Abend entdeckte sie jedoch einen Zettel von Theo, den er unter ihrer Tür durchgeschoben hatte.

Wir haben Niedrigwasser.
Komm in die Höhle. Bitte.
T

Annie zog ein frisches T-Shirt und saubere Shorts aus ihrem Koffer, plusterte ihre Haare ein wenig auf, tupfte etwas Gloss auf ihre Lippen und schlich sich dann aus dem Haus.

Unten am Strand war von Theo nichts zu sehen, sie hatte allerdings auch nicht wirklich erwartet, dass er dort sein würde. Sie trafen sich immer in der Höhle, ganz hinten, wo es einen kleinen Priel gab, in dem man herumstochern konnte.

Theo hatte sich mit den Gezeiten geirrt. Das Wasser lief stark auf. Aber sie waren zuvor schon bei steigender Flut in der Höhle gewesen, und es bestand keine Gefahr, darin eingeschlossen zu werden. Selbst wenn der tiefer liegende Priel überlief, konnte man einfach aus der Höhle hinausschwimmen.

Kaltes Salzwasser durchtränkte Annies Sneakers und

spritzte gegen ihre nackten Beine, als sie über die Felsen zum Eingang der Höhle kletterte. Dort angekommen, knipste sie die kleine pinkfarbene Taschenlampe an, die sie mitgebracht hatte.

»Theo?« Ihre Stimme hallte in der felsigen Kammer wider.

Er antwortete nicht.

Eine Welle traf ihre Kniekehlen. Enttäuscht wollte Annie bereits wieder umkehren, als sie es hörte. Nicht Theos Antwort, sondern das verzweifelte Fiepen der Welpen. Ihr erster Gedanke war, dass Theo die Hunde hierhergebracht hatte, damit er und Annie mit ihnen spielen konnten.

»Theo?«, rief sie wieder, und als eine Reaktion ausblieb, betrat sie die Höhle und leuchtete mit der Taschenlampe hinein.

Der sandige Halbmond ganz hinten, wo Theo und sie immer miteinander herumgemacht hatten, stand bereits unter Wasser. Die Wellen schwappten gegen den Felsvorsprung, der sich direkt darüber befand. Darauf stand ein Karton, aus dem das Fiepen kam, das Annie hörte.

»Theo!«

Sie spürte eine dumpfe Angst im Magen, ein Gefühl, das schlimmer wurde, als er nicht antwortete. Sie watete zum Ende der Höhle, wo das steigende Wasser ihr bis zu den Hüften reichte.

Der Felsvorsprung ragte ein paar Zentimeter über ihrem Kopf aus der Granitwand. Der alte Karton war von der Gischt bereits aufgeweicht. Wenn sie ihn von dem Vorsprung zog, würde der Pappboden durchbrechen, und die Welpen würden ins Wasser fallen. Aber sie konnte sie nicht dort oben lassen. Die Flut würde in kürzester Zeit den Karton fortschwemmen.

Theo, was hast du getan?

Annie hatte keine Zeit, darüber nachzudenken, nicht nachdem das Jaulen der Welpen immer verzweifelter wurde. Sie tastete unter Wasser mit ihrer Schuhspitze an der Höhlenwand entlang, bis sie eine Nische fand, die sie als Stufe benutzen konnte. Sie zog sich auf den Felsvorsprung hoch und leuchtete dann mit ihrer Taschenlampe in die Schachtel. Alle sechs Welpen befanden sich darin, fiepend, verängstigt. Sie krochen verzweifelt auf einem braunen Handtuchfetzen herum, der bereits vom Meerwasser durchnässt war. Annie legte die Taschenlampe auf den Felsvorsprung, nahm zwei Welpen heraus und drückte sie schützend an ihre Brust. Aber die spitzen Hundekrallen bohrten sich durch ihr T-Shirt, und sie konnte die Kleinen nicht länger halten. Mit einem ängstlichen Jaulen purzelten sie zurück in den Karton.

Sie würde sie einzeln herausschaffen müssen.

Annie schnappte sich den größten Welpen und stieg von dem Felsvorsprung. Es war so einfach, aus der Höhle zu schwimmen. Es war so anstrengend, durch das wirbelnde Wasser hinauszuwaten mit einem zappelnden Hund auf dem Arm.

Sie schleppte sich zu dem verblassenden Licht am Höhlenausgang. Das Wasser sog an ihren Beinen. Der Hund geriet in Panik, und seine Krallen bohrten sich schmerzhaft in ihren Arm.

»Bitte, halt still. Bitte, bitte …«

Als Annie den Ausgang erreichte, bluteten die Kratzer, und es waren immer noch fünf Tiere in der Höhle. Aber bevor sie zu ihnen zurückkehren konnte, musste sie erst einen sicheren Ort für diesen Welpen hier finden. Sie lief stolpernd über die Felsen zu ihrer Feuerstelle.

In der Grube lag zwar noch Asche von dem letzten Feuer, doch sie war trocken, und die Steine darum herum waren hoch genug, um zu verhindern, dass der Hund herausklettern konnte. Annie setzte ihn hinein, eilte zur Höhle zurück und verschwand wieder darin. Sie war nie lange genug in ihrem Versteck geblieben, um zu sehen, wie hoch das Wasser darin steigen konnte, jetzt sah sie es. Als der Höhlenboden nach unten abfiel, begann Annie zu schwimmen. Es war zwar noch Sommer, das Wasser war trotzdem eiskalt. Ihre Hände berührten die Wand neben dem Vorsprung, und ihr Fuß fand Halt. Gleich darauf griff sie zitternd in den Karton nach dem nächsten Welpen. Sie zuckte zusammen, als auch dieser seine Krallen in ihre Haut schlug.

Es gelang ihr, auch den zweiten Welpen sicher in die Grube zu bringen, aber das Wasser in der Höhle stieg noch höher, und Annie hatte Mühe, sich nach hinten durchzukämpfen. Die Taschenlampe, die sie auf dem Vorsprung zurückgelassen hatte, brannte nur noch schwach, doch sie konnte genug erkennen, um zu sehen, dass der Karton kurz davor war, auseinanderzubrechen. Sie würde niemals alle Welpen rechtzeitig herausbekommen. Aber sie musste.

Annie nahm den dritten Hund in den Arm und stieg von dem Vorsprung. In diesem Moment traf sie eine Welle, der Welpe strampelte und glitt ins Wasser. Schluchzend tastete sie nach dem kleinen Körper. Gleich darauf bekam sie ihn zu fassen und schwamm los. Die Unterströmung zerrte an ihren Beinen, als sie wieder Boden unter den Füßen spürte und das letzte Stück auf das verblassende Licht am Höhlenausgang zuwatete. Das Atmen fiel ihr schwer. Das Hündchen hatte aufgehört zu zappeln, und sie wusste nicht, ob es tot oder lebendig war, bis sie es in die Feuergrube setzte und sah, dass es sich bewegte. Sie hatte auch den dritten Welpen gerettet.

Annie fühlte sich noch nicht in der Lage, wieder in die Höhle zurückzukehren. Sie hätte sich eigentlich kurz ausruhen müssen. Aber sie wusste, wenn sie das tat, würden die restlichen Welpen ertrinken. Sie rannte los.

Die Unterströmung wurde immer stärker, das Wasser stieg rasch weiter an. Annie verlor einen Schuh und streifte den anderen ab. Jeder Atemzug war ein Kampf. Eine Welle schwappte über ihren Kopf hinweg, und sie schluckte so viel Salzwasser, dass sie immer noch hustete, als sie auf den Vorsprung kletterte. Keuchend rang sie nach Luft. Sie griff blind in den Karton und nahm den nächsten Welpen heraus. Der Schmerz von den Kratzern an ihren Armen und auf ihrem Dekolleté und das Brennen in ihrer Lunge waren unerträglich. Eine neue Welle zog Annie die Beine weg, und sie wurde unter Wasser gerissen, aber es gelang ihr, den kleinen Hund nicht loszulassen und wieder aufzutauchen. Die Muskeln in ihren Armen und Beinen brannten wie Feuer. Sie versuchte, das Wasser, das sie geschluckt hatte, auszuhusten, und irgendwie schaffte sie es hinaus an den Strand.

Noch zwei …

Hätte sie klar denken können, hätte Annie sich nicht noch einmal auf zur Höhle gemacht, aber sie handelte nach ihrem Instinkt. Ihr ganzes Leben schien sich für diesen Moment, in dem ihre einzige Aufgabe darin bestand, die Welpen zu retten, gelohnt zu haben. Sie rutschte auf den Klippen aus und zog sich einen tiefen Riss an der Wade zu. Taumelnd betrat sie den Eingang. Eine Welle warf sie von hinten um. Sie konnte sich kaum über Wasser halten.

Die Taschenlampe auf dem Vorsprung flackerte nur noch ein wenig, der aufgeweichte Karton hing schon halb im Wasser. Annie schrammte mit dem Knie über die Felswand, als sie sich erneut daran hochzog.

Zwei Welpen. Sie würde den Weg kein weiteres Mal schaffen. Sie musste beide Hunde auf einmal nehmen. Annie versuchte, nach ihnen zu greifen, aber ihre Hände gehorchten ihr nicht. Ihr linker Fuß rutschte weg, und sie fiel zurück ins Wasser. Japsend und würgend kam sie wieder an die Oberfläche. Sie schaffte es kaum, sich noch einmal hochzuhieven. Am ganzen Körper zitternd vor Anstrengung, griff sie in den Karton.

Nur einen. Sie konnte nur einen noch retten.

Ihre Finger schlossen sich um nasses Fell. Mit einem herzzerreißenden Schluchzen drückte sie das Tier an sich und begann zu schwimmen, nur um festzustellen, dass ihre Beine sich nicht bewegten. Sie versuchte, sie herunterzudrücken, doch die Gegenströmung war zu stark. Und dann, in dem schwachen Licht, das von draußen hereinschimmerte, sah sie die riesige Welle, die auf die Höhle zurollte. Die höher und höher stieg, bis sie hereinflutete, Annie verschluckte und gegen die felsige Höhlenwand schleuderte. Sie wurde herumgewirbelt und überschlug sich, ruderte hilflos mit den Armen, obwohl sie sicher war, ertrinken zu müssen.

Plötzlich zerrte eine Hand an ihr, dann noch eine. Annie kämpfte, wehrte sich. Die fremden Arme waren stark. Beharrlich. Sie zogen sie nach oben, und sie schnappte nach Luft.

Theo?

Es war nicht Theo. Es war Jaycie.

»Hör auf zu zappeln!«, schrie sie.

»Die Welpen …«, keuchte Annie. »Hinten ist noch einer …«

Die nächste Welle schlug über ihnen zusammen. Jaycies Griff blieb fest. Sie zog Annie und den Welpen gegen die Strömung aus der Höhle.

Als sie die Felsen erreichten, brach Annie erschöpft zusammen. Jaycie jedoch eilte zurück in die Höhle. Es dauerte nicht lange, und sie tauchte mit einem nassen, zappelnden Welpen wieder auf.

Annie nahm vage das Blut, das aus der klaffenden Wunde an ihrer Wade rann, ihre verkratzten Arme und die roten Flecken wahr, die wie Rosen im Stoff ihres T-Shirts aufblühten. Sie hörte das Winseln der Hunde in der Feuergrube. Jaycie kauerte dort bei den Welpen, den Kleinen, den sie herausgeholt hatte, immer noch auf dem Arm. Annie begriff plötzlich, dass Jaycie ihr das Leben gerettet hatte.

»Danke«, krächzte sie mit klappernden Zähnen.

Jaycie zuckte nur mit den Achseln. »Ich schätze, du musst dich bei meinem alten Herrn bedanken, weil er sich mal wieder betrunken hat. Nur wegen ihm bin ich noch mal raus.«

»Annie! Annie, bist du da unten?«

Es war zu dunkel, um etwas zu sehen, aber Annie erkannte Regans Stimme sofort.

»Sie ist hier!«, rief Jaycie, denn Annie konnte nicht antworten.

Regan lief die flachen Steinstufen hinunter und eilte zu Annie. »Bist du okay? Bitte, erzähl meinem Dad nichts davon. Bitte!« Heißer Zorn durchströmte Annie. Sie rappelte sich hoch, während Regan einen der Welpen in die Arme nahm, an ihre Wange drückte und anfing zu weinen. »Du darfst nichts sagen, Annie.«

All die Emotionen, die Annie unterdrückt hatte, explodierten nun in ihr. Sie wandte sich von den Welpen ab, von Regan und Jaycie, und kletterte steif über die Felsen zu den Klippenstufen. Ihre Beine waren immer noch schwach, sie zitterte am ganzen Leib und musste sich am Seilgeländer festhalten, um nicht zu fallen. Die Außenbeleuchtung des verwaisten Swimmingpools war noch an. Die Schmerzen und die Wut verliehen Annies Beinen neue Kraft. Sie stürmte über die Wiese und ins Haus. Mit polternden Schritten jagte sie die Treppe hoch.

Theos Zimmer lag hinten, neben dem seiner Schwester. Annie stieß die Tür mit Wucht auf. Theo lag auf seinem Bett und las in einem Buch. Annies Anblick, ihre nassen, verfilzten Haare, die blutenden Kratzer und die aufgerissene Wade, brachte ihn sofort auf die Beine. Annie griff, ohne nachzudenken, nach Theos Reitgerte, die an seinem Bett lehnte, und eine Macht, über die sie keine Kontrolle hatte, übermannte sie. Mit der Gerte in der Hand stürzte sie sich auf Theo. Er stand unbeweglich da, fast so, als wüsste er, was gleich passieren würde. Sie schlug so fest zu, wie sie konnte, und traf ihn im Gesicht, sodass die dünne Haut über seiner Augenbraue aufplatzte.

»Annie!« Ihre Mutter, von dem Lärm alarmiert, kam in das Zimmer geeilt, gefolgt von Elliott. Sie keuchte erschrocken, als sie das Blut sah, das Theo über das Gesicht lief, und dann Annies Zustand wahrnahm. »Mein Gott …«

»Theo ist ein Monster!«, schrie Annie.

»Annie, du bist hysterisch«, sagte Elliott und ging rasch hinüber zu seinem Sohn.

»Wegen dir wären die Hunde beinahe gestorben!«, brüllte sie Theo an. »Tut es dir leid, dass sie nicht ertrunken sind? Tut es dir leid, dass sie alle überlebt haben?«

Tränen strömten über ihr Gesicht, und sie stürzte sich wieder auf ihn, aber Elliott riss ihr die Reitgerte aus der Hand.

»Schluss jetzt!«

»Annie, was ist passiert?« Ihre Mutter starrte sie an, als würde sie ihre eigene Tochter nicht wiedererkennen.

Und Annie machte ihrem Herzen Luft. Theo stand da, die Augen auf den Boden geheftet, und während Annie die ganze Geschichte erzählte, sickerte aus seiner Wunde unablässig Blut. Annie begann mit der Nachricht, die er ihr geschrieben hatte, und endete mit der Rettung der Welpen. Sie erzählte auch, dass Theo sie in den Speiseaufzug gesperrt und den Angriffen der Möwen auf dem Schiffswrack ausgesetzt hatte. Dass er sie in das Moor gestoßen hatte. Die Worte strömten nur so aus ihr heraus.

»Annie, du hättest mir das früher sagen sollen.«

Mariah führte ihre Tochter aus dem Zimmer und überließ es Elliott, sich um seinen Sohn zu kümmern. Sowohl die Wunde an Annies Wade als auch die Platzwunde auf Theos Stirn hätten genäht werden müssen, aber da es auf der Insel keinen Arzt gab, musste ein einfacher Verband reichen. Sie würden beide eine dauerhafte Erinnerung an diesen Tag zurückbehalten, die schließlich verblasste. Das, was der Tag in ihren Herzen zurücklassen würde, sollte nicht so schnell verblassen.

Später an jenem Abend, nachdem die Welpen wieder bei ihrer Mutter im Stall waren und im Haus die Nachtruhe einkehrte, lag Annie immer noch wach und horchte auf das Stimmengemurmel, das aus dem Schlafzimmer der Erwachsenen drang. Sie redeten zu leise, als dass Annie etwas verstehen konnte, also schlich sie sich hinaus in den Gang, um heimlich an der Tür zu lauschen.

»Sieh den Tatsachen ins Gesicht, Elliott«, hörte sie ihre Mutter sagen. »Mit deinem Sohn stimmt etwas ernsthaft nicht. Das ist kein normales Verhalten für einen Jugendlichen.«

»Er braucht nur mehr Disziplin, das ist alles«, erwiderte Elliott. »Ich werde ihn auf eine Militärschule schicken. Dann ist es vorbei mit dem Verhätscheltwerden.«

Mariah ließ nicht locker. »Er braucht keine Militärschule, er braucht einen Psychiater!«

»Lass mal die Kirche im Dorf. Du musst immer gleich so übertreiben. Ich hasse das.«

Die Diskussion wurde hitziger, und Annie kehrte schließlich in ihr Zimmer zurück. An diesem Abend weinte sie sich in den Schlaf.

Theo schaute aus dem Turm. Annie stand unten am Strand, mit ihrer roten Strickmütze, und starrte in Richtung Höhle. Ein paar Jahre zuvor war der Eingang durch einen Steinrutsch verschüttet worden, aber Annie schien noch genau zu wissen, wo er sich befand. Theo massierte die schmale helle Narbe über seiner Augenbraue.

Er hatte seinem Vater damals geschworen, dass es nicht seine Absicht gewesen sei, jemandem Schaden zuzufügen – dass er die Welpen an jenem Abend nur in die Höhle gebracht habe, damit Annie und er mit ihnen spielen konnten, dass er dann vor dem Fernseher eingeschlafen sei und die Hunde vergessen habe.

Die Militärschule, auf die er danach geschickt wurde, hatte sich dem Ziel verschrieben, schwer erziehbare Jungen zu läutern, und seine Mitschüler überlebten den Drill, indem sie sich gegenseitig quälten. Sein Hang zum Einzelgängertum, seine Leidenschaft für Bücher und sein Status als Neuling machten Theo zur Zielscheibe. Er wurde zu Kämpfen gezwungen. Die meisten davon gewann er, aber nicht alle. So oder so, es war ihm egal. Regan dagegen war es nicht egal, und sie trat in einen Hungerstreik.

Regans Internat war die Schwestereinrichtung seiner alten Schule, und Regan wollte ihren Bruder zurückhaben. Zuerst ignorierte Elliott ihren Hungerstreik. Als das Internat damit drohte, Regan wegen ihrer Magersucht nach Hause zu schicken, gab er nach. Theo durfte an seine alte Schule zurückkehren.

Theo wandte sich vom Turmfenster ab und packte seinen Laptop und ein paar Notizblöcke ein, die er ins Cottage mitnehmen wollte. Er hatte noch nie gern zu Hause gearbeitet. Sein Arbeitszimmer in Manhattan hatte er lieber gegen einen Platz in der Bücherei oder in einem seiner Lieblingscafés getauscht. Wenn Kenley gearbeitet hatte, war er an den Küchentisch oder in einen

Wohnzimmersessel umgezogen. Kenley hatte das nie verstanden.

Du wärst bedeutend produktiver, Theo, wenn du an einem Platz bleiben würdest, hörte er sie heute noch sagen. Paradoxe Worte von einer Frau, deren Emotionen innerhalb eines Tages aus beflügelnden Höhen in lähmende Tiefen stürzen konnten.

Er würde an diesem Tag nicht zulassen, dass Kenley ihn verfolgte. Nicht nach seiner ersten erholsamen Nacht, seit er auf Peregrine Island war. Er hatte eine Karriere zu retten, und er musste schreiben.

Die Heilanstalt war ein unerwarteter Bestseller geworden, ein Umstand, der seinen Vater nicht beeindruckte. Es sei nicht ganz einfach, den Freunden zu erklären, woher sein Sohn eine derart grausame Fantasie habe, hatte er ihm gesagt. Ohne die Torheit seiner Großmutter würde er in der Firma arbeiten, wo er hingehöre.

Die Torheit seiner Großmutter, wie Elliott es nannte, hatte darin bestanden, dass sie Theo ihr Vermögen vermacht und ihm damit, so die Einschätzung seines Vaters, die Notwendigkeit genommen hatte, einem richtigen Beruf nachzugehen oder, mit anderen Worten, für Harp Industries zu arbeiten. Die Ursprünge der Firma gründeten auf der ehemaligen Knopffabrik von Elliotts Großvater, die heute Bolzen aus Titan und Schrauben aus Superlegierungen produzierte, die amerikanische Black-Hawk-Hubschrauber und Tarnkappenbomber zusammenhielten. Aber Theo wollte keine Bolzen und Schrauben herstellen. Er wollte Bücher schreiben, in denen die Grenzen zwischen Gut und Böse glasklar waren. In denen es zumindest eine Chance gab, dass die Ordnung letzten Endes über das Chaos und den Wahnsinn siegen würde. Genau das hatte er in *Die Heilanstalt* umgesetzt, seinem Horrorroman über eine unheimliche psychiatrische Klinik für geisteskranke Kriminelle, in der sich ein Raum befand, der die Patienten – darunter Dr. Quentin Pierce, ein besonders sadistischer Serienkiller – rückwärts durch die Zeit trieb.

Inzwischen arbeitete er an einer Fortsetzung der Geschichte. Im zweiten Band beabsichtigte er, Dr. Pierce in das London des 19. Jahrhunderts zurückzuschicken. Nachdem er die Figuren schon eingeführt hatte, hätte seine Aufgabe eigentlich leichter sein müssen, doch er tat sich ungemein schwer mit dem Schreiben. Theo wusste nicht genau, warum das so war. Dafür wusste er, dass er im Cottage eine bessere Chance hatte, seine Blockade zu durchbrechen, und er war froh, dass es ihm gelungen war, Annie so sehr unter Druck zu setzen, dass sie ihn dort arbeiten ließ.

Hannibal stupste ihn an. Er senkte den Blick und sah, dass er ihm ein Geschenk gebracht hatte. Einen grauen Mäusekadaver. Theo verzog das Gesicht.

»Ich weiß, Kumpel, das ist eine Liebeserklärung, aber würde es dir was ausmachen, in Zukunft darauf zu verzichten?« Hannibal schnurrte und rieb sein Kinn an Theos Bein. »Der nächste Tag, die nächste Leiche«, murmelte Theo. Es war Zeit, sich an die Arbeit zu machen.

Kapitel 9

Theo hatte seinen Wagen für sie vor dem Klippenhaus stehen lassen. Die gefährliche Strecke in die Stadt, wo heute das Versorgungsschiff anlegte, sollte mit dem Range Rover deutlich entspannter zu fahren sein als mit dem Kia, aber Annie war immer noch zu aufgewühlt, nachdem sie am Morgen Theo neben sich im Bett entdeckt hatte. Im Hafen angekommen, stellte sie Theos Wagen auf dem Parkplatz ab und heiterte sich mit dem Gedanken an den Salat auf, den sie sich später zum Abendessen zubereiten würde.

Ein paar Dutzend Einheimische warteten am Kai, die meisten davon Frauen. Die mehrheitlich Älteren bestätigten, was Barbara über den Weggang junger Familien gesagt hatte. Peregrine Island war im Sommer wunderschön, doch wer wollte das ganze Jahr über hier leben? Obwohl der klare, sonnige Himmel und das helle Licht, das vom Wasser reflektiert wurde, eine andere Sprache sprechen wollten.

Annie entdeckte Barbara und winkte. Lisa, in eine übergroße Jacke gehüllt, die wahrscheinlich ihrem Mann gehörte, unterhielt sich gerade mit Judy Kester, deren leuchtend roter Haarschopf so fröhlich war wie ihr Lachen. Beim Anblick der versammelten Bunko-Runde bekam Annie große Sehnsucht nach ihren eigenen Freundinnen.

Marie Cameron eilte zu ihr herüber, mit einem Gesicht, als hätte sie in eine Zitrone gebissen. »Und, wie kommen Sie da draußen zurecht, so ganz allein?«, fragte sie in einem derart betrüblichen Ton, dass man glauben musste, Annie befände sich im letzten Stadium einer tödlichen Krankheit.

»Gut. Es gibt keine Probleme.«

Annie hatte nicht vor, jemandem von dem Einbruch zu erzählen.

Marie beugte sich näher zu ihr herüber. Sie roch nach Nelken und Mottenkugeln. »Sie müssen sich vor Theo in Acht nehmen. Ich weiß, was ich weiß. Wie ich schon sagte, jeder, der Augen im Kopf hatte, konnte damals sehen, dass ein Sturm aufzog. Regan wäre bei diesem Wetter niemals mit dem Boot rausgefahren, nicht freiwillig.«

Glücklicherweise legte das zur Versorgungsfähre umfunktionierte Hummerschiff nun am Kai an, und Annie brauchte nicht zu antworten. Es brachte Boxen voller Lebensmittel sowie eine Kabelrolle, Dachschindeln und eine glänzende weiße Toilettenschüssel. Die Inselbewohner bildeten eine Kette, um das Schiff zu entladen, und beluden es anschließend auf dieselbe Art mit Briefen, Paketen und leeren Boxen von der letzten Lieferung.

Nachdem das erledigt war, gingen alle zum Parkplatz, wo die abgeladene Fracht stand. An den Boxen waren kleine Kärtchen befestigt, auf denen mit Filzstift der Name des Empfängers stand. Annie entdeckte die drei Kisten mit der Aufschrift »Harp House« rasch. Sie waren so vollgepackt, dass sie Mühe hatte, sie zum Wagen zu tragen.

»Es ist immer ein guter Tag, wenn die Fähre es geschafft hat«, rief Barbara vom Heck ihres Pick-ups herüber.

»Das Erste, was ich gleich machen werde, ist, in einen Apfel zu beißen«, erwiderte Annie, während sie die dritte Box im Kofferraum des Range Rover verstaute.

Rasch ging sie zurück, um ihre eigene magere Bestellung unter den circa ein Dutzend Kisten zu suchen, die noch herumstanden. Sie las die Namen auf jeder Karte, konnte ihren aber nicht finden. Sie ging die Karten ein zweites Mal durch. *Norton … Carmine … Gibson … Alvarez …* Kein *Hewitt.* Kein *Moonraker Cottage.* Als sie die Namen ein drittes Mal checkte, nahm sie plötzlich den Duft von Barbaras blumigem Parfüm hinter sich wahr.

»Stimmt was nicht?«

»Meine Lieferung ist nicht dabei«, erwiderte Annie. »Nur die Sachen für das Klippenhaus. Jemand muss meine Box versehentlich eingeladen haben.«

»Da hat wohl eher die Neue von der Bestell-Hotline Mist gebaut«, sagte Barbara. »Letzten Monat hat sie meine halbe Bestellung vergessen.«

Annies gute Laune verflog. Zuerst der Einbruch ins Cottage und jetzt das. Sie war seit knapp zwei Wochen hier. Sie hatte kein Brot, keine Milch mehr, nichts außer ein paar Konserven und ein bisschen Reis. Wie sollte sie eine weitere Woche bis zur nächsten Lieferung überstehen, falls das Schiff die Überfahrt dann überhaupt machen konnte?

»Es ist kalt genug, um die Lebensmittel eine halbe Stunde im Wagen zu lassen«, sagte Barbara. »Kommen

Sie doch auf einen Sprung mit zu mir, und ich mache Ihnen einen Kaffee. Sie können von unserem Anschluss aus die Hotline anrufen.«

»Könnten Sie mir einen von Ihren Äpfeln geben?«, fragte Annie niedergeschlagen.

Die ältere Frau lächelte. »Sicher.«

Die Küche roch nach Speck und Barbaras Parfüm. Barbara gab Annie einen Apfel und fing dann an, ihre Einkäufe einzuräumen. Annie rief währenddessen die Mitarbeiterin auf dem Festland an, die für die Bestellungen der Inselbewohner zuständig war, und erklärte ihr, was passiert war. Die Frau reagierte eher ungehalten als bedauernd.

»Ich habe eine Nachricht erhalten, wonach Sie Ihre Bestellung widerrufen haben.«

»Aber die kam nicht von mir.«

»Dann kann Sie wohl jemand nicht leiden.«

Barbara stellte zwei geblümte Kaffeetassen auf den Tisch, als Annie auflegte. »Irgendjemand hat meine Bestellung gecancelt.«

»Sind Sie sicher? Diese Neue vermasselt nämlich ständig Sachen.« Barbara nahm eine Keksdose vom Schrank. »Allerdings … solche Dinge passieren hier schon mal. Wer jemandem eins auswischen will, braucht nur zum Hörer zu greifen.« Sie öffnete den Deckel der Dose und enthüllte ein Nest aus Wachspapier, gefüllt mit zuckerglasierten Cookies. Annie setzte sich, doch ihr war der Appetit vergangen, selbst auf den Apfel. Barbara nahm sich einen Keks. Ihre linke Augenbraue war ein bisschen schief nachgezogen, was sie leicht verrückt aussehen ließ, aber ihr offener Blick hatte überhaupt nichts Verrücktes.

»Ich würde Ihnen ja gern sagen, dass die Dinge sich für Sie bessern werden, nur kann ich das leider nicht.«

Das war nicht das, was Annie hören wollte. »Niemand hat einen Grund, mir eins auszuwischen.«

Außer Theo vielleicht.

»Man braucht nicht immer einen Grund, um sich zu bekriegen. Ich liebe diese Insel, aber sie ist nicht für jeden geeignet.« Sie hielt Annie die Keksdose entgegen und schüttelte sie leicht, um Annie zum Zugreifen zu ermuntern, Annie lehnte jedoch ab. Barbara drückte den Deckel wieder auf die Dose. »Wahrscheinlich stecke ich wieder mal meine Nase in Angelegenheiten, die mich nichts angehen. Ich weiß allerdings, dass Sie ungefähr im selben Alter wie meine Tochter sind, und es ist nicht zu übersehen, dass Sie auf Peregrine nicht glücklich sind. Es würde mir zwar widerstreben, wenn Sie uns wieder verlassen, aber Sie haben hier keine Angehörigen, und vor allem sollten Sie nicht unglücklich sein.«

Barbaras Anteilnahme bedeutete Annie viel, und sie musste gegen das Bedürfnis ankämpfen, über die vielen Tage zu reden, die sie noch auf der Insel verbringen musste, und über die Schulden, die sie nicht abbezahlen konnte, über ihr Misstrauen gegenüber Theo und über ihre Zukunftsängste, doch sie hielt sich zurück.

»Danke, Barbara. Ich werde schon zurechtkommen.«

Auf der Rückfahrt zum Klippenhaus dachte Annie darüber nach, wie viel klüger sie durch das Alter und die Schulden geworden war. Sie würde sich nicht mehr mit ihren Puppen und seltsamen Jobs durchs Leben hangeln. Sie hatte keine Bedenken mehr, einen Ganztagsjob anzunehmen, der sich mit Vorsprechterminen überschnitt. Sie würde eine Arbeit finden, für die es einen regelmäßigen Gehaltsscheck gab und eine hübsche Altersvorsorge.

Du wirst es hassen, sagte Scamp.

»Nicht so sehr, wie ich es hasse, arm zu sein«, erwiderte Annie.

Selbst Scamp konnte nichts dagegen einwenden.

Annie verbrachte den restlichen Tag im Klippenhaus. Als sie den Müll hinaustrug, bemerkte sie etwas Seltsames an einem Baumstumpf in der Nähe der Rotfichte, unter deren Ästen Livia sich so gern versteckte. Vor den knorrigen Wurzeln, die am Sockel des toten Stamms einen Hohlraum bildeten, steckten ein paar Zweige im Boden. Darüber hatte jemand ein Dach aus Baumrinde gebaut. Am Vortag war die Konstruktion noch nicht da gewesen, also musste Livia sich wieder heimlich hinausgeschlichen haben. Annie wünschte, dass Jaycie über die Stummheit ihrer Tochter bald redete. Das Kind gab ihr so viele Rätsel auf.

Der Range Rover verschwand am Nachmittag, und Annie machte sich vor Einbruch der Dunkelheit zu Fuß auf den Weg zum Cottage. Da sie eine Tüte und ihren Rucksack mit Lebensmitteln aus Harp House vollgepackt hatte, musste sie mehrmals anhalten, um eine Verschnaufpause zu machen. Schon aus der Ferne konnte sie sehen, dass der Range Rover vor dem Cottage parkte. Das war nicht fair. Theo sollte verschwunden sein, wenn sie nach Hause kam. Das Letzte, worauf sie jetzt Lust hatte, war eine Auseinandersetzung mit ihm, aber wenn sie ihm nicht Paroli bot, würde er sie ständig unterbuttern.

Annie betrat das Cottage durch die Vordertür und entdeckte Theo auf der pinkfarbenen Samtcouch, die Beine über der Armlehne, Leo über seine Hand gestreift. Er schwang seine Füße auf den Boden.

»Ich mag diesen Burschen hier.«

»Kann ich mir denken«, sagte Annie. *Er ist dir ja auch ähnlich.*

Theo wandte sich an die Puppe. »Wie heißt du eigentlich, Großer?«

»Sein Name ist Bob«, sagte Annie. »Und jetzt, da die zweite Schicht eingetroffen ist – also ich –, ist es Zeit für dich, nach Hause zu gehen.«

Er deutete mit Leo auf die Einkaufstüte. »Ist da was Gutes drin?«

»Ja.« Annie streifte ihre Jacke ab und ging in die Küche. Im vollen Bewusstsein, dass sie mit seinen Vorräten davonspaziert war, stellte sie ihren Rucksack auf den Boden und die Tüte auf die Anrichte. Theo folgte ihr in die Küche, die Puppe immer noch auf seiner Hand, was Annie zutiefst beunruhigend fand. »Leg Bob zur Seite. Und ab sofort lässt du meine Puppen in Ruhe. Sie sind nämlich wertvoll, und niemand darf sie anfassen außer mir. Hättest du heute eigentlich nicht arbeiten sollen, statt in meinen Sachen herumzuschnüffeln?«

»Ich habe gearbeitet.« Er warf einen Blick in die Tüte. »Ich habe eine minderjährige Ausreißerin und einen Obdachlosen sterben lassen. Sie wurden von einem Wolfsrudel zerfleischt. Und da die Szene im zivilisierten Hyde Park spielt, muss ich sagen, dass ich ziemlich stolz auf mich bin.«

»Gib ihn her!«

Annie riss ihm Leo von der Hand. Das Letzte, was sie jetzt gebrauchen konnte, war, dass Theo ihr Bilder von blutrünstigen Wölfen in den Kopf setzte. Sie deponierte Leo im Wohnzimmer und kehrte dann in die Küche zurück. Alles in ihr schrie nach Rache.

»Heute im Haus ist mir was Seltsames passiert. Ich habe … Ich sollte besser nichts sagen. Ich möchte dich nicht beunruhigen.«

»Seit wann das denn?«

»Also gut … ich war hinten im Flur auf der ersten Etage, direkt vor der Turmtür, als ich plötzlich von der anderen Seite her einen eiskalten Luftzug spürte.« Annie war immer eine ehrliche Haut gewesen, sie konnte sich nicht erklären, warum ihr auf einmal die Lügen so glatt über die Lippen gingen. »Ungefähr so, als hätte jemand ein Fenster offen gelassen.« Es fiel ihr nicht schwer, ein leichtes Schaudern zu fabrizieren. »Ich verstehe nicht, wie du es aushältst, in diesem Haus zu wohnen.«

Theo nahm einen Sechserkarton Eier aus der Tüte. »Ich schätze, manche Menschen haben eben weniger Probleme mit Hausgeistern als andere.« Sie sah ihn scharf an, aber er schien sich mehr für den Inhalt der Tüte zu interessieren als für den Spuk. »Interessant, dass wir die gleichen Produkte bevorzugen«, sagte er.

Er würde es spätestens erfahren, wenn er mit Jaycie redete, also konnte Annie es ihm genauso gut selbst sagen. »Irgendjemand hat meine Lieferung abbestellt. Ich werde dir die Sachen hier nächste Woche ersetzen, wenn die Fähre wiederkommt.«

»Das sind *meine* Lebensmittel?«

»Nur ein Teil davon. Eine kleine Leihgabe.«

Sie fing an, die Sachen auszupacken, die sie in ihren Rucksack gestopft hatte.

Er schnappte sich die nächstbeste Packung von der Anrichte. »Du hast meinen *Speck* genommen?«

»Du hattest zwei Pakete. Das eine wirst du nicht vermissen.«

»Ich kann nicht glauben, dass du dich an meinem Speck vergriffen hast.«

»Ich hätte gern ein paar von deinen Donuts oder eine Tiefkühlpizza mitgenommen, aber das war nicht möglich. Und weißt du, warum nicht? Weil du keins von beidem bestellt hast. Was für ein Mensch bist du eigentlich?«

»Einer, der richtige Nahrung bevorzugt.« Er schob sie zur Seite, damit er sehen konnte, was in ihrem Rucksack war, und nahm dann ein kleines Stück Parmesankäse heraus, das Annie von dem großen Block, den er bestellt hatte, abgeschnitten hatte. »Exzellent.«

Theo warf den Parmesan von einer Hand in die andere, dann legte er ihn auf die Anrichte und begann, die Küchenschränke zu öffnen.

»Hey! Was machst du da?«

Er nahm einen Kochtopf heraus. »Ich mache mir mein Abendessen. Mit *meinen* Lebensmitteln. Wenn du mich nicht ärgerst, teile ich vielleicht mit dir. Oder auch nicht.«

»Nein! Geh nach Hause. Das Cottage gehört jetzt mir, schon vergessen?«

»Du hast recht.« Er begann, die Sachen zurück in die Plastiktüte zu werfen. »Das hier nehme ich wieder mit.«

Verdammt.

Seit Annie seltener hustete, war ihr Appetit wieder zurückgekehrt, und sie hatte den ganzen Tag so gut wie nichts gegessen.

»In Ordnung«, lenkte sie widerwillig ein. »Du kochst, ich esse. Und danach verschwindest du von hier.«

Er durchstöberte bereits den Unterschrank nach einem zweiten Topf.

Annie verfrachtete Leo in das Atelier und ging anschließend ins Schlafzimmer. Theo mochte sie nicht, legte definitiv keinen Wert auf ihre Anwesenheit. Warum also tat er das? Sie tauschte ihre Stiefel gegen ihre Pantoffeln und räumte die Kleider weg, die auf dem Bett lagen. Sie wollte nicht in der Nähe eines Mannes sein, vor dem sie mehr als nur ein bisschen Angst hatte. Noch schlimmer, dem ein Teil von ihr wieder vertrauen wollte, obwohl so vieles gegen ihn sprach. Das war fast, als wäre sie wieder ein Teenager.

Der Geruch von brutzelndem Speck breitete sich in der Luft aus, zusammen mit einem ganz schwachen Hauch von Knoblauch. Annies Magen knurrte.

»Was soll's«, murmelte sie und ging zurück in die Küche.

Der köstliche Duft kam aus der gusseisernen Pfanne. In dem Topf daneben kochten Spaghetti, während Theo gerade eins der kostbaren Eier in einer großen gelben Rührschüssel aufschlug. Zwei Weingläser standen auf der Anrichte neben einer eingestaubten Flasche aus dem Hängeschrank über der Spüle.

»Wo ist der Korkenzieher?«, fragte er.

Annie trank so selten Wein, dass sie bisher gar nicht auf die Idee gekommen war, eine Flasche aus Mariahs Bestand zu öffnen. Nun jedoch war die Verlockung zu groß. Annie wühlte in der Kramschublade und nahm den Korkenzieher heraus.

»Was kochst du da eigentlich?«

»Eine meiner Spezialitäten.«

»Menschenleber mit Bohnen, dazu einen ausgezeichneten Chianti?«

Er sah sie mit hochgezogenen Augenbrauen an. »Du bist wirklich hinreißend.«

So einfach würde sie sich nicht von ihm abschmettern lassen. »Du erinnerst dich aber schon noch daran, dass ich eine Menge Gründe habe, von dir nur das Schlimmste zu erwarten?«

Er zog den Weinkorken mit einer einzigen geschmeidigen Handbewegung heraus. »Das ist schon so lange her, Annie. Ich hab es dir schon gesagt. Ich war früher ziemlich verkorkst.«

»Du siehst das völlig falsch ... Du bist auch jetzt noch verkorkst.«

»Du hast überhaupt keine Ahnung, wie ich jetzt bin.« Er füllte ihr Glas mit blutrotem Wein.

»Du wohnst in einem Geisterhaus. Du erschrickst kleine Kinder zu Tode. Du quälst dein Pferd mitten durch einen Schneesturm. Du ...«

Er setzte die Flasche ein wenig zu hart auf. »Es ist fast genau ein Jahr her, dass ich meine Frau verloren habe. Was zum Teufel erwartest du von mir? Dass ich rauschende Partys feiere?«

Sie spürte einen Stich des Bedauerns. »Tut mir leid.«

Er schüttelte ihr Mitgefühl mit einem Achselzucken ab. »Außerdem quäle ich Dancer nicht. Je rauer das Wetter, desto mehr liebt er es auszureiten.«

Sie sah das Bild vor sich – Theo mit nacktem Oberkörper draußen im Schnee. »So wie du?«

»Ja«, sagte er ausdruckslos. »So wie ich.«

Er schnappte sich eine Käsereibe, die er irgendwo gefunden hatte, und den Parmesan, und kehrte Annie den Rücken zu.

Sie nippte an ihrem Wein. Ein köstlicher Cabernet, fruchtig und vollmundig. Theo wollte eindeutig nicht reden, was Annie den Entschluss fassen ließ, der Sache ein wenig nachzuhelfen.

»Erzähl mir von deinem neuen Buch.«

Sekunden verstrichen. »Ich rede nicht gern über meine Bücher, solange ich noch daran arbeite. Das kostet nur Energie, die auf die Seiten gehört.«

Eine ähnliche Herausforderung wie die, mit der sich Schauspieler konfrontiert sahen, die Abend für Abend dieselbe Rolle verkörperten. Annie beobachtete, wie Theo den Käse in eine längliche Glasschale rieb.

»Viele Leute fanden *Die Heilanstalt* grauenhaft.«

Ihr Kommentar war so unhöflich, dass sie sich fast dafür schämte.

Er nahm den Topf mit den kochenden Spaghetti vom Herd und kippte den Inhalt in ein Sieb über der Spüle. »Hast du es gelesen?«

»Bin noch nicht dazu gekommen.« Es widerstrebte ihrer Natur, so unverblümt zu sein, aber sie wollte ihm zeigen, dass sie nicht mehr das schüchterne Mäuschen war. »Wie ist deine Frau gestorben?«

Theo beförderte die heiße Pasta in die Rührschüssel mit den geschlagenen Eiern. »An Verzweiflung. Sie hat sich umgebracht.«

Seine Worte lösten ein mulmiges Gefühl in Annie aus. Trotzdem hätte sie gern so viel mehr darüber erfahren.

Wie hat sie sich umgebracht? Hast du es kommen sehen? Warst du der Grund?

Besonders die letzte Frage interessierte sie. Doch sie hatte nicht den Mumm, auch nur eine dieser Fragen zu stellen.

Er fügte den Speck und den Knoblauch zu der Pasta hinzu und rührte die Mischung mit zwei Gabeln um. Annie nahm Besteck und Servietten aus einer der Küchenschubladen und ging damit ins Wohnzimmer. Sie deckte den Tisch vor dem Erkerfenster. Dann holte sie die Weingläser und setzte sich schließlich auf ihren Platz. Theo erschien gleich darauf mit zwei gefüllten Tellern und blickte stirnrunzelnd auf den bunt schillernden Nixenstuhl.

»Kaum zu glauben, dass deine Mutter eine Kunstexpertin war.«

»Es gibt hier noch ein Dutzend andere Objekte, die nicht minder hässlich sind.« Annie inhalierte den Duft von Knoblauch, Speck und grob geriebenem Parmesan. »Das riecht köstlich.«

Er stellte die beiden Teller auf den Tisch und nahm gegenüber von Annie Platz. »Spaghetti Carbonara.«

Der Hunger musste ihren Verstand weich gekocht haben, weil sie nun etwas ganz Dummes tat. Sie hob ihr Glas. »Auf den Koch.«

Theo erwiderte ihren Blick, stieß aber nicht mit ihr an. Annie stellte ihr Glas rasch wieder ab, doch seine Augen ruhten weiter auf ihr, und sie spürte ein seltsames Kribbeln, als würde etwas die Luft zwischen ihnen in Wallung versetzen, das mehr war als nur der Durchzug am Erkerfenster. Sie brauchte nur einen Moment, bis ihr klar wurde, was hier gerade passierte.

Bestimmte Frauen fühlen sich zu unberechenbaren Männern hingezogen, manchmal aus einer Neurose heraus, manchmal, wenn die Frauen romantisch veranlagt sind, aus der naiven Einbildung heraus, dass sie dank ihrer besonderen weiblichen Fähigkeiten in der Lage sind, diese Einzelgänger zu zähmen. Im Roman war die Fantasie unwiderstehlich. Im wahren Leben dagegen war das totaler Quatsch. Natürlich fühlte Annie sich von einer bestimmten Männlichkeit sexuell angezogen. Ihr Körper hatte in der letzten Zeit viel durchgemacht, und dieses Wiedererwachen bedeutete, dass ihre Genesung voranschritt. Die Kehrseite der Medaille war jedoch, dass ihre Reaktion zugleich eine Mahnung war, dass Theo immer noch eine destruktive Faszination auf sie ausübte.

Sie konzentrierte sich auf das Essen, drehte ihre Gabel in der Pasta und schob sich ein chaotisches Knäuel in den Mund. Dies hier war das beste Gericht, das sie jemals gegessen hatte. Schwer und sämig, pikant durch den Knoblauch und rauchig durch den Speck. Komplett zufriedenstellend.

»Wann hast du kochen gelernt?«

»Als ich mit dem Schreiben anfing. Ich habe entdeckt, dass das Kochen eine großartige Möglichkeit ist, um verworrene Handlungsstränge in meinem Kopf zu lösen.«

»Nichts ist so inspirierend wie ein Schlachtermesser, richtig?« Er zog seine narbenfreie Augenbraue hoch und sah sie an. Annie spürte, dass sie schon wieder ein bisschen zu ruppig war, also bremste sie sich. »Das ist wahrscheinlich die beste Mahlzeit, die ich jemals gegessen habe.«

»Aber nur verglichen mit dem, was du mit Jaycie für mich zubereitest.«

»An unserem Essen ist nichts verkehrt.« Es gelang ihr nicht, besonders viel Überzeugung aufzubringen.

»Das Beste, was man darüber sagen kann, ist, dass es seinen Zweck erfüllt.«

»Damit kann ich leben. Zweckmäßig zu sein ist gut.« Sie verfolgte mit der Gabel einen Speckwürfel. »Warum kochst du nicht für dich selbst?«

»Macht mir zu viel Mühe.«

»Aha ...«

Das war keine ganz zufriedenstellende Antwort, schließlich schien ihm das Kochen Spaß zu machen, aber Annie hatte nicht die Absicht, genügend Interesse zu zeigen, um tiefer zu forschen.

Theo lehnte sich auf seinem Stuhl zurück. Im Gegensatz zu ihr schlang er sein Essen nicht hinunter, sondern genoss es.

»Warum hast du für dich selbst keine Lebensmittel bestellt?«

»Das habe ich«, antwortete sie mit vollem Mund. »Jemand hat meine Bestellung storniert.«

Er legte die Hand um sein Weinglas. »Das verstehe ich nicht. Du bist noch keine zwei Wochen hier. Wie hast du es in dieser kurzen Zeit geschafft, jemanden gegen dich aufzubringen?«

Sie würde alles dafür geben, um zu erfahren, ob er wusste, dass hier vielleicht etwas Wertvolles versteckt war.

»Ich habe keine Ahnung«, antwortete sie und wickelte mehr Pasta auf ihre Gabel.

»Du verschweigst mir etwas.«

Sie tupfte sich den Mund ab. »Es gibt viele Dinge, die ich dir verschweige.«

»Du hast eine Theorie dazu, richtig?«

»Ja. Leider kann ich nicht beweisen, dass du hinter der Sache steckst.«

»Lass den Quatsch«, sagte er barsch. »Du weißt genau, dass ich nicht derjenige war, der das Haus verwüstet hat. Trotzdem fange ich an zu glauben, dass du eine Idee hast, wer es gewesen sein könnte.«

»Nein. Ich schwöre.« Dieser Teil stimmte zumindest.

»Was sollte dann die ganze Aktion überhaupt? Du magst zwar noch mit Puppen spielen, aber du bist nicht geistig unterentwickelt. Ich denke, du hast einen Verdacht.«

»Schon möglich. Und nein, ich werde ihn nicht mit dir teilen.«

Er betrachtete sie mit verschlossener Miene, sie war nicht zu deuten. »Du traust mir wirklich kein Stück, nicht wahr?« Die Frage war so lächerlich, dass Annie sich eine Antwort sparte, obwohl sie nicht widerstehen konnte, mit den Augen zu rollen. Was er nicht amüsant fand. »Ich kann dir nicht helfen, wenn du nicht ehrlich zu mir bist«, fuhr er im Ton eines Menschen, der unmittelbaren Gehorsam gewohnt war, fort.

»Stimmt.«

Er konnte sich abschminken, dass sie ihn um Hilfe bat. Es brauchte mehr als ein fabelhaftes Essen und einen vorzüglichen Wein, um ihre Erinnerung wegzufegen.

»Sag mir, was los ist«, fuhr er fort. »Warum hat es jemand auf dich abgesehen? Was will diese Person?«

Sie legte die Hand auf ihre Brust und antwortete in affektiertem Ton: »Den Schlüssel zu meinem Herzen.«

Ein Muskel zuckte in seinem Kiefer. »Dann behalt deine Geheimnisse für dich. Ist mir egal.«

»Es sollte dir auch egal sein.«

Sie beendeten ihr Essen schweigend. Annie trug anschließend ihren Teller und ihr Glas in die Küche. Der Hängeschrank über der Spüle stand noch offen und zeigte die Flaschen, die sich darin stapelten. Ihre Mutter hatte immer einen guten Wein im Haus gehabt, oftmals Mitbringsel ihrer Gäste. Darunter seltene Tropfen, die bei Sammlern höchst begehrt waren. Wer wusste schon, was alles hier drin lagerte? Möglicherweise …

Der Wein!

Annie klammerte sich an das Spülbecken. Was, wenn diese Flaschen hier das Vermächtnis waren? Annie war so sehr auf die Kunstgegenstände im Cottage konzentriert gewesen, dass sie nicht darüber hinaus gedacht hatte. Seltene Weine erzielten auf Auktionen exorbitante Summen. Sie hatte einmal gehört, dass eine einzelne Flasche für zwanzig- oder dreißigtausend Dollar weggegangen war. Was, wenn Theo und sie gerade einen Teil ihres Erbes vertrunken hatten?

Der Wein kam ihr fast wieder hoch. Sie hörte, dass Theo hinter ihr in die Küche kam.

»Du musst jetzt gehen«, sagte sie mit schwankender Stimme. »Ich weiß das mit dem Essen zu schätzen, aber ich meine es ernst. Du musst jetzt von hier verschwinden.«

»Ist mir recht.« Er stellte seinen Teller auf die Anrichte, ohne eine Gefühlsregung zu offenbaren.

Kaum war er gegangen, schnappte Annie sich ihr Notizbuch, trug die Angaben auf den Weinetiketten darin ein und verstaute die Flaschen dann vorsichtig in einem Karton. Sie fand einen Filzstift und schrieb oben auf den Karton »Kleiderspende«, bevor sie ihn ganz hinten in ihrem Kleiderschrank versteckte. Sollte es einen weiteren Einbruch geben, würde sie es dem Täter nicht leicht machen, wer auch immer es auf sie abgesehen hatte.

»Ich denke immer wieder«, sagte Jaycie, während sie sich unsicher auf ihre Krücken stützte, »wenn dieser Raum hier schöner wäre, würde Theo ihn vielleicht öfter zum Ausspannen benutzen.«

Was bedeutete, Jaycie würde bessere Chancen haben, nach ihren Vorstellungen Zeit mit Theo zu verbringen. Annie klopfte die Sofakissen im Wintergarten aus. Jaycie war kein verknallter Teenager mehr. Hatte sie nichts dazugelernt, um eine bessere Männerwahl zu treffen?

»Theo ist gestern Abend zum Essen nicht nach Hause gekommen.«

Annie hörte die Frage in Jaycies Stimme, aber sie beschloss, das Dinner für sich zu behalten. »Er ist länger geblieben, um mir auf die Nerven zu fallen. Ich habe ihn schließlich rausgeworfen.«

Jaycie fuhr mit dem Staublappen über ein Bücherregal. »Oh. Das war wahrscheinlich gut so.«

Der Wein entpuppte sich als eine weitere Enttäuschung. Annie recherchierte jede einzelne Flasche im Internet. Die teuerste war hundert Dollar wert, definitiv kein Schnäppchen, nicht mal die ganze Sammlung brachte genug ein, um als Vermächtnis durchzugehen. Als Annie ihren Laptop zuklappte, hörte sie Jaycie an der Hintertür rufen.

»Livia! Du sollst nicht draußen spielen! Komm sofort rein!«

Annie seufzte. »Ich gehe sie holen.«

Jaycie humpelte durch die Küche in Richtung Flur. »Muss ich jetzt anfangen, sie zu bestrafen?«

Annie hörte an ihrem Ton, dass Jaycie ein zu weiches Herz besaß. Außerdem sahen sie beide ein, dass es nicht richtig war, ein aktives Kind den ganzen Tag im Haus einzusperren. Während Annie ihre Jacke überstreifte und Scamp hervorholte, kam sie zu dem Schluss, dass es nervig war, ein anständiger Mensch zu sein.

Sie entdeckte Livia vor dem Baumstumpf, wo das Mädchen in der Hocke kauerte. Es hatte den Zweigen mit dem Baumrindendach etwas Neues hinzugefügt. Ein kleiner Pfad aus Steinen führte nun zu dem Eingang zwischen den Wurzeln.

Annie erkannte schließlich, was sie gerade betrachtete. Livia hatte ein Feenhaus gebaut. Feenhäuser waren in Maine weit verbreitet: selbst gebastelte Unterkünfte für alle potenziellen Märchenwesen, die im Wald wohnten. Errichtet aus Zweigen, Moos, Steinen, Kiefernzapfen – was immer die Natur zur Verfügung stellte.

Annie setzte sich auf den kalten Felsen, schlug die Beine übereinander und stützte Scamp auf ihrem Knie ab. *»Ich bin's«*, sagte Scamp. *»Genevieve Adelaide Josephine Brown, auch bekannt als Scamp. Was machst du gerade?«*

Livia berührte ihren neuen Steinpfad, fast so, als wollte sie etwas sagen. Als von ihr nichts kam, sagte Scamp: *»Sieht so aus, als hättest du ein Feenhaus gebaut. Ich baue auch gerne Sachen. Ich hab mal das Alphabet aus Eisstielen gebastelt, und hübsche Blumen aus Papiertaschentüchern, und einmal hab ich den Umriss meiner Hand ausgeschnitten und einen Thanksgiving-Truthahn daraus gemacht. Ich bin ziemlich gut im Basteln. Aber ein Feenhaus hab ich noch nie gebaut.«*

Livias ganze Aufmerksamkeit war auf Scamp gerichtet, als wäre Annie gar nicht anwesend.

»Waren die Feen schon da?«, fragte Scamp.

Livias Lippen öffneten sich erneut, als wollte sie etwas sagen. Annie hielt den Atem an. Das Kind runzelte die Stirn. Sein Mund schloss sich, öffnete sich wieder, und dann sackten seine Schultern herunter, der Kopf sank auf die Brust. Livia machte einen so kläglichen Eindruck, dass Annie ihren Versuch, die Kleine zu bedrängen, bereute.

»Ein Geheimnis frei!«, rief Scamp.

Livia hob den Kopf, und ihre grauen Augen wurden wieder lebhaft.

Scamp presste eine ihrer kleinen Stoffhände vor den Mund. *»Das ist aber ein ganz schlimmes. Vergiss nicht, du darfst nicht sauer werden.«*

Livia nickte ernst.

»Mein Geheimnis ist …« Scamp senkte ihre Stimme fast zu einem Flüstern. *»Ich sollte meine Spielsachen aufräumen, doch ich hatte keine Lust, also habe ich beschlossen, die Gegend zu erkunden, obwohl Annie mir verboten hat rauszugehen. Ich bin trotzdem rausgegan-*

gen, und Annie hat nicht gewusst, wo ich bin, und dann hat sie richtig doll Angst gekriegt.« Scamp schöpfte kurz Atem. *»Ich habe dich gewarnt, dass es ein schlimmes Geheimnis ist. Magst du mich trotzdem noch?«*

Livia bewegte den Kopf, um entschieden zu nicken.

Scamp lehnte sich gegen Annies Brust. *»Das ist nicht fair. Ich habe dir schon zwei Geheimnisse erzählt, und du mir nicht mal eins.«*

Annie konnte Livias Verlangen zu kommunizieren spüren – die wachsende Anspannung in dem kleinen Körper, die Qual, die sich in ihren feinen Gesichtszügen abzeichnete.

»Macht nichts!«, rief Scamp. *»Ich hab übrigens ein neues Lied. Habe ich erwähnt, dass ich eine unglaublich talentierte Sängerin bin? Ich werde das Lied nun für dich vortragen. Bitte nicht mitsingen – ich bin eine Solokünstlerin. Du darfst natürlich gern tanzen.«*

Scamp stimmte eine enthusiastische Version von *Girls Just Want to Have Fun* an. Beim ersten Refrain stand Annie auf und begann zu tanzen. Scamp wippte auf Annies Hand im Takt, und Livia machte bald mit. Als Scamp den letzten Refrain schmetterte, tanzten Livia und Annie miteinander, und Annie musste kein einziges Mal husten.

Annie bekam Theo an jenem Tag nicht zu Gesicht, aber am nächsten Nachmittag, als sie und Jaycie sich wieder den Wintergarten vornahmen, machte er sich bemerkbar.

»Eine Nachricht von Theo.« Jaycie sah auf ihr Handy. »Er möchte, dass alle Kamine gereinigt werden. Offenbar hat er vergessen, dass ich dazu nicht in der Lage bin.«

»Er hat überhaupt nichts vergessen«, erwiderte Annie. Theo würde garantiert immer eine neue Möglichkeit finden, um sie zu piesacken.

»Das ist meine Aufgabe«, sagte Jaycie. »Du brauchst solche Arbeiten nicht zu machen.«

»Wenn ich es nicht mache, weiß Theo gar nicht, worüber er sich amüsieren könnte.«

Jaycie sank gegen den Bücherschrank. »Ich verstehe nicht, warum ihr beiden nicht miteinander auskommt. Ich meine … ich weiß natürlich noch, was damals passiert ist, aber das ist inzwischen eine Ewigkeit her. Theo war damals noch ein Kind. Danach hat er nie wieder etwas angestellt.«

Weil Elliott es verschwiegen hat.

»Die Zeit ändert den Charakter eines Menschen nicht.«

Jaycie sah Annie sehr ernst an, sie schien die naivste Frau der Welt zu sein. »Er hat keinen schlechten Charakter. Anderenfalls hätte er mich gefeuert.«

Annie verkniff sich eine spitze Bemerkung. Sie würde ihren Zynismus nicht an der einzig wahren Freundin auslassen, die sie hier hatte. Und vielleicht war sie selbst ja diejenige mit Charakterfehlern. Nach allem, was Jaycie in ihrer Ehe durchgemacht hatte, war es nämlich bewundernswert, dass sie ihren Optimismus in Bezug auf Männer bewahrt hatte.

Als Annie an jenem Abend rußverschmiert das Cottage betrat, wurde sie von Leo, der rittlings auf der Rückenlehne der Couch wie ein Cowboy auf einem Pferd hockte, empfangen. Dilly saß auf einem Stuhl, die leere Weinflasche vom vorletzten Abend in ihrem Schoß. Crumpet lag bäuchlings auf dem Boden vor dem aufgeschlagenen pornografischen Kunstband, während Peter sich von hinten an sie herangeschlichen hatte, um ihr unter den Rock zu schauen.

Theo kam aus der Küche, ein Geschirrtuch in den Händen. Annie richtete ihre Augen von den Puppen auf ihn. Er zuckte mit den Achseln.

»Ihnen war langweilig.«

»*Dir* war langweilig. Du hattest keine Lust zu schreiben. Hab ich dir nicht gesagt, du sollst die Finger von meinen Puppen lassen?«

»Hast du? Kann mich nicht erinnern.«

»Ich könnte jetzt mit dir darüber diskutieren, aber ich muss in die Wanne. Aus irgendeinem Grund bin ich nämlich völlig verrußt.«

Er lächelte. Es war ein echtes Lächeln, das nicht ganz zu seiner Grüblermiene passte. Annie stolzierte in Richtung Schlafzimmer.

»Du bist besser verschwunden, wenn ich wieder aus dem Bad komme.«

»Bist du sicher, dass ich gehen soll?«, hörte sie ihn sagen. »Ich habe heute in der Stadt zwei Hummer gekauft.«

Verdammt!

Annie war ausgehungert, das bedeutete allerdings nicht, dass sie sich für ein Essen verkaufen würde. Jedenfalls nicht für ein gewöhnliches Essen. Hummer jedoch ... Sie knallte die Schlafzimmertür hinter sich zu und kam sich dabei vor wie eine Idiotin.

Mir ist schleierhaft, warum du sofort ein schlechtes Gewissen bekommst, bemerkte Crumpet launisch. *Ich knalle die ganze Zeit mit Türen.*

Annie schlüpfte aus ihren dreckigen Jeans. *Genau mein Standpunkt.*

Sie legte sich in die Wanne, wusch den Ruß aus ihren Haaren und schlüpfte hinterher in eine saubere Jeans und in einen von Mariahs schwarzen Rollkragenpullovern. Sie versuchte, ihre nassen Haare zu einem Pferdeschwanz zu bändigen, obwohl sie von vornherein wusste, dass ihre Locken schon bald wieder herausspringen würden wie wild gewordene Matratzenfedern. Sie musterte kurz ihre wenigen Schminksachen, weigerte sich aber, auch nur Lipgloss aufzutragen.

Die Küche roch wie ein Vier-Sterne-Restaurant. Theo starrte gerade in den Hängeschrank über der Spüle. »Was ist mit dem ganzen Wein passiert?«

Annie schob die Ärmel ihres Pullovers hoch. »Der steht in einem Karton und wartet auf meinen nächsten Abstecher zur Post.« Der Wert des kompletten Bestands lag bei ungefähr vierhundert Dollar. Immerhin. »Ich verkaufe ihn. Wie du schon bemerkt haben solltest, bin ich zu arm, um Wein im Wert von mehreren Hundert Dollar zu vertrinken. Beziehungsweise einem unerwünschten Hausgast anzubieten.«

»Ich werde dir eine Flasche abkaufen. Noch besser, ich tausche die Flasche gegen die Lebensmittel, die du mir gestohlen hast.«

»Ich hab gar nichts gestohlen. Ich hab dir schon gesagt, dass ich dir alles ersetzen werde, wenn das Versorgungsschiff nächste Woche kommt.« Sie fügte hastig hinzu: »Bis auf das, was du selbst gegessen hast.«

»Ich will die Sachen nicht ersetzt haben. Ich will deinen Wein.«

Scamp schaltete sich ein. *Gib ihm stattdessen deinen Körper.*

Verflucht, Scamp, halt die Klappe. Annies Blick wanderte zu den Töpfen auf dem Herd.

»Selbst die billigste Flasche ist mehr wert als all die Lebensmittel, die ich mir geliehen habe, zusammen.«

»Du vergisst den Hummer heute Abend.«

»Auf Peregrine sind sogar Hamburger teurer als Hummer. Aber netter Versuch.«

»Also schön. Dann werde ich dir eine Flasche abkaufen.«

»Gut. Lass mich kurz meine Preisliste holen.«

Er murmelte etwas vor sich hin, während sie ins Schlafzimmer zurückkehrte.

»Wie viel willst du investieren?«, rief sie.

»Überrasch mich«, antwortete er aus der Küche. »Und du kriegst keinen Tropfen davon ab. Ich werde die ganze Flasche allein trinken.«

Sie zog den Karton aus dem Schrank. »Dann muss ich eine Entkorkungsgebühr verlangen. Es wird dich billiger kommen, mit mir zu teilen.«

Sie hörte etwas zwischen Husten und Lachen.

Theo hatte als Beilage zu dem Hummer Kartoffelbrei gemacht – cremiges, knoblauchgewürztes Püree, der unwiderlegbare Beweis, dass er dieses Abendessen geplant hatte, schließlich waren die Kartoffeln im Cottage aufgebraucht gewesen. Was hatte er für einen Beweggrund, hier herumzuhängen? Definitiv keinen uneigennützigen.

Annie deckte den Tisch und half dann, die Schüsseln aus der Küche zu tragen. »Hast du wirklich sämtliche Kamine ausgekehrt?«, fragte er, als sie zu essen anfingen.

»Ja.«

Etwas passierte mit seinen Mundwinkeln, während er ihr Glas auffüllte und dann sein eigenes zu einem Toast erhob. »Auf alle braven Frauen.«

Sie würde sich nicht auf eine Diskussion mit ihm einlassen – nicht solange sie einen rosig roten Hummer und ein Töpfchen weiche Butter vor sich hatte, also tat sie so, als wäre sie allein am Tisch.

Sie aßen schweigend. Erst nachdem Annie ihren letzten Bissen – ein besonders zartes Schwanzstück – hinuntergeschluckt und ihr fettverschmiertes Kinn abgetupft hatte, brach sie die Stille.

»Du hast einen Pakt mit dem Teufel geschlossen, stimmt's? Du hast deine Seele gegen deine Kochkunst eingetauscht.«

Er ließ eine leere Schere in die Schalenschüssel fallen. »Und gegen die Fähigkeit, durch die Kleidung von Frauen zu sehen.«

Diese königsblauen Augen waren geschaffen für Zynismus, das Funkeln darin überraschte Annie. Sie zerknüllte ihre Serviette.

»Zu schade, dass es hier auf der Insel nicht viel zu sehen gibt.«

Er fuhr mit dem Daumen über den Rand seines Weinglases, die Augen auf sie geheftet. »Das würde ich nicht sagen.«

Ein sexueller Stromschlag durchzuckte ihren Körper. Ihre Haut fing an zu glühen, und wieder fühlte Annie sich einen Moment lang, als wäre sie wieder fünfzehn. Das musste am Wein liegen. Sie schob ihren Teller zur Seite.

»Stimmt. Die hübscheste Frau wohnt direkt unter deinem Dach. Ich hatte Jaycie ganz vergessen.«

Er wirkte für einen Augenblick verwirrt – eine gewaltige schauspielerische Leistung. Annie zog ihren Pferdeschwanz straff.

»Verschon sie mit deinem Sexappeal, Theo. Sie hat ihren Mann verloren, sie hat ein stummes Kind, und sie hat – dank dir – keinen sicheren Job.«

»Ich hatte niemals vor, sie zu feuern. Das weißt du.«

Sie wusste gar nichts, und sie traute ihm nicht. Plötzlich kam ihr ein Gedanke.

»Du wirst sie nicht feuern, solange du mich schikanieren kannst. Ist es das?«

»Ich kann nicht glauben, dass du tatsächlich die Kamine ausgekehrt hast.« Das Hochziehen einer Augenbraue verriet Annie, dass sie für dumm verkauft worden war. »Wenn Jaycie in der Stadt wohnen würde statt im Haus, könnte sie ein paarmal die Woche rauskommen«, sagte er. »Ich kann das immer noch veranlassen, weißt du.«

»Wo denn in der Stadt? Soll sie jemanden um ein Zimmer anbetteln? Das wäre schlimmer als das, was sie jetzt hat.«

»Na gut, es sollte kein Problem geben, solange ich hier im Cottage arbeiten kann.« Er leerte sein Weinglas. »Und Jaycies Tochter wird reden, wenn sie dazu bereit ist.«

»Der große Kinderpsychologe hat gesprochen.«

»Wer könnte ein verstörtes Kind besser erkennen als ich?«

Annie machte große, unschuldige Augen. »Aber Livia ist keine Psychopathin.«

Du denkst, nur weil ich ein schlechter Kerl bin, hab ich

keine Gefühle? Sie hatte definitiv zu viel von dem Wein, denn die Stimme gehörte Leo.

»Ich hatte in jenem Sommer Schwierigkeiten. Das habe ich dir doch schon erklärt. Ich war nicht ich selbst.«

Theos Emotionslosigkeit machte sie wütend, und sie sprang vom Tisch auf. »Du hast versucht, mich *umzubringen*. Wäre Jaycie an jenem Abend nicht an den Strand gekommen, wäre ich ertrunken.«

»Denkst du, ich wüsste das nicht?«, erwiderte er, mit beunruhigendem Nachdruck in seiner Stimme.

Sie hasste ihre Unsicherheit, was ihn betraf. Sie müsste seine Gegenwart als bedrohlich empfinden, aber die einzige Bedrohung, die sie empfand, kam von ihrer eigenen Verwirrung. Trotzdem, war es so anders als damals? Damals hatte sie auch nicht glauben wollen, dass sie in Gefahr war. Nicht bevor sie beinahe ertrunken wäre.

»Erzähl mir von Regan«, sagte sie.

Er zerknüllte seine Serviette und stand auf. »Das ist sinnlos.«

Wäre er jemand anderes gewesen, hätte ihr Mitgefühl sie gebremst. Doch sie wollte verstehen. »Regan war eine gute Seglerin«, sagte sie. »Warum fuhr sie mit dem Boot raus, obwohl sie wusste, dass sich ein Sturm zusammenbraute? Warum hat sie das getan?«

Er durchquerte den Raum und schnappte sich seine Jacke. »Ich spreche nicht über Regan. *Niemals*.«

Sekunden später war er zur Tür hinaus.

Annie trank den restlichen Wein, bevor sie ins Bett ging, und wachte am nächsten Morgen mit einem gewaltigen Durst und einem noch gewaltigeren Brummschädel auf.

Sie hatte keine Lust, zum Klippenhaus hochzugehen. Hatte Theo nicht gesagt, dass er Jaycie nicht feuern würde? Annie traute ihm allerdings nicht. Und selbst wenn er es ernst gemeint hatte, Jaycie benötigte trotzdem Hilfe. Annie konnte sie nicht im Stich lassen.

Als sie das Cottage verließ, schwor sie sich, dass sie sich von Theo nicht noch einmal herumkommandieren lassen würde, als könnte man sie dressieren. Hier auf Peregrine Island gab es nur Platz für einen Puppenspieler, und das war sie.

Plötzlich schwirrte etwas dicht an ihrem Kopf vorbei. Mit einem erschrockenen Keuchen warf Annie sich auf den Boden. Sie lag da, schwer atmend, die gefrorene Erde unter ihrer Wange, alles um sie herum drehte sich. Annie kniff die Augen zu. Spürte ihr Herz pochen.

Irgendjemand hatte gerade auf sie geschossen. Jemand war hinter ihr her.

Kapitel 10

Annie bewegte vorsichtig Arme und Beine, um sicherzugehen, dass sie nicht getroffen worden war. Sie spitzte die Ohren, hörte aber nichts außer ihrem Atem und dem Rauschen der Brandung. Ein Seevogel kreischte. Langsam, ganz vorsichtig, hob sie den Kopf.

Der Schuss war aus westlicher Richtung gekommen. Annie konnte nichts Ungewöhnliches in dem Dickicht aus Rotfichten und knorrigen Laubbäumen erkennen, das sich zwischen der Stelle, an der sie lag, und der Straße befand. Sie stemmte sich etwas höher, wodurch das Gewicht ihres Rucksacks sich verlagerte, und schaute zurück zum Cottage, dann hinunter zum Meer, dann hoch zu Harp House, das einsam auf der Klippenspitze thronte. Es sah so kalt und abgeschieden aus wie immer.

Annie kam langsam auf die Knie. Ihr Rucksack allein bot nicht genügend Schutz. Sie hatte keine Erfahrung mit Feuerwaffen. Woher wollte sie wissen, ob es tatsächlich ein Schuss gewesen war?

Sie wusste es einfach.

Oder war es nur die verirrte Kugel eines Jägers gewesen? Auf Peregrine Island gab es zwar kein Jagdwild, aber in jedem Haus gab es eine Waffe. Laut Barbara war es mehr als nur ein paarmal vorgekommen, dass Inselbewohner sich selbst oder einen anderen erschossen hatten.

Gewöhnlich habe es sich um Unfälle gehandelt, hatte sie erklärt, aber nicht immer.

Annie hörte ein Geräusch, das nicht hierhergehörte – das Klappern von Pferdehufen. Ein neuer Adrenalinschub presste sie wieder flach auf den Boden. Theo kam, um seinen Job zu Ende zu bringen.

Kaum nahm der Gedanke Form an, rappelte Annie sich auf die Beine. Sie wollte lieber verdammt sein, als sich von Theo abknallen zu lassen, während sie im Dreck kauerte. Wenn er sie töten wollte, würde er ihr in die Augen sehen müssen, bevor er den Abzug durchdrückte. Sie wirbelte herum, und als sie den kraftvollen Wallach vom Strand auf sich zugaloppieren sah, durchzuckte sie ein schreckliches Gefühl von Verrat, zusammen mit dem verzweifelten Wunsch, dass das alles hier gerade nicht passierte.

Theo hielt wenige Meter vor ihr und sprang von seinem Pferd. Er hielt keine Schusswaffe in der Hand. Vielleicht hatte er sie fallen lassen. Oder …

Seine Wangen waren von der Kälte gerötet, der Reißverschluss seiner Jacke war nicht zugezogen, sodass sie vorn auseinanderklaffte, während er auf Annie zustürmte.

»Was ist passiert? Ich habe gesehen, dass du gestürzt bist. Ist alles in Ordnung?«

Annies Zähne klapperten, und sie zitterte am ganzen Körper. »Hast du gerade auf mich *geschossen*?«

»Auf dich geschossen? *Nein!* Was zum Teufel … Willst du damit sagen, dass jemand auf dich geschossen hat?«

»Ja, jemand hat auf mich geschossen!«, schrie sie.

»Bist du dir sicher?«

Sie biss die Zähne aufeinander. »Ja, ich bin mir sicher. Du musst den Schuss doch gehört haben!«

»Ich war zu nah am Wasser, um etwas zu hören. Erzähl mir genau, was passiert ist.«

Ihre Handwurzeln brannten in ihren Handschuhen. Sie ballte die Fäuste. »Ich war gerade auf dem Weg zum Klippenhaus, als plötzlich eine Kugel dicht an meinem Kopf vorbeipfiff.«

»Weißt du, aus welcher Richtung sie kam?«

Annie überlegte kurz. »Ich glaube, von dort drüben.«

Sie deutete mit einer zitternden Hand zur Straße, und jetzt erst wurde ihr bewusst, dass Theo aus der entgegengesetzten Richtung gekommen war.

Er musterte sie, als würde er prüfen, ob sie verletzt war, dann blickte er sich rasch um. »Du bleibst hier, wo ich dich sehen kann. Wir werden gleich gemeinsam zum Haus hochgehen.« Sekunden später ritt er los.

Annie fühlte sich unsicher, ungeschützt, dort, wo sie sich befand, aber sie würde noch ungeschützter sein, wenn sie über das offene Moor zum Cottage zurückging. Sie wartete, bis ihre Knie zu zittern aufhörten, und lief dann zu der Baumgruppe neben der Zufahrt, die zum Klippenhaus hochführte.

Es dauerte nicht lange, bis Theo zurückkehrte. Sie rechnete damit, dass er ungehalten reagierte, weil sie weitergegangen war, aber der Vorwurf blieb aus. Theo stieg von seinem Pferd ab und ging mit ihr zu Fuß weiter, Dancer an den Zügeln führend.

»Hast du etwas gesehen?«, fragte sie.

»Nein. Wer immer das war, hat sich längst aus dem Staub gemacht, bis ich dort ankam.«

Als sie das Ende der Auffahrt erreichten, erklärte er ihr, dass er Dancer beruhigen müsse. »Wir sehen uns nachher im Haus«, sagte er. »Und dann werden wir uns unterhalten.«

Annie war noch nicht bereit, ins Haus zu gehen, wo sie mit Jaycie würde reden müssen. Sie schlüpfte in den Stall, während Theo Dancer am Halfter durch den Garten führte. Es roch nicht mehr so stark wie früher nach Tieren und Heu, jetzt, da nur noch ein Pferd hier untergebracht war. Licht sickerte spinnenartig durch das Fenster über der klapprigen Holzbank, auf der Annie und Theo sich an jenem Nachmittag unterhalten hatten, bevor sie später zur Höhle hinuntergegangen war, um ihn dort zu treffen.

Sie ließ ihren Rucksack heruntergleiten und wählte dann mit ihrem Handy die Nummer der Festlandpolizei, die sie nach dem Einbruch eingespeichert hatte. Der Officer, den sie in der Leitung hatte, hörte sich pflichtbewusst ihre Schilderungen an, wirkte aber desinteressiert.

»Das waren sicher bloß ein paar Kids. Auf Peregrine geht es zu wie im Wilden Westen. Ich nehme an, das wissen Sie bereits.«

»Die Kids sind in der Schule«, erwiderte Annie, bemüht, nicht so ungeduldig zu klingen, wie sie war.

»Heute nicht. Die Lehrer von den Inseln sind alle auf Monhegan zur Winterkonferenz. Die Kinder haben heute schulfrei.«

Die Vorstellung, dass der Schuss womöglich von einem Kind gekommen war, das mit einer Waffe herumspielte, statt von einem Erwachsenen mit perfideren Absichten, war nur ein schwacher Trost. Der Officer versprach ihr, bei seinem nächsten Besuch auf der Insel Erkundigungen einzuholen.

»Falls wieder etwas passiert«, sagte er, »verständigen Sie uns bitte auf jeden Fall.«

»Sie meinen, falls die nächste Kugel mich tatsächlich trifft?«

Er lachte. »Ma'am, ich glaube nicht, dass Sie sich deswegen Sorgen machen müssen. Die Inselbewohner sind ein roher Haufen, aber normalerweise bringen sie sich nicht gegenseitig um.«

»Idiot«, murmelte sie, während sie auflegte.

Im selben Moment brachte Theo sein Pferd in den Stall zurück.

»Was habe ich jetzt wieder verbrochen?«, fragte er.

»Nicht du. Ich habe gerade mit der Polizei telefoniert.«

»Ich kann mir denken, wie das Gespräch gelaufen ist.« Er führte Dancer in die einzige ausgestreute Box. Obwohl der Stall nicht beheizt war, warf Theo seine Jacke über einen Haken und begann dann, das Pferd abzusatteln. »Und du bist dir wirklich sicher, dass jemand auf dich geschossen hat?«

Annie stand von der Bank auf. »Glaubst du mir nicht?«

»Warum sollte ich dir nicht glauben?«

Weil ich dir nichts von dem glaube, was du mir erzählst.

Sie näherte sich Dancers Box. »Ich nehme an, du hast nicht zufällig Schuhabdrücke gefunden? Oder eine Patronenhülse?«

Er zog die Satteldecke ab. »Ja, klar. Das war das Erste, was ich in dem dreckigen Schneematsch gesehen habe. Eine Patronenhülse.«

»Du brauchst nicht gleich sarkastisch zu werden.« Da sie fast immer sarkastisch ihm gegenüber war, rechnete sie mit einem Konter, aber er brummte nur, dass sie zu viele Polizeiserien schaue.

Während er Dancer abzäumte, warf Annie einen Blick in die Nachbarbox, die, in der sie und Regan damals die Welpen entdeckt hatten. Nun barg sie lediglich einen Kehrbesen, einen Eimerstapel und schlechte Erinnerungen. Annie wandte den Blick wieder ab.

Schließlich sah sie einfach Theo bei der Arbeit zu – seinen langen, gleichmäßigen Bürstenstrichen, seinen sanften Berührungen, um sich zu vergewissern, dass er keine Kletten und Dreckklümpchen übersehen hatte, seiner Art, kurz innezuhalten und den Wallach hinter den Ohren zu kraulen, während er leise mit ihm redete. Seine offensichtliche Fürsorge ließ Annie etwas sagen, das sie sofort bereute.

»Ich habe nicht wirklich geglaubt, dass du es warst.«

»Hast du wahrscheinlich doch.« Er legte den Striegel weg und ging auf ein Knie, um Dancers Hufe zu überprüfen. Nachdem er sich vergewissert hatte, dass keine Steine darin steckten, kam er aus der Box heraus und richtete seine laserartigen Augen auf Annie. »Kein Blödsinn mehr«, sagte er. »Du musst mir auf der Stelle sagen, was los ist.«

Sie nahm ihre Mütze ab und ließ sie durch ihre Hände wandern. »Woher soll ich das wissen?«

»Du weißt mehr, als du zugibst. Du traust mir nicht? Gut. Aber du wirst dich überwinden müssen, weil ich im Moment der Einzige bin, dem du trauen kannst.«

»Das ergibt nicht wirklich einen Sinn.«

»Find dich damit ab.«

Es war Zeit für eine kurze Gedächtnishilfe. »Als ich auf der Insel ankam … Bei unserer ersten Begegnung hattest du eine Waffe in der Hand.«

»Eine antike Duellierpistole.«

»Aus der Waffensammlung deines Vaters.«

»Richtig. Im Haus gibt es einen gut bestückten Waffenschrank. Schrotflinten, Gewehre, Pistolen.« Er unterbrach sich kurz, und seine Augen wurden schmal. »Und ich kann mit jedem einzelnen Modell umgehen.«

Sie schob die Mütze in ihre Jackentasche. »Das beruhigt mich ungemein.«

Paradoxerweise beruhigte es sie tatsächlich. Hätte Theo wirklich die Absicht, sie aus irgendeinem wirren Grund, den nur er kannte, umzubringen, hätte er das schon längst getan. Und was ihren Nachlass betraf … Theo war ein Harp, und nichts deutete darauf hin, dass er Geld brauchte.

Warum wohnt er dann auf der Insel?, fragte Dilly. *Außer er hat keinen anderen Ort, an den er kann.*

So wie du, ergänzte Crumpet.

Annie unterdrückte die Puppenstimmen. Es mochte ihr nicht gefallen, aber im Moment war Theo tatsächlich der Einzige, mit dem sie reden konnte.

Genau wie damals, bemerkte Dilly.

Theo sah sie eindringlich an. »Die Sache ist außer Kontrolle geraten. Sag mir, was du vor mir verbirgst.«

»Es könnte ein dummer Kinderstreich gewesen sein. Die Insellehrer sind auf einer Konferenz, deshalb fällt die Schule heute aus.«

»Ein Kinderstreich? Das kann dir nur die Polizei eingeredet haben. Denkst du auch, dass Kinder dein Haus verwüstet haben?«

»Vielleicht.« Nein, das dachte sie ganz und gar nicht.

»Wären das Kinder gewesen, wäre viel mehr kaputtgegangen.«

»Das können wir nicht sicher wissen.« Sie glitt an ihm vorbei. »Ich muss jetzt reingehen. Jaycie wartet schon seit einer Stunde auf mich.«

Sie kam keinen Schritt weiter, weil er sich ihr in den Weg stellte. »Du hast zwei Möglichkeiten«, sagte er. »Entweder du verschwindest von der Insel …«

Damit ihm das Cottage zufiel? Ausgeschlossen.

»… oder«, fuhr er fort, »du bist ehrlich zu mir und lässt dir von mir helfen.«

Das Angebot wirkte sehr aufrichtig, sehr verführerisch. Aber statt ihr Gesicht in seinem Pullover zu vergraben, wie sie es gern getan hätte, schaltete sie auf eine sehr gereizte Crumpet um.

»Was kümmert es dich? Du kannst mich nicht mal leiden.«

»Ich kann dich sehr gut leiden.«

Er sagte es, ohne eine Miene zu verziehen, aber sie kaufte es ihm nicht ab. »Blödsinn.«

Wieder zog er seine Augenbrauen hoch. »Du glaubst mir nicht?«

»Nein.«

»Na schön.« Er vergrub seine Hände in den Hosentaschen. »Du bist ganz schön durch den Wind. Aber …«, seine Stimme wurde weich und heiser, »… du bist eine Frau, und genau das brauche ich jetzt. Es ist schon lange her.«

Er spielte mit ihr. Sie sah es in seinen Augen. Das verhinderte bedauerlicherweise nicht, was emotional mit ihr passierte. Es war unerwünscht und irritierend, aber nachvollziehbar. Theo war eine sexuelle Fantasie mit schwarzen Haaren und blauen Augen, die direkt aus ihren Büchern zum Leben erwacht war, und Annie war eine große, schmale junge Frau mit einem seltsamen Gesicht, einer wilden Frisur und einer fatalen Schwäche für Männer, die nicht so edel waren, wie sie zu sein schienen. Sie bekämpfte seine schwarze Magie mit dem Kruzifix des Sarkasmus.

»Warum hast du das nicht schon früher gesagt? Ich werde mir sofort die Klamotten vom Leib reißen.«

Er war wie tintenschwarze Seide und plüschiger schwarzer Samt. »Hier ist es zu kalt. Wir brauchen ein warmes Bett.«

»Nicht wirklich.« *Halt die Klappe! Halt einfach deine verdammte Klappe!* »Ich bin heiß genug. Zumindest hat man mir das gesagt.« Sie schüttelte ihre Locken, griff nach ihrem Rucksack und rauschte an ihm vorbei.

Dieses Mal ließ er sie gehen.

Mit gequältem Gesichtsausdruck beobachtete Theo, wie Annie die Stalltür zuknallte. Er hätte sie nicht ködern sollen, selbst wenn sie das Spiel mitspielte. Aber ihre großen Augen zogen ihn in den Bann, weckten in ihm das Bedürfnis, Spielchen mit ihr zu treiben. Ein bisschen unanständigen Spaß zu haben. Da war außerdem etwas an der Art, wie sie roch – nicht nach den gnadenlos teuren Parfüms, an die er sich so sehr gewöhnt hatte, sondern nach einer einfachen Seife und einem fruchtigen Shampoo aus der Drogerie.

Dancer schnaubte. »Ich weiß, Kumpel. Sie hat es mir ganz schön gegeben. Und das ist meine eigene Schuld.« Sein Pferd stupste zustimmend gegen sein Kinn.

Theo räumte das Sattelzeug weg und füllte Dancers Eimer mit frischem Wasser. Gestern Abend, als er versucht hatte, Annies Laptop hochzufahren, den sie im Klippenhaus zurückgelassen hatte, war es ihm nicht gelungen, ihr Passwort zu knacken. Im Moment gehörten ihre Geheimnisse noch ihr, doch er würde das nicht mehr viel länger hinnehmen.

Er musste aufhören, sich mit ihr anzulegen. Außerdem schienen seine Provokationen eher ihn aus dem Gleichgewicht zu werfen, als sie zu ärgern. Das Letzte, woran er jetzt denken wollte, war eine nackte Frau, geschweige denn eine nackte Annie Hewitt. Ihre Anwesenheit auf Peregrine Island war, als wäre er in einen Albtraum zurückgeworfen worden. Warum freute er sich dann auf die Zusammenkünfte mit ihr? Vielleicht weil er festgestellt hatte, dass er in ihrer Gesellschaft eine gewisse bizarre Sicherheit spürte. Annie hatte nichts von der aufpolierten Schönheit, zu der er sich sonst immer hingezogen fühlte. Im Gegensatz zu Kenley besaß sie ein skurriles Jahrmarktsgesicht. Sie war außerdem schlau wie ein Fuchs, und obwohl sie nicht hilflos war, mimte sie nicht die Unbeugsame.

Das waren ihre guten Eigenschaften. Was die schlechten betraf …

Annie betrachtete das Leben als ein Puppentheater. Sie hatte keinerlei Erfahrung mit seelenvernichtenden Nächten oder abgrundtiefer Verzweiflung, die so zäh war, dass sie an allem haften blieb, was man berührte. Annie mochte es vielleicht bestreiten, aber sie glaubte immer noch fest an ein Happy End. Dies war die Illusion, die ihn dazu verleitete, in ihrer Nähe sein zu wollen.

Er nahm seine Jacke. Er musste endlich anfangen, sich über seine nächsten Buchszenen Gedanken zu machen statt über den Körper, der sich unter Annies dicken Pullovern und unförmigen Jacken verbarg. Sie hatte definitiv zu viele Klamotten an. Wenn jetzt Sommer wäre, würde er sie im Badeanzug sehen, und seine schriftstellerische Fantasie wäre genügend befriedigt, dass er sich produktiveren Gedanken widmen konnte.

Geiler Bastard.

Er gab Dancer einen letzten Klaps. »Du hast mehr Glück, als dir bewusst ist, Kumpel. Ohne Eier ist das Leben viel unkomplizierter.«

Annie verbrachte ein paar Stunden damit, im Internet die älteren Kunstwälzer zu recherchieren, die in Mariahs Bücherregalen standen, aber keiner davon entpuppte sich als Rarität, weder der Band über David Hockney noch der Werkkatalog über Niven Garr noch das Buch von Julian Schnabel. Als ihr Frust groß genug war, half sie Jaycie beim Saubermachen.

Jaycie war an diesem Tag stiller gewesen als sonst. Sie sah müde aus, und als sie in Elliotts Arbeitszimmer gingen, befahl Annie ihr, sich hinzusetzen und die Beine hochzulegen. Jaycie lehnte ihre Krücken gegen die Armlehne der Ledercouch und ließ sich in das Polster plumpsen.

»Theo hat mir geschrieben, dass ich dafür sorgen soll, dass du heute Abend mit dem Range Rover nach Hause fährst.«

»Ach ja?«

Annie hatte Jaycie nichts davon gesagt, dass auf sie geschossen worden war, und sie hatte auch nicht vor, es ihr zu sagen. Ihr Ziel war, Jaycie das Leben einfacher zu machen, und nicht, ihr noch mehr Sorgen zu bereiten.

Die Freundin streifte eine blonde Locke hinter ihr Ohr. »Er hat mir außerdem geschrieben, dass ich ihm heute Abend kein Essen hochschicken soll. Das ist schon das dritte Mal in dieser Woche.«

Annie schob den Staubsauger ans Fenster und sagte vorsichtig: »Ich habe ihn nicht eingeladen, Jaycie. Theo macht, was er will.«

»Er mag dich. Ich verstehe das nicht. Du lässt kein gutes Haar an ihm.«

Annie versuchte zu erklären: »Er mag nicht mich, sondern er mag es, mich zu piesacken. Das ist ein großer Unterschied.«

»Ich denke nicht.« Jaycie stemmte sich wieder hoch. »Ich sehe besser mal nach, was Livia gerade treibt.«

Annie schaute ihr bestürzt hinterher. Sie tat der letzten Person auf der Welt weh, der sie Kummer bereiten wollte. Das Leben auf der fast menschenleeren Insel wurde von Tag zu Tag komplizierter.

Am späten Nachmittag, als Annie gerade im Begriff war, ihre Jacke zu holen, beobachtete sie, dass Livia einen Schemel über den Küchenboden zog und dann daraufstieg, um ein zusammengerolltes Blatt Zeichenpapier in Annies Rucksack zu stecken. Annie nahm sich vor, sofort einen Blick darauf zu werfen, sobald sie wieder im Cottage war, aber das Erste, was sie sah, als sie die Haustür öffnete, war Leo, der auf der Couch hing, einen Strohhalm um den Arm gebunden, als würde er sich gleich einen Schuss setzen. Dilly lehnte, lässig eine Bein über das andere geschlagen, in der anderen Ecke, ein kleines zusammengerolltes Stück Papier wie eine Zigarette zwischen den Fingern.

Annie riss sich ihre Mütze vom Kopf. »Würdest du meine Puppen gefälligst *in Ruhe lassen*?«

Theo kam aus der Küche geschlendert, ein lavendelfarbenes Geschirrtuch steckte in seinem Hosenbund. »Mir war bis jetzt gar nicht bewusst, dass ich meine Impulse so schlecht kontrollieren kann.«

Annie hasste das perlende Gefühl der Freude, das sie bei seinem Anblick spürte. Aber welche Frau mit einem Herzschlag würde nicht ihre Freude an einem Augenschmaus wie Theo Harp haben, mit oder ohne lavendelfarbenem Geschirrtuch? Annie strafte ihn für sein absurd gutes Aussehen mit Hochmut.

»Dilly würde niemals eine Zigarette anfassen. Sie ist darauf spezialisiert, Drogenmissbrauch vorzubeugen.«

»Bewundernswert.«

»Und du solltest eigentlich von hier verschwunden sein, wenn ich nach Hause komme.«

»Ach ja?« Sein Blick wurde kurz unsicher – ein Frauenschwarm, der zu Gedächtnislücken neigte.

Hannibal kam aus der Küche stolziert und drapierte sich auf Theos Fuß.

Sie starrte auf das Tier. »Was macht dein Kater hier?«

»Ich brauche ihn beim Arbeiten in meiner Nähe.«

»Damit er dir bei deiner schwarzen Magie hilft?«

»Schriftsteller haben eine Schwäche für Katzen. Das kannst du wahrscheinlich nicht nachvollziehen.«

Er starrte sie derart herablassend an, dass sie wusste, dass er sie gerade zu ärgern versuchte. Also befreite sie rasch ihre Puppen von deren neu entdeckten Lastern und brachte sie zurück ins Atelier.

Die Kartons standen nun nicht mehr auf dem Bett, sondern an der Wand unter dem Taxibild, das sich nach Annies Recherchen als wertlos entpuppt hatte, wie so vieles andere auch. Annie hatte inzwischen damit begonnen, den Inhalt der Kartons durchzugehen und in ihre Inventarliste einzutragen, aber die einzigen interessanten Gegenstände, die sie bis jetzt entdeckt hatte, waren das Gästebuch des Cottage und ihr Traumbuch aus ihrer Jugendzeit. Sie hatte damals die Seiten mit ihren Zeichnungen gefüllt, mit Programmzetteln von Theateraufführungen, die sie besucht hatte, mit Fotos von ihren Lieblingsschauspielerinnen und mit selbst verfassten Kritiken zu ihren eigenen imaginären Broadway-Erfolgen. Es war deprimierend zu sehen, wie weit ihr Erwachsenenleben hinter den Träumen dieses jungen Mädchens zurückgeblieben war. Sie hatte das Buch schnell wieder weggelegt.

Ein köstlicher Duft wehte von der Küche herüber. Annie kämmte sich kurz die Haare und trug ein bisschen Lipgloss auf, bevor sie ins Wohnzimmer zurückkehrte. Sie empfand sich als furchtbar erbärmlich. Theo lümmelte auf der Couch herum, auf demselben Platz, wo er zuvor Leo platziert hatte. Selbst von der anderen Seite des Raumes erkannte Annie, dass er eine ihrer Skizzen in der Hand hielt.

»Ich habe ganz vergessen, wie gut du zeichnen kannst«, sagte er.

Zu sehen, dass er etwas begutachtete, was sie zu ihrem

Zeitvertreib gemacht hatte, verursachte ihr Unbehagen. »Ich bin nicht gut. Ich zeichne nur zum Spaß.«

»Du stellst dein Licht viel zu sehr unter den Scheffel.« Er betrachtete wieder das Bild. »Dieser Junge gefällt mir. Er hat Charakter.«

Es handelte sich um eine Skizze, die einen wissbegierig blickenden Jungen mit einer dunklen Haartolle auf dem Kopf darstellte. Knochige Fußgelenke schauten unter seinen Hosenaufschlägen heraus, als würde er gerade einen dieser vorpubertären Wachstumsschübe durchmachen. Eine Brille saß auf seiner sommersprossigen Nase. Sein Hemd war schief geknöpft, und er trug eine Männerarmbanduhr, die für sein Handgelenk zu groß war. Definitiv keine große Kunst, aber der Junge hatte das Potenzial, eine zukünftige Puppe zu werden.

Theo neigte das Blatt und betrachtete es aus einem anderen Winkel. »Was denkst du, wie alt ist der Bursche?«

»Keine Ahnung.«

»Vielleicht zwölf. Kämpft gerade mit der Pubertät.«

»Wenn du das sagst.«

Als Theo die Skizze weglegte, sah Annie, dass er sich ein Glas Wein eingeschenkt hatte. Sie wollte bereits protestieren, aber er deutete auf die offene Flasche auf der Louis-XIV.-Kommode.

»Den Wein hab ich mitgebracht. Und du kriegst nur was davon ab, wenn du mir ein paar Fragen beantwortest.«

Etwas, worauf sie wirklich keine Lust hatte. »Was hast du uns zum Abendessen gekocht?«

»Ich habe einen Hackbraten gemacht. Für mich. Keinen gewöhnlichen Hackbraten, sondern einen, der mit

Pancetta und besonderem Käse gefüllt ist und dessen Glasur eine geheimnisvolle Zutat beinhaltet, bei der es sich um Guinness handeln könnte. Interessiert?«

Die bloße Vorstellung ließ ihr das Wasser im Mund zusammenlaufen. »Vielleicht.«

»Gut. Aber vorher wirst du reden. Das bedeutet, die Zeit ist abgelaufen, und du stehst mit dem Rücken zur Wand. Entscheide dich jetzt, ob du mir vertrauen willst oder nicht.«

Wie sollte sie das entscheiden? Theo konnte nicht auf sie geschossen haben, nicht von seinem Standort aus. Das bedeutete allerdings nicht, dass er vertrauenswürdig war, nicht bei seiner Vergangenheit. Annie machte es sich auf dem Flugzeugsessel bequem und zog ihre Beine hoch.

»Ein Jammer, dass die Kritiker dein Buch hassen. Ich kann mir vorstellen, was für Folgen diese brutalen Verrisse auf dein Selbstbewusstsein hatten.«

Er trank einen Schluck Wein, so gleichgültig wie ein Playboy, der an der Costa del Sol relaxte. »Die Folgen waren verheerend. Bist du sicher, dass du das Buch nicht doch gelesen hast?«

Zeit, ihm seine herablassende Art zurückzuzahlen. »Ich ziehe höhere Literatur vor.«

»Ja, ich habe was von dieser höheren Literatur in deinem Schlafzimmer rumliegen sehen. Definitiv einschüchternd für einen Schreiberling wie mich.«

Sie runzelte die Stirn. »Was hast du in meinem Schlafzimmer gemacht?«

»Ich habe es durchsucht. Damit hatte ich mehr Erfolg als mit deinem Laptop. Du musst mir demnächst mal dein Passwort geben. Das ist nur fair.«

»Das kannst du vergessen.«

»Dann werde ich hier so lange weiter herumschnüffeln müssen, bis du mir die Wahrheit sagst.« Er deutete mit seinem Weinkelch auf sie. »Übrigens, du könntest dir mal wieder neue Unterwäsche kaufen.«

In Anbetracht der Schnüffelei, die Annie im Turm betrieben hatte, fiel es ihr schwer, das erforderliche Maß an selbstgerechter Empörung aufzubringen.

»An meiner Unterwäsche ist nichts verkehrt.«

»Sagt eine Frau, die schon sehr lange nicht mehr flachgelegt wurde.«

»Oh, da irrst du dich!«

»Glaub ich nicht.«

Annie hatte das widersprüchliche Bedürfnis, einerseits Spielchen zu spielen und andererseits ehrlich zu sein. »Zu deiner Information, ich habe eine lange Reihe von Exfreunden, allesamt Loser.«

Tatsächlich war die Reihe nicht so lang, aber da Theo in schallendes Gelächter ausbrach, würde sie das nicht klarstellen. Als er sich schließlich wieder beruhigt hatte, schüttelte er bedauernd den Kopf.

»Ich sehe, du verkaufst dich immer noch unter Wert. Warum tust du das, und wann willst du aus diesem Verhalten endlich herauswachsen?«

Die Vorstellung, dass Theo mehr von ihr hielt, als sie manchmal von sich selbst, verblüffte sie.

Vertrau ihm, drängte Scamp.

Sei kein Narr, sagte Dilly.

Vergiss ihn!, rief Peter. *Ich werde dich retten!*

Alter, höhnte Leo, *hör auf, dich wie ein Idiot aufzuführen. Sie kann sich selbst retten.*

Die Erinnerung an die Männer, die nicht zu ihr gestanden hatten, gab vielleicht den Ausschlag für Theo. Obwohl Annie sich vor Augen hielt, dass Psychopathen ein besonderes Talent dafür hatten, sich das Vertrauen ihrer Opfer zu erschleichen, nahm sie ihre Beine vom Sessel und sagte ihm die Wahrheit.

»Kurz vor ihrem Tod erzählte Mariah mir, dass sie mir im Cottage etwas Wertvolles hinterlassen habe. Ein Vermächtnis. Und dass ich, wenn ich es gefunden hätte, finanziell ausgesorgt habe.«

Sie hatte seine volle Aufmerksamkeit. Er schwang seine Füße auf den Boden und setzte sich gerade hin. »Was für eine Art von Vermächtnis?«

»Das weiß ich nicht. Mariah konnte kaum noch atmen. Sie ist direkt danach ins Koma gefallen und noch in derselben Nacht gestorben.«

»Und du hast noch nicht herausgefunden, worum es sich handelt?«

»Ich habe alles hier recherchiert, was nach Kunst aussieht, aber Mariah hat ihre Sammlung bereits vor Jahren verhökert, und das, was davon noch übrig ist, scheint nicht viel wert zu sein. Ein paar glorreiche Stunden lang dachte ich, es wäre vielleicht der Wein.«

»Schriftsteller haben hier gewohnt. Musiker.«

Annie nickte. »Wäre sie doch nur konkreter gewesen.«

»Mariah hatte schon immer die Angewohnheit, dir das Leben schwerzumachen. Ich habe das nie verstanden.«

»Das war ihre Art, ihre Liebe auszudrücken«, sagte Annie ohne jegliche Bitterkeit. »Ich war für sie zu normal, zu still.«

»Die guten alten Zeiten …«, bemerkte er trocken.

»Ich glaube, sie machte sich Sorgen um mich, weil ich so anders war als sie. Ich beige, sie purpurrot.« Hannibal sprang auf ihren Schoß, und sie kraulte seinen Kopf. »Mariah hatte Angst, dass ich im Leben nicht zurechtkommen würde. Sie hielt Kritik für die beste Methode, um mich abzuhärten.«

»Schräg«, sagte Theo. »Aber anscheinend hat es funktioniert.« Bevor sie ihn fragen konnte, wie er das meinte, redete er weiter. »Hast du auch auf dem Dachboden nachgesehen?«

»Auf welchem Dachboden?«

»Dem Raum hier über der Decke.«

»Da ist kein Dachboden. Das ist nur …« Natürlich war es ein Dachboden. »Es gibt keinen Zugang.«

»Sicher gibt es einen Zugang. Im Atelier, genauer gesagt im Wandschrank, befindet sich eine Falltür.«

Annie hatte die Klappe schon Dutzende Male gesehen. Sie hatte sich nur nie Gedanken darüber gemacht, wo sie hinführte. Sie sprang auf und vertrieb dadurch Hannibal.

»Ich werde sofort nachschauen.«

»Warte. Ein falscher Schritt, und du brichst durch die Decke. Ich werde mich morgen dort oben mal umsehen.«

Nicht bevor sie sich selbst dort umgesehen hatte.

Annie ließ sich in den Sessel zurückplumpsen. »Kann ich jetzt meinen Wein haben? Und meinen Hackbraten?«

Theo stand auf, holte die Weinflasche und ein Glas. »Wer weiß sonst noch davon?«

»Ich habe mit niemandem darüber gesprochen. Das heißt bis jetzt. Und ich hoffe, ich werde es nicht bereuen.«

Er ging darüber hinweg. »Jemand ist in das Cottage eingebrochen, und man hat auf dich geschossen. Nehmen wir an, die Person, die hinter diesen Anschlägen steckt, ist auf Mariahs Vermächtnis aus, was auch immer sie dir hier hinterlassen hat.«

»Dir kann man wahrlich kein X für ein U vormachen.«

»Willst du weiter herumsticheln, oder willst du der Sache auf den Grund gehen?«

Sie überlegte kurz. »Weiter herumsticheln.« Er stand da. Wartete geduldig. Sie warf ihre Hände in die Luft. »Also gut! Ich höre dir zu.«

»Das ist ja mal was ganz Neues.« Er brachte ihr den Wein. »Angenommen, du hast niemandem davon erzählt …«

»Habe ich nicht.«

»Nicht einmal Jaycie? Oder einer Freundin?«

»Oder einem meiner Loserfreunde? Nein, niemandem.« Sie nippte an ihrem Wein. »Wahrscheinlich hat Mariah es jemandem gesagt. Oder … und diese Idee finde ich am plausibelsten … irgendein herumstreunender Obdachloser ist in das Cottage eingebrochen, weil er Geld suchte, und hinter dem anderen Zwischenfall, der in keinerlei Zusammenhang mit dem ersten steht, steckt ein Kind, das mit einer Waffe herumspielte, wobei sich versehentlich ein Schuss löste.«

»Immer auf der Suche nach dem Happy End.«

»Immer noch besser, als die ganze Zeit wie der Fürst der Finsternis herumzulaufen.«

»Du meinst, Realist zu sein?«

»Realist oder Zyniker?« Sie runzelte die Stirn. »Ich sage dir, was mir an Zynikern nicht gefällt …« Ganz offensichtlich kümmerte es ihn nicht, was ihr nicht gefiel, weil er bereits auf dem Weg in die Küche war. Aber

Zynismus war eins ihrer heißen Themen, und sie stand auf und folgte ihm. »Zyniker sind Drückeberger«, erklärte sie und dachte an ihren letzten Freund, einen Schauspieler, der seine Unsicherheit hinter einer herablassenden Haltung verborgen hatte. »Zynismus liefert einem einen Vorwand, um sich aus allem herauszuhalten. Als Zyniker braucht man sich nicht die Hände schmutzig zu machen und irgendwelche Probleme zu lösen. Wozu auch, wenn man stattdessen den ganzen Tag im Bett bleiben und über all die naiven Dummköpfe herziehen kann, die versuchen, etwas zu bewirken. Das ist so manipulativ. Zyniker sind die faulsten Menschen, die ich kenne.«

»Hey, sieh mich nicht so an. Ich habe einen fantastischen Hackbraten für dich zubereitet.«

Annie sah Theo, der sich hinunterbeugte, um den Backofen zu öffnen, verunsichert an. Er brachte ihre Tirade zum Entgleisen. Plötzlich wirkte das Cottage zu klein, zu abgelegen.

Annie griff rasch nach dem Besteck und trug es hinüber zum Tisch. Und die ganze Zeit schrie die vernünftige Dilly in ihrem Kopf: *Gefahr! Gefahr!*

Kapitel 11

Der Hackbraten war sogar noch besser als angekündigt, und die Bratkartoffeln, die es als Beilage gab, waren perfekt gewürzt. Als Annie bei ihrem dritten Glas Wein angelangt war, hatte sich das Cottage in einen Ort außerhalb der Zeit verwandelt, an dem die Regeln für korrektes Verhalten aufgehoben waren und Geheimnisse geheim bleiben konnten. In einen Ort, an dem eine Frau ihre Zweifel loslassen und sich jeder sinnlichen Laune hingeben konnte, ohne dass es jemand merkte. Annie versuchte, sich aus ihrer Träumerei zu rütteln, doch der Wein machte es ihr zu schwer.

Theo drehte sein Weinglas zwischen Daumen und Zeigefinger. Er dämpfte seine Stimme, wurde so leise wie die Nacht. »Weißt du noch, was wir damals in der Höhle unten gemacht haben?«

Annie beschäftigte sich intensiv damit, einen Kartoffelschnitz zu zerkleinern. »Nicht wirklich. Das ist schon so lange her.«

»Aber ich weiß es noch.«

»Mir ist schleierhaft, warum.«

Er sah sie an, als wüsste er, dass sie über Liebesverstecke nachgedacht hatte. »Keiner vergisst sein erstes Mal.«

»Es gab kein erstes Mal«, erwiderte sie. »So weit sind wir nie gekommen.«

»Ach ... Ich dachte, du könntest dich nicht erinnern.«

»So viel weiß ich noch.«

Er schob seinen Stuhl zurück. »Wir haben stundenlang miteinander rumgemacht. Weißt du das auch noch?«

Wie könnte sie das jemals vergessen? Sie hatten sich geküsst und geküsst – Sekunden ... Minuten ... Stunden. Dann hatten sie wieder von vorn angefangen. Erwachsene waren zu sehr auf das Endziel fixiert, um sich so viel Zeit zu nehmen. Nur Teenager, die Angst vor dem nächsten Schritt hatten, tauschten Küsse aus, die eine Ewigkeit dauerten.

Annie war nicht betrunken, aber beschwipst, und sie wollte nicht in dieser verwirrenden Höhle der Erinnerung bleiben. »Küssen hat sich in eine verlorene Kunst verwandelt.«

»Meinst du?«

»Mhm ...« Sie nahm wieder einen Schluck von dem schweren, vollmundigen Wein.

»Du hast wahrscheinlich recht«, sagte er. »Ich weiß, ich bin lausig darin.«

Sie konnte nur mit Mühe das Bedürfnis unterdrücken, ihm zu widersprechen. »Die meisten Männer würden das nie zugeben.«

»Ich bin zu sehr darauf erpicht, den nächsten Schritt zu machen.«

»So wie die meisten Männer.«

Hannibal sprang auf Theos Schoß. Theo streichelte den Kater, dann setzte er ihn wieder auf den Boden.

Annie schob ein Stück Hackbraten auf ihrem Teller herum, nicht mehr hungrig, nicht mehr misstrauisch. »Ich verstehe das nicht. Du hast Tiere doch gern.«

Er fragte nicht, was sie damit meinte. Er wusste, sie waren immer noch in der Höhle von damals, aber nun wechselten die Gezeiten, und das Wetter war trügerisch geworden. Er stand vom Tisch auf und wanderte zu den Bücherregalen.

»Wie kann man etwas erklären, das man selbst nicht versteht?«

Sie stützte ihre Ellenbogen auf den Tisch. »Waren es die Welpen? Oder ich? Wem wolltest du schaden?«

Er ließ sich Zeit mit seiner Antwort. »Letzten Endes mir selbst, denke ich.« Was überhaupt nichts offenbarte. Er redete weiter. »Du hättest mir das mit Mariahs Vermächtnis direkt an dem Abend sagen sollen, als hier eingebrochen wurde.«

Sie stand ebenfalls auf und nahm ihr Glas in die Hand. »Als würdest du mir alles erzählen. Beziehungsweise überhaupt irgendwas.«

»Auf mich wurde nicht geschossen.«

»Ich traue dir ... Ich habe dir nicht getraut.«

Er drehte sich zu ihr, sein Blick war verführerisch, doch er hatte nichts Lüsternes. »Wenn du wüsstest, was ich gerade denke, hättest du allen Grund, mir nicht zu trauen, weil ich mit dieser Höhle meine glücklichsten Erinnerungen verbinde. Ich weiß, du empfindest das nicht so.«

Hätte es den Vorfall an jenem letzten Abend nicht gegeben, hätte sie ihm womöglich zugestimmt. Der Wein summte durch ihre Adern.

»Es ist schwer, nostalgische Gefühle für den Ort zu entwickeln, an dem man beinahe gestorben wäre.«

»Verständlich.«

Annie hatte es satt, immer unter Strom zu stehen, und

sie genoss es, dass der Wein sie unbeschwerter gemacht hatte. Am liebsten würde sie die Vergangenheit versiegeln, ungeschehen machen, als wäre das alles nie passiert. Am liebsten würde sie so tun, als wären Theo und sie sich gerade erst begegnet. Sie wäre gern wie die Frauen in ihrem Bekanntenkreis, die in einer Bar mit einem attraktiven Mann flirteten, schließlich mit ihm im Bett landeten und sich ein paar Stunden später ohne jegliche Reue oder Selbstgeißelung verabschiedeten.

»Ich bin im Prinzip wie ein Mann«, hatte ihre Freundin Rachel einmal gesagt. »Ich brauche keine emotionale Bindung. Ich will einfach nur kommen.«

Annie wollte auch wie ein Mann sein.

»Ich habe eine Idee.« Theo lehnte sich gegen den Bücherschrank. »Lass uns miteinander rummachen. Um der alten Zeiten willen.«

Nach drei Gläsern Wein antwortete sie ihm mit nicht annähernd genug Überzeugungskraft. »Ich glaube nicht.«

»Bist du sicher?« Er löste sich vom Bücherschrank. »Wir werden damit kein Neuland betreten, du und ich. Und da du das Gefühl, ich hätte es auf dein Leben abgesehen, nicht vollständig abschütteln kannst, brauchst du auch keine tiefe Zuneigung für mich vorzutäuschen. Und ehrlich gesagt … könnte ich mal wieder etwas Übung gebrauchen.«

Der Alkohol in ihrem Blut konnte dem Verderben hinter all dieser samtigen Verlockung nicht widerstehen. Allerdings war Annie nicht so berauscht, um keine Bedingungen zu stellen.

»Keine Hände.«

Er kam langsam auf sie zu. »Damit kenne ich mich nicht aus.«

»Keine Hände«, wiederholte sie entschiedener.

»Also schön. Keine Hände. Unterhalb der Gürtellinie.«

Sie legte den Kopf schief. »Keine Hände unterhalb der Halslinie.«

»Ich bin mir ziemlich sicher, dass das nicht realistisch ist.«

Er stand nun vor ihr und nahm ihr so vertraulich das Weinglas aus der Hand, als würde er ihren BH aufhaken.

Ihr gefiel die fast beschwipste Annie mehr und mehr. »Friss oder stirb.«

»Du machst mich ein wenig nervös«, sagte er. »Ich hatte dir gesagt, dass ich kein Selbstvertrauen habe, was das Küssen betrifft. In anderen Dingen schon. Aber nur küssen? Null Selbstvertrauen.«

Seine Augen lachten sie an. Der grüblerische, boshafte Theo Harp fing sie in einem Netz aus erotischer Neckerei ein. Annies Hand näherte sich ihren Haaren. Sie löste ihren Pferdeschwanz.

»Hol dir bei deinem sechzehnjährigen Ich Nachhilfe. Das konnte nämlich sehr gut küssen.«

Er betrachtete ihre Haare, trank die letzten Tropfen Wein und schloss die letzten paar Zentimeter zwischen ihnen.

»Ich werde mich bemühen.«

Theo hatte sich nie wie ein notgeiler Idiot aufgeführt, aber wenn er eine Frau begehrte, bekam er sie immer. Diese sexuelle Arroganz war gegenüber einer Frau wie Annie jedoch gefährlich. Warum hatte sie ihm nicht eine klare Abfuhr erteilt? Sie wusste es schließlich besser.

Er konnte sich nicht an den letzten Kuss mit Kenley

erinnern, dafür an ihren letzten Sex. Ein Mitten-in-der-Nacht-Fick. Sie war voller Hass auf ihn gewesen und hatte dafür gesorgt, ihren Hass deutlich zu zeigen. Er hatte versucht, seinen Hass auf sie nicht zu zeigen.

Er sah auf Annies geschlossene Augenlider. Sie erinnerten ihn an blasse Muscheln, die an den Strand gespült worden waren. Annie hatte zwar im Laufe der Jahre ein paar Ecken und Kanten entwickelt, aber sie wusste trotzdem nicht, wie man einem Mann das Leben zur Hölle machte, wüsste es nicht einmal dann, wenn sie die Gebrauchsanleitung lesen würde. Sie klammerte sich an ihre Puppen, an ihre Märchenwelt. Und er stand kurz davor, sie auszunutzen, anstatt ihr den Rücken zu kehren und zu verschwinden.

Sanft strich er mit beiden Daumen über ihre Wangenknochen. Ihre Lippen öffneten sich ganz leicht. Annie würde von ihm kein gutes Benehmen erwarten, nicht erwarten, dass er sie rettete, sie beschützte, das Richtige tat. Sie hatte ihn von seiner schlimmsten Seite erlebt. Das Wichtigste war jedoch, dass sie von ihm nicht erwartete, dass er sie liebte. Das gefiel ihm am besten. Das und ihr Mangel an Vertrauen in seine Anständigkeit. Es war so lange her, dass er die Freiheit besessen hatte, seine Deckung aufzugeben und der zu sein, der er sein wollte.

Ein Mann ohne den geringsten Anstand.

Er näherte seinen Mund dem ihren. Lippen, die sich kaum berührten. Weingetränkter Atem, der sich vermischte. Sie streckte den Hals, suchte nach Kontakt. Er zwang sich zurückzuweichen, nur einen Millimeter.

Sie erkannte sein Spiel und wich selbst ein winziges Stück zurück, sodass eine Distanz entstand, die er rasch wieder schloss. Sie hatte jeden Grund, sich vor ihm zu fürchten, und es war grotesk, dass sie ihn so nah an sich heranließ, aber sie bewegte den Kopf, sodass ihre Lippen über seine streiften wie schwebende Federn. Es waren nicht mehr als ein paar Sekunden vergangen, und er war bereits hart. Er versiegelte ihren Mund mit seinem, öffnete die Lippen und schob seine Zunge heraus, um aufs Ganze zu gehen.

Sie trommelte mit ihren Fäusten gegen seine Brust. Ein Paar empörte haselnussbraune Augen brannten sich in seine. »Du hast ja so recht. Du küsst furchtbar.«

Er? Ein furchtbarer Küsser?

Das würde er auf keinen Fall auf sich sitzen lassen. Ihre Haare streiften die Innenseite seines Unterarms, als er seine Hand gegen die Wand hinter ihrem Kopf stützte.

»Tut mir leid. Ich hatte einen Krampf im Bein und hab das Gleichgewicht verloren.«

»Du hast deine Chance verloren, so sieht es aus.«

Große Töne von einer Person, die nicht einen Schritt von ihm weggerückt war. Er würde sich in diesem Spiel niemals so früh geschlagen geben. Nicht gegen Annie, gegen die temperamentvolle, weichherzige Annie, die nie auf die Idee käme, den letzten Blutstropfen eines Mannes zu fordern.

»Ich bitte zutiefst um Verzeihung.« Er neigte den Kopf und blies sanft auf die zarte Haut hinter ihrem Ohr.

Ihre Haare plusterten sich leicht auf. »Schon besser.«

Er rückte näher an sie heran und erkundete die zarte Stelle mit seinen Lippen. Diese Nähe war qualvoll, aber er würde sich nicht von seiner Erektion überwältigen lassen.

Ihre Hände glitten um seine Taille und unter seinen Pullover, ihre eigene Regel missachtend, worauf er sie bestimmt nicht hinweisen würde. Sie drehte den Kopf, näherte ihren Mund dem seinen, doch Theo war immer ein Wettkämpfer gewesen, und das Spiel war eröffnet. Also wanderte er mit seinen Küssen an ihrer Wange entlang.

Sie bog den Hals durch. Er nahm die Einladung an und küsste sie dort. Ihre Hände unter seinem Pullover glitten höher. Die Berührung einer anständigen Frau fühlte sich so gut an. So fremd. Er kämpfte gegen das Bedürfnis, seinen Einsatz zu erhöhen. Schließlich war sie diejenige, die ihren Körper fest gegen seinen presste, die ihm ihre Lippen öffnete.

Er wusste nicht genau, wie sie auf den Boden geraten waren. Hatte er sie mitgezogen? Hatte sie ihn mitgezogen? Er wusste nur, dass sie auf dem Rücken lag und er auf ihr. So wie damals an diesen süßen, heißen Tagen in der Höhle.

Er wollte sie nackt sehen, mit gespreizten Beinen, nass und offen. Der schnelle Rhythmus ihres Atems, die Art, wie ihre Hände seinen Rücken umklammerten, verrieten ihm, dass sie es auch wollte. Er hielt sich an dem letzten bisschen Selbstbeherrschung fest, das er noch besaß, und konzentrierte sich wieder auf das Küssen. Schläfen, Wangen, Mund. Tiefe, gefühlvolle Penetrationen. Immer weiter.

Sie begann zu stöhnen, gab flehentliche Laute von sich, während sie ein Bein um seine Kniekehlen schlang. Seine Hände verfingen sich im Spektakel ihrer Haare. Er rutschte tiefer. Ihre Jeans scheuerten aufeinander, und das Stöhnen in Annies Kehle wanderte tiefer. Er verlor die Beherrschung. Er konnte sich keine Sekunde länger zurückhalten.

Theo zerrte an ihrem Reißverschluss, an seinem. Sie wölbte den Rücken. Er schob ungeschickt ihre Jeans herunter, nur über einen Fuß. Sie klammerte sich an seinen Pullover. Er positionierte sich zwischen ihren Oberschenkeln, tauchte in sie ein.

Sie schrie auf und sank in sich zusammen, ihr leises, kehliges Stöhnen leidenschaftlich und wehrlos. Er stieß tiefer, zog sich zurück und stieß wieder tief in sie hinein. Und das war's.

Das Universum explodierte.

Das Nächste, was er mitbekam, war, dass sie wie eine Furie zeterte.

»Du Bastard! Hurensohn!« Sie schubste ihn von sich herunter, raffte ihre Jeans hoch und kam gleichzeitig auf die Beine. »O Gott, ich hasse mich. Ich hasse dich!« Sie vollführte eine Art seltsamen Teufelstanz, während sie am Reißverschluss ihrer Hose zerrte. Mit den Ellenbogen schlug. Auf den Boden stampfte. Er stand auf und zog seine eigene Hose hoch. »Ich bin so dämlich! Ich schwöre bei Gott, man sollte mich einschläfern! Wie ein dummes, krankes Tier. Das dümmste, dämlichste …« Er befahl sich, kein Wort zu sagen. Sie wandte sich nun ihm zu, mit vor Wut rotem Gesicht. »Ich bin nicht so leicht zu haben! Ganz bestimmt nicht!«

»Irgendwie schon«, sagte er, bevor er sich bremsen konnte.

Sie schnappte sich ein Kissen von der Couch und schleuderte es nach ihm. Er war so sehr an weibliche

Wutausbrüche gewöhnt, und dieser hier war ein ziemlich mickriger, dass er sich nicht einmal die Mühe machte, sich wegzuducken.

Sie stampfte wieder mit dem Fuß auf. Kochte vor Wut. »Ich weiß genau, was als Nächstes passieren wird! Kaum drehe ich dir den Rücken zu, werde ich mit dem Gesicht voraus im Schlamm landen. Oder in den Speiseaufzug eingesperrt. Oder in dieser Höhle ersaufen!« Sie schnappte nach Luft. »Ich traue dir nicht! Ich mag dich nicht. Und nun hast du … du …«

»… die beste Zeit gehabt, seit ich mich erinnern kann?«

Er war nie ein Klugscheißer gewesen, aber Annie hatte etwas an sich, das seine schlimmsten Seiten hervorbrachte. Oder vielleicht waren es auch seine besten.

Sie funkelte ihn böse an. »Du bist in mir gekommen!«

Seine Belustigung verflog. Er war nie unvorsichtig gewesen, und nun war er derjenige, der sich dumm vorkam. Das drängte ihn in die Defensive.

»Ich hatte das nicht geplant.«

»Hättest du aber mal besser! Eine deiner kleinen Kaulquappen könnte direkt zu meinem Ei hochschwimmen!«

Ihre Ausdrucksweise war zum Brüllen komisch, aber ihm war nicht nach Lachen zumute. Er rieb sich die Augen.

»Du … nimmst doch die Pille, oder?«

»Diese Frage kommt ein bisschen spät!« Sie wandte sich um und stapfte davon. »Und nein, ich nehme nicht die Pille!«

Ein eiskalter Schraubstock spannte sich um seinen Brustkorb. Er konnte sich kaum bewegen, hörte sie im Schlafzimmer, dann im Bad. Er musste sich waschen, doch alles, woran er denken konnte, war, was er gerade getan hatte und was für einen hohen Preis er womöglich würde bezahlen müssen für etwas, das er nur als das unbefriedigendste sexuelle Erlebnis in seinem Leben betrachten konnte.

Als sie schließlich wieder im Wohnzimmer erschien, trug sie ihren dunkelblauen Morgenmantel, ihren Weihnachtsmannpyjama und Tennissocken. Ihr Gesicht war geschrubbt, und ihre Haare waren mit einem Band zusammengebunden, aus dem ein paar feuchte Korkenzieherlocken heraushingen. Glücklicherweise schien sie sich etwas beruhigt zu haben.

»Ich hatte vor Kurzem eine Lungenentzündung«, sagte sie. »Dadurch bin ich mit der Pille aus dem Rhythmus geraten.«

Ein kalter Schauer rieselte über seinen Rücken. »Wann hattest du deine letzte Periode?«

Sie sah ihn spöttisch an. »Wer bist du? Mein Gynäkologe? Fahr zur Hölle.«

»Annie …«

Sie wirbelte zu ihm herum. »Hör zu, ich weiß, dass das genauso mein Fehler war wie deiner, aber im Moment bin ich zu wütend, um meinen Teil der Verantwortung zu übernehmen.«

»Verdammt richtig, es ist auch deine Schuld! Du und deine Küsserei.«

»Die du *vermasselt* hast.«

»Klar, ich habe es vermasselt. Denkst du, ich bin aus Stein?«

»Du! Was ist mit mir? Und seit wann hältst du es für richtig, Sex ohne Kondom zu praktizieren?«

»Ich halte es nicht für richtig, verdammt noch mal. Ich bin es nicht gewohnt, Kondome mit mir herumzutragen.«

»Das solltest du aber! Schau dich doch an. Du solltest nirgendwo hingehen, ohne vorher ein Dutzend Kondome einzustecken!« Sie schüttelte den Kopf, schloss die Augen, und als sie sie wieder öffnete, hatte sie sich noch etwas mehr abgeregt. »Verschwinde einfach«, sagte sie. »Ich kann deinen Anblick keinen Moment länger ertragen.«

Von seiner Frau hatte er fast genau dieselben Worte ein Dutzend Mal zu hören bekommen, doch während Kenley dabei fuchsteufelswild ausgesehen hatte, wirkte Annie lediglich müde.

»Ich kann nicht verschwinden, Annie«, sagte er vorsichtig. »Ich dachte, das weißt du inzwischen.«

»Natürlich kannst du verschwinden. Und genau das wirst du jetzt tun. Sofort.«

»Denkst du wirklich, ich lasse dich heute Nacht hier allein, nachdem auf dich geschossen wurde?«

Sie starrte ihn an. Er wartete darauf, dass sie ein Kissen nach ihm warf, aber das tat sie nicht.

»Ich will dich hier nicht haben.«

»Ich weiß.«

Sie verschränkte die Arme und barg die Ellenbogen in ihren Händen. »Mach, was du willst. Ich bin zu aufgebracht, um mit dir zu diskutieren. Und du schläfst im Atelier, weil ich mein Bett nicht mit dir teilen werde. Verstanden?«

Einen Moment später war sie verschwunden, und die Schlafzimmertür schloss sich mit Nachdruck hinter ihr.

Er ging ins Bad, und als er wieder herauskam, trat er dem Chaos in der Küche entgegen. Da er das Kochen übernommen hatte, brauchte er sich eigentlich nicht um das Aufräumen zu kümmern, es machte ihm jedoch nichts aus. Im Gegensatz zum wahren Leben war das eine Aufgabe mit einem klaren Anfang, einem Mittelteil und einem Schluss. Genau wie ein Buch.

Annie wäre beinahe über Hannibal gestolpert, als sie am nächsten Morgen aus dem Bett stieg. Zu allem Überfluss hatte es den Anschein, als hätte sie nun auch noch eine Teilzeitkatze. Vor dem Einschlafen hatte sie wieder und wieder die Tage seit ihrer letzten Periode gezählt. Sie glaubte sich auf der sicheren Seite, allerdings ohne Garantie. Es war genauso gut möglich, dass sie gerade die Ausgeburt des Teufels ausbrütete. Und wenn das zutraf …

Sie konnte den Gedanken nicht ertragen.

Sie hatte sich noch nicht von der Macht befreit, die die attraktiven, verschlossenen falschen Helden über sie hatten. Nein, Theo brauchte nur ein bisschen Interesse zu zeigen, und schon lag sie da, mit geschlossenen Augen und gespreizten Beinen wie die dümmste Romanheldin, die jemals erfunden worden war. Es war so dumm. Wie hoffnungslos ihr Streben auch sein mochte, sie wünschte sich trotzdem eine Liebe für die Ewigkeit. Sie wünschte sich Kinder und das konventionelle Familienleben, das sie nie gekannt hatte, sie würde es jedoch nicht bei einem dieser unnahbaren Männer finden. Und trotzdem hatte sie es wieder getan, war direkt in ihr altes Verhaltensmuster gerutscht, nur dass es dieses Mal noch viel schlimmer war. Sie hatte sich in Theo Harps Netz verfangen – nicht weil er sie auf diabolische Weise darin eingesponnen hatte, sondern weil sie mit ausgebreiteten Armen hineingelaufen war.

Sie musste auf den Dachboden hochgehen, bevor Theo das tat. Sobald sie hörte, dass er im Bad war, holte sie eine Trittleiter aus dem Putzschrank und ging damit ins Atelier. Das Bett war bereits gemacht, ihre Puppen saßen auf dem Regal unter dem Fenster. Annie positionierte die Leiter im Wandschrank, stieg darauf und öffnete die Klappe der Falltür. Vorsichtig steckte sie den Kopf durch die Luke und leuchtete mit der Taschenlampe, die sie mitgebracht hatte, in den kalten Raum. Sie sah nur Dachbalken und Dämmmaterial.

Wieder eine Sackgasse.

Sie hörte, dass das Wasser im Bad abgedreht wurde, und ging in die Küche, um sich rasch ein Müsli zuzubereiten, mit dem sie dann in ihrem Schlafzimmer verschwand. Es gefiel ihr nicht, sich in ihrem eigenen Haus zu verstecken, aber die Vorstellung, Theo jetzt zu begegnen, war für sie unerträglich.

Erst als er gegangen war, fiel ihr wieder das zusammengerollte Blatt ein, das Livia ihr in den Rucksack gesteckt hatte. Sie holte es heraus und ging damit zum Tisch, wo sie es aufrollte. Livia hatte mit ihrem schwarzen Filzstift drei Strichmännchen gemalt, zwei große und ein kleines. Die kleine Figur, die an den Rand der Seite gezeichnet war, hatte ganz glatte Haare. Darunter hatte Livia in schiefen Großbuchstaben ihren Namen geschrieben. Die beiden großen Figuren waren nicht bezeichnet. Eine lag auf dem Boden und hatte ein Shirt mit einer roten Blume an, die andere stand mit ausgebreiteten Armen da. Ganz unten auf das Blatt hatte Livia mühselig in schiefen Buchstaben gekritzelt: KAIMNIS.

Annie betrachtete das Bild genauer. Ihr fiel auf, dass die kleine Figur keinen Mund hatte. Schließlich begriff sie. Sie wusste zwar nicht genau, was die Szene darstellte, aber sie wusste, warum Livia ihr dieses Bild gegeben hatte. Dies hier war Livias Geheimnis.

Kapitel 12

Annie parkte den Range Rover in der Garage des Klippenhauses. Sich über Livias Bild zu freuen wäre eine willkommene Abwechslung gewesen von ihrer Sorge, schwanger zu sein, doch es war zu beunruhigend. Annie würde das Bild am liebsten Jaycie zeigen und sie fragen, ob sie es vielleicht deuten könne, aber sie wollte, dass das kleine Mädchen das Vertrauen, das es gerade zaghaft zu ihr aufzubauen begann, nicht schon wieder verlor.

Sie schob das Garagentor zu und schlenderte dann zur Auffahrt. Als sie hinunter zum Strand schaute, entdeckte sie Theo auf dem Pfad, eine einsame Gestalt, die sich vor der unermesslichen Weite des Meeres abzeichnete. Sein Kopf war wie immer unbedeckt, und er hatte nicht viel mehr als seine schwarze Wildlederjacke zum Schutz gegen den Wind. Er ging vor einem Priel in die Hocke, schließlich richtete er sich wieder auf und schaute hinaus auf das Wasser. Woran er wohl gerade dachte? An irgendeinen grausamen Handlungsstrang? An seine tote Frau? Oder überlegte er, wie er die lästige Annie loswerden konnte, die er vielleicht versehentlich geschwängert hatte?

Theo würde sie nicht umbringen. Da war sich Annie sicher. Aber er konnte ihr auf viele andere Arten Schaden zufügen. Sie wusste um ihre Neigung, Männer wie Theo romantisch zu verklären, und sie musste sich in Acht nehmen. Sie hatte Sex mit einer Fantasiefigur gehabt. Mit der romantischen Fantasiefigur eines Bücherwurms.

Annie ging ins Haus, spülte das Frühstücksgeschirr von Jaycie und Livia und räumte die Küche auf. Als sie fertig war, hatte sie Jaycie immer noch nicht zu Gesicht bekommen, also machte sie sich auf die Suche nach ihr.

Mutter und Tochter bewohnten die alte Hausmeisterwohnung auf der dem Turm entgegengesetzten Seite des Gebäudes. Annie lief den Gang hinunter, bis sie die Tür am äußersten Ende erreichte. Sie war geschlossen, und sie klopfte an.

Niemand reagierte, Annie klopfte noch einmal. In diesem Moment öffnete Livia die Tür. Die Kleine sah hinreißend aus mit ihrer selbst gebastelten Papierkrone, die so tief auf ihrem Kopf saß, dass die Ohren an der Seite hervorstanden.

»Hey, Liv. Du hast ja eine hübsche Krone.« Livia war nur daran interessiert, ob Annie Scamp mitgebracht hatte, und sie war unverkennbar enttäuscht, als sie die Puppe nicht auf Annies Hand sah. »Scamp macht gerade ein Schläfchen«, erklärte Annie. »Aber ich bin mir sicher, dass sie dich später besuchen wird. Ist deine Mommy da?«

Livia öffnete die Tür ganz, um Annie hereinzulassen.

Die Hausmeisterwohnung hatte ein Wohn- und ein Schlafzimmer. Jaycie hatte das Wohnzimmer in ein Kinderzimmer umgewandelt. Ihr eigenes Zimmer war sehr nüchtern eingerichtet: Bett, Stuhl, Kommode, Stehlampe, alles ausrangierte Möbel aus dem Haus. Livias Zimmer wirkte fröhlicher. Es gab einen pinkfarbenen Bücherschrank, einen Kindertisch samt Stühlen, einen grünen Teppich und Emily-Erdbeer-Bettwäsche.

Jaycie stand am Fenster und starrte hinaus. Das Flusspferd, das sie auf ihre Krücke gebunden hatte, war verdreht, sein Gesicht zeigte nach unten. Jaycie wandte sich langsam vom Fenster ab.

»Ich war … gerade dabei, hier aufzuräumen.«

Annie glaubte das nicht, weil Livias Spielsachen überall verstreut lagen und die Betten ungemacht waren. Etliche Stofftiere schauten zwischen den zerknüllten Decken hervor.

»Ich hatte schon befürchtet, du bist krank«, sagte sie.

»Nein. Ich bin nicht krank.«

Annie wurde bewusst, dass sie Jaycie keinen Deut besser kannte als bei ihrem ersten Wiedersehen vor nicht ganz drei Wochen.

Jaycie stützte sich auf ihren gesunden Fuß. »Theo ist letzte Nacht nicht nach Hause gekommen.«

Annie wurde glühend rot. Das erklärte, warum Jaycie sich verkroch. Annie glaubte nicht, dass Theo ein persönliches Interesse an Jaycie hatte, aber sie fühlte sich trotzdem, als hätte sie den Ehrenkodex unter Freundinnen gebrochen. Sie musste Jaycie zumindest einen Teil der Wahrheit sagen, nur nicht, solange Livia mithören konnte, was gesprochen wurde.

»Liv, Scamp findet deine Bilder wirklich toll. Vielleicht magst du ja ein neues malen, während Mommy und ich uns unterhalten. Das können wir dann in der Küche aufhängen.« Livia protestierte nicht. Sie setzte sich an ihren Tisch und öffnete ihre Box mit den Wachsmalstiften. Annie ging hinaus in den Flur, und Jaycie folgte ihr. Annie hatte nicht vor, Jaycie zu belügen, doch es wäre grausam, ihr zu viel zu offenbaren. »In letzter Zeit sind ein paar seltsame Dinge passiert«, sagte sie mit schlechtem Gewissen. »Ich wollte dich eigentlich nicht damit belästigen, ich denke dennoch, du solltest Bescheid wissen. Als ich letztens abends nach Hause kam, war das Cottage verwüstet.«

»Was meinst du damit?«

Annie schilderte ihr, wie sie das kleine Haus vorgefunden hatte.

»Und gestern Morgen, auf dem Weg zu euch, hat jemand auf mich geschossen.«

»Jemand hat auf dich geschossen?«

»Die Kugel hat meinen Kopf nur knapp verfehlt. Theo hat mich kurz danach draußen aufgelesen. Deshalb ist er gestern Abend nicht nach Hause gekommen. Er wollte mich nicht allein lassen, obwohl ich ihm gesagt habe, dass er nicht zu bleiben braucht.«

Jaycie lehnte sich an die Wand hinter ihr. »Das war bestimmt ein Versehen. Irgendein Idiot, der auf Vögel gezielt hat.«

»Ich stand mitten im Freien. Man konnte mich nicht mit einem Vogel verwechseln.«

Aber Jaycie hörte nicht zu. »Ich wette, das war Danny Keen. Er ist für solche Dinge bekannt. Wahrscheinlich ist er auch für den Einbruch im Cottage verantwortlich, zusammen mit seinen Kumpels. Ich werde seine Mutter anrufen.«

Annie glaubte nicht, dass die Erklärung so einfach war, doch Jaycie entfernte sich bereits durch den Flur. Sie bewegte sich auf ihren Krücken inzwischen viel sicherer als zu Beginn von Annies Inselaufenthalt. Annie mahnte sich, dass Jaycie nie erfahren durfte, was am Abend zuvor im Cottage passiert war. Niemand durfte es erfahren. Außer sie war tatsächlich schwanger …

Hör auf!, befahl Dilly. *Du wirst diesen Gedanken nicht weiterführen.*

Ich werde dich heiraten, sagte Peter. *Helden tun immer das Richtige.*

Peter fing an, ihr auf die Nerven zu gehen.

Livia kam in ihrer rosafarbenen Jacke in die Bibliothek, auf ihrem Kopf immer noch die leicht verbogene Papierkrone. Sie schleifte Annies Rucksack hinter sich her. Man musste kein Detektiv sein, um herauszufinden, was sie wollte. Annie fuhr ihren Laptop herunter und ging ihre Jacke holen.

Die Außentemperatur war auf vier Grad gestiegen, und es tröpfelte in den Regenrohren. Der Schnee schmolz langsam, außer an den schattigen Stellen. Als sie sich dem Feenhaus näherten, sah Annie, dass ein großer Stein hinzugekommen war, auf dem ein kleiner Teppich aus grünem Wintermoos lag – ein bequemer Hochsitz für ein winziges Waldwesen. Sie fragte sich, ob Jaycie wusste, dass Livia sich wieder hinausgeschlichen hatte.

»Sieht so aus, als hätten die Feen eine neue Sitzgelegenheit.«

Livia kauerte sich in die Hocke, um den Stein zu begutachten.

Annie wollte das Mädchen bereits tadeln, weil es allein draußen gewesen war, besann sich dann aber eines Besseren. Livia schien sich nie weiter zu entfernen als bis zu dem Baumstumpf. Solange Theo die Stalltür immer ordentlich verriegelte, dürfte dem Kind nichts passieren.

Annie setzte sich auf den Felsen und beförderte Scamp ans Tageslicht. »Buon giorno, *Livia. Ich bin es, Scamperino. Ich übe gerade* italiano. *Das heißt italienisch. Sprichst du auch eine Fremdsprache?«*

Livia schüttelte den Kopf.

»Schade«, sagte Scamp. *»Italienisch ist die Sprache von Pizza, und ich liebe Pizza. Und* gelato. *Das ist Eiskrem. Und ich liebe schiefe Türme. Leider …«*, sie ließ den Kopf hängen, *»… leider gibt es auf Peregrine Island weder Pizza noch* gelato.«

Livia schien das leidzutun.

»Ich habe eine geniale Idee!«, rief Scamp. *»Vielleicht könntest du mit Annie heute Nachmittag falsche Pizza aus englischen Muffins machen.«*

Annie erwartete, dass Livia ablehnte, aber die Kleine nickte. Scamp schüttelte kurz den Kopf, um ihre karottenroten Locken aufzuplustern.

»Das Bild, das du mir gestern Abend zugesteckt hast, ist eccellente. *Das ist italienisch für exzellent.«*

Livia ließ den Kopf sinken und starrte auf ihre Füße, doch Scamp ließ sich nicht davon abhalten.

»Da ich außerordentlich klug bin, habe ich herausgefunden …«, Annie senkte ihre Stimme zu einem Flüstern, *»… dass das Bild dein Geheimnis ist.«*

Livias Kindergesicht spannte sich vor Besorgnis an.

Scamp legte den Kopf schief und sagte sanft: *»Keine Angst. Ich bin nicht sauer auf dich.«*

Livia sah Annie schließlich an.

»Das bist du auf dem Bild, nicht wahr? Ich bin mir nur

nicht sicher, wer die anderen beiden sind …« Sie zögerte kurz. »*Vielleicht deine Mutter?*«

Livia nickte fast unmerklich.

Annie kam sich vor, als würde sie mit ausgestreckten Armen durch einen stockdunklen Raum tappen und versuchen, nirgendwo anzustoßen.

»*Sie hat ein hübsches T-Shirt an. Ist das vorn drauf eine Blume, oder vielleicht ein Valentinsherz? Hast du ihr das geschenkt?*«

Livia schüttelte heftig den Kopf. Tränen sprangen ihr in die Augen, als hätte die Puppe sie betrogen. Mit einem schluckaufähnlichen Schluchzen rannte das Mädchen in Richtung Haus.

Annie zuckte zusammen, als die Hintertür zuknallte. Ein paar Psychologieseminare am College hatten sie nicht darauf vorbereitet, sich in so etwas einzumischen. Sie war keine Kinderpsychologin. Sie war keine Mutter …

Aber vielleicht bald.

Ihr Brustkorb begann zu schmerzen. Sie zog Scamp von ihrer Hand und kehrte zurück ins Haus, doch sie hielt es dort keine weitere Stunde aus.

Die helle Wintersonne spottete ihrer düsteren Stimmung, als sie das Haus wieder verließ. Mit hochgezogenen Schultern ging sie um das Gebäude herum auf die Seite, die zum Meer zeigte, und stellte sich an den Rand der Klippe. Hinter ihr erstreckte sich die Veranda. Vor ihr führten Stufen, die in die Granitwand geschlagen worden waren, zum Strand hinunter. Sie begann den Abstieg.

Die Stufen waren glitschig, und Annie hielt sich am Seilgeländer fest. Wie hatte ihr Leben so durcheinandergeraten können? Im Moment war das Cottage das einzige Zuhause, das sie hatte, aber sobald sie wieder richtig auf die Beine kam … Falls sie jemals wieder richtig auf die Beine kommen würde … Sobald sie einen festen Job hatte, würde sie nicht mehr zwei Monate am Stück freimachen können, um hierherzukommen. Früher oder später würde das Cottage in die Hände der Harps zurückfallen.

Noch ist es nicht so weit, sagte Dilly. *Im Moment bist du hier, und du hast eine Aufgabe. Kein Gejammer mehr. Hart arbeiten. Positiv denken.*

Halt die Klappe, Dilly, höhnte Leo. *Trotz deiner angeblichen Sensibilität hast du keinen blassen Schimmer davon, wie chaotisch das Leben sein kann.*

Annie zwinkerte ungläubig. War das wirklich Leo gewesen? Die Stimmen in ihrem Kopf gerieten durcheinander. Peter war ihre moralische Stütze. Leo teilte immer nur aus.

Sie schob die Hände in ihre Jackentaschen. Der Wind klatschte die Jacke gegen ihren Körper und wirbelte die Haar durcheinander, die unter ihrer Strickmütze hervorragten. Sie starrte auf das Wasser und stellte sich vor, dass sie das Kommando über die Wellen, die Strömung, das Auf und Ab der Gezeiten hatte. Annie dachte an Macht, obwohl sie sich nie machtloser gefühlt hatte.

Schließlich zwang sie sich, sich umzudrehen.

Der Eingang der Höhle war verschüttet worden, aber Annie wusste noch ganz genau, wo er sich befand. In ihrer Vorstellung würde die Höhle immer ein geheimes Versteck sein, das seinen Sirenengesang auf jeden ausübte, der vorbeikam.

Komm herein. Bring dein Picknick und dein Spielzeug

mit, deine Tagträume und Fantasien. Reflektiere … Erforsche … Mach Liebe … Stirb.

Der Wind zerrte an ihrer Mütze. Annie nahm sie ab, bevor sie ins Meer fliegen konnte, und stopfte sie in ihre Jackentasche. Sie würde heute nicht mehr zum Haus hochgehen, nicht mit diesem emotionalen Tornado, der in ihr wütete. Sie kletterte über die Felsen und machte sich auf den Weg zum Cottage.

Weder der Range Rover noch Theo waren da. Annie brühte einen Tee auf, um sich aufzuwärmen, und setzte sich an den Tisch vor dem Erkerfenster, wo sie Hannibal streichelte und erneut über die Möglichkeit nachdachte, schwanger zu sein. Wäre sie in der Stadt, könnte sie rasch in den nächsten Drugstore gehen und sich einen Schwangerschaftstest besorgen. Hier auf der Insel musste sie erst einen bestellen und dann auf die Fähre warten.

Bloß dass ihr ziemlich schnell klar wurde, dass sie das nicht machen konnte. Die Kisten mit den offenen Einkaufstüten waren von einem Inselbewohner zum nächsten weitergereicht worden. Sie hatte darin Tampons gesehen, Schnaps, Inkontinenzwindeln. Wollte sie wirklich, dass jeder auf der Insel erfuhr, dass sie einen Schwangerschaftstest bestellt hatte? Sie sehnte sich nach der Anonymität der Großstadt.

Annie nahm ihr Inventurbuch und machte sich auf ins Atelier. Sie musste die Kartons systematischer durchgehen. In der Tür zum Atelier blieb sie wie erstarrt stehen. Crumpet hing an einem Galgenstrick von der Decke.

Crumpet. Ihre alberne, eitle, verwöhnte kleine Puppenprinzessin … Ihr Kopf war in einem makabren Winkel abgeknickt, ihre gelben Sissi-Locken baumelten schlaff an den Seiten herunter, die kleinen Stoffbeine schwebten hilflos in der Luft, und einer ihrer kleinen himbeerroten Lackschuhe lag auf dem Boden.

Mit einem Schluchzen stürzte Annie in den Raum und schnappte sich einen Stuhl, um die Puppe von dem Strick zu befreien, der an die Decke genagelt war.

»Annie!« Die Vordertür flog auf.

Sie fuhr herum und stürmte aus dem Atelier. »Du Scheusal! Du mieser, unsensibler Idiot!«

Theo hechtete ins Wohnzimmer wie ein Löwe, der hinter einem Gnu her war. »Hast du deinen Verstand verloren?«

Unerwünschte Tränen traten ihr in die Augen. »Findest du das witzig? Du hast dich keinen Deut geändert!«

»Warum hast du nicht gewartet? Willst du weiter wie eine offene Zielscheibe durch die Gegend laufen?«

Sie fletschte die Zähne. »Ist das eine Drohung?«

»Eine Drohung? Bist du so naiv zu glauben, dass das nicht wieder passieren kann?«

»Wenn so etwas noch einmal passiert, dann bringe ich dich um, das schwöre ich bei Gott!«

Das ließ sie beide innehalten. Annie hätte nie gedacht, dass sie so brutal sein konnte, aber sie war auf der elementarsten Ebene attackiert worden. Wie ichbezogen Crumpet auch immer sein mochte, sie war ein Teil von Annie, und Annie war ihre Beschützerin.

»Wenn was wieder passiert?«, fragte Theo leise.

»Die Sachen, die du bisher mit meinen Puppen veranstaltet hast, waren ja noch lustig.« Sie stieß ihren ausgestreckten Zeigefinger in Richtung Atelier. »Aber das ist grausam.«

»Grausam?« Er ging an ihr vorüber. Sie drehte sich um und sah, dass er einen prüfenden Blick in ihr Schlafzimmer warf, bevor er seinen Weg ins Atelier fortsetzte. »Verdammte Scheiße«, murmelte er dann. Annie ging ihm nach und blieb vor dem Atelier stehen, von wo aus sie beobachtete, wie Theo nach dem Seil griff und es mit einem Ruck herunterzog. Er löste Crumpets Kopf aus der Schlinge, trug die Puppe zu Annie und gab sie ihr. »Ich werde so schnell wie möglich den Schlosser rauskommen lassen«, sagte er grimmig.

Ihr Blick folgte ihm, während er in die Ecke des Ateliers ging, in der der Papierkorb stand. Annie umklammerte Crumpet fester, als sie wahrnahm, was sie zuvor übersehen hatte. Ihre anderen Puppen saßen nicht auf dem Regal unter dem Fenster, sondern steckten mit den Köpfen in dem Korb, ihre Beine baumelten heraus.

»Nicht.«

Sie eilte zu dem Papierkorb hinüber, ging in die Hocke mit Crumpet auf ihrem Schoß, und nahm eine Puppe nach der anderen heraus. Dann ordnete sie die Kleider und Haare ihrer Puppen. Als sie damit fertig war, sah sie zu Theo hoch, musterte sein Gesicht, seine Augen, sah nichts, was sie nicht schon zuvor gesehen hatte.

Sein Mund wurde schmal. »Du hättest oben im Haus auf den Wagen warten sollen. Ich war nicht lange weg. Geh nie wieder allein zu Fuß nach Hause.«

Das war also der Grund, warum er so wütend hereingestürmt war.

Sie platzierte Dilly, Leo und Peter auf dem Regal.

Danke, flüsterte Peter. *Ich bin doch nicht so mutig, wie ich dachte.*

Annie war noch nicht richtig bereit, sich von Crumpet zu trennen, also nahm sie sie mit ins Wohnzimmer, wo Theo gerade seine Jacke abstreifte. »Ich habe kein Geld für einen Schlosser«, sagte sie leise.

»Aber ich«, erwiderte er. »Und ich werde die Schlösser auswechseln lassen. Keiner wird hier in meinen Sachen herumschnüffeln, wenn ich nicht da bin.«

War er wirklich so sehr auf sich selbst fixiert, oder war das seine Art, Annie ihr Gesicht wahren zu lassen?

Sie streifte Crumpet über ihre Hand. Das vertraute Gefühl des Rüschenkleidchens über ihrem Unterarm beruhigte sie. Sie hob den Arm, ohne vorher zu überlegen.

»Danke, dass du mich gerettet hast«, sagte Crumpet mit ihrer rauchigen, koketten Stimme.

Theo legte den Kopf schief, doch Annie wandte sich an die Puppe statt an ihn. »Ist das alles, was du zu sagen hast, Crumpet?«

Crumpet musterte Theo von Kopf bis Fuß. *»Du bist rattenscharf.«*

»Crumpet!«, tadelte Annie. »Wo sind deine Manieren?«

Crumpet zwinkerte mit ihren langen Wimpern Theo zu und gurrte: *»Du bist rattenscharf ... Sir.«*

»Das reicht, Crumpet!«, rief Annie streng.

Die Puppe schüttelte ihre Locken, eindeutig beleidigt. *»Was soll ich ihm sagen?«*

Annie schlug einen geduldigen Ton an. »Ich möchte, dass du dich entschuldigst.«

Crumpet wurde bockig. *»Wofür soll ich mich denn entschuldigen?«*

»Das weißt du ganz genau.«

Crumpet beugte sich nah an Annies Ohr und raunte

in einem falschen Flüstern: »*Ich würde ihn lieber fragen, wer ihm die Haare macht. Du weißt, was für ein Desaster mein letzter Friseurbesuch war.*«

»Nur weil du das Shampoo-Mädchen beleidigt hast«, erinnerte Annie sie.

Crumpet hob ihre Nase ein Stück höher in die Luft. »*Es fand sich hübscher als ich.*«

»Hübscher als *mich.*«

»*Es war definitiv hübscher als du*«, sagte Crumpet triumphierend.

Annie seufzte. »Hör auf, Zeit zu schinden, und sag, was du sagen musst.«

»*Oh, also gut.*« Crumpet stieß ein widerwilliges »*Pff*« aus. Und dann, noch widerwilliger: »*Es tut mir leid, dass ich dachte, du wärst derjenige gewesen, der mich aufgehängt hat.*«

»Ich?« Theo wandte sich tatsächlich an die Puppe.

»*Zu meiner Verteidigung muss ich hinzufügen ...*«, Crumpet schniefte, »*... dass du schließlich eine Vorgeschichte hast. Ich habe mich immer noch nicht davon erholt, dass du Peter unter meinen Rock hast schauen lassen.*«

»Es hat dir gefallen, und das weißt du«, wandte Annie ein.

Theo schüttelte kurz den Kopf, als müsste er ihn klar bekommen. »Und woher weißt du, dass nicht ich derjenige war, der dich aufgehängt hat?«

Annie sprach ihn schließlich direkt an. »Warst du es?«

Dieses Mal vergaß er nicht, Annie anzuschauen. »Deine Freundin hier hat es schon gesagt ... Ich habe eine Vorgeschichte.«

»Und es hätte mich auch nicht überrascht, nach Hause zu kommen und Crumpet und Dilly in voller Aktion in meinem Bett vorzufinden.« Sie zog die Puppe von ihrer Hand. »Aber nicht das hier.«

»Du bist immer noch viel zu vertrauensselig.« Theos Mundwinkel zuckten. »Es ist noch kein Monat vergangen, und du hast bereits vergessen, wer der Bösewicht in deinem Märchen ist.«

»Vielleicht. Vielleicht auch nicht«, sagte sie.

Er ging an ihr vorbei zum Atelier, verschwand, ohne sich zu verteidigen, ohne irgendetwas abzustreiten.

»Ich muss arbeiten«, war alles, was er sagte.

An diesem Abend gab es kein gemütliches Dinner für zwei, also machte Annie sich ein Sandwich und trug anschließend ein paar Kartons aus dem Atelier ins Wohnzimmer. Sie hockte sich im Schneidersitz auf den Boden und klappte die Laschen des ersten Kartons hoch. Er enthielt lauter Zeitschriften: von edlen Hochglanzmagazinen bis zu längst nicht mehr existierenden fotokopierten Fanzines. Einige davon enthielten Artikel von Mariah beziehungsweise Artikel über sie. Annie listete jedes Heft in ihrem Notizbuch auf, zusammen mit seinem Erscheinungsdatum. Es war zwar unwahrscheinlich, dass sich darunter ein begehrtes Sammlerobjekt befand, doch das würde sie erst sicher wissen, wenn sie alle überprüft hatte.

Der zweite Karton enthielt Bücher. Annie suchte nach Widmungen und vergewisserte sich, dass nichts Wichtiges zwischen den Seiten steckte, dann notierte sie die einzelnen Titel in ihrer Liste. Es würde eine Ewigkeit dauern, das alles zu prüfen, und sie hatte noch zwei weitere Kartons vor sich.

Obwohl sie sich inzwischen körperlich besser fühlte als in ihrer ersten Zeit auf der Insel, benötigte sie immer noch mehr Schlaf als sonst. Also beschloss sie, in einen von Mariahs Herrenpyjamas zu schlüpfen. Dann angelte sie ihre Pantoffeln unter dem Bett hervor. Als sie ihren Fuß in den ersten Pantoffel steckte, schrie sie auf …

Annie zog ruckartig ihren Fuß wieder heraus. Im nächsten Moment flog die Ateliertür auf. Theo kam hereingestürzt.

»Was ist los?«

Sie bückte sich angewidert, hob mit spitzen Fingern den Pantoffel hoch und schüttelte ihn. »Sieh dir das an!« Eine tote Maus plumpste auf den Boden. »Was für ein Irrer tut so was?« Sie warf den Pantoffel zur Seite. »Ich hasse diesen Ort! Ich hasse diese Insel! Ich hasse dieses Haus!« Sie wirbelte zu Theo herum. »Und glaub nicht, dass ich mich vor einer kleinen Maus fürchten würde. Dafür habe ich in zu vielen Rattenlöchern gewohnt.«

Theo schob eine Hand in seine Hosentasche. »Vielleicht … war das gar kein Irrer.«

»Hältst du so etwas für normal?« Sie war wieder laut geworden, doch es kümmerte sie nicht.

»Kommt drauf an.« Er strich sich über das Kinn. »Für eine Katze schon.«

»Willst du damit sagen …« Sie starrte Hannibal an.

»Versteh es einfach als Liebesbeweis«, sagte Theo. »Hannibal macht dieses besondere Geschenk nur Menschen, die er in sein Herz geschlossen hat.«

Annie wandte sich an den Kater. »Tu so was nie wieder, hast du verstanden? Das ist eklig!«

Hannibal hob nacheinander seine Hinterläufe, um sich zu strecken, dann stolzierte er zu Annie hinüber und stupste mit der Nase gegen ihren nackten Fuß.

Sie stöhnte auf. »Wird dieser Tag jemals ein Ende nehmen?«

Theo lächelte und nahm seinen Kater auf den Arm. Er trug ihn aus dem Zimmer in den Flur und machte ihm dann die Tür vor der Nase zu, sodass er mit Annie allein war.

Annie nahm ihren Morgenmantel von einem Haken an der Schranktür und wickelte sich darin ein. Auf einmal erinnerte sie sich an einen Vorfall, den sie seit Jahren zu verdrängen versuchte.

»Du hast mir mal einen toten Fisch ins Bett gelegt.«

»Ja, das stimmt.« Theo lehnte sich gegen das Kopfbrett des Bettes.

»Warum?«, fragte sie.

Hannibal miaute kläglich vor der Tür.

»Weil ich das lustig fand.« Er fuhr mit dem Daumen über die Schnitzereien, schenkte ihnen mehr Aufmerksamkeit, als sie verdienten.

Annie stieg über die tote Maus hinweg. »Wen hast du noch terrorisiert außer mir?«

»Findest du nicht, ein Opfer ist genug?«

Annie stülpte den Papierkorb über die Maus und ging dann zur Tür, um Hannibal hereinzulassen, damit das Maunzen aufhörte. Sie brauchte an diesem Abend keinen gemütlichen Plausch mit Theo, schon gar nicht in ihrem Schlafzimmer, aber sie hatte so viele Fragen.

»Ich fange allmählich an zu glauben, dass du das Klippenhaus fast so sehr hasst wie ich. Warum bist du dann auf die Insel zurückgekehrt?«

Er ging zum Fenster und blickte auf die trostlose Winterwiese hinaus. »Ich muss ein Buch fertigschreiben, und ich brauche dafür einen Ort, an dem mich niemand stört.«

Annie entging die Ironie nicht. »Und wie gut klappt das bisher?«

Sein Atem ließ die Scheibe beschlagen. »Es war nicht mein bester Plan.«

»Es ist noch reichlich Winter übrig«, bemerkte sie. »Du könntest dir immer noch ein Strandhaus in der Karibik mieten.«

»Ich fühle mich hier wohl.«

Aber er fühlte sich nicht wohl. Annie war die Geheimnisse leid, die ihn umgaben, war dieses ohnmächtige Gefühl leid, nicht mehr über ihn zu wissen.

»Warum bist du nach Peregrine gekommen? Die wahre Geschichte. Ich möchte sie gern verstehen.«

Er drehte sich zu ihr, seine Miene so kalt wie der Frost an der Scheibe. »Ich kann mir nicht vorstellen, warum.«

Seine hochmütige Gutsherrenart beeindruckte sie nicht, und sie brachte ein, wie sie hoffte, spöttisches Lächeln zustande. »Führ es auf meine niemals versiegende Neugier auf die inneren Mechanismen eines kranken Gehirns zurück.«

Er sah sie mit hochgezogenen Augenbrauen an, machte aber keinen übermäßig beleidigten Eindruck. »Es gibt nichts Unerfreulicheres, als jemanden mit einem prallen Bankkonto und einem Buchvertrag darüber jammern zu hören, wie schwer er es hat.«

»Stimmt. Aber Tatsache ist, du hast deine Frau verloren.«

Er zuckte mit den Achseln. »Ich bin nicht der einzige Mann, dem so etwas widerfährt.«

Entweder er spielte ihr etwas vor, oder er war tatsächlich emotional so kalt, wie sie immer geglaubt hatte.

»Du hast auch deine Zwillingsschwester verloren. Und deine Mutter.«

»Die hat sich aus dem Staub gemacht, als ich fünf war. Ich kann mich kaum noch an sie erinnern.«

»Erzähl mir von deiner Frau. Ich habe im Internet ein Foto von ihr gesehen. Sie war eine Schönheit.«

»Schön und unabhängig. Das sind die Frauen, zu denen ich mich hingezogen fühle.«

Qualitäten, von denen Annie wenig Ahnung hatte.

»Kenley war außerdem hochintelligent«, fuhr er fort. »Überdurchschnittlich klug. Und ehrgeizig. Aber was mir am meisten an ihr gefiel, war ihre Unabhängigkeit.«

Im Spiel des Lebens war das Ergebnis klar – Annie war Kenley unterlegen. Nicht dass sie auf eine Tote eifersüchtig war, sie wünschte sich jedoch sehnlich, auch unabhängig sein zu können. Und es konnte zudem nicht schaden, eine außergewöhnliche Schönheit zu sein und ein Superhirn zu besitzen.

Hätte ihr jemand anderes als Theo gegenübergestanden, hätte sie das Thema gewechselt, ihre Beziehung spielte sich allerdings so weit außerhalb der Grenzen der Normalität ab, dass Annie sagen konnte, was sie wollte.

»Wenn deine Frau diese ganzen wunderbaren Eigenschaften hatte, warum hat sie sich dann umgebracht?«

Theo ließ sich mit seiner Antwort Zeit, schob Hannibal

mit dem Fuß sachte von dem umgestülpten Papierkorb weg und überprüfte dann den Fensterriegel. Schließlich sagte er: »Weil sie mich dafür bestrafen wollte, dass ich ihr das Leben schwer gemacht habe.«

Seine Gleichgültigkeit passte perfekt zu dem Bild, das Annie von ihm aus der Vergangenheit hatte, aber diese Gleichgültigkeit klang nicht glaubhaft.

»Du machst mir auch das Leben schwer, deswegen würde ich mich noch lange nicht umbringen.«

»Beruhigend. Im Gegensatz zu Kenley ist deine Unabhängigkeit nicht vorgetäuscht.« Annie versuchte noch, seine Worte zu verarbeiten, als er zum Angriff überging. »Genug von diesem Blödsinn. Zieh dich aus.«

Kapitel 13

Ich soll mich ausziehen? Du leidest an Wahnvorstellungen.«

Theo ging vorsichtig um die Katze herum. »Ach ja? Nach gestern Abend haben wir doch nichts mehr zu verlieren. Außerdem wird es dich freuen zu hören, dass dein Cottage inzwischen mit einem Vorrat an Kondomen ausgestattet ist. In jedem Zimmer.«

Er war wahrhaftig der Teufel. Annie blickte sich im Schlafzimmer um. »Du hast hier Kondome deponiert?«

Er neigte den Kopf zur Seite. »In deinem Nachttisch, in der obersten Schublade. Direkt neben deinem Teddy.«

»Der *Teddy«*, erwiderte sie, »ist ein Beanie-Baby-Sammlerstück.«

»Verzeihung.« Er war cool, locker, ein Mann, der nichts Komplizierteres im Sinn hatte als Verführung. »Außerdem habe ich Kondome im Atelier hinterlegt, in der Küche, im Bad, auch in meinen Hosentaschen stecken welche.« Er ließ seine Augen über ihren Körper gleiten. »Obwohl ... nicht für alles, was ich mit dir vorhabe, ist ein Kondom erforderlich.«

Annies Nervenenden sprühten Funken, und ihre Fantasie brach zu einer pornografischen Expedition auf, genau wie er es beabsichtigt hatte. Sie zerrte sich zurück in die Realität.

»Du bist ganz schön optimistisch.«

»Wie du schon gesagt hast, es ist noch reichlich Winter übrig.«

Dies hier war eine Scheinverführung, sein kläglicher Versuch, ihren Fragen ein Ende zu bereiten. Oder vielleicht auch nicht. Sie zog den Gürtel ihres Morgenmantels zu.

»Die Sache ist die … Ohne irgendeine Art von emotionaler Nähe bin ich nicht interessiert.«

»Erinnere mich kurz, welche Art von emotionaler Nähe wir gestern Abend hatten … da hast du nämlich einen sehr interessierten Eindruck gemacht.«

»Die Episode war ein alkoholbedingter Ausrutscher.« Das war nicht ganz die Wahrheit, und Theo sah auch nicht so aus, als würde er es ihr abkaufen, aber es war wahr genug. Hannibal bearbeitete wieder den Papierkorb, der umzukippen drohte, und Annie nahm den Kater hoch. »Hör auf mit dem Gerede. Sag mir lieber, warum du ausgerechnet nach Peregrine gegangen bist. Konntest du dir nicht einen freundlicheren Ort suchen?«

»Sei nicht so neugierig«, sagte er spröde. »Es hat nichts mit dir zu tun.«

»Wenn du willst, dass ich mich ausziehe, dann schon«, säuselte Annie und erschrak über sich selbst. Versuchte sie gerade, Sex als Währung zu benutzen? Sie sollte sich eigentlich schämen, doch da Theo sich nicht vor Lachen bog, wurde sie nicht einmal rot. »Sex gegen Ehrlichkeit. Das ist mein Angebot.«

»Das ist nicht dein Ernst.«

Richtig.

Annie kraulte den Kater zwischen den Ohren. »Ich

mag keine Heimlichtuerei. Wenn du mich nackt sehen willst, musst du mir was dafür bieten.«

Er blickte sie finster an. »Ich will dich gar nicht so unbedingt nackt sehen.«

»Dann eben nicht.« Wo hatte sie auf einmal dieses Selbstbewusstsein her? Diese Angriffslust? Sie stand in ihrer ganzen chaotischen Herrlichkeit da, in einem zu großen Herrenpyjama und einem schäbigen alten Morgenmantel und – nicht zu vergessen – womöglich schwanger, und trotzdem tat sie so, als wäre sie gerade über einen Victoria's-Secret-Laufsteg stolziert. »Halt deinen Kater fest, ich muss mich um unseren lieben verstorbenen Freund kümmern«, sagte sie.

»Das übernehme ich.«

»Wie du willst.« Sie hob den Kater hoch, sodass ihre Nasen auf einer Höhe waren. »Na komm, Hannibal. Dein Daddy muss eine Leiche verschwinden lassen.«

Sie rauschte aus dem Zimmer, mit dem Kater auf dem Arm, und spürte, dass ihr Herz sich vor Genugtuung erwärmte. Sie hatte zwar nicht viel aus Theo herausbekommen, dafür war es ihr irgendwie gelungen, gleiche Voraussetzungen zu schaffen. Als sie Hannibal absetzte, dachte sie darüber nach, was Theo über ihre Unabhängigkeit gesagt hatte. Was, wenn er recht hatte? Was, wenn sie gar nicht so ein Wrack war, wie sie zu sein glaubte?

Es war ein neuer Gedanke, aber sie hatte in letzter Zeit so viele Tiefschläge einstecken müssen, dass sie ihn zwangsläufig verwarf. Nur ... falls es tatsächlich stimmte, musste sie ihr gesamtes Bild von sich selbst korrigieren.

Rückgrat, Antoinette. Genau das fehlt dir. Ein festes Rückgrat.

Nein, Mom, dachte sie. Nur weil ich nicht so bin wie du, heißt das nicht, dass ich nicht stark bin. Ich hab dir alles gegeben, was du brauchtest, bevor du starbst, oder nicht?

Und nun bezahlte sie den Preis dafür.

Die Seitentür wurde geöffnet und wieder geschlossen. Einen Moment später kam Theo ins Wohnzimmer. Er redete so leise, dass Annie beinahe entgangen wäre, was er sagte.

»Ich konnte nicht mehr schreiben. Ich musste alles hinter mir lassen.« Sie wandte sich um. Wurde hellhörig. Er stand vor dem Bücherregal, die Haare leicht zerzaust von seinem kurzen Ausflug nach draußen, um die tote Maus zu entsorgen. »Ich konnte das Mitleid meiner Freunde und den Hass von Kenleys Freunden nicht mehr ertragen.« Er stieß ein brutales Lachen aus. »Ihr Vater sagte, ich hätte ihr genauso gut selbst diese Tabletten in den Hals schieben können. Und vielleicht hatte er recht. Hast du genug gehört?«

Als er sich abwandte und sich in Richtung Atelier entfernte, folgte sie ihm. »Wenn du unbedingt wegwolltest, warum bist du dann nicht an einen Ort gegangen, den du nicht hasst? Wie ich schon sagte, die Karibik, die französische Riviera, die Jungferninseln. Du kannst es dir weiß Gott leisten. Warum verkriechst du dich hier?«

»Ich mag Harp House nicht, aber ich liebe Peregrine. Es war für mich der perfekte Ort, um wieder mit dem Schreiben anzufangen. Keine Ablenkungen. Jedenfalls so lange nicht, bis du hier aufgetaucht bist.« Er verschwand im Atelier.

Das machte zwar Sinn, aber irgendetwas fehlte. Annie

folgte ihm. »Vor ein paar Wochen sah ich dich aus dem Stall kommen. Es war an jenem Tag bitterkalt, doch du hast trotzdem deinen Pullover ausgezogen. Warum hast du das getan?«

Theo sah aus dem Fenster. Annie bezweifelte, dass sie eine Antwort bekommen würde. Dann antwortete er doch.

»Weil ich etwas *spüren* wollte.«

Das klassische Merkmal eines Psychopathen war die Unfähigkeit, normal zu empfinden, aber die Kummerfalten, die sich in Theos Gesicht eingegraben hatten, waren der Beweis dafür, dass er alles fühlte. Annie überkam plötzlich ein seltsames Unbehagen. Sie wollte nichts mehr hören und wandte sich ab.

»Ich lasse dich jetzt allein.«

»Zuerst waren wir glücklich«, sagte er. »Zumindest dachte ich das.« Sie drehte sich wieder zu ihm um. Theo starrte auf das Wandbild, Annie hatte jedoch das Gefühl, dass er nicht das Taxi, das durch das Schaufenster krachte, ansah. »Nach einiger Zeit rief sie mich immer öfter aus dem Büro an«, fuhr er fort. »Anfangs dachte ich mir nichts dabei, dann bekam ich täglich Dutzende von Nachrichten – stündlich. SMS, Anrufe, E-Mails. Sie wollte wissen, wo ich war, was ich gerade tat. Wenn ich mich nicht sofort zurückmeldete, bekam sie einen Wutanfall und beschuldigte mich, dass ich mich mit anderen Frauen treffen würde. Ich war ihr niemals untreu. Nie.« Er sah Annie schließlich an. »Sie hat ihren Job aufgegeben. Oder vielleicht wurde ihr auch nahegelegt zu gehen. Das weiß ich bis heute nicht genau. Ihr Verhalten wurde immer bizarrer. Sie erzählte ihrer Familie und ihren Freunden, dass ich in der Weltgeschichte herumvögeln würde, dass ich sie bedroht hätte. Ich brachte sie schließlich zu einem Psychiater. Er verschrieb ihr Medikamente, und eine Weile wurde es besser. Eines Tages setzte sie die Medikamente ab, weil sie glaubte, ich wollte sie vergiften. Ich habe versucht, mir Unterstützung bei ihrer Familie zu holen, aber vor ihren Eltern hat sie sich nie so schlimm aufgeführt, und sie weigerten sich zu glauben, dass mit ihrer Tochter etwas nicht stimmte. Kenley fing schließlich an, mich körperlich zu attackieren, sie schlug und kratzte mich. Ich hatte Angst, ich würde sie irgendwann verletzen, also bin ich ausgezogen.« Seine Hände ballten sich zu Fäusten. »Eine Woche später nahm sie sich das Leben. Und? Ist das nicht ein unglaubliches Märchen aus dem wahren Leben?«

Annie war erschüttert, aber sie spürte, dass er kein Mitgefühl wollte, also hielt sie sich damit zurück. »Klar, dass du eine Psychopathin heiraten musstest.«

Er wirkte erstaunt. »Tja, nur ein Psychopath kann seinesgleichen erkennen, richtig?«

»So heißt es jedenfalls.« Sie warf einen Blick zu ihren Puppen auf dem Regal, dann richtete sie die Augen wieder auf ihn. »Hilf mir kurz zu erkennen, welcher Teil davon deine Schuld ist. Abgesehen davon, dass du Kenley überhaupt geheiratet hast.«

Seine Anspannung kehrte zurück, genau wie sein Zorn. »Ich bitte dich, Annie, sei nicht naiv. Ich wusste genau, wie krank sie war. Ich hätte sie niemals verlassen dürfen. Hätte ich ihrer Familie die Stirn geboten und Kenley in eine Klinik gebracht, wo sie hingehörte, wäre sie jetzt vielleicht noch am Leben.«

»Es ist heutzutage ganz schön schwer, jemanden gegen seinen Willen einweisen zu lassen.«

»Ich hätte eine Möglichkeit gefunden.«

»Vielleicht. Vielleicht auch nicht.« Hannibal umstreifte ihre Beine. »Ich hatte keine Ahnung, dass du so ein Sexist bist.«

Sein Kopf hob sich ruckartig. »Wovon redest du?«

»Jede vernünftige Ehefrau, die mit einem Mann verheiratet ist, der sie so misshandelt, wie deine Frau dich misshandelt hat, hätte sich aus dem Staub gemacht, wäre ins Frauenhaus gegangen oder wohin auch immer, einfach nur weg. Aber weil du ein Mann bist, hättest du bei deiner Frau bleiben sollen? Ist es so?«

Er wirkte für einen Moment verwirrt. »Du verstehst das nicht.«

»Nein? Wenn du vorhast, dich in deinem schlechten Gewissen zu suhlen, dann tu es für eine echte Sünde – zum Beispiel dafür, dass du heute Abend nichts für mich gekocht hast.«

Der schwächste Schatten eines Lächelns ließ sein Gesicht weicher wirken. »Wie bist du bloß drauf?«

»Du meinst wegen meines Pyjamageschmacks? Keine Ahnung.«

»Und wegen deines mangelnden Anstandsgefühls?« Dann, strenger: »Außerdem wegen deiner Dummheit. Versprich mir, dass du keine weiteren Ausflüge zu Fuß unternimmst. Und wenn du irgendwohin fährst, halt die Augen offen.«

Sie kannte endlich die Wahrheit über seine Ehe, nur um sich zu wünschen, sie nicht zu kennen. Durch ihr Bedürfnis, ihre Neugier zu stillen, hatte sie es ermöglicht, dass sich in der Mauer zwischen Theo und ihr ein Riss gebildet hatte, der sie zum Einstürzen bringen konnte.

»Gute Nacht«, sagte sie. »Wir sehen uns morgen früh.«

»Hey, wir hatten eine Abmachung. Solltest du dich jetzt nicht ausziehen?«

»Das wäre nur Sex aus Mitleid«, erwiderte sie gespielt unterwürfig. »Ich werde dich nicht auf diese Art beleidigen.«

»Mach ruhig. Beleidige mich.«

»Dafür bist du viel zu kultiviert. Du wirst es mir später danken.«

»Das bezweifle ich ernsthaft«, murmelte er.

Am nächsten Wochenende war der große Hummerschmaus in der Stadt. Jaycie fragte Annie, ob sie mit ihr dorthin fahren würde.

»Es ist weniger für mich als für Livia«, erklärte sie, »sie kommt nur selten mit anderen Kindern zusammen. Und ich kann dir all die Leute vorstellen, die du noch nicht kennengelernt hast.«

Es war Jaycies erster Ausgehabend, seit sie sich den Fuß gebrochen hatte. Ihr ständiges Lächeln, während sie den Schoko-Pekannuss-Kuchen für das Ereignis zubereitete, ließ erkennen, wie sehr sie sich um ihrer selbst willen darauf freute, nicht nur für Livia.

Jaycies heruntergekommener Chevrolet Suburban stand in der Garage. Wie bei so vielen von den Inselpisten ermüdeten Fahrzeugen fraß der Rost an der Karosserie. Radkappen und Nummernschilder fehlten, dafür hatte der Wagen einen eingebauten Kindersitz für Livia, was den Ausschlag für ihn gab.

Annie schnallte Livia an, stellte den Kuchen in den Fußraum hinter dem Beifahrersitz und half dann Jaycie beim Einsteigen. Es war an diesem Abend sehr windig, aber da kein neuer Schnee gefallen und das Eis größtenteils geschmolzen war, machte die Straße einen guten Eindruck. Trotzdem war Annie froh darüber, mit einem Allradwagen fahren zu können statt mit ihrem eigenen Auto.

Sie trug das einzige schickere Kleidungsstück, das sie auf die Insel mitgebracht hatte, einen eng anliegenden dunkelgrünen Bleistiftrock mit einem breiten Volant aus Wolle, der ihre Knie umspielte. Sie hatte den Rock mit einem langärmligen Ballettoberteil von Mariah, ihrer cranberryroten Strumpfhose und Designerstiefeletten zum Schnüren kombiniert. Die Schuhe hatte sie letzten Winter in einem Secondhandladen entdeckt und für einen Spottpreis erstanden. Nach einer gründlichen Politur und mit neuen Schnürsenkeln sahen sie fast aus wie neu.

Als sie in die Straße einbogen, wandte sich Annie über ihre Schulter hinweg an Livia. »Scamp tut es leid, dass sie heute Abend nicht mitkommen kann. Sie hat Halsschmerzen.«

Livia machte ein finsteres Gesicht und kickte die Fersen ihrer Sneakers hart gegen den Kindersitz, wodurch die samtenen braunen Katzenohren auf ihrem Haarreif wackelten. Sie brauchte keine Worte, um auszudrücken, was sie von der Abwesenheit der Puppe hielt.

»Vielleicht kann ich Scamp ja eines Tages kennenlernen«, sagte Jaycie und spielte am Reißverschluss ihrer Jacke. »Wie geht es Theo?«

Selbst im trüben Dämmerlicht war ihr zu fröhliches

Lächeln schmerzlich. Annie hasste es, Jaycie in dieser Verfassung zu sehen. So hübsch sie auch war, sie hatte keine Chance bei Theo. Er stand auf makellos schön, hochintelligent und verrückt, drei Eigenschaften, die weder Jaycie noch Annie besaßen. Annie betrachtete das als einen Vorteil, Jaycie würde es jedoch nicht so sehen.

Annie umschiffte die Wahrheit. »Er war im Atelier und hat gearbeitet, als ich gestern Abend ins Bett ging, und heute Morgen habe ich ihn nur ganz kurz gesehen.«

Aber sie hatte genug gesehen. Sein Anblick, als er aus dem Bad kam, ein Handtuch um die Hüften geschlungen, mit glitzernden Wasserperlen auf den Schultern, hatte sie völlig aus dem Gleichgewicht gebracht. Genau die Art von Reaktion auf ihn, durch die sie vielleicht schwanger geworden war.

Sie schluckte ihre Beklommenheit hinunter. »Gestern wurde wieder im Cottage eingebrochen, als niemand zu Hause war.« Da Livia auf dem Rücksitz saß, wollte sie sich nicht weiter darüber auslassen. »Ich erzähle es dir später.«

Jaycie faltete die Hände im Schoß. »Ich habe Laura Keen noch nicht erreicht, um mit ihr über Danny zu reden. Vielleicht ist sie heute Abend da.«

Sie hielten schließlich vor dem hell erleuchteten Gemeindehaus. Die Fahne am Mast stand kerzengerade im Wind, Menschen strömten in das Gebäude, bepackt mit Kuchenglocken, Bier-Sixpacks und Limonadenflaschen. Jaycie wirkte nervös und ließ prompt ihre Krücken beim Aussteigen fallen.

Sie stemmten sich gegen den Wind in Richtung Eingang. Livia umklammerte ihr rosa Plüschkätzchen, und ihr Daumen wanderte in ihren Mund. Vielleicht bildete Annie es sich ein, aber das Stimmengewirr schien kurz zu verebben, als sie eintraten. Sekunden verstrichen, dann kamen ein paar der älteren Frauen zu ihnen herüber – Barbara Rose, Judy Kester und Kutterkapitänin Naomi.

Barbara begrüßte Jaycie mit einer sanften Umarmung und hüllte sie in eine Wolke aus blumigem Parfüm. »Wir haben schon befürchtet, dass ihr es heute Abend nicht schaffen würdet.«

»Wir haben euch viel zu lange nicht mehr gesehen«, sagte Naomi.

Judy ging vor Livia in die Hocke. »Nun sieh sich einer an, wie groß du geworden bist!«, rief sie begeistert. »Bekomme ich eine Umarmung?«

Definitiv nicht. Livia ging hinter Annie in Deckung. Annie langte nach hinten und rieb Livias Schulter. Es gefiel ihr sehr, dass Livia sie als einen sicheren Hafen betrachtete.

Judy richtete sich mit einem Lachen wieder auf, nahm Jaycie den Kuchen ab und trug ihn zum Desserttisch, während die drei Neuankömmlinge ihre Jacken auszogen. Jaycies Hose und ihr königsblauer Pullover waren schon etwas abgetragen, schmeichelten ihr aber trotzdem. Ihr langes blondes Haar war seitlich gescheitelt, sie hatte sich sorgfältig geschminkt und ihre Lippen mit einem kirschroten Lippenstift nachgezogen.

Der Sitzungssaal des Gemeindehauses war kaum so groß wie das Wohnzimmer des Klippenhauses und zugestellt mit langen Tischen, die mit weißem Papier abgedeckt waren. An den zerkratzten grauen Saalwänden hingen das Anschlagbrett für amtliche Bekanntmachungen, vergilbte historische Fotografien, ein amateurhaftes Ölporträt vom Hafen, Erste-Hilfe-Plakate und ein Feuerlöscher. Eine Tür führte in die Bücherei, die andere in die Kombination aus Gemeindebüro, Postamt und – dem leckeren Duft nach zu urteilen – Küche.

Der Hummerschmaus war, wie Jaycie erklärte, eine unzutreffende Bezeichnung für dieses monatlich stattfindende Ereignis, da kein Hummer daran beteiligt war. »Wir essen hier so viel davon, dass die Leute vor ungefähr zwanzig Jahren beschlossen haben, das Menü zu ändern zugunsten der klassischen neuenglischen Küche. Rinderbrust oder Schinkenbraten im Winter, Muscheln und Maiskolben im Sommer. Ich weiß nicht, warum wir es immer noch Hummerschmaus nennen.«

»Soll niemand den Inselbewohnern nachsagen, dass sie nicht an ihren Traditionen festhalten«, erwiderte Annie.

Jaycie nagte mit den Zähnen an ihrer Unterlippe. »Manchmal habe ich das Gefühl, ich ersticke, wenn ich nur einen Tag länger hierbleiben muss.«

Lisa McKinley kam aus der Küche in den Saal. Sie trug Jeans und eine klassische Bluse mit V-Ausschnitt, den eine Kette im viktorianischen Stil schmückte, ein Geschenk – wie Lisa rasch verkündete – von Cynthia Harp. Annie schlenderte weiter, damit Lisa und Jaycie sich austauschen konnten. Während sie zwischen den Tischen umherging, drangen einzelne Gesprächsfetzen an ihre Ohren.

»... bereits fünfhundert Pfund weniger Fanggewicht als um dieselbe Zeit im letzten Jahr.«

»... vergessen, Bisquick zu bestellen, also musste ich den Teig improvisieren.«

»… mehr, als eine neue Hydraulikpumpe kostet.«

Annie betrachtete einen Schwarz-Weiß-Druck, der schief an der Wand hing. Er zeigte Gestalten in Kleidern des 17. Jahrhunderts, die am Meer standen. Naomi gesellte sich zu Annie und deutete mit einem Nicken auf das Bild.

»Damals, während der Kolonialzeit, wurden die Hummer direkt an den Strand gespült. Es gab so viele, dass sie an die Schweine und die Häftlinge verfüttert wurden.«

»Für mich sind sie immer noch etwas Besonderes«, sagte Annie.

»Das gilt für die meisten Leute, und das ist gut für uns. Aber wir müssen die Bestände erhalten, sonst sind wir raus aus dem Geschäft.«

»Und wie erhält man die Bestände?«

»Durch das Einhalten vieler Vorschriften, zum Beispiel wann und wo gefischt werden darf. Außerdem sind Weibchen, die Eier tragen, grundsätzlich tabu. Wenn wir ein schwangeres Weibchen fangen, kerben wir zur Kennzeichnung ein V in seinen Schwanz und werfen es zurück ins Wasser. Achtzig Prozent der Hummer, die wir fangen, gehen wieder zurück ins Meer, weil sie zu klein sind oder zu groß oder weil sie Eier tragen.«

»Ein hartes Leben.«

»Man muss es lieben, so viel ist sicher.« Naomi zupfte an einem der Silberstecker in ihren Ohrläppchen. »Wenn Sie Interesse haben, können Sie mal mit mir rausfahren. Die Wetterprognosen für nächste Woche sehen gut aus. Es gibt nicht viele Stadtmenschen, die von sich behaupten können, dass sie auf einem Hummerfänger mitgearbeitet haben.«

Die Einladung überraschte Annie. »Das würde ich sehr gern.«

Naomi wirkte aufrichtig erfreut. »Sie werden allerdings früh aus den Federn klettern müssen. Und ziehen Sie nicht gerade Ihre besten Klamotten an.«

Sie hatten sich gerade für Montagmorgen verabredet, als die Eingangstür aufschwang und ein frischer Schwall kalte Luft hereinströmte. Theo betrat den Saal.

Der Geräuschpegel sank, als die Leute ihn bemerkten. Theo nickte in den Raum, und das Geplauder hob wieder an, aber die meisten Gäste beobachteten ihn verstohlen. Jaycie hatte ihr Gespräch mit Lisa unterbrochen und starrte Theo an. Eine Gruppe von Männern mit wettergegerbten Gesichtern winkte ihn zu sich herüber.

Annie spürte, dass etwas an ihrem Rock zog, und sah, dass Livia versuchte, ihre Aufmerksamkeit zu erringen. Die Kleine langweilte sich in der Gesellschaft der Erwachsenen. Sie schaute immer wieder zu einer Gruppe von Kindern – drei Jungen und zwei Mädchen, von denen Annie das jüngste als Lisas Tochter wiedererkannte, die sie damals bei ihrem Besuch in der Bücherei kennengelernt hatte. Annie hatte keine Mühe, Livias flehentliche Miene zu interpretieren. Das Mädchen wollte mit den anderen Kindern spielen, war aber zu schüchtern, um selbst auf sie zuzugehen.

Annie nahm Livia an die Hand, und gemeinsam gingen sie hinüber zu den Kindern. Die Jungen stritten sich um eine tragbare Spielkonsole. Annie lächelte die beiden Mädchen an, die mit ihren runden Wangen und roten Haaren eindeutig als Schwestern zu identifizieren waren. Sie klebten Bilder in ein Album.

»Hallo, ich bin Annie«, sagte sie. »Und Livia hier kennt ihr ja.«

Das größere Mädchen hob den Kopf. »Hallo, Livia, wir haben dich lange nicht gesehen. Hallo, Annie, ich bin Kaitlin, und das ist meine Schwester Alyssa.«

Alyssa sah Livia an. »Wie alt bist du jetzt?«

Livia hielt vier Finger hoch.

»Ich bin fünf. Wie ist eigentlich dein zweiter Vorname? Meiner ist Rosalind.«

Livia ließ den Kopf hängen.

Als es offensichtlich wurde, dass Livia nicht antworten würde, sah Alyssa Annie fragend an. »Was hat sie? Warum sagt sie nichts?«

»Sei still, Alyssa«, mahnte ihre Schwester. »Du weißt, dass du das nicht fragen sollst.«

Annie hatte die Vorstellung entwickelt, dass Jaycie und Livia außerhalb der Gemeinschaft standen, aber das war ein Irrtum. Sie waren hier genauso fest verwurzelt wie alle anderen.

Das Gerangel der drei Jungen um die Spielkonsole geriet allmählich außer Kontrolle. »Ich bin dran!«, schrie einer von ihnen.

»Nein! Das ist mein Spiel!«

Der größte Junge verpasste dem, der sich beschwert hatte, einen harten Schlag mit der Faust, und plötzlich standen alle drei auf den Beinen, bereit, sich zu prügeln.

»Schluss damit, ihr elenden Hundesöhne!« Die Jungen erstarrten und blickten sich suchend um, um zu ergründen, woher die Captain-Jack-Sparrow-Stimme kam. Livia war ihnen da weit voraus, sie lächelte. *»Hört sofort mit dem Gerangel auf, oder ich werfe euch alle in den*

Kielraum!« Die Jungen richteten ihre Aufmerksamkeit nun langsam auf Annie, die mit ihrer rechten Hand einen Puppenmund formte. Sie ging in die Hocke und bewegte den Daumen, um die Puppe sprechen zu lassen. *»Nur gut, dass ich mein Entermesser auf dem Pupsdeck … ich meine Poopdeck vergessen habe, ihr jämmerlichen Möchtegernseebären.«* Jungen waren überall gleich. Es genügte, »Pups« zu sagen, und schon fraßen sie einem aus der Hand. Annie richtete ihre provisorische Puppe auf den kleinsten Jungen, einen flachsblonden Knirps mit einem Engelsgesicht und einem Veilchen unter dem Auge. *»Na, wie wär's, Freundchen? Du siehst kräftig genug aus, um unter der Piratenflagge zu segeln. Ich suche den Schatz von Atlantis, der versunkenen Stadt. Wer von euch will mit mir auf Schatzsuche gehen?«* Livia war die Erste, die die Hand hob, und Annie hätte fast Captain Jack aufgegeben, um sie zu umarmen. *»Bist du sicher, meine Hübsche? Dort unten auf dem Meeresgrund gibt es wilde Seeschlangen. Für so eine gefährliche Mission muss man ein tapferes Mädchen sein. Bist du ein tapferes Mädchen?«*

Livia nickte vergnügt.

»Ich auch!«, rief Kaitlin. »Ich bin auch ein tapferes Mädchen!«

»Du bist nicht so tapfer wie ich, Blödi!«, sagte das Engelsgesicht.

Captain Jack knurrte. *»Sprich gefälligst mit höflicher Zunge, Jungchen, oder ich lasse dich kielholen.«* Und dann, aus Gewohnheit: *»Unter der Piratenflagge wird niemand tyrannisiert. Wenn ihr gegen Seedrachen kämpft, heißt es alle für einen und einer für alle. Jeder,*

der sich auf meinem Schiff wie ein Tyrann aufführt, wird über Bord geworfen und an die Haie verfüttert.«

Die Kinder wirkten gehörig beeindruckt.

Annie hatte nichts weiter als ihre nackte Hand, um eine Puppe darzustellen – nicht einmal zwei aufgemalte Augen –, aber die Kleinen waren wie gebannt. Der größere der Jungen ließ sich jedoch nicht zum Narren halten.

»Du siehst gar nicht aus wie ein Pirat. Du siehst aus wie eine Hand.«

»Aye. Und du bist ein schlauer Bursche, weil dir das aufgefallen ist. Weißt du, meine Feinde haben mich mit einem Fluch belegt, und die einzige Möglichkeit, wie ich ihn brechen kann, ist, dass ich den versunkenen Schatz finde. Was sagt ihr, Matrosen? Seid ihr mutig genug?«

»Ich segle mit Euch, Captain.«

Das war keine Kinderstimme, doch eine, die Annie äußerst vertraut war. Sie drehte sich um. Eine Gruppe von Erwachsenen hatte sich hinter ihrem Rücken versammelt, um die Show zu verfolgen. Theo stand dabei, die Arme vor der Brust verschränkt, Belustigung tanzte in seinen Augen.

Captain Jack musterte ihn von oben bis unten. *»Ich nehme nur bärenstarke Burschen mit. Du scheinst mir nicht mehr der Jüngste zu sein.«*

»Ein Jammer«, sagte Theo, ganz der englische Gentleman. »Und ich hab mich schon so auf die Seeschlangen gefreut.«

In diesem Moment wurde der Essensgong geschlagen, und eine Stimme rief: »Das Büfett ist eröffnet! Stellt euch in einer Reihe an!«

»Habt ihr gehört, Matrosen? Zeit für euch, euren Schiffszwieback zu knabbern, und Zeit für mich, auf mein Piratenschiff zurückzukehren.«

Annie spreizte dramatisch ihre Finger und gab Captain Jack einen königlichen Abschied. Applaus erklang, sowohl von den Kindern als auch von den Erwachsenen. Livia schmiegte sich an Annies Seite. Die älteren Kinder fingen an, Annie mit Fragen und Kommentaren zu bombardieren.

»Wie machen Sie das, ohne die Lippen zu bewegen?«

»Können Sie das noch mal machen?«

»Ich fahre oft mit meinem Dad auf seinem Hummerschiff raus.«

»Ich möchte auch so reden können.«

»Ich war an Halloween als Pirat verkleidet.«

Die Erwachsenen begannen, ihren Nachwuchs einzusammeln und zu der Warteschlange zu dirigieren, die sich vom Büfett bis in den Nebenraum erstreckte.

Theo gesellte sich zu Annie. »Ich sehe jetzt viel klarer, dort, wo ich vorher im Trüben gefischt habe.«

»Du hast im Trüben gefischt?«

»Das ist mir so rausgerutscht. Trotzdem, eine Sache verstehe ich immer noch nicht. Wie hast du das mit der Pendeluhr bewerkstelligt?«

»Ich habe keine Ahnung, wovon du redest.«

Er schenkte ihr einen Blick, der ihr zu verstehen gab, dass ihr Leugnen erniedrigend war und dass sie, wenn sie wenigstens ein bisschen Charakter besaß, endlich Farbe bekennen sollte.

Die Komödie war eindeutig vorbei. Annie lächelte, beugte sich näher zu Theo hinüber und stieß dann ihr bestes schauriges Stöhnen aus, so leise, dass nur er es hören konnte.

»Niedlich«, sagte er.

»Nenn es ›Rache für den Speiseaufzug‹.«

Sie erwartete, dass er darüber hinwegging, stattdessen wirkte er aufrichtig reumütig. »Die Sache tut mir wirklich leid.«

Annie kam in den Sinn, dass keiner ihrer beiden Exfreunde sich jemals für etwas entschuldigt hatte.

Livia lief zu ihrer Mutter hinüber. Jaycie stand immer noch bei Lisa, aber ihre Aufmerksamkeit gehörte Theo. Als Annie sich den beiden Frauen näherte, hörte sie Lisa sagen: »Du solltest mit ihr noch mal zum Arzt gehen. Sie müsste inzwischen längst reden.«

Annie konnte Jaycies Antwort nicht verstehen.

Sie stellten sich alle an, um sich am Büfett zu bedienen. Marie und Tildy nahmen Theo in Beschlag und begannen, ihn mit Fragen über seine Schriftstellerei zu löchern, aber nachdem er seinen Teller gefüllt hatte, entschuldigte er sich bei den Damen und gesellte sich zu Annie, Jaycie, Livia und Lisas Familie an den Tisch. Er setzte sich auf den freien Platz neben Annie, gegenüber von Lisa und ihrem Mann Darren, der Hummerfischer war und zugleich der Inselelektriker. Livia beobachtete Theo argwöhnisch, und Jaycie verlor den Faden ihrer Unterhaltung mit Lisa.

Theo und Darren kannten sich aus vergangenen Sommern und begannen, sich über die Fischerei zu unterhalten. Annie fiel auf, wie locker Theo mit allen hier plauderte, was sie interessant fand, wenn man berücksichtigte, wie erbittert er seine Privatsphäre verteidigte.

Sie war es leid, sich über Theos Widersprüchlichkeiten

Gedanken zu machen, und konzentrierte sich auf das Essen. Zu dem fein abgeschmeckten Rinderbraten gab es Kartoffeln, gebackenen Weißkohl, Zwiebeln und eine Auswahl an Wurzelgemüse. Mit Ausnahme der Steckrüben, die Annie und Livia mieden wie die Pest, schmeckte alles köstlich.

Trotz ihrer Verliebtheit unternahm Jaycie nichts, um Theos Aufmerksamkeit zu erlangen, außer dass sie ihm gelegentlich sehnsüchtige Blicke zuwarf. Theo wandte sich schließlich leise an Annie.

»Du hast dich in den Turm geschlichen, als ich geschlafen habe, und die Batterie in der Uhr gewechselt. Darauf hätte ich schon längst kommen müssen.«

»Es ist nicht deine Schuld, dass du so begriffsstutzig bist. Ich bin mir sicher, dass man sich von einem Schlag auf den Kopf mit dem Silberlöffel nur schwer erholt.«

Er zog eine Augenbraue hoch.

Livia stupste Annie an, formte mit der Hand eine Miniaturpuppe und bewegte unbeholfen ihre kleinen Finger, um zu zeigen, dass sie eine weitere Bauchrednernummer sehen wollte.

»Später, Herzchen«, sagte Annie und gab ihr einen Kuss auf den Kopf, direkt hinter die Katzenohren.

»Du scheinst eine neue Freundin zu haben«, bemerkte Theo.

»Das trifft eher auf Scamp zu. Sie und Liv sind beste Freundinnen. Stimmt's, Engelchen?«

Livia nickte und trank einen kleinen Schluck von ihrer Milch.

Die Inselbewohner hatten begonnen, sich am Desserttisch anzustellen, und Jaycie stand auf. »Ich werde dir ein Stück von meinem Schoko-Pekannuss-Kuchen mitbringen, Theo.«

Theo suchte zweifellos nach einem Ausweg vor Jaycies Koch- und Backkünsten, aber er nickte.

»Ich bin überrascht, dich hier zu sehen«, sagte Annie. »Du bist sonst nicht gerade der gesellige Typ.«

»Jemand muss schließlich ein Auge auf dich haben.«

»Ich bin mit Jaycie hergekommen, wir sind hier mitten unter Leuten.«

»Trotzdem ...«

Ein schriller Pfiff hallte plötzlich durch den Raum und ließ alle Anwesenden verstummen. Ein kräftig gebauter Mann in einem Parka stand im Eingang und nahm seine Finger aus dem Mund.

»Alle mal herhören. Die Küstenwache hat einen Notruf von einem Trawler erhalten, der ein paar Meilen vor Jackspar Point havariert ist. Sie haben bereits ein Rettungsboot losgeschickt, aber wir können schneller dort sein.«

Er nickte einem stämmigen Fischer in einem Flanellhemd am Nebentisch zu und dann Lisas Mann Darren. Beide Männer standen auf. Zu Annies Überraschung erhob Theo sich ebenfalls. Er stützte sich auf ihre Stuhllehne und beugte sich zu ihr herunter.

»Geh heute Abend nicht zurück zum Cottage«, sagte er. »Bleib bei Jaycie im Klippenhaus. Versprich es mir.«

Er wartete ihre Antwort nicht ab, sondern gesellte sich zu den drei Männern am Eingang und sagte etwas zu ihnen. Einer der Männer gab ihm einen kurzen Klaps auf den Rücken, und alle vier gingen nach draußen.

Annie war verdattert.

Jaycie machte ein Gesicht, als würde sie gleich in Tränen ausbrechen. »Ich verstehe das nicht. Warum geht Theo mit ihnen?«

Annie verstand es auch nicht. Theo war ein Freizeitsegler. Warum beteiligte er sich an einer Seerettung?

Lisa biss sich auf die Unterlippe. »Ich hasse das«, sagte sie. »Dort draußen herrscht jetzt sicher Windstärke acht.«

Naomi hatte Lisas Worte zufällig mitbekommen und setzte sich neben sie. »Darren wird schon nichts passieren, Lisa. Ed zählt zu unseren erfahrensten Seeleuten, und sein Schiff ist eins der sichersten hier.«

»Aber was ist mit Theo?«, sagte Jaycie. »Er ist solche Bedingungen gar nicht gewohnt.«

»Ich werde es rausfinden.« Naomi stand wieder auf.

Barbara kam nun herüber, um ihre Tochter zu trösten. Lisa umklammerte die Hand ihrer Mutter. »Darren hat gerade erst eine Magen-Darm-Grippe überstanden. Und da draußen wütet ein schlimmer Sturm. Wenn die *Val Jane* vereist ...«

»Die *Val Jane* ist ein stabiles Schiff«, erwiderte Barbara, obwohl sie genauso besorgt dreinschaute wie ihre Tochter.

Naomi kehrte zurück und ging zu Jaycie. »Theo ist ausgebildeter Rettungshelfer. Deshalb fährt er mit den Männern raus.«

Theo ein Rettungshelfer? Annie konnte es nicht glauben. Theos Arbeit bestand darin, Körper zu zerstören, und nicht, sie zusammenzuflicken.

»Hast du das gewusst?«, fragte sie Jaycie, die den Kopf schüttelte.

»Seit Jenny Schaeffer mit ihren Kindern weggezogen ist, und das ist jetzt fast zwei Jahre her, haben wir niemanden mehr mit medizinischen Kenntnissen auf der Insel«, sagte Naomi. »Das ist die beste Neuigkeit, von der wir seit Beginn des Winters gehört haben.«

Jaycie wurde noch unruhiger. »Theo hat keinerlei Erfahrung darin, bei so einem Wetter rauszufahren. Er hätte hierbleiben sollen.«

Annie stimmte ihr uneingeschränkt zu.

Die Sorge der Inselbewohner um die vier Männer und das in Seenot geratene Schiff verdarb die Freude an dem geselligen Beisammensein, alle begannen zusammenzupacken. Annie half den Frauen beim Aufräumen, Jaycie passte auf Livia und Lisas Töchter auf. Annie wollte gerade einen Stapel schmutzige Teller in die Küche bringen, als sie zufällig eine Unterhaltung mitbekam, die ihr Herz stolpern ließ.

»Sie darf sich nicht wundern, dass Livia immer noch nicht spricht«, sagte eine der Frauen in der Küche. »Nicht nach dem, was passiert ist.«

»Vielleicht wird sie für immer stumm bleiben«, erwiderte eine andere. »Und das wird Jaycie das Herz brechen.«

Die erste Frau ergriff wieder das Wort. »Jaycie muss diese Möglichkeit einkalkulieren. Schließlich kommt es nicht alle Tage vor, dass ein kleines Mädchen sieht, wie seine Mutter seinen Vater umbringt.«

Starr vor Entsetzen stolperte Annie in die Küche und ließ die Teller in die Spüle fallen.

Kapitel 14

Theo hielt sich gut fest, als eine riesige Welle gegen den Bug der *Val Jane* krachte. Er war auf Segelschiffen groß geworden und oft genug mit den Hummerfischern rausgefahren. Er hatte Sommerstürme erlebt, aber noch nie so etwas wie das hier. Der mächtige Stahlrumpf tauchte in das nächste Wellental, und ein erfrischender Adrenalinstoß durchströmte seinen Körper und schärfte jäh seine Sinne. Zum ersten Mal seit einer scheinbaren Ewigkeit fühlte er sich absolut lebendig.

Das Schiff bäumte sich über der Welle auf, verharrte einen Augenblick auf dem Kamm und tauchte dann wieder abwärts. Selbst in der schweren orangefarbenen Wetterschutzausrüstung fror Theo bis auf die Knochen. Salzwasser rann an seinem Hals herunter, jede entblößte Stelle seiner Haut war nass und fühlte sich taub an, doch das geschützte Ruderhaus lockte ihn nicht. Er wollte das hier voll und ganz erleben. Es in sich hineinschlingen. In sich aufsaugen.

Die nächste Wasserwand türmte sich vor ihnen empor. Die Küstenwache hatte über Funk durchgegeben, dass der havarierte Trawler, die *Shamrock,* nicht mehr manövrierfähig war, da der Maschinenraum unter Wasser stand. An Bord befanden sich zwei Männer. Im Wasser würde keiner der beiden lange durchhalten, nicht bei diesen eisigen Temperaturen. Selbst Überlebensanzüge würden sie nicht schützen. Theo ging im Geiste alle Maßnahmen gegen Unterkühlung durch, die er kannte.

Er hatte im Zuge seiner Recherchen für *Die Heilanstalt* eine Ausbildung zum Rettungshelfer begonnen. Die Vorstellung, in Krisensituationen handeln zu können, stimulierte seine schriftstellerische Fantasie und linderte sein wachsendes Erstickungsgefühl. Er hatte den Kurs trotz Kenleys Protest gemacht. Du sollst deine Zeit mit mir verbringen!, hatte sie gefordert.

Nachdem er seine Prüfung bestanden hatte, war er ehrenamtlich als Rettungshelfer in Philadelphia tätig gewesen, wo er sich um alles Mögliche gekümmert hatte: um Touristen mit Knochenbrüchen, Jogger mit Herzinfarkten, verletzte Inlineskater, Hundebisse. Als New York sich für den Hurrikan Sandy gerüstet hatte, hatte Theo sich freiwillig zum Einsatz gemeldet und geholfen, das VA Hospital in Manhattan und ein Pflegeheim in Queens zu evakuieren. Was er jedoch noch nie getan hatte, war, Menschen medizinisch zu versorgen, die mitten im Winter aus dem Nordatlantik gefischt worden waren. Theo hoffte, dass es noch nicht zu spät war.

Die *Val Jane* traf plötzlich auf die *Shamrock.* Der Trawler, der schwere Schlagseite nach Steuerbord hatte, hielt sich kaum noch über Wasser. Er trudelte im Meer wie eine leere Plastikflasche. Ein Mann klammerte sich am Seitendeck fest. Theo konnte den anderen nicht sehen. Er hörte den Dieselmotor rackern, während Ed die *Val Jane* näher heranmanövrierte, obwohl die gewaltigen Wellen versuchten, die beiden Schiffe auseinanderzutreiben. Darren und Jim Garcia, das vierte Crewmitglied, das Ed für die Mission ausgewählt hatte, kämpften auf dem eisigen Deck, um den sinkenden Trawler an der *Val Jane* zu sichern. Wie Theo trugen beide Schwimmwesten über ihrem Ölzeug.

Theo nahm das panikerfüllte Gesicht des Mannes wahr, der sich kaum noch halten konnte, dann entdeckte er im Ruderhaus das zweite Crewmitglied, das reglos zwischen den Seilen hing. Darren schickte sich an, ein Sicherungsseil um seine Taille zu binden, um das sinkende Schiff zu besteigen. Theo kletterte zu ihm hinüber und zog ihm das Seil weg.

»Was machst du?«, schrie Darren über den Lärm des Dieselmotors hinweg.

»Ich muss in Übung bleiben!«, brüllte Theo zurück und schlang das Seil um seine eigene Taille.

»Bist du jetzt völlig …«

Aber Theo band bereits den Knoten, und statt die Zeit mit Diskutieren zu verschwenden, befestigte Darren das freie Seilende an einer Klampe. Widerwillig gab er Theo sein Messer.

»Wehe, wenn wir dich auch retten müssen«, brummte er.

»Keine Chance«, erwiderte Theo großspurig, obwohl sich das nicht mit seiner inneren Gefühlslage deckte.

Die Wahrheit war, wem würde es wehtun, wenn er es nicht schaffte? Seinem alten Herrn. Ein paar Freunden. Sie alle würden darüber hinwegkommen. Und Annie?

Annie würde zur Feier eine Flasche Champagner öffnen.

Bloß dass sie das nicht tun würde. Das war das Problem mit ihr. Sie war nicht durchtrieben. Theo hoffte inständig, dass sie im Klippenhaus wartete, wie er ihr aufgetragen hatte. Wenn sie sein Kind trug …

Er konnte sich diese Art von Ablenkung jetzt nicht leisten. Die *Shamrock* war dabei zu sinken. Ed konnte jeden Moment gezwungen sein abzudrehen, um die *Val Jane* nicht in Gefahr zu bringen. Theo maß den Abstand zwischen den beiden Schiffen mit den Augen ab und hoffte, dass er zurück an Bord sein würde, bevor das passierte.

Er beobachtete die Wellen, wartete auf seine Gelegenheit und sprang dann. Irgendwie schaffte er es, die strudelnde Kluft zwischen den beiden Schiffen zu überwinden und über den glitschigen, halb unter Wasser liegenden Rumpf zu klettern. Der Mann, der sich am Seitendeck festklammerte, hatte gerade noch die Kraft, einen Arm auszustrecken.

»Mein Sohn …«, keuchte er.

Theo spähte in das Ruderhaus. Der Junge, der dort bewusstlos festhing, war vielleicht sechzehn Jahre alt. Theo konzentrierte sich zuerst auf den Mann. Er gab Darren ein Zeichen und hob dann den Mann hoch genug, dass Darren und Jim ihn zu packen bekamen und an Bord der *Val Jane* hieven konnten. Die Lippen des Mannes waren blau, er brauchte umgehend medizinische Hilfe, aber Theo musste zuerst den Jungen befreien.

Er kletterte vorsichtig in das Ruderhaus, wo seine Gummistiefel im Wasser versanken. Die Augen des Jungen waren geschlossen, er bewegte sich nicht. Da das Schiff im Sinken begriffen war, vergeudete Theo keine Zeit damit, den Puls des Jungen zu fühlen. Es gab eine Grundregel bei extremer Unterkühlung: Niemand ist tot, solange er nicht warm und tot ist.

Theo zog Darrens Messer und durchtrennte die Seile, die sich um die Beine des Jungen verheddert hatten, während er den Bewusstlosen an seiner Überlebensjacke festhielt. Er wollte lieber verdammt sein, als den Jungen zu befreien, nur damit er über Bord gespült wurde.

Jim und Darren mühten sich mit ihren Bootshaken ab und taten ihr Bestes, um die beiden Schiffe nah beieinander zu halten. Theo hievte den schlaffen Körper des Jungen hinaus auf den Rumpf. Eine Welle krachte über ihm zusammen und machte ihn für einen Augenblick blind. Er hielt mit seiner ganzen Kraft den Jungen fest und zwinkerte, um wieder klare Sicht zu haben, als er bereits von der nächsten Welle überspült wurde. Schließlich kamen Darren und Jim nah genug heran, um den Jungen an Bord zu ziehen.

Sekunden später sprang auch Theo auf das Deck der *Val Jane*. Er strauchelte, rappelte sich aber sofort wieder auf. Jedes einzelne Ticken der Uhr brachte die Männer dem Tod ein Stück näher. Während Jim und Ed versuchten, sich um den sinkenden Trawler zu kümmern, half Darren ihm, die beiden Schiffbrüchigen in die Kabine zu schaffen und auf Pritschen zu legen.

Im Gegensatz zu seinem Sohn, der kaum alt genug war, um sich zu rasieren, hatte der Vater einen Vollbart und die wettergegerbte Haut eines Mannes, der einen Großteil seines Lebens draußen verbracht hatte. Er hatte zu zittern begonnen, ein gutes Zeichen.

»Mein … mein Sohn …«, stammelte er.

»Ich kümmere mich gleich um ihn«, sagte Theo und betete, dass die Küstenwache bald zu ihnen stoßen würde.

In seinem Wagen hatte er zwar immer eine Ersthelfertasche dabei, aber er hatte nicht die Ausrüstung, die diese Männer brauchten.

Unter anderen Umständen hätte er bei dem Jungen eine Herz-Lungen-Wiederbelebung durchgeführt, das konnte für jemanden, der stark unterkühlt war, jedoch verheerende Folgen haben. Ohne seine eigene Schutzausrüstung auszuziehen, schnitt er die Männer aus ihren Überlebensanzügen und packte sie in trockene Decken. Er nahm ein paar Wärmekissen und drückte sie in die Achselhöhlen des Jungen. Schließlich fühlte er einen schwachen Puls.

Als das Schiff der Küstenwache eintraf, hatte Theo beide Geretteten dick eingewickelt und erstversorgt. Zu seiner Erleichterung hatte der Junge begonnen, sich zu bewegen, sein Vater brachte schon kurze Sätze heraus.

Theo setzte die Notärztin der Küstenwache darüber ins Bild, was geschehen war, während sie sich anschickte, den Männern Infusionen anzulegen und erwärmten Sauerstoff zu verabreichen. Der Junge öffnete die Augen.

»Sie haben ... Sie haben ihm das Leben gerettet«, stammelte sein Vater und versuchte, sich aufzusetzen. »Sie haben meinem Jungen das Leben gerettet.«

»Ganz ruhig«, erwiderte Theo und drückte den Mann sanft wieder auf die Pritsche. »Freut mich, dass wir helfen konnten.«

Es war fast zwei Uhr morgens, als er Harp House erreichte. Obwohl er die Heizung des Range Rover voll aufgedreht hatte, klapperte er mit den Zähnen. Noch wenige Wochen zuvor hatte er sich nach dieser Art von Unbequemlichkeit gesehnt, aber an diesem Abend war etwas mit ihm passiert, und nun wünschte er sich nur noch, trocken und warm zu werden. Trotzdem zwang er sich, kurz im Cottage vorbeizuschauen. Zu seiner Erleichterung war es leer. Schwer zu glauben, dass Annie seine Bitte befolgt hatte.

Noch schwerer zu glauben, wo er sie fand.

Statt sich in eins der Gästezimmer zu legen, schlief sie im Turm auf der Wohnzimmercouch, bei voller Beleuchtung, ein aufgeschlagenes Exemplar von *Die Geschichte von Peregrine Island* neben sich auf dem Boden. Sie musste allerdings wenigstens kurz im Cottage gewesen sein, weil sie Jeans und Pullover trug. So müde Theo auch war, der Anblick der wilden Locken, die sich auf dem alten Damastkissen ringelten, hatte eine entspannende Wirkung auf ihn.

Annie rollte sich auf die Seite und blinzelte ihn an, streifte eine Haarsträhne aus dem Gesicht.

Er konnte sich nicht beherrschen. »Schatz, ich bin zu Hause.«

Sie hatte sich mit seinem grauen Parka zugedeckt, der auf den Teppich glitt, als sie sich aufsetzte.

»Habt ihr das Schiff gefunden? Was ist passiert?«

Er schälte sich aus seiner Jacke. »Die Männer konnten wir retten. Das Schiff ist gesunken.«

Sie stand auf und musterte sein zerzaustes Haar, seine durchtränkten Jeans. »Du bist ja klatschnass.«

»Vor ein paar Stunden war ich noch viel nasser.«

»Und du zitterst.«

»Unterkühlung. Stadium eins. Die beste Gegenmaßnahme ist nackte Haut an nackter Haut.«

Annie ignorierte Theos Scherz, seine Erschöpfung blieb

ihr nicht verborgen. Mit aufrichtiger Besorgnis sah sie ihn an.

»Wie wäre es mit einer schönen warmen Dusche? Ab ins Bad.«

Er hatte nicht die Energie zu widersprechen.

Sie ging vor ihm her nach oben, und als er den Treppenabsatz erreichte, hielt sie bereits seinen Bademantel in der Hand. Sie schob ihn in das Bad und drehte das Wasser in der Dusche auf, als wäre er dazu nicht selbst fähig. Am liebsten hätte er ihr gesagt, dass sie ihn in Ruhe lassen solle, dass er keine Mutter brauche. Sie sollte nicht hier sein, ihm nicht vertrauen. Sie hätte nicht auf ihn warten müssen. Ihre Gutgläubigkeit machte ihn wahnsinnig. Gleichzeitig hatte er das Bedürfnis, sich bei ihr zu bedanken. Der letzte Mensch, der sich seiner Erinnerung nach so um ihn gekümmert hatte, war Regan gewesen.

»Ich werde dir was Heißes zu trinken machen«, sagte sie und wandte sich zum Gehen.

»Whisky.«

Genau das falsche Getränk, wenn man so stark unterkühlt war wie er, aber vielleicht wusste sie das nicht.

Sie wusste es. Als er frisch geduscht, in seinen Bademantel gehüllt, aus dem Bad kam, erwartete sie ihn bereits mit einer heißen Schokolade. Er warf einen angewiderten Blick darauf.

»Ich hoffe, da ist ein ordentlicher Schuss Alkohol drin.«

»Nicht einmal ein Marshmallow. Warum hast du mir nicht erzählt, dass du Rettungshelfer bist?«

»Ich hatte Angst, dass du mich dann um eine kostenlose Unterleibsuntersuchung bitten würdest. Passiert mir ständig.«

»Du bist verdorben.«

»Danke.«

Theo steuerte auf sein Schlafzimmer zu, nahm einen Schluck von der heißen Schokolade. Sie schmeckte großartig.

Er blieb in der Tür stehen. Annie hatte die verdammte Bettdecke zurückgeschlagen und sogar seine Kissen aufgeschüttelt. Er nahm wieder einen Schluck von der Schokolade und starrte in den Flur zurück zu Annie. Ihr grüner Pullover war zerknittert, ihr linker Hosensaum steckte halb in ihrer Tennissocke. Mit ihrem verwuschelten Haar und dem geröteten Gesicht hatte sie nie verführerischer ausgesehen.

»Mir ist immer noch kalt«, sagte er, obwohl er sich befahl, sich zu zügeln. »Furchtbar kalt.«

Sie legte den Kopf schief. »Netter Versuch. Ich werde mich trotzdem nicht mit dir ins Bett legen.«

»Aber du würdest es gern tun. Gib es zu.«

»Ja, klar. Warum nicht direkt zurück in die Höhle des Löwen springen?« Ihre Pupillen schossen ein gold gesprenkeltes Feuerwerk auf ihn ab. »Du siehst ja, was es mir beim ersten Mal gebracht hat. Eine mögliche Schwangerschaft. Wie wär's mit einem Eimer Eiswasser über die dampfenden Genitalien, Mr. Läufiger Hund?«

Es war nicht komisch. Es war fürchterlich. Bis auf die Art, wie sie es sagte, diese Kratzbürstigkeit, diese Empörung ... Er hatte das heftige Verlangen, sie zu küssen. Stattdessen sagte er, viel selbstsicherer, als er sich fühlte: »Du bist nicht schwanger.« Und dann, weil sie die Antwort verweigert hatte, als er sie das erste Mal gefragt hatte: »Wann ist deine nächste Periode fällig?«

»Das ist meine Privatsache.«

Sie war knallhart. Ihre Methode, um von dem abzulenken, was sie beide wollten. Oder vielleicht wollte nur er es?

Sie streifte eine Locke hinter ihr Ohr. »Wusstest du, dass Jaycie ihren Mann umgebracht hat?«

Der abrupte Themawechsel verblüffte ihn kurz. Er schaute auf seine Tasse, konnte immer noch nicht glauben, dass sie ihm eine heiße Schokolade zubereitet hatte.

»Sicher. Der Kerl war ein richtiger Bastard. Was der Grund ist, weshalb ich Jaycie *niemals* gefeuert hätte.«

»Hör auf, so selbstgefällig dreinzuschauen«, erwiderte sie. »Wir wissen beide, dass du mich reingelegt hast.« Sie rieb ihren Arm. »Warum hat Jaycie mir das nicht gesagt?«

»Ich bezweifle, dass sie gern darüber spricht.«

»Trotzdem, wir arbeiten nun schon seit Wochen zusammen. Meinst du nicht, sie hätte es vielleicht mal erwähnen können?«

»Offenbar nicht.« Er setzte die Tasse ab. »Grayson war ein paar Jahre älter als ich. Ein ruppiger Bursche. Er war hier noch nie besonders beliebt, und es hat nicht den Anschein, als würde ihn jemand ernsthaft vermissen.«

»Sie hätte es mir sagen müssen.«

Es gefiel ihm nicht, sie aufgebracht zu sehen, diese Frau mit der Lockenmähne, die mit Puppen spielte und unzuverlässigen Leuten vertraute. Am liebsten hätte er sie in sein Bett gezogen. Er hätte ihr sogar versprochen, sie nicht anzurühren, wenn er damit diese Falten auf ihrer Stirn hätte wegbügeln können. Aber er bekam keine Gelegenheit dazu. Sie knipste einfach das Licht aus und ging die Treppe hinunter. Er hätte sich bei ihr bedanken sollen, weil sie sich um ihn gekümmert hatte, doch sie war nicht die Einzige, die knallhart sein konnte.

Annie konnte nicht wieder einschlafen, also nahm sie ihre Jacke und den Schlüssel für den Range Rover und verließ das Haus. Sie hatte Jaycie auf der Rückfahrt nicht darauf angesprochen, was sie beim Hummerschmaus aufgeschnappt hatte. Das war nicht möglich gewesen, nicht mit Livia im Wagen. Und Jaycie wusste auch nicht, dass Annie in den Turm gegangen war, um auf Theo zu warten.

Der Nachthimmel war aufgeklart und sternenübersät. Annie entdeckte die Milchstraße. Statt rasch in den Wagen zu steigen, ging sie an den Rand der Auffahrt und schaute hinunter zum Cottage. Es war zu dunkel, um etwas zu erkennen. Wenn jemand dort sein Unwesen getrieben hatte, war er allerdings sowieso längst verschwunden. Vor ein paar Wochen hätte Annie sich noch davor gefürchtet, mitten in der Nacht zum Cottage zurückzukehren, die Insel hatte sie jedoch abgehärtet. Nun hoffte sie fast, jemanden dort unten anzutreffen. Dann würde sie zumindest wissen, wer ihr Peiniger war.

Der Innenraum des Range Rover roch nach Theo: nach Leder und Winterkälte. Annies Verteidigungsmauer brach so schnell ein, dass sie die Steine kaum halten konnte. Und dann war da noch Jaycie. Sie hatte kein einziges Mal den kleinen Umstand erwähnt, dass sie ihren Mann umgebracht hatte. Sicher war das kein Thema, das man so einfach in ein Gespräch einflechten konnte, aber Jaycie hätte eine Möglichkeit finden können. Annie war es gewohnt, mit ihren Freundinnen vertrauliche Dinge auszutauschen, ihre Gespräche mit Jaycie drangen allerdings nie unter die Oberfläche. Es war, als würde um Jaycies Hals ein »Kein Zutritt«-Schild hängen.

Kurze Zeit später hielt Annie vor dem dunklen Cottage und stieg aus dem Wagen. Der Schlosser, den sie sich nicht leisten konnte, sollte erst in der kommenden Woche kommen. Drinnen konnte sie alles Mögliche erwarten. Sie öffnete behutsam die Seitentür, betrat die Küche und schaltete das Licht ein. Alles sah genau so aus, wie sie es zurückgelassen hatte. Sie checkte die anderen Räume, machte überall Licht und warf auch einen vorsichtigen Blick in die Vorratskammer.

Angsthase, spottete Peter.

»Sei still, Arschgesicht«, erwiderte sie. »Ich bin hier, oder nicht?«

Leo verschonte sie in letzter Zeit, dafür wurde Peter, ihr Held, zunehmend angriffslustig. Eine weitere Sache in ihrem Leben, die aus dem Gleichgewicht geraten war.

Am nächsten Morgen wachte Annie mit schrecklichen Kopfschmerzen auf. Sie stieg kurz unter die Dusche, wickelte sich dann in ein Handtuch und tapste über den kalten Boden zur Küche, um sich einen Kaffee zu machen. Sonnenlicht strömte durch das Erkerfenster ins Wohnzimmer und brachte die schillernden Schuppen des Nixenstuhls zum Funkeln. Warum hatte Mariah sich dieses hässliche Ding andrehen lassen? Es erinnerte Annie an eine der kitschigen, unglaublich teuren Skulpturen von Jeff Koons. Sein rosaroter Panther und sein Michael Jackson aus Porzellan, seine Tiere aus Edelstahl, die aussahen wie aufgeblasene Luftballons aus bunter Glanzfolie … sie hatten ihn berühmt gemacht. Der Nixenstuhl könnte direkt Koons' Fantasie entsprungen sein, wenn …

Annie keuchte auf und rannte durch das Wohnzimmer zu den Kartons, die sie dort hatte stehen lassen. Was, wenn der Stuhl von Koons war? Sie kniete sich auf den Boden, wobei ihr Handtuch wegrutschte, und durchwühlte die Kartons auf der Suche nach dem Gästebuch des Cottage. Mariah hätte sich nie eine Koons-Skulptur leisten können, es würde sich also um ein Geschenk handeln. Annie entdeckte das Gästebuch schließlich und blätterte hektisch die Seiten durch. Als sie nichts fand, fing sie noch einmal von vorn an. Koons stand nicht darin. Aber nur weil der Künstler hier nie zu Besuch gewesen war, bedeutete das nicht zwingend, dass der Stuhl nicht von ihm stammte. Annie hatte die Gemälde recherchiert, die kleineren Skulpturen und den Großteil der Bücher, aber sie hatte nichts gefunden. Vielleicht …

»Mir gefällt es hier so viel besser als im Klippenhaus«, sagte eine sanfte Stimme hinter ihr.

Annie fuhr herum. Theo stand im Kücheneingang, die Daumen in seine Hosentaschen eingehakt. Er trug den dunkelgrauen Parka, mit dem Annie sich am Abend zugedeckt hatte.

Trotz ihres verrückten One-Night-Stands in genau diesem Zimmer hatte Theo sie noch nie nackt gesehen, doch Annie unterdrückte den natürlichen Impuls, sich rasch das Handtuch zu schnappen und vor ihren Oberkörper zu pressen wie eine viktorianische Jungfrau. Sie griff in aller Ruhe danach, als wäre es keine große Sache.

»Du bist wirklich ein hinreißendes Geschöpf«, bemerkte Theo. »Hat einer deiner Loserfreunde dir das jemals gesagt?«

Nicht mit so vielen Worten. Eigentlich gar nicht mit Worten.

Und es war nett, diese Worte zu hören, selbst wenn sie von Theo kamen. Annie steckte das Handtuch fest, aber statt anmutig aufzustehen, verlor sie das Gleichgewicht und landete auf ihrem Hinterteil. Das war mal wieder typisch für sie.

»Zum Glück bin ich praktisch Arzt«, sagte Theo. »Nichts von dem, was ich gerade gesehen habe, ist mir also fremd.«

Annie hielt sowohl das Handtuch als auch sich selbst fest im Griff. »Du bist kein Arzt, nicht einmal praktisch, und ich hoffe, du hast den Anblick genossen, weil du ihn nämlich kein zweites Mal zu sehen bekommen wirst.«

»Das bezweifle ich zutiefst.«

»Ach ja? Willst du wirklich schon wieder damit anfangen?«

»Es ist schwer zu glauben, dass du schon vergessen hast, was ich gestern Abend geleistet habe.«

Sie sah ihn fragend an.

Er schüttelte traurig den Kopf. »Dass ich auf heroische Art den gefährlichen Haien und dreißig Meter hohen Wellen die Stirn geboten habe … Und den Eisbergen. Und habe ich die Piraten erwähnt? Andererseits nehme ich an, Heldenmut ist sich selbst Belohnung genug. Man sollte nicht mehr erwarten.«

»Netter Versuch. Geh in die Küche und mach mir einen Kaffee.«

Er schlenderte gemächlich auf sie zu, mit ausgestreckter Hand. »Lass mich dir zuerst auf die Beine helfen.«

»Hau bloß ab.« Sie stand rasch auf, um nicht noch einmal auf ihrem Po zu landen. »Weshalb bist du so früh hier?«

»Es ist gar nicht mehr so früh, und du hättest nicht allein ins Cottage zurückkehren dürfen.«

»Tut mir leid«, sagte sie in aller Aufrichtigkeit.

Er richtete den Blick von ihren nackten Beinen auf das Durcheinander, das sie auf dem Boden angerichtet hatte. »Schon wieder ein Einbruch?«

Sie wollte ihm von dem Nixenstuhl erzählen, aber seine Augen ruhten wieder auf ihren Beinen, und als einzige Person im Raum, die nur mit einem Handtuch bekleidet war, befand sie sich im Nachteil.

»Ich nehme pochierte Wachteleier und frisch gepressten Mangosaft. Falls das nicht zu viel verlangt ist.«

»Lass das Handtuch fallen, und ich spendier dazu einen Champagner.«

»Verlockend.« Sie machte sich auf den Weg in ihr Schlafzimmer. »Da ich jedoch vielleicht schwanger bin, sollte ich keinen Alkohol trinken.«

Er stieß ein langes Seufzen aus. »Und mit diesen Worten erlosch das lodernde Feuer in seinen Lenden.«

Während Theo im Atelier schrieb, fotografierte Annie den Nixenstuhl von allen Seiten. Sobald sie oben im Klippenhaus war, würde sie die Bilder an Koons' Galerist in Manhattan mailen. Falls der Stuhl ein echter Koons war, konnte sie mit dem Erlös ihre gesamten Schulden tilgen und würde immer noch genug übrig haben.

Sie zog den Reißverschluss an ihrem Rucksack zu und ließ ihre Gedanken zu dem Mann, der sich in das Atelier zurückgezogen hatte, wandern.

Du bist wirklich ein hinreißendes Geschöpf …

Auch wenn es nicht stimmte, war es trotzdem schön, das zu hören.

Annie hatte sich angewöhnt, jeden Tag nach dem Feenhaus zu schauen. An diesem Morgen entdeckte sie dort eine filigrane Hängematte, die aus einer Möwenfeder und zwei kleinen Stöcken bestand. Als sie die neueste Ergänzung betrachtete, musste sie an Livias »Ein Geheimnis frei«-Bild denken. Der grobe Strich am Ende des ausgestreckten Arms der stehenden Erwachsenenfigur war alles andere als ein Versehen gewesen. Vielmehr stellte er eine Waffe dar. Und das Strichmännchen am Boden? Der rote Fleck auf der Brust war weder eine Blume noch ein Valentinsherz. Es war Blut. Livia hatte den Mord an ihrem Vaters gemalt.

Die Hintertür öffnete sich, und Lisa McKinley kam heraus. Als sie Annie sah, winkte sie und setzte dann ihren Weg zu dem schlammverspritzten Geländewagen fort, der vor der Garage parkte. Annie sammelte sich kurz, bevor sie ins Haus ging.

In der Küche roch es nach Toast, Jaycie sah sie ängstlich an. »Bitte, sag Theo nichts davon, dass Lisa hier war. Du weißt ja, wie er ist.«

»Theo wird dich nicht rausschmeißen, Jaycie. Das garantiere ich dir.«

Jaycie drehte sich zur Spüle und sagte leise: »Ich habe ihn heute Morgen gesehen, als er zum Cottage aufgebrochen ist.«

Annie wollte nicht über Theo reden. Was hätte sie schon sagen können? Dass er sie womöglich geschwängert hatte? Dass es ein einmaliger Ausrutscher war?

Glaubst du das wirklich?, fragte Dilly und schob ein missbilligendes *Ts, ts, ts* nach.

Unsere Annie verwandelt sich allmählich in eine kleine Schlampe. Peter, ihr ehemaliger Held, griff sie wieder an.

Wer ist nun der Tyrann?, fragte Leo. *Achte auf deine Ausdrucksweise, Kumpel.* Er sprach wie üblich in sarkastischem Ton, aber trotzdem …

Annie wusste nicht, was in ihrem Kopf gerade passierte. Und da Jaycie vor ihr stand, war dies nicht der richtige Zeitpunkt, um es zu ergründen. »Ich habe gehört, wie dein Mann gestorben ist«, sagte sie.

Jaycie humpelte hinüber zum Tisch und ließ sich auf einen Stuhl sinken, ohne sie anzusehen. »Und nun hältst du mich für eine schlimme Person.«

»Ich weiß nicht, was ich von dir halten soll. Ich wünschte, du hättest es mir selbst gesagt.«

»Ich rede nicht gern darüber.«

»Das verstehe ich. Aber wir sind Freundinnen. Hätte ich das früher gewusst, wäre mir von Anfang an klar gewesen, warum Livia stumm ist.«

Jaycie zuckte zusammen. »Ich bin nicht sicher, ob das der Grund ist.«

»Hör auf, Jaycie. Ich habe ein bisschen über Mutismus recherchiert.«

Jaycie vergrub das Gesicht in ihren Händen. »Du kannst dir nicht vorstellen, wie es ist, wenn man weiß, dass man seinem Kind, das man über alles liebt, einen derart schlimmen Schaden zugefügt hat.«

Annie konnte Jaycies Elend nicht ertragen, und sie ruderte zurück. »Du warst nicht im Geringsten verpflichtet, es mir zu sagen.«

Jaycie hob den Kopf und sah sie an. »Ich … bin nicht gut, was Freundschaften betrifft. Als ich hier aufwuchs, gab es nicht sehr viele Mädchen in meinem Alter. Außerdem wollte ich nicht, dass jemand erfuhr, wie schlimm es um meinen alkoholabhängigen Dad stand, also ließ ich jeden abblitzen, der versuchte, mir zu nahezukommen. Sogar Lisa … Mit ihr bin ich am längsten befreundet, wir reden trotzdem kaum über persönliche Dinge. Manchmal denke ich, sie kommt nur hierher, um für Cynthia nach dem Rechten zu sehen.« Die Idee, dass Lisa Cynthias Spion war, hatte Annie noch gar nicht in Erwägung gezogen. Jaycie massierte ihr Bein. »Ich war früher gern mit Regan zusammen, weil sie keine Fragen stellte. Aber sie war viel klüger als ich, und sie lebte in einer anderen Welt.« Annie hatte Jaycie in jenem Sommer als eine Hintergrundgestalt in Erinnerung, als jemanden, den sie vergessen hätte, wenn die Sache in der Höhle nicht passiert wäre. »Ich hätte auch ins Gefängnis kommen können«, fuhr Jaycie fort. »Jeden Abend danke ich Gott dafür, dass Booker Rose mich schreien hörte und rechtzeitig rübergelaufen kam, um alles durch das Fenster zu beobachten.« Sie schloss die Augen und öffnete sie dann wieder. »Ned war betrunken. Er fuchtelte mit seiner Waffe herum, während er auf mich zukam, und bedrohte mich. Livia spielte auf dem Boden. Sie fing an zu weinen, doch Ned war das egal. Er drückte mir die Waffe an die Stirn. Ich glaube nicht, dass er abgedrückt hätte. Er wollte mir nur begreiflich machen, wer der Boss war. Aber ich konnte es nicht ertragen, Livia weinen zu hören, also packte ich seinen Arm und … Es war furchtbar. Ned sah völlig schockiert aus, als die Waffe losging, als könnte er nicht glauben, dass er nicht mehr das Kommando hatte.«

»O Jaycie …«

»Ich weiß bis heute nicht, wie ich mit Livia darüber reden soll. Immer wenn ich es versucht habe, ist sie weggelaufen. Also habe ich aufgegeben und gehofft, dass sie es irgendwann vergessen wird.«

»Sie muss zu einem Therapeuten«, sagte Annie sanft.

»Und wie soll ich das anstellen? Es ist ja nicht so, als hätten wir einen hier auf der Insel, und ich kann es mir nicht leisten, sie zu den Terminen immer aufs Festland zu bringen.« Jaycie wirkte geschlagen, älter als sie war. »Die einzige Person, zu der Livia seit diesem Vorfall eine Bindung aufbaut, bist du.« Nicht zu mir, dachte Annie. Livia baut eine Bindung zu Scamp auf. Jaycies Augen füllten sich mit Tränen. »Ich kann nicht glauben, dass ich jetzt auch noch dich verletzt habe. Nach allem, was du für mich getan hast.«

In diesem Augenblick kam Livia hereingestürmt. Das Gespräch nahm ein Ende.

Nachdem Annie sich auf den Weg zum Klippenhaus gemacht hatte, zog Theo zum Schreiben in das Wohnzimmer um, aber der Tapetenwechsel half auch nicht. Der verdammte Junge wollte einfach nicht sterben. Sein Gesicht starrte Theo aus Annies Skizze entgegen. Theo gefiel die viel zu große Erwachsenenarmbanduhr an dem Kinderhandgelenk, die Haartolle, die der Junge nicht unter Kontrolle hatte, die leichten Sorgenfalten auf seiner Stirn.

Annie hatte ihr künstlerisches Talent abgetan, doch sie konnte verdammt gut zeichnen.

Der Junge hatte Theo sofort in seinen Bann gezogen, wurde in seiner Vorstellung so lebendig wie jede Figur, die er geschaffen hatte. Ohne es geplant zu haben, baute er ihn schließlich als Nebenfigur in seinen Text ein, als einen zwölfjährigen Bengel namens Diggity Swift, der aus dem modernen New York City in das London des 19. Jahrhunderts zurückversetzt wurde. Diggity sollte das nächste Opfer von Dr. Pierce werden, aber er schaffte etwas, das keinem Erwachsenen gelungen war: sich Pierce' Verfolgung zu entziehen. Der psychopathische Doktor war nun rasend vor Wut und versessen darauf, den kleinen Burschen auf die schmerzvollste Art auszulöschen.

Theo hatte beschlossen, den Tod des Jungen nicht näher zu schildern, was er in *Die Heilanstalt* höchstwahrscheinlich getan hätte. Dieses Mal hatte er nicht den Mumm dazu. Ein flüchtiger Hinweis auf den Geruch, der aus dem Bäckerofen drang, würde mehr als genug sein.

Doch der Junge war gerissen. Obwohl er in eine Umgebung versetzt worden war, die ihm nicht fremder sein könnte – eine Umgebung, die sowohl Zeit als auch Raum überstieg –, war es ihm gelungen, am Leben zu bleiben. Und das ohne die Hilfe von Sozialarbeitern, Kinderschutzgesetzen oder einem erwachsenen Wohltäter, ganz zu schweigen von einem Handy oder Computer.

Zuerst hatte Theo keine zündende Idee, wie der Junge seine wundersame Selbstrettung bewerkstelligen sollte, schließlich hatte er die Lösung: Videospiele. Während seine wohlhabenden Workaholic-Eltern die Wall Street eroberten, spielte Diggity stundenlang am PC, wo er ein schnelles Reaktionsvermögen, eine scharfe Kombinationsgabe und eine gewisse Gewöhnung an das Bizarre erlangte. Er hatte zwar große Angst, aber er gab nicht auf.

Theo hatte noch nie ein Kind in seinen Texten verwendet, und er wollte lieber verdammt sein, als das jemals wieder zu tun. Er löschte zwei Stunden Arbeit. Dies hier war nicht die Geschichte des Jungen, und Theo musste die Kontrolle zurückgewinnen, bevor der kleine Scheißer übernahm.

Theo dehnte seine Beine und rieb sich das Kinn. Annie hatte die auf dem Boden verstreuten Bücher und Hefte wieder in die Kartons gepackt, diese allerdings nicht weggeräumt. Sie lebte auf einer Traumwolke. Er glaubte nicht, dass Mariah ihr etwas Wertvolles hinterlassen hatte.

Was ihn betraf, lebte Annie nicht auf einer Traumwolke. Theo wünschte sich, sie würde damit aufhören, ihn hinsichtlich ihrer potenziellen Schwangerschaft an der Nase herumzuführen, beziehungsweise ihm endlich sagen, wann sie es sicher wissen würde. Kenley hatte nie eigene Kinder gewollt, was, wie sich herausstellte, eins der wenigen Dinge gewesen war, die sie beide gemeinsam gehabt hatten. Die bloße Vorstellung, jemals wieder für einen anderen Menschen verantwortlich sein zu müssen, bewirkte, dass Theo der kalte Schweiß ausbrach. Dann konnte er sich auch gleich eine Kugel in den Kopf jagen.

Er hatte kaum an Kenley gedacht seit dem Abend, an dem er Annie von ihr erzählt hatte, und das gefiel ihm nicht. Annie sprach ihn von jeglicher Schuld an Kenleys Tod frei, aber er brauchte seine Schuld. Es war die einzige Möglichkeit, wie er mit sich selbst leben konnte.

Kapitel 15

Am Montagmorgen, als es draußen noch dunkel war, stolperte Annie aus dem Bett, um sich für die Tour auf Naomis Schiff bereitzumachen, aber sie war keine drei Schritte gegangen, als sie mit einem Schlag hellwach war. Sie stöhnte und vergrub ihr Gesicht in den Händen. Was hatte sie sich bloß dabei gedacht, als sie Naomi erfreut zugesagt hatte? Sie hatte sich nichts dabei gedacht, das war das Problem. Sie konnte nicht mit Naomi rausfahren. Welchem Teil ihres Gehirns war das entgangen? Sobald sie mit der *Ladyslipper* ablegte, würde sie die Insel offiziell verlassen. Weil das Schiff in Peregrine seinen Heimathafen hatte – schließlich gehörte Naomi zu der Insel –, war ihr das gar nicht eingefallen. Ich bin bestimmt schwanger, dachte Annie. Wie sonst hätte ich so unbedacht sein können?

Wenn du nicht so viel Zeit damit verbringen würdest, von Theo Harp zu träumen, sagte Crumpet, *würde dein Verstand wieder funktionieren.*

Nicht einmal Crumpet war so schusselig. Annie hatte sich mit Naomi im Hafen verabredet, und sie konnte nicht ohne eine Erklärung fernbleiben. Deshalb zog sie sich rasch etwas an und fuhr dann mit dem Chevrolet, den Jaycie ihr geliehen hatte, in die Stadt.

Die Straße war nach dem Sturm und einem erneuten

Kälteeinbruch von gefrorenem Matsch vernarbt, und Annie fuhr sehr vorsichtig, immer noch erschüttert von ihrer Gedankenlosigkeit. Sie war auf einer Insel gefangen, und sie konnte es nicht riskieren, auf das Meer hinauszufahren. Ihr durfte nie wieder so ein elementarer Fehler passieren.

Am Himmel wurde es langsam hell, und Annie entdeckte Naomi am Bootshausdock, wo sie gerade ihre Ausrüstung in das Ruderboot warf, das sie zur *Ladyslipper* bringen würde, die ein Stück weiter ankerte.

»Da sind Sie ja!«, rief Naomi und winkte fröhlich. »Ich habe schon befürchtet, Sie hätten es sich anders überlegt.«

Bevor Annie eine Erklärung abgeben konnte, begann Naomi, über die aktuellen Wetteraussichten zu sprechen. Annie musste sie schließlich unterbrechen.

»Naomi, ich kann nicht mitkommen.«

In diesem Augenblick kam ein Geländewagen angerast und hielt mit quietschenden Bremsen neben dem Bootshaus. Die Wagentür flog auf, und Theo sprang heraus.

»Annie! Rühr dich nicht vom Fleck!«

Alle Köpfe drehten sich zu ihm, um zu beobachten, wie er über den Kai auf Annie und Naomi zustürmte. Seine zerzausten Haare standen ihm vom Kopf ab, seine linke Wange zierte eine Schlaffalte. »Tut mir leid, Naomi«, sagte er, als er vor ihnen zum Stehen kam. »Annie darf die Insel nicht verlassen.«

Ein weiterer Fehler. Annie hatte vergessen, den Zettel zu zerreißen, den sie am Abend für Theo geschrieben hatte, und nun war Theo hier.

Naomi stemmte eine Hand in ihre breiten Hüften und

demonstrierte den Schneid, der sie zu einer erfolgreichen Hummerfischerin gemacht hatte.

»Und warum nicht, zum Teufel?«

Als Annie zu einer Erklärung ansetzte – sie wollte eine Magenverstimmung vorschieben –, legte Theo seine Hand auf ihre Schulter.

»Annie steht unter Hausarrest.«

»Was soll das heißen?«, polterte Naomi.

»Sie hatte ein bisschen Ärger, bevor sie hierherkam«, antwortete Theo. »Nichts Schlimmes, nur ein paar nicht genehmigte Puppenaufführungen. New York hat diesbezüglich sehr strenge Vorschriften. Unglücklicherweise ist sie Wiederholungstäterin.«

Annie funkelte ihn an, aber er war nicht zu bremsen. »Statt einer Gefängnisstrafe hat der Richter ihr angeboten, für ein paar Monate aus der Stadt zu verschwinden. Er war damit einverstanden, dass sie nach Peregrine geht, aber nur unter der Bedingung, dass sie die Insel nicht verlässt. Offenbar hat sie das vergessen.«

Seine Erklärung faszinierte und entsetzte Annie zugleich. Sie entzog sich seiner Hand. »Was geht dich das an?«

Die Hand lag jetzt auf ihrem Rücken. »Ich bitte dich, Annie, du weißt genau, dass der Richter mich zu deinem Aufpasser bestimmt hat. Ich werde über diesen kleinen Beinaheverstoß hinwegsehen, aber nur, wenn du mir versprichst, dass das nie wieder vorkommt.«

»Ihr Stadtmenschen habt alle einen Knall«, brummte Naomi.

»Vor allem die New Yorker«, bekräftigte Theo ernst. »Na komm, Annie. Führen wir dich weg von der Versuchung.«

Naomi wollte nichts davon wissen. »Bleiben Sie mal locker, Theo. Es geht lediglich um einen Tag auf meinem Schiff. Niemand wird was davon mitbekommen.«

»Tut mir leid, Naomi, ich nehme meine Pflicht gegenüber dem Gericht sehr ernst.«

Annie schwankte zwischen dem Bedürfnis, laut zu lachen, und dem Bedürfnis, Theo ins Wasser zu schubsen.

»Solche Dinge interessieren uns hier einen Scheiß«, argumentierte Naomi.

Sie war wirklich sauer, aber Theo blieb stur. »Gesetz ist Gesetz. So etwas darf nicht wieder passieren.« Er dirigierte Annie vom Kai weg.

Kaum waren sie außer Hörweite, starrte sie ihn ungläubig an. »Nicht genehmigte Puppenvorführungen?«

»Willst du etwa, dass jeder deine Privatangelegenheiten kennt?«

»Nein. Allerdings will ich genauso wenig, dass mich alle für eine verurteilte Kriminelle halten.«

»Übertreib nicht so schamlos. In deinem Fall handelt es sich nur um ein leichtes Vergehen.«

Sie warf die Hände in die Luft. »Konntest du dir nicht etwas Besseres einfallen lassen? Zum Beispiel einen dringenden Anruf von meinem Agenten?«

»Hast du denn einen?«

»Nicht mehr. Aber das weiß Naomi ja nicht.«

»Ich bitte vielmals um Verzeihung«, sagte Theo gestelzt. »Ich bin noch nicht lange wach, und ich stand unter Druck.« Und dann ging er zum Angriff über. »Wolltest du tatsächlich dieses Schiff besteigen und davonschippern? Ganz ehrlich, Annie, du brauchst wirklich einen Aufpasser.«

»Ich wollte das Schiff nicht besteigen. Ich wollte Naomi gerade sagen, dass ich nicht mitkommen kann, als plötzlich die Kavallerie angeritten kam.«

»Warum hast du ihr dann überhaupt zugesagt?«

»Ich hab gerade eine Menge Dinge im Kopf, okay?«

»Erzähl mir davon.« Er führte sie über den Parkplatz zum Gemeindehaus. »Ich brauche einen Kaffee.«

Ein paar Fischer hielten sich noch an der Kaffeetheke im Eingangsbereich auf. Theo nickte ihnen zu, füllte zwei Styroporbecher mit etwas, das Motoröl mehr ähnelte als einem koffeinhaltigen Getränk, und drückte jeweils einen Plastikdeckel darauf.

Sie gingen wieder hinaus und kehrten zu ihren Fahrzeugen zurück. Theos stand ein paar Meter neben ihrem. Er nahm einen Schluck von seinem Kaffee, und Annies Aufmerksamkeit wurde unwillkürlich auf seine Lippen gelenkt. Mit seinem perfekten Mund, den zerzausten Haaren, dem Stoppelkinn und der von der Kälte leicht geröteten Nase sah er aus wie ein nachlässiges Ralph-Lauren-Model.

»Hast du es eilig, nach Hause zu kommen?«, fragte er.

»Nicht besonders.«

Nicht bevor sie verstand, warum er sie nicht in das Boot geschubst und ihr zum Abschied fröhlich gewinkt hatte.

»Dann steig ein. Ich muss dir etwas zeigen.«

»Eine Folterkammer oder ein anonymes Grab?«

Er warf ihr einen empörten Blick zu. Sie schenkte ihm ihr frisch patentiertes süffisantes Lächeln. Er rollte mit den Augen und öffnete ihr die Beifahrertür.

Statt zurück zum Haus zu fahren, schlug Theo die

entgegengesetzte Richtung ein. Der baufällige Schulcontainer klammerte sich an den Hügel hinter dem Hafen, daneben sah man die Brandruinen des ehemaligen Gebäudes. Sie kamen an einer geschlossenen Kunstgalerie und ein paar verrammelten Restaurants vorbei, die für Hummersandwiches und gedünstete Venusmuscheln warben. Die Fischhalle lag gleich am Christmas Beach, wo die Fischer ihre Boote für Wartungsarbeiten an Land zogen. Die holprige Straße machte es Annie schwer, an ihrem heißen Getränk zu nippen, obwohl der Becher einen Deckel hatte. Sie nahm ganz vorsichtig einen Schluck von dem bitteren Kaffee.

»Was Peregrine fehlt, ist ein gutes Starbucks.«

»Und ein Lebensmittelladen.« Theo setzte eine Pilotenbrille auf. »Für einen anständigen Bagel würde ich jetzt meine Seele verkaufen.«

»Du meinst, du hast noch eine?«

»Hört das eigentlich nie auf?«

»Sorry. Meine Zunge macht sich immer wieder selbstständig.« Annie blinzelte in die helle Wintersonne. »Ich hätte da noch eine Frage ...«

»Später.« Theo bog in einen tief gefurchten Feldweg ein, der schnell unpassierbar wurde. Er parkte den Wagen unter einer Fichte. »Ab hier müssen wir zu Fuß weiter.«

Noch wenige Wochen zuvor wäre selbst ein kurzer Spaziergang undenkbar gewesen, jetzt fiel Annie auf, dass sie sich schon gar nicht mehr erinnern konnte, wann sie das letzte Mal einen Hustenanfall gehabt hatte. Die Insel hatte ihr ihre Gesundheit zurückgegeben. Zumindest bis das nächste Mal auf sie geschossen wurde ...

Theo führte Annie am Ellenbogen über den holprigen gefrorenen Boden. Annie gefielen seine altmodischen Manieren. Der Weg führte durch ein Dickicht aus Kiefern. Dahinter fiel er leicht ab, machte dann einen Bogen und endete schließlich auf einer Lichtung. In der Mitte der Lichtung stand ein verlassenes Bauernhaus aus Stein mit einem Schieferdach und zwei Schornsteinen. Ein alter gemauerter Eiskeller war von Beerensträuchern zugerankt. In der Ferne sah man das Meer – ein atemberaubender Ausblick. Selbst an einem kalten Wintertag wie heute kam Annie der abgelegene Ort verwunschen vor.

Sie tat einen tiefen Atemzug. »So sieht die Traumvorstellung von einem Haus auf einer Insel in Maine aus.«

»Es ist viel gemütlicher als Harp House.«

»Jede Gruft ist gemütlicher als das Klippenhaus.«

»Da werde ich dir nicht widersprechen. Dies hier ist die älteste bewirtschaftete Farm auf der Insel. Beziehungsweise sie war es einmal. Früher wurden hier Schafe gehalten, und man hat Getreide und Gemüse angebaut. Seit Anfang der Achtzigerjahre liegt der Hof brach.«

Annie musterte das stabile Dach und die intakten Fenster. »Irgendjemand kümmert sich nach wie vor um das Haus.«

Theo nahm bedächtig einen Schluck von seinem Kaffee, ohne etwas zu sagen.

Sie drehte den Kopf zu ihm, aber seine Augen waren hinter seiner Sonnenbrille verborgen. »Du«, sagte sie. »Du bist derjenige, der sich darum kümmert.«

Er zuckte mit den Schultern, als wäre es keine große Sache. »Ich habe den Hof gekauft. Zu einem Spottpreis.«

Sie ließ sich von der Geringschätzigkeit, die in seiner

Stimme mitschwang, nicht täuschen. Er mochte Harp House vielleicht hassen, diesen Ort hier liebte er.

Sein Blick wanderte über die Lichtung bis hinaus auf das Meer. »Es gibt keine Heizung, keinen elektrischen Strom. Einen Brunnen, jedoch keine funktionierenden Sanitäranlagen. Die Farm ist nicht viel wert.«

Aber ihm war sie viel wert. Die schattigen Stellen auf der Lichtung bargen hier und da noch etwas Schnee. Annies Blick glitt darüber hinweg zum Meer, wo die Morgensonne die Wellenkronen mit silbernem Lametta schmückte.

»Warum wolltest du nicht, dass ich Naomis Schiff besteige? Sobald ich den Hafen hinter mir gelassen hätte, wäre das Cottage in deinen Besitz übergegangen.«

»Es würde an meinen Vater fallen.«

»Und?«

»Kannst du dir vorstellen, was Cynthia damit machen würde? Sie würde es in eine alte Bauernkate verwandeln, oder es abreißen lassen und an seiner Stelle ein englisches Dorf errichten. Wer zur Hölle kann schon sagen, was ihr alles einfällt?«

Annie hatte sich wieder einmal in Theo geirrt. Er wollte, dass sie das Cottage behielt. Sie musste die Spinnweben in ihrem Kopf loswerden.

»Du weißt, es ist nur eine Frage der Zeit, bis ich das Cottage verliere. Sobald ich einen festen Job habe, werde ich nicht jedes Jahr zwei Monate am Stück hierherkommen können.«

»Darum kümmern wir uns, wenn es so weit ist.« *Wir.* Nicht nur sie allein. »Na komm«, sagte er. »Ich zeig dir das Haus.«

Sie folgte ihm über die Lichtung. Sie hatte sich so sehr an das Geräusch der Brandung gewöhnt, dass die Rufe der Wiesenvögel und die größere Stille wie Magie wirkten. Auf dem Weg zum Haus passierten sie eine Gruppe Schneeglöckchen. Mit ihren kleinen gebeugten Blütenköpfen schienen sie sich entschuldigen zu wollen, dass sie ihre Schönheit vorführten, obwohl der Winter noch so lang war. Annie berührte eins der schneeweißen Häubchen.

»Es gibt noch Hoffnung auf der Welt.«

»Ach ja?«

»Es muss sie geben. Wo wäre sonst der Sinn?«

Sein harsches Lachen enthielt keine Heiterkeit. »Du erinnerst mich an einen Jungen, den ich kenne. Er kann nicht gewinnen, aber er kämpft trotzdem immer weiter.«

Sie legte fragend den Kopf schief. »Sprichst du von dir selbst?«

Er machte ein verwundertes Gesicht. »Von mir? Nein. Der Junge ist ... Schriftsteller neigen dazu, die Grenzen zwischen Realität und Fiktion zu vermischen.«

Bauchredner auch, dachte sie.

Ich habe keine Ahnung, wovon du redest, sagte Scamp naserümpfend.

Theo kramte einen Schlüssel aus seiner Hosentasche und steckte ihn in das Schloss, wo er sich mühelos drehen ließ.

»Ich dachte, hier auf der Insel schließt niemand seine Haustür ab«, sagte Annie.

»Der Junge aus der Stadt schon ...«

Sie folgte ihm in einen leeren Raum mit abgetretenen breiten Holzdielen und einem großen gemauerten Kamin. Ein Chor Staubmotten, vom Luftzug gestört, tanzte vor einem sonnigen Fenster. Es roch nach verbranntem Holz und nach Alter, aber nicht modrig. Es gab keinen Müll, der herumlag, keine Löcher in den Wänden, die eine verblasste, altmodische Blumentapete schmückte, die sich an den Kanten aufrollte.

Annie zog den Reißverschluss ihrer Jacke auf. Theo stand in der Mitte des Raumes, die Hände in den Taschen seines grauen Parkas vergraben, fast als wäre es ihm peinlich, dass sie dies hier zu sehen bekam. Sie ging an ihm vorbei in die Küche. Sie war leer bis auf einen Spülstein und ein paar verbeulte Hängeschränke aus Metall. Eine alte Feuerstelle nahm die hintere Wand ein. Sie war ausgefegt worden, auf dem Rost lag frisches Holz. Ich liebe diesen Ort, dachte Annie. Das Haus war Teil der Insel, aber lag abseits von ihren Konflikten.

Annie nahm ihre Mütze ab und stopfte sie in ihre Jackentasche. Ein Fenster über der Spüle zeigte auf einen Bereich der Lichtung, auf dem sich einmal ein Garten befunden haben musste. Annie malte ihn sich in der Blütezeit aus – Stockrosen und Gladiolen in friedlicher Koexistenz mit Zuckerschoten, Kohl und Rüben, die allesamt prächtig gediehen.

Theo folgte Annie in die Küche. Sie stand am Fenster und schaute gedankenverloren hinaus. Ihre offene Jacke war halb von der Schulter gerutscht, sie war wie fast immer ungeschminkt. Sie hätte eine Farmersfrau aus den Dreißigerjahren des vergangenen Jahrhunderts sein können. Sie war keine klassische Schönheit mit ihrem nicht zu bändigenden Haar und ihren kühnen Augen, Annie war ein ganz eigenes Geschöpf.

Theo konnte sich die Verwandlung vorstellen, die Kenley und ihre modebewussten Freundinnen bei Annie veranlasst hätten, wenn sie die Gelegenheit dazu gehabt hätten: chemische Lockenglättung, auf Pornostarproportionen aufgespritzte Lippen, Brustimplantate und eine kleine Liposuktion, auch wenn Theo sich nicht vorstellen konnte, wo man bei Annie Fett absaugen sollte. Das Einzige, was an Annies Aussehen nicht stimmte, war …

Rein gar nichts.

»Du gehörst hierher.« Kaum waren die Worte heraus, hätte er sie am liebsten sofort wieder zurückgenommen. Er schlug einen Ton an, der fast affektiert klang. »Bereit, die Felder zu pflügen, die Schweine zu füttern und das Klohäuschen zu streichen.«

»Na so was, danke.« Sie hätte beleidigt reagieren können. Stattdessen lächelte sie. »Ich mag dein Haus.«

»Es ist ganz okay.«

»Es ist mehr als okay. Du weißt genau, dass es etwas Besonderes ist. Warum musst du immer den harten Kerl mimen?«

»Den muss ich nicht mimen.«

Sie überlegte kurz. »Ich glaube schon. Auf alle erdenklich falschen Arten.«

»Das sagst du.«

Er mochte nicht, dass sie über seine Schwachstellen so gut Bescheid wusste, mochte den sentimentalen Blick auf seine Beziehung zu Kenley nicht, nicht ihre Bereitschaft, das beiseitezuschieben, was vor all den Jahren in jenem Sommer geschehen war. Es ließ ihn um sie fürchten.

Ein Sonnenstrahl hüpfte über ihre Wimpernspitzen. Theo spürte plötzlich das primitive Bedürfnis, diese Frau zu dominieren. Sich selbst zu beweisen, dass er nach wie vor die Kontrolle hatte. Er ging langsam auf Annie zu, ließ sich alle Zeit der Welt und schaute ihr tief in die Augen.

»Lass das«, sagte sie.

Er griff nach einer Locke und ließ sie durch seine Finger gleiten. »Was soll ich lassen?«

Sie schob seine Hand weg. »Hör auf, dich wie ein verdammter Heathcliff aufzuführen.«

»Wenn ich auch nur die leiseste Ahnung hätte, wovon du redest ...«

»Von dem schlendernden Gang. Von dem verschleierten Blick, dem schwerblütigen, hochmütigen Getue.«

»Ich bin in meinem ganzen Leben noch nie geschlendert.«

Trotz ihres Protests hatte sie sich keinen Zentimeter vom Fleck wegbewegt. Vorsichtig strich er mit dem Daumen über ihre Wange ...

Theo übte seinen teuflischen Bann auf sie aus. Vielleicht lag es auch an dem Bauernhaus. Was immer der Grund war, Annie konnte sich nicht von ihm abwenden, obwohl sein Blick etwas Beunruhigendes ausstrahlte. Etwas, das ihr ganz und gar nicht gefiel.

Alles, was sie zu tun hatte, war, sich umzudrehen. Sie tat es nicht. Genauso wenig hinderte sie ihn daran, dass er ihre Jacke von ihren Schultern streifte, bevor er seine eigene abschüttelte. Ihre Jacken lagen in einer Pfütze aus Wintersonne, die durch das Fenster hereindrang.

Während sie dastanden, die Augen aufeinandergeheftet, wurde Annie jeder Zentimeter ihrer Haut bewusst. Ihre Empfindsamkeit war so stark, dass sie das Pulsieren ihrer Venen und Arterien spüren konnte. Und auch das Pulsieren seiner Venen und Arterien. Sie war nicht gemacht für leichtfertigen Sex. Sie war nicht dafür geschaffen, sich zu nehmen, was ein Mann zu bieten hatte, und ihn hinterher zu vergessen. Leider wurde mangelnde Abgeklärtheit in diesen Frauenpowerzeiten als Schwäche angesehen. Noch so ein Ding, das nicht mit ihr stimmte.

Er berührte ihre Wange.

Fass mich nicht so an. Fass mich nirgendwo an. Fass mich überall an …

Er tat es. Mit einem Kuss, der beinahe wütend wirkte. Weil sie nicht so schön war wie er? So privilegiert? So erfolgreich?

Sie umklammerte seine Arme. Öffnete ihre Lippen. Gab sich der verführerischen Macht des Kusses hin. Theo presste sich gegen sie. Er war viel größer, und eigentlich passten sie nicht so gut zusammen, aber ihre Körper sprachen eine andere Sprache.

Seine Hände glitten unter ihren Pullover, fuhren ihren Rücken entlang. Er hatte die Initiative übernommen, und sie musste dem ein Ende bereiten. Ihm entgegentreten und sich behaupten, wie eine Frau von heute das tat. Ihn benutzen, statt sich benutzen zu lassen. Aber es fühlte sich so gut an, begehrt zu werden.

»Ich will dich sehen«, murmelte er an ihren Lippen. »Deinen Körper. Golden im Sonnenlicht.«

Seine Schriftstellerworte ergossen sich wie ein Gedicht über sie, und ihr fiel kein einziger witziger Spruch dazu ein. Sie hob die Arme, damit er ihr den Pullover ausziehen konnte. Er hakte ihren BH auf, der auf den Boden fiel. Er zog seinen eigenen Pullover aus, ohne die Augen von ihren Brüsten abzuwenden. Ihr Körper badete im Sonnenlicht, und obwohl es im Haus sehr kalt war, war Annie heiß.

Sie wollte mehr von seiner Poesie. Mehr von ihm. Sie bückte sich und zog ihre Schuhe aus, streifte ihre Socken ab. Seine Fingerspitzen glitten über ihre Wirbelsäule.

»Wie ein Perlenstrang«, flüsterte er.

Sie bekam eine Gänsehaut. Männer redeten beim Sex nicht gern so. Sie redeten fast gar nicht. Und wenn doch, dann war es meistens vulgär, fantasielos und lusttötend.

Sie hielt seinen Blick fest, zog den Reißverschluss seiner Jeans auf. Mit dem Schatten eines Lächelns ging er auf die Knie. Küsste ihren Bauch. Sie ließ die Finger durch sein Haar gleiten. Spürte seine Kopfhaut unter ihren Fingerkuppen.

Er ließ sich Zeit. Die Bartstoppeln an seinem Kinn zogen eine Bahn über ihre Haut, und er küsste ihren Bauchnabel. Sein Finger glitten über ihr Gesäß. Annie stützte sich mit den Händen auf Theos Schultern ab, während er ungeduldig an ihrem Slip zerrte, an ihrer Jeans, die bis zu ihren Fußknöcheln hinunterrutschte. Er liebkoste jeden Zentimeter ihrer Haut, der entblößt war.

Er wollte mehr, versuchte, ihre Knie auseinanderzudrücken. Annie sehnte sich danach, sie zu öffnen, aber ihre Füße waren durch die Jeans aneinandergefesselt, etwas, um das er sich rasch kümmerte.

Sie umklammerte seine Schultern fester, während er ihre Oberschenkel von hinten umfasste, sie spreizte und tiefer forschte. Sie bog den Hals nach hinten. Versuchte, den Sauerstoff zu bekommen, den sie benötigte. Ihre Knie drohten nachzugeben. Und gaben nach.

Sie fiel rücklings auf die Jacken, die Beine ungelenk gespreizt. Er stellte sich dazwischen und starrte auf alles, was sie enthüllte.

»Ein verwilderter Rosengarten. In voller Blüte.«

Er machte sie fertig mit seiner schmutzigen Poesie. Sie wollte ihn ebenso fertigmachen. Ihn bezwingen. Doch es fühlte sich so gut an, zu empfangen.

Er entledigte sich seiner restlichen Kleidung, stand zwischen ihren Knien, groß, nackt. Forderte er sie heraus?

O ja …

Er ging auf die Knie. Legte ihre Füße auf seine Schultern. Öffnete Annie mit seinem Daumen. Fand sie mit seinem Mund.

Annie schloss die Augen, wölbte sich ihm entgegen.

Oh, Theo war gründlich. So gründlich. Hörte auf. Fing wieder an. Berührte sie mit den Fingern. Berührte sie mit den Lippen. Mit der Zunge. Kühlender Atem, dann wärmender. Annie begann den Anstieg. Kletterte höher. Immer höher. Kam an … schwebte … verkrampfte sich …

Und dann das lange, glückselige Verglühen.

Er ließ sie nicht ihre Beine schließen.

»Du bist noch nicht fertig. Still. Sch … wehr dich nicht.«

Er besaß ihren Körper.

Wie viele Male? Der Anstieg, das Pulsieren, das Verglühen … Er erlebte sie von ihrer verwundbarsten, ihrer wehrlosesten Seite. Und sie ließ es zu.

Erst als sie es nicht mehr aushielt, wehrte sie sich. Er gab ihr Raum, begann dann, seinen Körper auf ihren zu senken, darauf konzentriert, das einzufordern, was so eindeutig seins war. Oben. Immer noch dominant. Herr über seine eigene Befriedigung.

Sie waren kein echtes Liebespaar, und Annie konnte das nicht erlauben. Sie wand sich unter ihm hervor, bevor er sie wieder auf den Boden drücken konnte. Nun war er derjenige, der auf den Jacken lag. Er rollte sich auf die Seite und zog sie mit, um sie wieder unter sich zu drängen. Aber durch die Erlösung, die er ihr geschenkt hatte, besaß sie eine Energie, die er nicht hatte. Sie legte ihre Hände auf seine Brust und stieß ihn zurück, bis er auf dem Rücken lag, damit sie ihren eigenen Zauber ausüben konnte.

Sie betrachtete seine Brustmuskulatur, seinen Bauch. Und was darunter war. Sie beugte sich über ihn. Ihre Haare streiften seine Haut. Er hob die Hände und griff in ihre Locken … genießerisch.

Sie tat ihm das an, was er ihr angetan hatte. Spielte. Unterbrach. Spielte wieder, ihre blasse Haut an seiner dunkleren. Sonnenlicht und Staub, der Geruch von Sex, von ihr und ihm. Er drückte gegen ihren Hinterkopf, aber sie widerstand, weigerte sich, ihn fliegen zu lassen. Sie war die erfahrenste Kurtisane der Welt. Fähig, Befriedigung zu schenken. Oder sie vorzuenthalten.

Er hatte schon längst die Augen geschlossen. Er wölbte seinen Rücken. Sein Gesicht verzog sich. Er war ihr ausgeliefert.

Schließlich gab sie ihm die Erlösung, die er begehrte.

Es war noch nicht das Ende. Bald lag sie wieder unter ihm, dann erneut oben. An irgendeinem Punkt ließ er sie kurz allein, um das Feuer anzuzünden. Er hatte nicht gescherzt mit den Kondomen. Er hatte welche dabei, und er wollte sie offenbar alle benutzen.

Während das alte Farmhaus um sie herum knackte, erforschten sie sich gegenseitig langsamer. Er schien in ihre Haare vernarrt zu sein, und sie kitzelte damit über seinen Körper. Sie vergötterte seine Lippen. Er nannte sie wieder ein »hinreißendes Geschöpf«, und sie hätte am liebsten geweint.

Die Sonne stand bereits hoch am Himmel, als sie schließlich gesättigt waren. »Betrachte es als Wiedergutmachungssex«, murmelte er in ihr Ohr.

Das brach den Bann, der Annie gefangen genommen hatte. Sie hob den Kopf von seiner Schulter. »Wiedergutmachung wofür? Wir haben uns nicht gestritten. Ausnahmsweise mal nicht.«

Er rollte auf die Seite und schlängelte seinen Finger in eine Locke. »Ich wollte diese ganze unbeholfene Fummelei wiedergutmachen, die ich dir mit sechzehn angetan habe. Es ist ein Wunder, dass du damals nicht für immer die Lust am Sex verloren hast.«

»Offenbar nicht.« Ein Lichtstreifen fiel auf sein Gesicht. Sie berührte die Narbe über seiner Augenbraue und sagte schroffer als beabsichtigt: »Die hier bedaure ich nicht.«

»Dazu hast du auch keinen Grund.« Er stand auf. »Sie ist nicht von dir.«

Sie stützte sich auf. »Doch«, widersprach sie. »Ich hab dir die Reitgerte über das Gesicht gezogen.«

Er schlüpfte in seine Jeans. »Diese Narbe hat nichts mit dir zu tun. Das war ein Surfunfall. Meine eigene Dummheit.«

Nun war sie auf den Beinen. »Das ist nicht wahr. Die Narbe stammt von mir.«

Er zerrte an seinem Reißverschluss. »Es ist mein Gesicht. Meinst du nicht, ich sollte es genauer wissen?«

Er log. Die Reitgerte, ihre rasende Wut, die Strafe für die Welpen, für das, was er ihr angetan hatte, für die Höhle und die Nachricht, die er ihr geschrieben hatte, und für ihr gebrochenes Herz. Sie erinnerte sich genau.

»Warum sagst du das?« Sie griff nach ihrer Jacke und bedeckte damit ihre Nacktheit. »Ich weiß doch, was damals passiert ist.«

»Du hast mich getroffen. Daran kann ich mich erinnern. Aber das war irgendwo hier.« Er deutete auf seine andere Augenbraue, über die sich ein kaum erkennbarer heller Strich zog.

Warum log er? Das Haus verlor jäh seinen Zauber. Sex geht nicht einher mit Vertrauen oder Intimität, rief eine innere Stimme. Annie griff nach ihren Kleidern.

»Lass uns gehen.«

Die Fahrt zurück in die Stadt verlief schweigend. Theo bog auf den Hafenparkplatz, um Annie bei Jaycies Chevrolet abzusetzen. Als er anhielt, kam plötzlich eine Frau mittleren Alters mit einer Baseballmütze und spröden blonden Haaren auf ihn zugestürmt. Sie begann zu reden, bevor Theo sein Fenster ganz geöffnet hatte.

»Ich komme gerade von meinem Vater, Les Childers. Erinnern Sie sich an ihn? Ihm gehört die *Lucky Charm*. Er hat sich an der Hand verletzt. Die Wunde ist ziemlich tief und blutet wie verrückt. Sie muss bestimmt genäht werden.«

Theo stützte seinen Ellenbogen auf den offenen Fensterrahmen. »Ich werde ihn mir ansehen, Jessie, aber als Rettungshelfer kann ich nicht viel machen. Solange ich meine Ausbildung zum Sanitäter nicht abgeschlossen habe, darf ich ihn nur verbinden. Er wird wohl aufs Festland fahren müssen.«

Theo machte eine Ausbildung zum Sanitäter? Noch so eine Sache, von der er nichts erwähnt hatte.

Jessie straffte sich, bereit zu kämpfen. »Theo, wir sind hier auf Peregrine. Glauben Sie, dass auch nur einer von uns einen Scheiß darauf gibt, was Sie offiziell dürfen und was nicht? Sie wissen doch, wie es hier läuft.« Annie wusste es auch. Die Inselbewohner versorgten sich selbst, und in ihren Augen war Theos medizinische Ausbildung dazu da, dass er sie anwandte. Jessie war noch nicht fertig. »Ich würde es außerdem sehr begrüßen, wenn Sie auch bei meiner Schwester vorbeischauen könnten. Ihr Hund hat Diabetes und braucht Insulin, aber sie hat Angst davor, ihm die Spritzen zu geben. Für den Anfang benötigt sie Hilfe. Ich wünschte, wir hätten schon letzten Monat gewusst, dass Sie medizinisch geschult sind, als Jack Brownie seinen Herzinfarkt hatte.«

Ob er wollte oder nicht, Theo wurde in das Inselleben hineingesogen.

»Also gut, ich werde nach beiden schauen«, sagte er widerwillig.

»Fahren Sie mir einfach hinterher.«

Jessie nickte Annie kurz zu und marschierte dann zu einem rostigen Skelett, einem ehemals roten Pick-up.

Annie öffnete die Beifahrertür des Range Rover. »Herzlichen Glückwunsch, Theo. Sieht ganz so aus, als wärst du der neue Inselarzt. Und auch der neue Inseltierarzt.«

Er nahm seine Sonnenbrille ab und massierte seinen Nasenrücken. »Das überfordert mich total.«

»Ich sehe es«, erwiderte sie. »Vielleicht solltest du deine Kenntnisse über Wurmkuren für Hunde auffrischen. Und über Rindergeburtshilfe.«

»Auf Peregrine gibt es keine Kühe.«

»Noch nicht.« Sie stieg aus dem Wagen. »Aber warte, bis es sich herumgesprochen hat, dass es einen neuen Tierarzt auf der Insel gibt.«

Kapitel 16

Etwas war hier oberfaul. Die Vordertür des Cottage stand offen, und Hannibal kauerte in der Nähe der alten Hummerfallen, die aus dem schmelzenden Schnee herausragten. Annie stürmte aus dem Wagen und stapfte durch den Vorgarten auf die offene Tür zu. Sie war zu wütend, um vorsichtig zu sein. Sie wünschte sich, dass der Eindringling sich noch im Haus aufhielt, damit sie ihn in Stücke reißen konnte.

Die Bilder hingen schief an den Wänden, Bücher lagen auf dem Boden verstreut. Am schlimmsten war jedoch, dass der Eindringling mit knallroter Farbe eine Botschaft an die Wand geschmiert hatte: *Ich komme dich holen.*

»Den Teufel wirst du tun!«

Annie stürmte durch das Haus. Die Küche und das Atelier schienen unangetastet. Ihre Puppen waren unversehrt und Theos Sachen unberührt, dafür waren im Schlafzimmer alle Schubladen aus der Kommode gezogen und ihr Inhalt auf den Boden geworfen worden.

Die wiederholte Verletzung ihrer Privatsphäre brachte Annie zur Weißglut, ihre Empörung darüber, dass jemand völlig ungeniert im Cottage einbrach, ihre Sachen durchwühlte und geschmacklose Botschaften an ihren Wänden hinterließ, war grenzenlos. Das war zu viel. Entweder wollte jemand aus der Familie Harp sie vergraulen, oder einer der Inselbewohner wusste von Mariahs Vermächtnis und versuchte, Annie zu vertreiben, um das Cottage auf den Kopf stellen zu können, bis er gefunden hatte, wonach er suchte.

Elliott Harp hatte zwar kein glückliches Händchen mit seinen Ehefrauen, aber Annie hatte ihn nie als einen unmoralischen Menschen erlebt. Cynthia Harp war da schon problematischer. Sie besaß Geld, ein Motiv und Verbindungen auf der Insel. Nur weil sie sich derzeit in Südfrankreich aufhielt, bedeutete das nicht, dass sie nicht die treibende Kraft hinter diesen Übergriffen war. Annie bezweifelte dennoch, dass Cynthia sich so viel Mühe für ein kleines Cottage machen würde, da ihr doch Harp House zur Verfügung stand. Was dagegen Mariahs Vermächtnis betraf ... Wenn Annie aus dem Cottage vertrieben war, konnte der Einbrecher sich so viel Zeit bei seiner Suche lassen, wie er wollte, ohne befürchten zu müssen, von Annie überrascht zu werden.

Sie hatte alle Zeit der Welt gehabt und das Vermächtnis immer noch nicht gefunden. Allerdings hatte sie keine Bodendielen aufgestemmt und auch keine Löcher in die Wände geschlagen, und vielleicht wollte der Eindringling ja genau dafür ungestört sein. Wer auch immer hinter diesen Einbrüchen steckte, konnte von dem Vermächtnis erst nach Annies Ankunft erfahren haben, anderenfalls hätte er bereits vorher danach gesucht. Hannibal verkroch sich unter Annies Bett, während sie zornig die Bettwäsche, die von der Matratze gerissen worden war, betrachtete. Dann kehrte sie ins Wohnzimmer zurück. *Ich komme dich holen ...* Die rote Farbe war noch feucht. Jemand wollte Annie Angst einjagen, und wäre sie nicht so wütend gewesen, hätte es vielleicht funktioniert.

Es gab eine weitere Möglichkeit, eine, die Annie nur widerwillig in Betracht zog, die sie aber nun nicht länger verdrängen konnte, nicht solange sie immer noch das Geräusch der Kugel im Ohr hatte, die so dicht an ihrem Kopf vorbeigepfiffen war. Was, wenn das hier überhaupt nichts mit dem Vermächtnis zu tun hatte? Was, wenn jemand sie einfach hasste?

Annie entdeckte in der Vorratskammer eine Dose mit einem Rest Wandfarbe und übermalte damit die gehässige Botschaft. Dann duschte sie rasch und fuhr anschließend mit dem Chevrolet zum Klippenhaus hoch. Sie vermisste das Zufußgehen beinahe. In den ersten Tagen war ihr der steile Weg bis zur Klippenspitze wie die Besteigung des Mount Everest vorgekommen, doch ihre Lunge hatte sich erholt, und die körperliche Anstrengung tat ihr gut.

Als Annie aus dem Wagen stieg, kam Livia auf Socken aus dem Haus geflitzt und rannte ihr entgegen, mit einem großen Lächeln im Gesicht.

»Livia! Du hast keine Schuhe an!«, rief Jaycie ihr hinterher. »Komm sofort zurück, du kleiner Teufel!«

Annie streichelte mit den Fingerspitzen über Livias Wange und folgte dem Kind ins Haus. Drinnen in der Küche humpelte Jaycie schwerfällig zur Spüle.

»Lisa hat angerufen. Sie hat dich und Theo heute Morgen durch die Stadt fahren sehen.«

Annie wich Jaycies indirekter Frage aus. »Eine Frau hat ihn gebeten, nach ihrem Vater zu schauen. Irgendeine Jessie Soundso. Offenbar hat es sich herumgesprochen, dass Theo Rettungshelfer ist.«

Jaycie drehte den Wasserhahn auf und füllte ein Glas für Livia. »Jessie Childers. Wir haben auf der Insel keine medizinische Versorgung mehr.«

»Das habe ich bereits gehört.«

Annie verzog sich kurz darauf in Elliotts Arbeitszimmer, um ihre E-Mails abzurufen. Sie hatte eine Einladung für eine Babyparty von einer ehemaligen Mitbewohnerin, eine Nachricht von einer anderen Freundin und eine einzeilige Antwort von Jeff Koons' Galeristen: *Das Objekt ist nicht von ihm.*

Annie war nach Heulen zumute. Sie hatte sich zwar verboten, sich allzu große Hoffnungen zu machen, trotzdem war sie sich sicher gewesen, dass der Nixenstuhl von Koons war. Sie war in eine weitere Sackgasse geraten.

Aus der Küche drang ein dumpfes Poltern, und Annie zwang sich aufzustehen, um dem Geräusch auf den Grund zu gehen. Sie traf Jaycie dabei an, einen der Küchenstühle aufzurichten.

»Livie, hier im Haus wird nicht mehr herumgetobt. Du machst sonst noch irgendwas kaputt«, schimpfte sie.

Livia trat mit ihrem Turnschuh gegen die Stuhlkante. Jaycie lehnte sich mit einem besiegten Seufzen gegen den Tisch. »Es ist nicht ihre Schuld. Sie hat keinen Ort, an dem sie ihre Energie herauslassen kann.«

»Ich werde mit ihr rausgehen«, sagte Annie. »Was hältst du davon, Liv? Hast du Lust auf einen Spaziergang?«

Livia nickte so eifrig, dass ihr Haarreifen über ihre Augen rutschte.

Annie beschloss, mit der Kleinen an den Strand zu gehen. Die Sonne schien, und es war Ebbe. Livia war ein Inselkind. Sie gehörte in Wassernähe.

Annie hielt Livias Hand gut fest, als sie gemeinsam die Klippenstufen hinunterstiegen. Livia versuchte, sich von ihr zu lösen, erpicht darauf, rasch an den Strand zu gelangen, aber Annie ließ sie nicht los. Nachdem sie die letzte Stufe hinter sich gebracht hatten, blieb die Kleine plötzlich stehen, als könnte sie nicht glauben, dass sie so viel Platz zum Herumtoben hatte.

Annie zeigte auf den Strand. »Versuch mal, ob du die Möwen dort drüben fangen kannst.«

Livia benötigte kein Zureden. Sie sauste sofort los, lief zwischen den Felsen hindurch an das sandige Ufer, hielt aber Abstand zu den riesigen Wellen.

Annie entdeckte fernab von dem alten Höhleneingang einen flachen Felsen. Sie legte ihren Rucksack ab, setzte sich auf den Stein und beobachtete Livia, die behände über die Felsen kletterte, Küstenvögel jagte und im Sand buddelte. Als die Vierjährige schließlich müde wurde, gesellte sie sich zu Annie. Die lächelte, holte Scamp heraus und schob die Puppe auf ihre Hand.

Scamp verschwendete keine Zeit. *»Ein Geheimnis frei?«*

Livia nickte.

»Ich habe Angst«, sagte Scamp. Und dann, dramatischer: *»Schreckliche Angst.«*

Livia runzelte die Stirn.

»Das Meer ist so groß«, flüsterte Scamp, *»und ich kann nicht schwimmen. Das ist unheimlich.«*

Livia schüttelte den Kopf.

»Du hast keine Angst vor dem Wasser?«, fragte Scamp.

Livia hatte keine Angst.

»Ich schätze, jeder fürchtet sich vor etwas anderem.«

Scamp tippte an ihre Wange. *»Manchmal ist es ganz gut, vor bestimmten Sachen Angst zu haben. Zum Beispiel davor, ins Meer zu gehen, wenn kein Erwachsener in der Nähe ist. Und manchmal ist es nicht gut, vor bestimmten Sachen Angst zu haben, weil sie nicht echt sind, Monster zum Beispiel.«*

Livia schien zuzustimmen.

Annie rekapitulierte im Geiste, was sie inzwischen alles über Livias Trauma wusste. Sie war sich nicht sicher, ob dies hier eine gute Idee war oder nicht, aber sie wollte es trotzdem versuchen. *»Es war sicher nicht leicht mitanzusehen, wie dein Dad versucht hat, deiner Mom wehzutun«*, sagte Scamp weiter. *»Das war wirklich total zum Fürchten.«*

Annie sah zu, wie Livia mit dem Zeigefinger in einem kleinen Loch in ihrer Jeans pulte. Das Einzige, was sie über die Behandlung von traumatisierten Kindern wusste, hatte sie aus dem Internet. Die Sache war zu kompliziert, sie beschloss, sofort damit aufhören. Aber …

Jaycie konnte mit Livia nicht darüber sprechen, was passiert war. Vielleicht würde es ja Scamp gelingen, dieses Tabuthema aufzubrechen.

»Viel unheimlicher als das Meer«, fuhr Scamp fort. *»Wenn ich hätte mitansehen müssen, dass meine Mommy meinen Dad erschießt, hätte ich so viel Angst, dass ich wahrscheinlich auch nicht mehr reden würde.«*

Livia wandte sich mit großen Augen von dem Loch in ihrer Hose ab und richtete ihre ganze Aufmerksamkeit auf die Puppe.

Annie ließ Scamp ihren fröhlichsten Ton anschlagen. *»Nach einer Weile würde mir das Nichtreden allerdings* *langweilig werden. Vor allem wenn ich etwas Wichtiges zu sagen hätte. Oder wenn ich Lust hätte zu singen. Habe ich dir schon gesagt, dass ich eine supertolle Sängerin bin?«*

Livia nickte energisch.

Annie kam eine gewagte Idee. Eine Idee, die sie vielleicht nicht weiterverfolgen sollte, weil ihr das nicht zustand. Obwohl ... Was, wenn ...

Scamp fing an zu singen und schüttelte ihre Locken im Takt zu der Melodie, die Annie spontan improvisierte.

Mir ist was ganz, ganz Schlimmes passiert,
das ich am liebsten vergessen würd.
Im Leben gibt es manchmal Streit,
doch das war bis jetzt die schlimmste Zeit!
O ja ... Das war bis jetzt die schlimmste Zeit!

Livia lauschte aufmerksam, ohne beunruhigt zu wirken, also fuhr Annie fort zu improvisieren.

Manche Daddys sind gut, manche schlecht.
Oh, das ist so ungerecht.
Was Livs Dad tat, konnte keiner verstehn,
aber sie wollte ihn nicht sterben sehn.
Nein ... Sie wollte ihn nicht sterben sehn.

O mein Gott!

Annie rutschte das Herz in die Hose, als ihr klar wurde, was sie soeben getan hatte. Das war wie eine schlechte Parodie auf *Saturday Night Live* gewesen. Die fröhliche, simple Melodie, der grauenhafte Text ... Sie hatte Livias

Trauma gerade behandelt, als wäre es eine Comedynummer, und Livia schien darauf zu warten, mehr zu hören. Annie war so entsetzt über sich selbst, dass sie den Mut verlor. Ihre Absichten mochten gut sein, sie konnte dem Kind damit jedoch einen ernsthaften seelischen Schaden zufügen.

Scamp ließ den Kopf hängen. *»Ich glaube, ich sollte kein Lied über so etwas Schreckliches singen.«*

Livia musterte die Puppe kurz, dann kletterte sie von dem Felsen hinunter und rannte davon.

Theo traf Annie im Cottage an, als sie Hannibal gerade sein Abendessen gab. »Du sollst nicht allein hierherkommen«, schimpfte er. »Und warum riecht es hier nach frischer Farbe?«

»Ich habe nur die Wand ein bisschen ausgebessert.« Sie schlug einen kühlen Ton an, entschlossen, die Distanz zwischen ihnen wiederherzustellen.

»Wie lief es mit deinem Patienten?«

»Nicht gut. Die Wunde von jemandem ohne Betäubung zu nähen, entspricht nicht gerade meiner Vorstellung von einer guten Zeit.«

»Sag das bloß nicht deinen Lesern. Sie wären sonst von dir enttäuscht.«

Er sah sie finster an. »Wenn ich nicht da bin, solltest du oben im Klippenhaus bleiben.«

Ein guter Rat, nur dass Annie ein immer mächtigeres Bedürfnis verspürte, da zu sein, wenn der Eindringling das nächste Mal auftauchte. Dieses Katz-und-Maus-Spiel hatte lange genug gedauert. Sie wollte einen Showdown.

Ich weigere mich, ein ängstliches Kind zu erziehen, Antoinette, hörte sie ihre Mutter sagen. *Du bist von Natur aus schüchtern ... von Natur aus ungeschickt. Du musst aufhören, immer mit offenen Augen vor dich hinzuträumen ...* Und dann: *Natürlich liebe ich dich, Antoinette. Sonst würde ich mir ja keine Sorgen um dich machen.*

Und sie hatte Mariah geglaubt.

Das Leben auf dieser trostlosen Winterinsel, so weit entfernt von ihrem Stadtleben, brachte Annie dazu, auf eine ganz neue Art über sich selbst nachzudenken. Auf eine Art ...

»Was zur *Hölle*?«

Annie sah, dass Theo die Wand begutachtete, die sie am Morgen gestrichen hatte. Sie zog eine Grimasse. »Ich muss wohl noch einmal drübergehen.«

Er zeigte mit dem Finger auf die blassen roten Buchstaben, die durch die weiße Farbe durchschimmerten. »Versuchst du gerade, witzig zu sein? Das ist nicht witzig!«

»Entscheide dich. Ich kann witzig sein oder schreien. Such es dir aus.«

Ihr war nicht nach Schreien zumute. Lieber wollte sie sich mit jemandem prügeln.

Theo stieß ein obszönes Schimpfwort aus und wollte dann genau wissen, was sie vorgefunden hatte. Nachdem sie ihm alles geschildert hatte, verkündete er seinen Entschluss.

»Das reicht. Du ziehst rauf ins Klippenhaus. Und ich werde aufs Festland fahren und mit der Polizei reden.«

»Reine Zeitverschwendung. Die Polizei hat es nicht einmal interessiert, dass auf mich geschossen wurde. Das hier wird sie noch viel weniger interessieren.«

Er zog sein Handy heraus, bevor ihm im nächsten Moment einfiel, dass er im Cottage keinen Empfang hatte. »Pack deine Sachen. Du verschwindest von hier.«

»Sosehr ich deine Sorge auch zu schätzen weiß, aber ich bleibe hier. Und ich will eine Waffe.«

»Eine Waffe?«

»Nur als Leihgabe.«

»Du willst, dass ich dir eine Waffe leihe?«

»Und dass du mir zeigst, wie man sie benutzt.«

»Das ist keine gute Idee.«

»Dir ist es also lieber, wenn ich dem großen Unbekannten unbewaffnet gegenüberstehe?«

»Mir ist es lieber, wenn du dem großen Unbekannten überhaupt nicht gegenüberstehst.«

»Ich laufe nicht davon.«

»Verdammt, Annie, du bist gerade genauso leichtsinnig wie damals.«

Sie starrte ihn an. Sie selbst hatte sich nie als leichtsinnig betrachtet, und die Vorstellung gefiel ihr. Sie erwog sie im Hinblick auf ihre Angewohnheit, sich in die falschen Männer zu verlieben, im Hinblick auf ihre Überzeugung, dass aus ihr eine großartige Schauspielerin werden konnte, im Hinblick auf ihre Entschlossenheit, mit Mariah diese letzte Reise nach London zu machen. Und – nicht zu vergessen – im Hinblick darauf, sich von Theo Harp schwängern zu lassen.

Mariah, du hast mich überhaupt nicht gekannt.

Theo wirkte mit den Nerven am Ende, etwas ganz Neues, und Annie nutzte das aus. »Ich möchte eine Waffe haben, Theo. Und ich möchte lernen, wie man damit schießt.«

»Das ist zu gefährlich. Oben im Haus wirst du sicher sein.«

»Ich will nicht in der Höllengruft wohnen. Ich will hierbleiben.«

Theo starrte sie lange streng an. »Also gut«, sagte er dann. »Morgen Nachmittag ist Schießtraining. Aber du passt ganz genau auf, was ich dir erkläre.« Er stolzierte in Richtung Atelier davon.

Annie machte sich zum Abendessen ein Sandwich und nahm sich dann wieder die Kartons vor, doch es war ein langer Tag gewesen, und sie war müde. Als sie sich die Zähne putzen ging, starrte sie auf die geschlossene Ateliertür. Obwohl sie sich ständig vor Augen hielt, dass sie zu Theo Distanz halten musste, wünschte sie sich, mit ihm in einem Bett zu liegen. Sie wünschte es sich so sehr, dass sie sich in der Küche ein Post-it schnappte, rasch etwas notierte und die Haftnotiz dann außen an ihre Schlafzimmertür klebte. Annie machte die Tür rasch hinter sich zu und legte sich schlafen.

Diggity Swift war tot. Theo hatte es vollbracht. Der Junge hatte endlich einen Fehler begangen und war von Dr. Pierce erwischt worden. Theo hatte seitdem kein Wort mehr geschrieben.

Er klappte seinen Laptop zu und rieb sich die Augen. Sein Gehirn qualmte, das war alles. Morgen würde er mit klarem Kopf frisch durchstarten können. Bis dahin war das enge Gefühl in seiner Brust sicher verschwunden, und er würde wieder mit dem Schreiben vorankommen. Der Mittelteil eines Romans war immer am schwersten. Nachdem es Diggity nicht mehr gab, würde er bald wieder klarsehen in dem Kuddelmuddel, das er geschaffen hatte, und eine Überleitung zum nächsten Kapitel finden. Solange er nicht anfing, über Annie nachzudenken und darüber, was am Morgen auf seiner Farm passiert war …

Er würde sie nicht wecken, wenn er sich gleich zu ihr ins Bett legte. Er war schließlich kein Tier ohne jede Selbstbeherrschung, auch wenn er sich so fühlte. Das Novum, mit einer Frau geschlafen zu haben, die er nicht zu verachten gelernt hatte, faszinierte ihn. Mit einer Frau, die hinterher keinen Weinkrampf bekam. Oder ihn wegen irgendeiner imaginären Beleidigung attackierte.

Weil Annie so anders war als die Frauen aus seiner Vergangenheit, fragte er sich, ob sie ihm als eine Fremde auf der Straße aufgefallen wäre. Natürlich wäre sie ihm aufgefallen. Ihr einzigartiges skurriles Gesicht hätte seine Aufmerksamkeit geweckt, und ebenso ihre Art zu gehen, als wäre sie entschlossen, den Boden unter ihren Füßen zu erobern. Theo mochte Annies Körpergröße, ihre seltsame Art, andere Menschen anzusehen, als könnte sie in sie hineinschauen. Er mochte ihre Beine – die mochte er definitiv. Annie war außergewöhnlich. Er musste sich mehr anstrengen, um sie zu beschützen.

Theo hatte Jessie und ihrem Vater vorsichtig auf den Zahn gefühlt, um herauszufinden, wie die Leute auf der Insel über Annie dachten, doch er hatte nichts erfahren, was sein Misstrauen weckte. Sie waren zwar neugierig, wollten wissen, warum Annie auf die Insel gekommen war, sie waren dennoch mehr daran interessiert, Anekdoten über Mariah zu erzählen. Theo nahm sich vor, sich demnächst beim Einlaufen der Fangschiffe in der Nähe der Fischhalle herumzutreiben. Er würde den Männern ein Bier ausgeben und schauen, was er in Erfahrung bringen konnte. Er würde außerdem dafür sorgen, dass sie erfuhren, dass Annie bewaffnet war, eine beunruhigende Aussicht, die aber notwendig war.

Theo war auf die Insel gekommen, weil er keine Menschen um sich haben wollte, und doch steckte er plötzlich mittendrin. Es war nun über eine Stunde her, dass er Annie in ihr Zimmer hatte gehen hören. Sie trug bestimmt wieder diesen schrecklichen Pyjama. Oder vielleicht auch nicht.

Seine guten Absichten lösten sich auf. Er legte den Laptop zur Seite und verließ das Atelier. Gleich darauf blieb er wie angewurzelt stehen. An ihrer Tür haftete ein Post-it. Es stand lediglich ein Wort darauf. *Nein.*

Theo erwähnte am nächsten Morgen nichts von dem Zettel. Er sagte überhaupt nicht viel, außer, dass er seinen Wagen benötigte. Erst hinterher erfuhr Annie, dass er zum Hafen gefahren war, um den Schlosser abzuholen. Sie schämte sich, weil sie es sich nicht leisten konnte, den Handwerker selbst zu bezahlen.

Theo war im Atelier, als sie am frühen Nachmittag in das Cottage zurückkehrte. Sie holte den Karton mit den Weinflaschen aus ihrem Kleiderschrank und trug ihn hinaus zu dem Range Rover. Theo hielt ihr die Hintertür auf, als sie wieder hereinkam.

»Was ist in dem Karton, den du in meinen Kofferraum gestellt hast?«

»Ein paar erstklassige Weine sind darin. Danke, dass du dich um die Türschlösser gekümmert hast.«

Er durchschaute sie sofort. »Ich habe die Schlösser in

meinem eigenen Interesse austauschen lassen. Ich kann es nicht riskieren, dass mein Laptop gestohlen wird, wenn ich nicht da bin.«

Er versuchte, ihr eine Möglichkeit zu geben, ihr Gesicht zu wahren, was ihr Gefühl, in seiner Schuld zu stehen, nur noch verstärkte.

»Mhm.«

»Annie, ich will deinen Wein nicht. Das mit den Schlössern ist für mich keine große Sache.«

»Für mich schon.«

»Also gut, was hältst du davon: Keine Zettel mehr an deiner Tür, und wir sind quitt.«

»Lass dir deinen Wein schmecken.« Sie konnte nicht klar denken, wenn er vor ihr stand und all diese männlichen Pheromone verströmte, nicht nach dem, was auf der Farm passiert war. »Hast du eine Waffe mitgebracht?«

Er drängte sie nicht. »Ja. Zieh deine Jacke an.«

Sie gingen hinaus in das Moor. Theo erklärte ihr zunächst die Grundregeln für den sicheren Umgang mit einer Waffe und zeigte ihr dann, wie man die Automatikpistole, die er für sie ausgesucht hatte, lud und abfeuerte. Die Pistole hätte Annie abschrecken müssen, aber es gefiel ihr zu schießen. Was ihr nicht gefiel, war das unerwartete erotische Knistern, das zwischen ihnen entstand, wenn Theo so nah bei ihr stand. Kaum waren sie zurück im Cottage, rissen sie sich gegenseitig die Kleider vom Leib.

»Ich möchte nicht darüber reden«, fauchte sie ihn später an jenem Abend an, als sie zusammen in ihrem Bett lagen.

Er gähnte. »In Ordnung. Mehr als in Ordnung.«

»Du kannst hier nicht schlafen. Du musst in dein eigenes Bett.«

Er versuchte, sie an sich zu ziehen. »Ich will aber nicht in mein eigenes Bett.«

Annie wollte das auch nicht, und wie verworren so manches auch sein mochte, sprach sie aus, was sie dachte. »Ich will Sex, keine Nähe.«

Er legte eine Hand auf ihre Pobacken. »Es geht hier um Sex.«

Sie wand sich aus seinem Griff. »Du hast zwei Möglichkeiten. Entweder du schläfst drüben in deinem Bett, oder du bleibst hier liegen und hörst dir während der nächsten drei Stunden in allen Einzelheiten an, was für beschissene Beziehungen ich hatte, warum sie beschissen waren, und warum Männer generell scheiße sind. Warnung: Ich kann ganz fürchterlich weinen.«

Er schlug die Decke zurück. »Wir sehen uns morgen früh.«

»Das dachte ich mir.«

Annie hatte von Theo bekommen, was sie wollte – den besten Sex ihres Lebens –, sie hatte ihm allerdings auch Grenzen gesetzt.

Sehr vernünftig, sagte Dilly. *Endlich hast du deine Lektion gelernt.*

Am nächsten Nachmittag ging Annie wieder mit Livia an die frische Luft. Für den Strand war es zu windig, also blieben sie auf der Verandatreppe sitzen. Annie musste unbedingt wissen, ob sie bei ihrem Spaziergang zwei Tage zuvor einen Schaden angerichtet hatte, und setzte

Scamp auf ihr Knie. Die Puppe kam ohne Umschweife zur Sache.

»Bist du sauer auf mich, weil ich über deinen Daddy geredet habe, als wir unten am Strand waren?«

Livia schürzte die Lippen und überlegte kurz, dann schüttelte sie langsam den Kopf.

»Gut«, sagte Scamp. *»Ich hab mir nämlich Sorgen gemacht und Angst gehabt, dass du vielleicht sauer auf mich bist.«*

Livia schüttelte wieder den Kopf und kletterte dann auf die Steinbalustrade, die das einstige Holzgeländer ersetzt hatte. Das Kind setzte sich rittlings darauf, mit dem Rücken zu Annie.

Sollte sie das Thema begraben oder weiterverfolgen? Sie musste ihre Recherchen über Mutismus bei Kindern mit traumatischen Störungen unbedingt vertiefen. In der Zwischenzeit würde sie sich auf ihren Instinkt verlassen.

»Ich würde es ganz schlimm finden, wenn ich einen Daddy hätte, der meiner Mommy böse Dinge antut«, sagte Scamp. *»Besonders wenn ich nicht darüber reden könnte.«*

Livia begann, auf dem Balustradenpferd zu reiten.

»Oder nicht darüber singen könnte. Ich glaube, ich habe bereits erwähnt, dass ich eine supertolle Sängerin bin.« Scamp fing an, die Tonleiter rauf- und runterzuträllern. Es hatte Annie viele Jahre Übung gekostet, in den Stimmlagen all ihrer Puppen gut zu singen, etwas, womit sie sich von anderen Bauchrednern abhob. Scamp hörte schließlich auf. *»Falls du möchtest, dass ich ein anderes Lied über dein schreckliches Erlebnis singe, gib mir einfach Bescheid.«*

Livia drehte sich abrupt um. Sie starrte zuerst Annie an, dann Scamp.

»Ja oder nein?«, zwitscherte Scamp. *»Ich erwarte deine weise Entscheidung.«*

Livia ließ den Kopf sinken und zupfte an einem Rest rosa Nagellack auf ihrem Daumennagel. Ein definitives Nein. Was hatte Annie erwartet? Hatte sie wirklich gedacht, dass ihr unbeholfenes Einmischen ein derart tiefes Trauma lösen konnte?

Livia sah wieder auf. Sie bewegte langsam den Kopf. Ein zögerliches Nicken. Annie hatte das Gefühl, als würde ihr Herz einen Takt lang aussetzen.

»Sehr gut«, sagte Scamp. *»Ich werde mein Lied* Die Ballade von Livias schrecklichem Erlebnis *nennen.«*

Annie spielte mit einem dramatischen Räuspern auf Zeit. Das Beste, was sie sich erhoffen konnte, war, das heikle Thema aus dem Dunkeln ans Licht zu befördern. Vielleicht würde es dann weniger tabu sein. Und sie musste Jaycie über das hier informieren. Sie fing leise an zu singen.

Kleine Mädchen sollten keine schlimmen Dinge sehn
Aber manchmal kann das trotzdem geschehn ...

Sie sang weiter, erfand spontan einen Text, wie sie das beim letzten Mal schon getan hatte, wählte nun jedoch eine ernstere Melodie. Livia lauschte aufmerksam jedem einzelnen Wort und nickte zum Schluss, bevor sie wieder anfing, auf ihrem Balustradenpferd zu reiten.

Als Annie hinter sich ein Geräusch hörte, drehte sie sich um. Theo lehnte an der Hausecke am anderen Ende der Veranda. Selbst aus dieser Entfernung konnte sie die Furche zwischen seinen Augenbrauen erkennen. Er hatte alles mitgehört, und er verurteilte sie dafür.

Livia nahm ihn nun auch wahr und hörte auf zu reiten. Theo kam zu ihnen herüber, den Kragen seines Parkas hochgeschlagen.

Scheiß auf sein Urteil, dachte Annie. Sie versuchte wenigstens, Livia zu helfen. Was hatte er getan, außer der Kleinen Angst einzujagen?

Scamp befand sich immer noch auf ihrer Hand, und sie stieß die Puppe in seine Richtung. *»Halt! Wer bist du?«*

Er blieb stehen. »Theo Harp. Ich wohne hier.«

»Das behauptest du. Beweis es.«

»Nun ja … Im Gartenpavillon sind meine Initialen in den Boden geritzt.«

Seine Initialen wie auch die seiner Zwillingsschwester …

Scamp streckte ihr Kinn vor. *»Bist du gut oder böse, Mister Theo Harp?«*

Eine seiner dunklen Brauen schoss nach oben, aber seine Augen blieben auf die Puppe geheftet. »Ich versuche, gut zu sein, das ist leider nicht immer leicht.«

»Isst du immer brav dein Gemüse?«

»Alles außer Steckrüben.«

Scamp drehte sich zu Livia und sagte flüsternd: *»Er mag auch keine Steckrüben.«* Dann wieder zu Theo: *»Gehst du in die Badewanne, ohne ein großes Theater zu veranstalten?«*

»Ich gehe immer unter die Dusche. Und das gern.«

»Läufst du auf Socken aus dem Haus?«

»Nein.«

»Stibitzt du Süßigkeiten, wenn gerade keiner hinschaut?«

»Nur Peanut Butter Cups.«

»Dein Pferd ist unheimlich.«

Theo warf Livia einen Blick zu. »Deshalb sollen kleine Kinder sich vom Stall fernhalten, wenn ich nicht da bin.«

»Brüllst du manchmal herum?«

Er richtete seine Aufmerksamkeit wieder auf Scamp. »Ich versuche, nicht herumzubrüllen. Außer wenn die Sixers verlieren.«

»Kannst du dir allein die Haare kämmen?«

»Ja.«

»Knabberst du an den Fingernägeln?«

»Definitiv nicht.«

Scamp holte tief Luft, ließ den Kopf fallen und senkte ihre Stimme. *»Schlägst du manchmal Mommys?«*

Theo zuckte mit keiner Wimper. »Nie. Ganz bestimmt nicht. Niemand sollte Mommys schlagen.«

Scamp wandte sich an Livia und legte den Kopf schief. *»Was meinst du? Darf er bleiben?«*

Livia nickte zustimmend – ohne zu zögern. Es war ein überzeugendes Nicken. Sie glitt von der Balustrade.

»Könnte ich vielleicht mal mit Annie allein sprechen?«, fragte Theo Scamp.

»Ich denke schon«, erwiderte Scamp. *»Ich werde mir solange neue Lieder ausdenken.«*

»Tu das.«

Annie steckte Scamp zurück in ihren Rucksack. Sie erwartete, dass Livia ins Haus ging, jetzt, da die Puppe nicht mehr am Gespräch beteiligt war, stattdessen schlug die Kleine die entgegengesetzte Richtung ein –

sie stieg die drei Verandastufen hinunter. Annie wollte sie bereits ermahnen zu bleiben, aber Livia lief nicht davon. Sie stocherte in dem gefrorenen Boden vor der Veranda herum.

Theo deutete mit dem Kopf in die Ecke, ein klares Zeichen, dass er ein Gespräch unter vier Augen wünschte. Annie folgte ihm. Sie konnte auch so Livia im Blick behalten. Theo redete leise, damit das Kind ihn nicht hören konnte.

»Wie lange geht das schon so?«

»Livia und Scamp sind schon seit einer Weile befreundet, aber ich habe erst vor zwei Tagen angefangen, über ihren Vater zu reden. Und nein, ich weiß nicht, was ich da tue. Und ja, mir ist klar, dass ich mich in etwas einmische, das zu komplex ist für einen Laien. Hältst du mich für verrückt?«

Er überlegte kurz. »Die Kleine ist definitiv nicht mehr so ängstlich wie vorher. Und sie scheint gern in deiner Nähe zu sein.«

»Sie ist gern in Scamps Nähe.«

»Scamp ist diejenige, die angefangen hat, mit dem Kind über sein Erlebnis zu reden, richtig? Das war doch Scamp und nicht du?«

Annie nickte.

»Und Livia ist immer noch gern mit Scamp zusammen?«

»Anscheinend ja.«

Er runzelte die Stirn. »Wie machst du das nur? Ich bin ein erwachsener Mann, und ich weiß verdammt genau, dass du diejenige bist, die der Puppe ihre Stimme leiht, und trotzdem sehe ich die Puppe an.«

»Ich bin eben gut.« Es sollte ironisch klingen, es kam jedoch nicht so heraus.

»Verdammt richtig, das bist du.« Er deutete mit dem Kopf in Livias Richtung. »Ich sage, mach weiter. Wenn sie genug hat, wird sie es dich wissen lassen.«

Sein Vertrauen gab Annie ein besseres Gefühl.

Theo wandte sich zum Gehen, als Livia die Verandastufen hochflitzte und ihm entgegenlief. Sie hatte etwas mitgebracht. Sie schaute zu ihm hoch und öffnete ihre Hände, um ihm ein paar kleine Steine und Venusmuscheln zu zeigen. Er starrte zu ihr hinunter. Livia presste ihre Lippen zusammen, eine Geste, die Annie schon ganz vertraut war. Er lächelte und nahm, was sie ihm darbot, dann streichelte er sanft über ihren Kopf.

»Bis später, Goldstück.«

Gleich darauf verschwand er über die Klippenstufen hinunter zum Strand.

Wie seltsam. Livia fürchtete sich vor Theo, also warum schenkte sie ihm, was sie gesammelt hatte?

Steine, Muscheln …

Annie begriff. Livia hatte ihm ihre Fundstücke gegeben. Theo musste derjenige sein, der das Feenhaus gebaut hatte.

Annie fiel es zunehmend schwer, den Theo, den sie aus der Vergangenheit in Erinnerung hatte, mit dem Mann, den sie jetzt kennenlernte, in Einklang zu bringen. Sie verstand durchaus, dass Menschen sich mit der Zeit veränderten, aber sein erschreckendes Verhalten als Teenager schien zu tief in einer Psychose zu wurzeln, als dass er davon hätte geheilt werden können. Anscheinend war seine Therapie erfolgreich, obwohl er sich immer noch strikt weigerte, über Persönliches zu reden.

Als Annie den Müll hinaustrug, fiel ihr Blick auf das Cottage. Abrupt blieb sie stehen. Ein Auto bewegte sich langsam darauf zu.

Theo war unten im Atelier und schrieb. Manchmal drehte er bei der Arbeit die Musik laut auf. Er würde vielleicht gar nicht mitbekommen, dass er Besuch hatte.

Annie rannte ins Haus, griff nach dem Autoschlüssel und jagte gleich darauf mit dem Range Rover die Auffahrt hinunter.

Kapitel 17

»Du hattest vor, mich mit einem Eiskratzer zu verteidigen?«

Theo warf seinen Parka über die Rückenlehne der pinkfarbenen Samtcouch. Seit dem bedauerlichen Zwischenfall waren zwei Stunden vergangen, und Theo kam gerade aus der Stadt zurück.

»Es war alles, was ich in deinem Wagen finden konnte«, sagte Annie. »Wir Ninjas müssen nehmen, was wir gerade zur Hand haben.«

»Wade Carter hätte beinahe einen Herzinfarkt erlitten.«

»Er ist um das Cottage herumgeschlichen«, erwiderte sie. »Was hätte ich denn machen sollen?«

»Meinst du nicht, es war ein bisschen übertrieben, dass du dich direkt auf ihn gestürzt hast?«

»Nein. Er wollte bei mir einbrechen. Und mal ganz ehrlich, Theo, wie gut kennst du ihn?«

»Gut genug, um zu wissen, dass seine Frau sich nicht den Arm gebrochen hat, damit er einen Vorwand hat, um im Cottage einzubrechen.« Er ließ seinen Autoschlüssel auf den Tisch fallen und steuerte auf die Küche zu. »Du kannst von Glück sagen, dass er keine Gehirnerschütterung hat.«

Annie war mehr als nur ein bisschen stolz auf sich selbst. Ja, sie war froh, dass sie den Mann nicht verletzt hatte, aber nachdem sie so viele Tiefschläge hatte einstecken müssen, gefiel es ihr zu wissen, dass sie keine Angst hatte zu handeln.

»Beim nächsten Mal wird er vorher anklopfen«, sagte sie, während sie Theo in die Küche folgte.

Er klappte die Laschen des Weinkartons hoch, den er wieder hereingebracht hatte. »Wir haben neue Schlösser. Und er *hat* angeklopft, schon vergessen?«

Theo hatte nicht auf das Klopfen reagiert, also war Carter um das Cottage herumgegangen, um herauszufinden, ob jemand da war. Annie hatte das nicht ahnen können.

»Ab sofort ist laute Musik bei der Arbeit verboten«, sagte sie. »Jeder könnte sich von hinten an dich heranschleichen, und du würdest es erst merken, wenn es zu spät ist.«

»Warum sollte ich mir Sorgen machen, solange Wonder Woman im Einsatz ist?«

Sie grinste. »Ich war ziemlich gut, nicht?«

Sein Lachen kam nicht wirklich von Herzen. »Zumindest wird sich jetzt herumsprechen, dass du kein leichtes Opfer bist.«

Annie überlegte, ob sie Theo auf das Feenhaus ansprechen sollte, aber darüber zu reden würde den Zauber zerstören. Außerdem war das eine Sache zwischen ihm und Livia.

»Konntest du Mrs. Carter helfen?«

»Ich habe ihren gebrochenen Arm stabilisiert. Wade hat mir versprochen, sie morgen aufs Festland zu bringen.« Er studierte das Etikett einer Weinflasche. »Dann hat Lisa McKinley meinen Wagen gesehen und mich gebeten, nach ihrer Jüngsten zu schauen.«

»Alyssa.«

»Ja. Jedenfalls hat *Alyssa* sich was in die Nase geschoben, das nicht mehr rauskommen wollte. Frag mich, wie viel Ahnung ich davon habe, ein Jellybean aus einer Kindernase zu entfernen.« Er entdeckte den Korkenzieher. »Ich sage allen dasselbe: dass ich Rettungshelfer bin und kein Arzt. Doch die tun alle so, als hätte ich einen Harvard-Abschluss in Medizin.«

»Hast du das Ding rausbekommen?«

»Nein, und Lisa ist stinksauer auf mich.« Im Gegensatz zu dem Jellybean kam der Korken ganz leicht mit einem leisen Plopp heraus. »Ich trage nun einmal kein Nasenspekulum mit mir herum, und ich könnte einen ernsthaften Schaden anrichten, wenn ich mit einer Pinzette in Alyssas Nase herumstochern würde. Sie wird morgen mit den Carters aufs Festland fahren.« Er nahm zwei Weingläser heraus.

»Für mich keinen Wein«, sagte Annie rasch. »Ich trinke lieber einen Tee. Kamille.«

Er verzog den Mund. »Du hast deine Tage immer noch nicht bekommen.«

»Nein.«

Ihr Verzicht auf den Wein hatte nicht nur mit ihrer möglichen Schwangerschaft zu tun, sondern auch mit seiner Entscheidung, den Karton zurück ins Cottage zu bringen. Wenn sie auch von dem Wein trank, würde er nicht länger ein Geschenk sein.

Theo stellte beide Gläser auf der Anrichte ab. »Hör auf, mich hinzuhalten. Sag mir endlich, wann deine Periode fällig ist.«

Sie konnte das Spielchen nicht länger fortsetzen.

»Nächste Woche, und ich fühle mich ganz normal. Ich bin mir sicher, ich bin nicht … Du weißt schon.«

»Du bist dir überhaupt nicht sicher.« Er wandte sich ab, um sich ein Glas Wein einzuschenken. »Wenn du wirklich schwanger bist, werde ich zum Notar gehen und einen Treuhandfonds einrichten. Ich werde dafür sorgen, dass du alles hast, was du brauchst … für dich und das Kind.«

Kein Wort davon, »das Kind« loszuwerden. »Darüber möchte ich jetzt nicht reden«, sagte sie.

Er drehte sich wieder zu ihr, das Weinglas in der Hand. »Es ist auch nicht mein Lieblingsthema, du sollst nur wissen …«

»Schluss damit!« Sie deutete auf den Herd. »Ich habe gekocht. Es reicht zwar nicht an deine Kochkünste heran, aber es ist etwas Essbares.«

»Zuerst die Schießübungen.«

Dieses Mal verhielt er sich ganz geschäftsmäßig.

Die gedrückte Stimmung zwischen ihnen hob sich erst beim Abendessen. Das Versorgungsschiff hatte Lebensmittel für das Moonraker Cottage gebracht, von denen Theo die meisten bestellt hatte, und Annie hatte sich an das gehalten, was sie konnte: Nudeln mit Hackbällchen und selbst gemachter Soße. Es war keine Haute Cuisine, Theo genoss das Essen jedoch sichtlich.

»Warum hast du das nie zubereitet, als du Jaycie beim Kochen geholfen hast?«

»Ich wollte, dass du leidest«, antwortete sie.

»Mission erfüllt.«

Er legte seine Gabel nieder. »Also, wie willst du das in

Zukunft handhaben? Mehr Post-its an deiner Schlafzimmertür, oder werden wir uns wie Erwachsene benehmen und tun, was wir beide wollen?«

Typisch, dass Theo direkt auf den Punkt kommen musste. »Ich habe dir schon gesagt, dass ich nicht gut darin bin, mich in Sachen Sex emotional zu distanzieren«, erwiderte Annie. »Ich weiß, das ist altmodisch, leider bin ich so.«

»Ich habe Neuigkeiten für dich, Annie. Du bist nicht gut darin, dich von irgendetwas emotional zu distanzieren.«

»Tja, so viel dazu.«

Er prostete ihr zu. »Hab ich mich schon bei dir bedankt?«

»Dafür, dass ich eine Sexgöttin bin?«

»Dafür auch. Aber ...« Er stellte sein Glas auf den Tisch und stieß seinen Stuhl abrupt zurück. »Teufel, ich weiß auch nicht. Ich komme keinen verfluchten Schritt mit meinem Manuskript weiter, ich habe nicht die leiseste Idee, wie ich dich vor diesem ganzen Mist, der hier passiert, schützen soll, und es wird nicht mehr lange dauern, bis mich jemand bittet, eine verdammte Herztransplantation durchzuführen. Die Sache ist allerdings die ... Ich bin nicht gerade unglücklich.«

»Wow, wenn du so weitermachst, wirst du in null Komma nichts deine eigene Sendung auf Comedy Central haben.«

»Sehr feinsinnig.« Er lächelte beinahe. »Also, wie sieht es aus? Bist du mit den Post-its durch oder nicht?«

War sie damit durch? Sie trug ihren leeren Teller in die Küche und überlegte, was das Richtige für sie war.

Nicht für ihn. Nur für sie. Sie stellte sich in den Kücheneingang.

»Okay, ich möchte Folgendes: Sex, und zwar viel davon.«

»Meine Welt ist gerade so viel heller geworden.«

»Aber unpersönlichen Sex. Ohne hinterher zu kuscheln. Und schon gar nicht werden wir im selben Bett schlafen.« Sie kehrte an den Tisch zurück. »Sobald du mich befriedigt hast, sind wir fertig. Keine gemütlichen Plaudereien. Du verschwindest einfach in dein eigenes Bett.«

Er kippte seinen Stuhl leicht nach hinten. »Hart. Ich denke dennoch, dass ich damit leben kann.«

»Absolut unpersönlich«, bekräftigte sie. »Als wärst du eine männliche Prostituierte.«

Er hob eine seiner gebieterischen Augenbrauen. »Findest du das nicht ein bisschen ... erniedrigend?«

»Nicht mein Problem.« Die Vorstellung war perfekt für die Botschaft, die sie vermitteln wollte. »Du bist eine männliche Prostituierte, die in einem Bordell arbeitet, das auf exklusive weibliche Kundschaft spezialisiert ist.« Sie schlenderte zum Bücherregal und ließ ihrer Fantasie freien Lauf, ohne dass es sie kümmerte, was Theo davon hielt oder ob er sie dafür verurteilte. »Das Haus ist schlicht eingerichtet, aber luxuriös. Weiße Wände, schwarze Ledermöbel mit Chromgestellen.«

»Irgendetwas sagt mir, dass du dir das schon vorher ausgedacht hast«, bemerkte er trocken.

»Die Kavaliere sitzen leicht bekleidet herum. Und keiner spricht ein Wort.«

»Kavaliere?«

»Schlag es nach.«

»Ich weiß, was Kavalier bedeutet. Ich wollte nur …«

»Ein Mann ist schöner als der andere«, fuhr sie fort. »Ich schlendere durch den Raum.« Sie schlenderte durch das Wohnzimmer. »Es herrscht absolute Stille. Ich lasse mir Zeit.« Sie blieb stehen. »Genau in der Mitte des Raumes befindet sich ein rundes Podest, ungefähr fünfzehn Zentimeter hoch …«

Wieder wanderte seine Augenbraue hoch. »Du hast dir das wirklich gründlich überlegt.«

Sie ignorierte ihn. »Das Podest ist für die Männer. Man begutachtet sie darauf.«

Die beiden vorderen Beine seines Stuhls setzten hart auf dem Boden auf. »Okay, das törnt mich allmählich ernsthaft an.«

»Ich wähle die drei Männer aus, die mich am meisten reizen. Ich bedeute ihnen, nacheinander auf das Podest zu steigen.«

»Du meinst das runde Podest, das ungefähr fünfzehn Zentimeter hoch ist?«

»Ich inspiziere jeden der Männer sorgfältig. Ich streiche mit den Händen über ihre Körper, prüfe sie auf Mängel …«

»Überprüfst du auch ihre Zähne?«

»Ich versuche, ihre Kraft einzuschätzen und, ganz wichtig, ihr Stehvermögen.«

»Ah.«

»Aber ich weiß bereits, welchen ich will. Und ihn nehme ich mir als Letzten vor.«

»Ich war noch nie so angetörnt und gleichzeitig so entsetzt.«

»Dieser Mann ist umwerfend. Genau was ich brauche. Dichtes dunkles Haar, kantiges Profil, ausgeprägte Muskeln. Das Beste ist, an seinem intelligenten Blick kann ich erkennen, dass er mehr ist als nur ein Hengst. Ich wähle ihn aus.«

Theo erhob sich von seinem Stuhl und schenkte ihr ein spöttisches Nicken. »Vielen Dank.«

»Nein, du bist es nicht.« Sie machte eine wegwerfende Geste. »Unglücklicherweise ist der Mann, für den ich mich entschieden habe, bereits für die Nacht gebucht. Daraufhin nehme ich dich.« Sie schenkte ihm ein triumphierendes Lächeln. »Du bist nicht ganz so teuer, und wer kann bei einem Schnäppchen schon Nein sagen?«

»Du anscheinend nicht.« Der heisere Unterton in seiner Stimme ruinierte seinen Versuch, witzig zu sein.

Sie kam sich vor wie Scheherazade. Sie dämpfte ihre Stimme bis an die Grenze zur Sinnlichkeit, ohne sie ganz zu überschreiten. »Ich trage hauchdünne schwarze Spitze. Und darunter nur einen winzigen knallroten String.«

»Ins Schlafzimmer!«, befahl er. »Sofort.«

Sie tat so, als müsste sie erst darüber nachdenken – ungefähr drei Sekunden lang, bis er ihren Arm packte und sie mit sich schleifte. Doch sie war noch nicht bereit, die Kontrolle abzugeben.

»Das Zimmer hat ein großes Bett mit pelzgefütterten Fesseln am Kopf- und am Fußende.«

»Da glaubt man, jemanden zu kennen …«

»Und in einer großen Vitrine liegt jedes erdenkliche Sexspielzeug.«

»Das ist alles weit außerhalb meiner Liga.«

Der Schleier, der sich mit der Belustigung in seinen Augen mischte, verriet, dass das nicht ganz stimmte.

»Nur diese schrecklichen Mundknebel nicht«, fügte sie rasch hinzu. »Du weißt, was ich meine.«

»Leider nein.«

»Nun, die Dinger sind widerlich.«

»Das glaube ich dir aufs Wort.«

Sie deutete auf die imaginäre Vitrine. »Alles ist geschmackvoll arrangiert.«

»Warum auch nicht? Schließlich handelt es sich um ein erstklassiges Etablissement.«

Sie entfernte sich ein paar Schritte von ihm. »Wir öffnen die Vitrinentüren und begutachten gemeinsam jeden einzelnen Gegenstand.«

»Wir lassen uns dabei Zeit ...«

»Du nimmst ein paar davon heraus«, sagte sie.

»Welche?«

»Die, die ich mir am längsten angesehen habe.«

»Was dann wäre ...«

Sie sah ihn mit schmalen Augen an. »Ich deute auf die diversen Peitschen.«

»Ich werde dich nicht mit der Peitsche schlagen!«

Sie ignorierte seine Empörung, die wahrscheinlich gespielt war oder auch nicht.

»Du nimmst die Peitsche, die ich ausgewählt habe, und bringst sie mir.« Sie biss sich auf die Unterlippe. »Ich nehme sie dir ab.«

»Von wegen!« Der Teufel in ihm übernahm das Kommando. »Was du nämlich nicht weißt«, sagte er und kam näher, »ist, dass ich nicht nur irgendeine hoch bezahlte männliche Prostituierte bin. Ich bin der *König* aller männlichen Prostituierten. Und nun nehme ich das Heft in die Hand.«

Sie war sich nicht sicher, was sie davon hielt.

Er wickelte eine lange Haarsträhne von ihr um seine Finger. »Ich reiße von der Peitsche einen Lederriemen ab.«

Sie hielt die Luft an.

»Ich binde damit dein Haar zurück …«

Annie lief eine Gänsehaut über den Rücken. »Ich bin mir nicht sicher, ob mir gefällt, wohin das führt.« Sie war begeistert von der Vorstellung davon, wohin das führte.

Er streifte mit den Lippen über ihren Nacken und zwickte sie dann leicht mit den Zähnen. »Oh, es wird dir gefallen. Es wird dir sogar sehr gefallen.« Er ließ ihre Haare los. »Vor allem wenn ich dir mit dem Peitschengriff deine Beine spreize.«

Sie verglühte fast in ihren Kleidern. Sie musste sie loswerden. Sofort.

»Ich streiche über deine Wade …« Er fuhr mit dem Finger über ihre Jeans. »Dann weiter auf der Innenseite deiner Schenkel …«

»Zieh dich aus!« Sie zerrte ihren Pullover über den Kopf.

Er kreuzte die Arme vor dem Bauch und tat es ihr gleich, dann heftete er seine Augen auf ihre. »Ich bringe dich dazu, dass du dich ganz ausziehst.«

»Du Schuft.«

Sie war als Erste nackt, was ihr Zeit gab, den Anblick seines Körpers auszukosten – die Muskeln und Sehnen, Wölbungen und Vertiefungen. Er war perfekt, und falls sie es nicht war, kümmerte sie das nicht. Ihn anscheinend auch nicht.

»Was ist mit der Peitsche passiert?«, fragte sie. Nur für den Fall, dass er sie vergessen hatte …

»Ich bin froh, dass du fragst.« Er neigte den Kopf zur Seite. »Ins Bett mit dir.«

Es war nur ein Spiel, aber Annie hatte sich nie begehrenswerter gefühlt. Sie hüpfte auf das Bett, die Sexkönigin der Welt, und kniete sich auf die Matratze, während sie beobachtete, wie er sich ihr näherte. In seiner ganzen großartigen Herrlichkeit …

Sie kauerte sich in die Hocke. Das Funkeln in seinen Augen verriet ihr, dass er das Spiel genauso sehr genoss wie sie. Doch … genoss er es vielleicht zu sehr? Schließlich war er ein Mann, der seine Karriere auf Sadismus gegründet hatte.

Er drückte sie auf den Rücken. Ihren Körper erkundend, flüsterte er all die perversen, derben … und absolut aufregenden Dinge, die er mit ihr vorhatte.

Sie holte mit Mühe ausreichend Luft, um zurückzuflüstern: »Und ich sage nichts. Ich lasse dich machen, was du willst, lasse mich von dir anfassen, wo du willst. Ich bin absolut gehorsam.« Sie bohrte ihre Fingernägel fest in sein Gesäß. »Bis ich es nicht mehr bin.«

Und die Sexkönigin der Welt übernahm das Zepter.

Es war sagenhaft.

Ihr Rollenspiel wirkte auf beide befreiend. Nahm ihnen den Ernst. Ließ sie spielen und drohen und sich balgen. Sie hatten keine und alle Skrupel. Die Decken verhedderten sich um sie herum, während ihre Drohungen schlimmer wurden, ihre Liebkosungen aufregender.

Draußen vor dem Fenster ihrer Liebeshöhle begann es wieder zu schneien. Drinnen verloren sie sich in der wilden Lust, die sie entfesselt hatten.

Theo hatte noch nie mit einer Frau so Liebe gemacht. Er lehnte sich in die Kissen zurück, probierte die ungewohnte Vorstellung aus, dass Sex lustig sein konnte. Ein spitzer Ellenbogen stach in seine Rippen.

»Ich bin fertig mit dir«, sagte sie. »Raus.«

Kenley hatte nie genug von ihm bekommen. Sie hätte am liebsten jede Sekunde mit ihm verbracht. Er hatte nur das Bedürfnis gehabt, ihr zu entkommen.

»Ich bin zu müde, um mich zu bewegen«, murmelte er.

»Gut.«

Annie schwang sich aus dem Bett und stolzierte aus dem Zimmer. Sie hatte es ernst gemeint, sie wollte nicht im selben Bett mit ihm schlafen. Er hätte ein Gentleman sein und ihre Bitte befolgen sollen, aber er fühlte sich schlecht behandelt, und er blieb, wo er war.

Viel später, als er immer noch nicht einschlafen konnte, entdeckte er sie im Atelier, zusammengerollt in seinem Bett. Theo widerstand dem Bedürfnis, sich zu ihr zu legen, und holte seinen Laptop. Er ging damit ins Wohnzimmer und machte es sich bequem. Seine Gedanken schweiften ständig zu Diggity Swift. Er hatte den Jungen im Roman getötet, jedoch nicht in seinem Kopf, und das gefiel ihm nicht. Angewidert von sich selbst, legte er den Laptop zur Seite, starrte aus dem Fenster und beobachtete den rieselnden Schnee.

Nachdem Annie geduscht und eine Jeans und einen Pullover angezogen hatte, entdeckte sie Theo in der Küche.

»Möchtest du einen Kaffee?«, fragte er.

»Nein, aber danke für das Angebot.«

»Gerne.«

Er war vor ihr unter der Dusche gewesen. Sie zeigten ihre besten Manieren, machten ihre Zügellosigkeit vom Abend zuvor mit altmodischer Höflichkeit wett, als müssten sie ihre Würde zurückerlangen und beweisen, dass sie durchaus zivilisiert waren.

Während Theo mit seinem Kaffee an den Tisch vor dem Erkerfenster zurückkehrte, suchte Annie ein altes Bettlaken heraus. In der Vorratskammer stand eine Dose mit schwarzer Lackfarbe. Sie trug beides hinüber ins Atelier, wo der Boden mit so vielen Farbspritzern übersät war, dass es nicht schlimm war, wenn noch ein paar dazukamen. Eine halbe Stunde später stand Theo draußen im frischen Schnee und betrachtete das Banner, das sie an der Vorderseite des Cottage angebracht hatte. UNBEFUGTE EINDRINGLINGE WERDEN SOFORT BESCHOSSEN. ES WERDEN KEINE FRAGEN GESTELLT.

Sie kletterte von der Leiter und blickte ihn finster an, forderte ihn heraus, sich über sie lustig zu machen, aber er zuckte nur mit den Achseln.

»Von mir aus.«

Im Laufe des nächsten Tages kam Annie zu einem Entschluss. Nicht, was Theo betraf. Die Beziehung zwischen ihnen war so klar definiert, wie sie es sich nur wünschen konnte. Sie genoss es, die Sexkönigin der Welt zu sein, und ihr Beharren auf getrennten Betten verhinderte, dass sie sich zum Narren machte. Nein, ihr Entschluss betraf Mariahs Vermächtnis. Sie hatte nichts gefunden, und es war Zeit, sich der Realität zu stellen. Mariah war mit Schmerzmitteln vollgepumpt gewesen und hatte nicht mehr gewusst, was sie redete. Es gab kein Vermächtnis. Annie konnte sich entweder aufgeben, weil ihre Geldprobleme nicht wie von Zauberhand verschwinden würden, oder sie konnte weitermachen, Schritt für Schritt.

Die große Fähre, die zwischen den Inseln und dem Festland verkehrte, sollte in ein paar Tagen einlaufen, und Annie begann, alles im Cottage, was einen Wert hatte, einzupacken, um es aufs Festland verschiffen zu lassen. Dort würde ein Transporter bereitstehen und die Sachen nach Manhattan bringen. Der Name ihrer Mutter hatte immer noch so viel Gewicht, dass der beste Kunsthändler der Stadt sich der Objekte annahm.

Annie hatte dem Händler Fotos geschickt, von den Gemälden, Lithografien, Kunstbänden, der Louis-XIV.-Kommode und der Stacheldrahtschüssel. Der Mann hatte sich bereit erklärt, die Transportkosten vorzustrecken und mit dem Verkaufserlös zu verrechnen.

Das Herzstück der Sammlung, das Objekt, von dem er sich den höchsten Gewinn versprach, war etwas, das Annie beinahe übersehen hätte: das Gästebuch des Cottage. Es enthielt die Signaturen einiger berühmter Künstler, und manche davon hatten ein Doodle neben ihren Namen gekritzelt. Der Händler hoffte, stolze zweitausend Dollar für das Buch zu bekommen, aber er verlangte vierzig Prozent Kommissionsgebühr. Selbst wenn er alles verkaufte, würde Annie ihren Schuldenberg nicht tilgen können, sie würde ihm allerdings zumindest eine hübsche Delle verpassen. Sobald sie die sechzig Tage hinter sich gebracht hatte, würde sie versuchen, wieder in ihren alten Nebenjobs unterzukommen, und noch einmal von vorn anfangen. Ein deprimierender Gedanke, doch ihr blieb nichts anderes übrig.

Dann, am letzten Februartag, passierte etwas, das ihre Stimmung aufhellte. Theos Ausritt dauerte länger als üblich, und Annie lief immer wieder ans Küchenfenster des Klippenhauses, um nach ihm Ausschau zu halten. Es war schon fast Abend, als sie ihn schließlich die Auffahrt hochreiten sah. Sie eilte zur Hintertür, griff im Vorbeigehen nach ihrer Jacke. Mit Mütze und Handschuhen hielt sie sich nicht auf.

Theo zog die Zügel an, als er sah, dass sie ihm entgegenlief. »Was ist passiert?«

»Nichts. Mach ein glückliches Gesicht. Ich habe meine Tage bekommen!«

Er nickte. »Da fällt mir ein Stein vom Herzen.«

Kein breites Lächeln. Kein Abklatschen oder ein »Gott sei Dank!«.

Sie musterte ihn neugierig. »Irgendwie hab ich ein bisschen mehr Enthusiasmus erwartet.«

»Glaub mir, ich könnte nicht enthusiastischer sein.«

»Du siehst gar nicht so aus.«

»Im Gegensatz zu dir habe ich nicht die Angewohnheit, wie eine Zwölfjährige auf und ab zu hüpfen, wenn ich erleichtert bin.« Er ritt langsam in Richtung Stall davon.

»Du solltest es mal ausprobieren!«, rief sie ihm hinterher.

Als er verschwand, schüttelte sie verärgert den Kopf. Eine weitere Mahnung, dass diese Verbindung rein körperlicher Art war. Ob Theo jemals jemanden sehen ließ, was in seinem Kopf vor sich ging?

Natürlich war er erleichtert. Selbst wenn Annie die Frechheit besaß, ihm das Gegenteil zu unterstellen. Eine schwangere Annie hätte ihm das Leben dermaßen vermiest, dass er es sich nicht einmal ansatzweise ausmalen konnte. Er war einfach nur gereizt wegen seiner Arbeit. Er hatte immer schlechte Laune, wenn es beim Schreiben nicht gut lief, und im Moment lief es definitiv nicht gut. Seit Diggity Swift ausgelöscht war, hatte er eine Blockade.

Theo verstand das nicht. Er hatte nie ein Problem damit gehabt, eine Figur zu eliminieren, nun schien er nicht mehr das geringste Interesse für Quentin Pierce und seine Bande von Missetätern aufbringen zu können. Gerade hatte er sich sogar über den Anruf von Booker Rose gefreut, der ihn wegen seiner Hämorrhoiden um Rat fragte. Wie schräg war das denn?

Annie behielt die pinkfarbene Samtcouch und die zwei Betten, aber sie trennte sich von dem Großteil der restlichen Einrichtung, auch vom Nixenstuhl. Die größeren Gemälde wickelte sie in Decken ein, kleinere Gegenstände packte sie in Kisten, die sie aus dem Klippenhaus mitgebracht hatte. Judy Kesters Sohn Kurt musste zwei Fahrten mit seinem Truck machen, um alles in den Hafen zu schaffen. Annie bezahlte ihn mit dem maulwurfgrauen Sessel, den er seiner schwangeren Frau zum Geburtstag schenken wollte.

Seit die Schlösser ausgewechselt worden waren, hatte es keine weiteren Zwischenfälle im Cottage gegeben, obwohl Annie sich nicht sicher war, ob das an den neuen Schlössern lag oder an dem Banner, das draußen über der Tür hing. Nachdem Theo mit ihren Schießkünsten zufrieden gewesen war, hatte er dafür gesorgt, dass jeder in der Stadt erfuhr, dass Annie jetzt eine Waffe besaß, und sie fühlte sich allmählich wieder sicherer.

Theo war nicht glücklich über die fehlenden Möbel. »Ich brauche einen Platz zum Schreiben«, beschwerte er sich und sah in das fast leere Wohnzimmer.

»Du kannst in deinen Turm zurückgehen. Ich komme hier auch gut ohne dich zurecht.«

»Ich werde nirgendwo hingehen, bis wir nicht herausgefunden haben, wer hinter dieser Sache steckt. Es ist erstaunlich, was die Leute mir alles erzählen, wenn ich sie verarzte. Ich hoffe ja immer noch, dass ich etwas Nützliches in Erfahrung bringen kann, wenn ich die richtigen Fragen stelle.«

Annie war von seinen Bemühungen, ihr zu helfen, gerührt. Gleichzeitig wollte sie nicht, dass er dachte, sie würde sich fest auf ihn verlassen und erwarten, dass er den Helden für sie spielte. »Du hattest schon genug hilfsbedürftige Frauen«, sagte sie. »Du bist nicht für mich verantwortlich.«

Er tat so, als hätte er sie nicht gehört. »Ich werde ein paar Möbel aus dem Klippenhaus hierherbringen. Auf dem Dachboden steht jede Menge Zeug herum, das nicht mehr benutzt wird.«

»Aber brauche ich wirklich eine mumifizierte Leiche?«

»Sie würde einen tollen Couchtisch abgeben.«

Theo hielt sein Wort mehr als genau. Annie erwartete, dass er mit einem Arbeitstisch und einem bequemen

Stuhl auftauchen würde, aber er schleppte außerdem einen runden Tisch mit herunterklappbaren Seitenteilen an, der nun vor dem Erkerfenster stand, und vier Stühle mit schmalen Rückenlehnen. Eine kleine Dreierkommode stand nun zwischen zwei dicken Polstersesseln mit ausgebleichten dunkelblau-weiß karierten Bezügen. Dazu hatte er eine verbeulte Messinglampe gefunden, die wie ein Jagdhorn geformt war.

Mariah hätte das alles gehasst – besonders die Jagdhornlampe. Nichts davon passte zusammen, doch das Cottage fühlte sich endlich nicht mehr so an wie ein kunstüberladenes Wohnzimmer in Manhattan, sondern wie das, was es war: eine schlichte Fischerhütte in Maine.

»Ich hab mir den Transporter von Jim Garcia geliehen, als Gegenleistung dafür, dass ich ihn neulich verarztet habe«, erklärte Theo Annie. »Er hatte einen kleinen Unfall mit seiner Motorsäge. Diese Hummerfischer sind so verdammt stur. Sie riskieren lieber eine Blutvergiftung, als zu einem Arzt aufs Festland zu fahren.«

»Lisa war wieder oben im Haus«, erzählte Annie. »Sie ist immer noch sauer auf dich, weil du das kleine Bonbon nicht aus Alyssas Nase entfernen konntest. Ich hab im Internet recherchiert und ihr gezeigt, was alles hätte passieren können, wenn du es selbst versucht hättest.«

»Es gibt drei weitere Leute, die auf mich sauer sind, aber ich mache bereits mehr als das, wofür ich qualifiziert bin. Sie müssen sich eben damit abfinden.«

Ob er es zugeben wollte oder nicht, das Inselleben absorbierte Theo mehr und mehr. Offenbar tat ihm das gut, denn er lachte viel öfter und wirkte nicht mehr so angespannt.

»Noch hast du niemanden umgebracht«, sagte Annie. »Das sind doch gute Neuigkeiten.«

»Nur weil ich mit ein paar Ärzten befreundet bin, die mir telefonisch Ratschläge geben.«

Annie stutzte. Sie war es so sehr gewohnt, Theo als einen Einzelgänger zu betrachten, dass ihr die Vorstellung schwerfiel, dass er Freunde hatte.

Nach einem weiteren göttlichen Absturz in die sexuelle Verdorbenheit schliefen sie wieder in getrennten Betten, was Theo jeden Abend mehr zu ärgern schien.

Eines Nachts klopfte es an der Haustür. Annie fuhr senkrecht im Bett hoch. Sie streifte sich die Haare aus dem Gesicht und entwirrte ihre Beine aus den Decken.

»Nicht schießen!«, rief eine fremde Stimme. »Ich brauche Hilfe!«

Annie freute sich, dass ihr Banner ernst genommen wurde, aber sie nahm trotzdem die Pistole aus ihrem Nachttisch. Theo war bereits an der Tür, als sie ins Wohnzimmer kam, er öffnete gerade die Tür. Draußen stand Kurt, Judy Kesters Sohn. Es stürmte so sehr, dass er beinahe ins Haus hineingedrückt worden wäre.

»Es geht um Kim«, sagte er verzweifelt. »Die Wehen haben zu früh eingesetzt, und der Rettungshubschrauber hat Startverbot. Wir brauchen Sie dringend, Theo.«

»Verdammter Mist.« Das war nicht gerade die professionellste Antwort, aber Annie machte Theo keinen Vorwurf. Er winkte Kurt herein. »Warten Sie hier«, sagte er und machte sich auf den Weg ins Atelier. Im Vorbeigehen tippte er Annie auf die Schulter. »Zieh dich auch an!«, befahl er. »Du kommst mit.«

Kapitel 18

Theo umklammerte mit einer Hand sein Smartphone, mit der anderen das Lenkrad. »Ich weiß, dass wir schlechtes Wetter haben. Denken Sie, ich bin blind? Trotzdem brauchen wir den Rettungshubschrauber, und zwar sofort!«

Der Wind schlug gegen den Range Rover, die Rücklichter von Kurts Laster vor ihnen auf der Straße funkelten wie Dämonenaugen, während sie ihm in die Stadt folgten. Kurt hatte erklärt, dass das Baby erst in zwei Wochen kommen sollte und dass er und seine Frau geplant hatten, am kommenden Wochenende auf das Festland überzusetzen. Wir wollten die Kinder zu meiner Mom bringen und uns bei Kims Cousine einquartieren, die in der Nähe der Entbindungsklinik wohnt, hatte er gesagt. Dass es so kommt, haben wir nicht ahnen können.

Theo schien einzusehen, dass er von der Person am anderen Ende der Leitung zu viel verlangte, weil er nun ruhiger wurde.

»Ja, ich verstehe … Ja, ich weiß … In Ordnung.«

Er warf sein Handy aufs Armaturenbrett, und Annie betrachtete ihn mitfühlend.

»Hast du mich mitgenommen, weil du nicht wolltest, dass ich allein im Cottage zurückbleibe, oder weil du moralische Unterstützung brauchst?«

»Beides.«

»Großartig. Ich habe schon befürchtet, du hast mich wegen meiner Hebammenkenntnisse mitgenommen. Die ich natürlich nicht habe.«

Er brummte.

»Alles, was ich über Geburten weiß, ist das, was ich durch Zufall im Fernsehen gesehen habe«, erklärte sie. »Und dass es ziemlich schmerzhaft sein soll.«

Er erwiderte nichts darauf.

»Kennst *du* dich mit Geburten aus?«, fragte sie.

»Teufel, nein.«

»Aber …«

»In der Ausbildung hatten wir Geburtshilfe, falls du das meinst. Man könnte jedoch sagen, dass mir die praktische Erfahrung im richtigen Leben fehlt.«

»Du kriegst das schon hin.«

»Woher willst du das wissen? Dieses Baby ist zwei Wochen zu früh dran.«

Etwas, das auch Annie zur Kenntnis genommen hatte. Sie versuchte trotzdem, Ruhe zu bewahren. »Das ist Kims dritte Entbindung. Sie weiß inzwischen, wie es geht. Und Kurts Mutter kann uns helfen.«

Judy Kester mit ihrem Lachen und ihrer positiven Einstellung würde die perfekte Hilfe sein in einer kritischen Situation.

Aber Judy war nicht da. Kaum hatten sie ihre Jacken ausgezogen, erklärte Kurt ihnen, Judy besuche ihre Schwester auf dem Festland.

»Was hätte ich auch anderes erwarten sollen?«, murmelte Theo.

Sie folgten Kurt durch ein gemütliches Wohnzimmer, das mit Spielsachen übersät war. »Seit die Schule abgebrannt ist, versucht Kim, mich zu überreden, von der Insel wegzuziehen«, sagte er und schob mit dem Fuß zwei Transformerfiguren aus dem Weg. »Das hier wird ihre Meinung sicher nicht ändern.«

Theo machte einen kurzen Abstecher in die Küche, um sich gründlich die Hände und Unterarme zu waschen. Als er Annie mit einer Geste aufforderte, seinem Beispiel zu folgen, schenkte sie ihm einen entsetzten Blick, der ihn daran erinnern sollte, dass sie nur zur moralischen Unterstützung hier war. Er sah sie mit schmalen Augen an, und seine Miene wurde so grimmig, dass Annie seiner Aufforderung nachkam, allerdings nicht ohne Protest.

»Sollte ich nicht besser hierbleiben und heißes Wasser aufsetzen oder so?«

»Wofür?«

»Ich habe keine Ahnung.«

»Du«, sagte er, »kommst mit mir.«

Kurt verdrückte sich, angeblich, um nach seinen Kindern zu sehen. Da diese das Drama jedoch sicher verschliefen, vermutete Annie, dass er alles tat, um seiner Frau aus dem Weg zu gehen.

Sie folgte Theo ins Schlafzimmer. Kim lag in einem Durcheinander aus gelb-orange geblümter Bettwäsche. Sie trug ein fadenscheiniges hellblaues Sommernachthemd. Ihre Haut war fleckig, ihr krauses kastanienbraunes Haar verfilzt. Alles an ihr war rund und prall: ihr Gesicht, ihre Brüste und vor allem ihr Bauch. Ein paar Klatschzeitschriften, Kinderbücher und diverse Cremetuben türmten sich auf ihrem Nachttisch.

Theo warf einen Blick darauf, als ob er nach etwas

Brauchbarem suchen würde, und stellte dann seine Notfalltasche ab.

»Kim, ich bin es, Theo Harp. Und das hier ist Annie Hewitt. Wie geht es Ihnen?«

Kim, die gerade von einer Wehe überwältigt wurde, presste die Zähne zusammen. »Wonach sieht es denn aus?«, fragte sie.

»Es sieht aus, als würde es Ihnen gut gehen«, erwiderte Theo, als wäre er der erfahrenste Geburtshelfer im ganzen Land. Er klappte seine Notfalltasche auf. »Wie groß ist der Abstand zwischen den Wehen?«

Der Schmerz ließ nach, und Kim sackte in das Kissen zurück. »Ungefähr vier Minuten.«

Er nahm ein Päckchen Latexhandschuhe und eine blaue Schutzauflage für das Bett heraus. »Geben Sie mir Bescheid, wenn die nächste Wehe einsetzt.«

Kim nickte. »Gut.«

Theos Ruhe schien auf die junge Frau abzufärben. Er faltete die Schutzauflage auseinander.

»Machen wir es Ihnen ein bisschen gemütlicher.«

Seine Stimme klang ermutigend, aber der Blick, den er Annie zuwarf, gab ihr zu verstehen, dass sie, falls sie mit dem Gedanken spielte, das Zimmer zu verlassen, ein schreckliches Schicksal ereilen würde, gefolgt von einem noch schrecklicheren Schicksal. Annie stellte sich widerwillig an das Kopfende des Bettes, noch weniger erpicht darauf, das Geschehen zu verfolgen als Theo selbst, wie sie vermutete.

Kim war jenseits allen Schamgefühls, und Annie bezweifelte, dass sie überhaupt wahrnahm, wie behutsam Theo die Schutzmatte unter ihre Hüfte schob und das

Sichtschutzlaken um ihre Knie drapierte. Sie stöhnte, als eine besonders heftige Wehe sie übermannte. Theo überprüfte die Zeit und erklärte dann Annie in leisem Ton, was voraussichtlich wann passieren würde und was er von ihr erwartete.

»Stuhlgang?«, flüsterte Annie, als er fertig war.

»Das kann vorkommen«, erwiderte er. »Und es ist ganz natürlich. Halte eine saubere Schutzmatte bereit.«

»Ich hoffe, du hast auch Kotztüten«, murmelte sie. »Für mich.«

Theo lächelte und richtete seine Aufmerksamkeit wieder auf seine Armbanduhr. Während Kim ihre Krämpfe durchlitt, blieb Annie an ihrer Seite, strich ihr sanft über den Kopf und sprach ihr leise Mut zu. Zwischen zwei Wehen entschuldigte Kim sich bei Theo, weil sie ihn mitten in der Nacht aus dem Bett geholt hatte, sie hinterfragte jedoch kein einziges Mal seine Fähigkeiten als Geburtshelfer.

Nach ungefähr einer Stunde wurde es ernst. »Ich muss pressen«, rief sie und schob das Sichtschutzlaken weg.

Annie sah mehr, als sie sehen wollte, doch Theo blieb ganz gelassen. Er hatte bereits Latexhandschuhe übergestreift.

»Schauen wir mal nach«, sagte er zuversichtlich.

Kim stöhnte qualvoll, als er sie untersuchte. »Noch nicht pressen«, sagte er. »Warten Sie noch.«

»Nein!«, schrie Kim.

Annie tätschelte Kims Arm. »Alles wird gut. Sie machen das super.« Sie hoffte, dass es stimmte.

Theo konzentrierte sich auf das, was auch immer er gerade tat. Bei der nächsten Wehe ermunterte er Kim zu pressen.

»Der Muttermund ist jetzt vollständig geöffnet«, verkündete er so gelassen, als würde er über das Wetter berichten, doch Annie nahm die Schweißperlen wahr, die ihm auf der Stirn standen. Sie hätte nicht gedacht, dass irgendetwas Theo Harp ins Schwitzen bringen konnte, aber das hier schaffte es.

Kim wurde von einer weiteren Wehe übermannt. Sie hechelte. »O mein Gott!«, stieß sie aus.

»Ich kann schon den Kopf sehen«, sagte Theo und tätschelte Kims Knie. »Pressen Sie jetzt …«, ermunterte er sie. »Gut. Genau so. Sie machen das großartig.«

Annies Angst, bei der Geburt dabei zu sein, war verschwunden. Nach zwei weiteren starken Wehen und Theos unermüdlichem Zuspruch erschien der Kopf des Babys. Theo barg ihn in einer Hand.

»Schaffen wir kurz die Nabelschnur aus dem Weg«, sagte er leise und tastete sich mit dem Zeigefinger seiner freien Hand am Hals des Babys entlang. »Annie, halt ein Handtuch bereit. Okay, kleines Würmchen … Lass mich mal an deine Schulter … Dreh dich ein bisschen. Genau so. Na bitte.«

Das Baby rutschte in Theos starke Hände.

»Es ist ein Junge«, verkündete er und sorgte rasch dafür, dass die Atemwege des Kleinen frei wurden. »Geben wir dir eine 8, mein Kleiner.«

Es dauerte einen Moment, bis Annie einfiel, dass Theo ihr von dem Apgar-Score erzählt hatte, der in der ersten und dann erneut in der fünften Minute nach der Geburt berechnet wurde, um den Zustand eines Neugeborenen zu bestimmen. Der Winzling begann nun zu weinen, ein sanftes, leises Maunzen. Theo legte ihn Kim auf den

Bauch, ließ sich von Annie das Handtuch geben und rieb den Kleinen sanft damit ab.

Kurt kam schließlich in das Zimmer. Er ging zu seiner Frau, und beide weinten, während sie ihren neugeborenen Sohn bestaunten. Annie hätte Kurt dafür, dass er sich verkrochen hatte, am liebsten gerügt, aber Kim war nachsichtiger. Sie legte das Baby an ihre Brust, und Theo massierte ihren Bauch. Es dauerte nicht lange, da hatte Kim wieder eine Kontraktion, durch die die Plazenta ausgestoßen wurde. Annie versuchte, nicht hinzuschauen, als Theo eine Tüte aus seiner Notfalltasche nahm und sie hineingab. Er klemmte die Nabelschnur ab und tauschte die verunreinigte Matte gegen eine saubere aus. Für einen Mann mit einem stattlichen Treuhandvermögen und einem lukrativen Buchvertrag machte es ihm erstaunlich wenig aus, sich die Hände schmutzig zu machen.

Das Baby war ein bisschen klein, aber als dreifache Mutter wusste Kim damit umzugehen. Bald schon nuckelte es zufrieden an ihrer Brust. Die restliche Nacht verbrachte Theo in einem Wohnzimmersessel, Annie schlief unruhig auf der Couch. Sie hörte ihn mehrmals aufstehen, und einmal, als sie die Augen öffnete, lag das Baby schlafend in seinen Armen. Er hielt den Kleinen beschützend an seine Brust gedrückt. Annie musste daran denken, wie behutsam Theo mit Kim umgegangen war, sah, wie zärtlich er mit dem Baby umging. Er war ins kalte Wasser geworfen worden und hatte die Situation meisterhaft bewältigt. Zum Glück waren Komplikationen ausgeblieben, doch Annie wusste, hätte es sie gegeben, hätte er trotzdem einen kühlen Kopf bewahrt und getan, was er hätte tun müssen. Er hatte sich wie ein Held verhalten, und Annie hatte eine Schwäche für Helden ...

Nur dass dieser spezielle Held sie einmal beinahe umgebracht hätte.

Am Morgen bedankten sich Kim und Kurt überschwänglich bei Theo. Ihre beiden älteren Kinder – die Annie mit Frühstück versorgt hatte – kletterten auf das Bett, um ihren neuen Bruder zu begutachten. Nachdem Mutter und Kind die Entbindung sicher überstanden hatten, erübrigte sich eine Evakuierung mit dem Hubschrauber, trotzdem bestand Theo darauf, dass Kurt seine Frau und den Säugling auf das Festland brachte, um beide durchchecken zu lassen. Kim lehnte das kategorisch ab.

»Sie haben Ihre Sache genauso gut gemacht, wie ein Arzt es hätte machen können. Wir fahren nirgendwo hin.« Wie sehr Theo auch an sie appellierte, Kim wollte ihre Meinung nicht ändern. »Ich kenne meinen Körper, und ich kenne mich mit Babys aus. Wir kommen klar. Außerdem ist Judy bereits auf dem Heimweg, um uns behilflich zu sein.«

»Verstehst du nun, womit ich mich die ganze Zeit herumschlagen muss?«, sagte Theo erschöpft zu Annie, als sie zum Cottage zurückfuhren. »Sie haben viel zu viel Vertrauen in mich.«

»Verhalte dich weniger kompetent«, empfahl Annie.

Sie sagte ihm nicht, dass er wahrscheinlich der vertrauenswürdigste Mann war, den sie jemals gekannt hatte. Oder vielleicht auch nicht ... Sie war noch nie verwirrter gewesen.

Auch als sie am nächsten Tag die Treppe zum Dachboden des Klippenhauses hochstieg, dachte Annie noch über Theo nach. Er hatte ihr angeboten, sich für das Cottage zu nehmen, was sie wollte. Annie fragte sich, ob sie dort oben die Meerlandschaften finden würde, die sie von früher in Erinnerung hatte. Die Scharniere ächzten, als Annie die Speichertür öffnete. Der Raum hätte direkt aus einem Horrorfilm stammen können. Eine unheimliche Schneiderpuppe hielt Wache vor kaputten Möbeln, verstaubten Kartons und einem Stapel ausgebleichter Rettungsringe. Das einzige Licht kam von einem schmutzigen Erkerfenster hinter zerfetzten Spinnennetzen und von zwei nackten Glühbirnen, die von der Decke herunterbaumelten.

Du erwartest von mir aber nicht wirklich, dass ich diesen Raum betrete, oder?, piepste Crumpet ängstlich.

Leider kann ich nicht bleiben, sagte Peter.

Leo höhnte: *Nur gut, dass wenigstens einer hier Rückgrat besitzt.*

Dein Rückgrat ist meine Hand, erinnerte Annie ihn und wandte den Blick von einer unheimlichen, in Plastikfolie gehüllten Puppensammlung ab, die einmal Regan gehört hatte.

Genau, konterte Leo spöttisch. *Und nun bist du hier.*

Auf dem Boden stapelten sich alte Zeitungen, Zeitschriften und Bücher, die niemand jemals wieder lesen würde. Annie stieg über eine verschimmelte Segeltasche aus Leinen, einen kaputten Sonnenschirm und einen verstaubten Rucksack, um zu ein paar Bildern zu gelangen, die an der Wand lehnten. Kartons, übersät mit toten Insekten, blockierten die Gemälde. Als Annie die Kartons zur Seite schob, entdeckte sie eine Schuhschachtel mit der Aufschrift »Privateigentum von Regan Harp«. Neugierig warf sie einen Blick hinein.

Die Schachtel enthielt Kinderfotos von Theo und Regan. Annie breitete ein altes Strandlaken auf dem Boden aus und setzte sich darauf, um sich die Fotos anzusehen. Den verwackelten Motiven nach zu urteilen, hatten die Zwillinge viele davon selbst geschossen. Sie posierten in Superheldenkostümen, spielten im Schnee, schnitten Grimassen in Richtung Kamera. Die Bilder waren so bezaubernd, dass sich in Annies Kehle ein Kloß bildete.

Auf anderen waren Theo und Regan gemeinsam abgebildet. Annie erkannte Regans NO-FEAR-T-Shirt aus jenem Sommer, den sie gemeinsam verbracht hatten, wieder, und erinnerte sich vage, dass sie selbst das Foto geschossen hatte. Es gab Schnappschüsse von Theo und Regan im Pool, auf der Veranda und auf ihrem Segelboot – demselben Boot, mit dem Regan an jenem Tag hinausgefahren war, an dem sie ertrank. Annie wurde von Kummer überwältigt.

Während sie Regans süßes Lächeln betrachtete, ihre Art, sich an ihren Bruder zu lehnen, wurde ihr wieder bewusst, was für eine Tragödie ihr Verlust für Theo war. Was für eine Tragödie all die Verluste waren, die Theo erlitten hatte, angefangen bei seiner Mutter, die ihn verließ, bis zu dem Tod seiner Ehefrau, die er einmal geliebt haben musste. Sie musterte seine zerzausten Haare, die ihm in die Stirn fielen, und seinen Arm, der sorglos auf der Schulter seiner Schwester lag.

Regan, ich wünschte, du wärst hier, um mir zu erklären, was für ein Problem dein Bruder hat …

Ganz unten in der Schachtel lag ein brauner Briefumschlag. Annie zog die Bilder heraus, die darin steckten.

Und dann … Fassungslosigkeit.

Sie sah die Abzüge schneller durch. Ihr Puls begann zu hämmern. Ein Foto nach dem anderen flog von ihrem Schoß, die Bilder verteilten sich um ihre Füße wie sterbende Blätter. Annie vergrub das Gesicht in den Händen.

Es tut mir leid, flüsterte Leo. *Ich wusste nicht, wie ich es dir sagen sollte.*

Sie musste an die frische Luft, musste das Durcheinander in ihrem Kopf entwirren. Annie lief die Treppe hinunter, griff nach ihrer Jacke und ging hinaus. Draußen blieb sie im bitterkalten Wind vor dem leeren Swimmingpool stehen. Lange Risse durchzogen die Beckenwände aus Beton, der Boden war mit Schneematsch und vermoderten Blättern übersät. Laut Lisa plante Cynthia, den Pool wieder nutzbar zu machen. Annie malte sich aus, wie sie ein Zierbecken bauen ließ, mit alten englischen Ruinensteinen ausgekleidet.

Theo bemerkte sie nicht, als er aus dem Stall kam, wo er sein Pferd gestriegelt hatte. Er war ihr Liebhaber, dieser wahnsinnig verführerische Mann, den sie so gut kannte und doch gar nicht kannte. Graue Schneeflocken wirbelten wie Asche durch die trübe Luft. Eine vernünftige Romanheldin würde ihn erst konfrontieren, nachdem sie ihre Gedanken geordnet hatte. Aber Annie war nicht vernünftig.

»Theo …«

Er blieb stehen, wandte sich um und entdeckte sie. »Was machst du denn hier draußen?« Er wartete nicht auf eine Antwort, sondern kam direkt zu ihr herüber, mit diesen langen Schritten, die ihr so vertraut geworden waren. »Lass uns für heute Feierabend machen und zusammen zum Cottage runtergehen.«

Sein leicht verschleierter Blick verriet ihr, was er mit ihr im Sinn hatte, wenn sie im Cottage sein würden.

Sie krümmte die Schultern. »Ich war auf dem Dachboden.«

»Hast du was gefunden, das du gebrauchen kannst?«

»Ja. Ja, ich hab was gefunden.«

Sie griff in ihre Jackentasche. Ihre Hand zitterte, als sie die Fotos herauszog. Fünf insgesamt, obwohl sie ein Dutzend weitere hätte mitnehmen können.

Theo verzog voller Schmerz sein Gesicht, als er sah, was Annie in den Händen hielt. Er machte auf dem Absatz kehrt und ließ sie stehen.

»Wage es nicht, jetzt wegzulaufen!«, schrie sie, während er über die Wiese stapfte. »Wage es nicht!«

Er wurde langsamer, blieb jedoch nicht stehen. »Verschon mich damit, Annie.«

»Bleib gefälligst hier!«

Sie spuckte jedes Wort aus. Ohne sich einen Schritt zu bewegen. Ohne sich vom Fleck zu rühren.

Er wandte sich schließlich zu ihr um, und seine Worte waren so matt, wie ihre vehement gewesen waren. »Das war vor langer Zeit. Ich bitte dich, lass es gut sein.«

Seine Miene war wie versteinert, finster, aber Annie musste die Wahrheit wissen. »Das warst nicht du. Du warst das gar nicht.«

Er ballte die Hände zu Fäusten. »Ich weiß nicht, wovon du redest.«

»Lügner«, sagte sie, aber ohne Zorn. »Jener Sommer damals. Ich dachte die ganze Zeit, das wärst du gewesen. Das warst nicht du.«

Er stürmte zu ihr zurück, wählte Angriff als Verteidigung. »Du weißt gar nichts. Der Tag, als die Möwen dich attackiert haben ... *Ich* war derjenige, der dich zu dem Wrack geschickt hat. *Ich* habe den toten Fisch in dein Bett gelegt. *Ich* habe dich beleidigt, terrorisiert, ausgeschlossen. Und das alles mit Absicht.«

Sie nickte langsam. »Ich verstehe allmählich, warum. Aber du warst nicht derjenige, der mich in den Speiseaufzug geschubst hat und in das Moor. Du hast auch nicht diese Welpen in die Höhle gebracht und die Nachricht geschrieben, die mich zum Strand hinuntergelockt hat.« Sie strich mit dem Daumen über die Fotos in ihrer Hand. »Du warst gar nicht derjenige, der wollte, dass ich ertrinke.«

»Du irrst dich.« Er sah ihr direkt in die Augen. »Ich habe es dir doch erklärt. Ich hatte damals kein Gewissen.«

»Das ist nicht wahr. Du hattest sogar mehr als nur ein Gewissen.« Ihre Kehle schnürte sich zusammen und machte ihr das Sprechen schwer. »Es war Regan. Und du versuchst immer noch, sie zu schützen.«

Der Beweis waren die Fotos in ihrer Hand. Auf jedem davon war Annie herausgeschnitten worden. Ihr Gesicht, ihr Körper – jeder Schnitt mit der Schere ein kleiner Mord.

Theo bewegte sich nicht, er stand so aufrecht da wie immer, trotzdem schien er in sich zusammenzufallen, sich an jenen Ort zurückzuziehen, an dem niemand ihn erreichen konnte. Annie erwartete, dass er wieder davonstapfen würde, und war erstaunt, als er das nicht tat. Sie klammerte sich daran.

»Auf manchen Fotos ist Jaycie auch«, sagte sie. »Und zwar ganz.« Sie wartete darauf, dass er wieder kehrtmachte oder ihr eine Erklärung gab, aber als er nichts von beidem tat, bot sie ihm ihre eigene Erklärung an, diejenige, die er selbst offenbar nicht fähig war auszusprechen. »Weil Jaycie keine Bedrohung für Regan darstellte. Jaycie hat nicht um deine Aufmerksamkeit gebuhlt wie ich. Du hast dich nie groß mit ihr abgegeben.« Sie spürte, dass er innerlich kämpfte. Seine Zwillingsschwester war seit über zehn Jahren tot, und trotz der Beweisfotos wollte er ihren Ruf nicht in den Schmutz ziehen. Das konnte sie jedoch nicht zulassen. »Sag mir, was ich wissen muss.«

»Du willst das gar nicht hören«, erwiderte er.

Sie stieß ein freudloses Lachen aus. »O doch. Du hast mir diese ganzen Dinge angetan, um mich vor ihr zu beschützen.«

»Du warst eine unschuldige Beteiligte.«

Sie dachte an die Strafe, die er für seine Schwester auf sich genommen hatte. »Und du ein unschuldiger Beteiligter.«

»Ich geh jetzt rein«, sagte er ausdruckslos. Er machte dicht, schottete sich ab wie üblich.

»Nein, du bleibst hier. Ich hatte einen wichtigen Part in dieser Geschichte, und ich habe es verdient, jetzt und auf der Stelle alles zu erfahren.«

»Es ist eine hässliche Geschichte.«

»Denkst du, das habe ich noch nicht verstanden?«

Er wandte sich von ihr ab und schlenderte an das Ende des Pools, wo früher ein Sprungbrett montiert gewesen war.

»Unsere Mutter hat uns verlassen, als wir fünf waren – das weißt du ja. Dad flüchtete sich in seine Arbeit, also hieß es: Regan und ich gegen den Rest der Welt.« Jedes Wort, das er sagte, schien ihm Qualen zu bereiten. »Wir hatten nur einander. Ich liebte meine Schwester, und sie hätte alles für mich getan.«

Annie bewegte sich nicht. Theo stieß mit der Spitze seines Reitstiefels gegen eine verrostete Metallschraube. Annie dachte schon, er würde nicht mehr sagen, aber dann fuhr er fort, mit kaum hörbarer Stimme: »Regan war immer sehr besitzergreifend, ich allerdings genauso. Es war kein Problem, bis wir vierzehn wurden – bis ich anfing, anderen Mädchen Beachtung zu schenken. Regan hasste es. Sie störte mich beim Telefonieren, erzählte mir Lügen über jedes Mädchen, an dem ich Interesse zeigte. Ich fand das zuerst einfach nur lästig. Doch dann wurde die Sache ernster.« Er ging in die Hocke und starrte auf den Poolboden, aber Annie bezweifelte, dass er gerade etwas anderes sah als die Vergangenheit. Er redete weiter, kühl, emotionslos. »Regan fing an, Gerüchte in die Welt zu setzen. Sie rief anonym bei den Eltern eines Mädchens an und erzählte ihnen, dass ihre Tochter Drogen nehmen würde. Ein anderes Mädchen endete mit einer gebrochenen Schulter, nachdem Regan es in der Schule zum Stolpern gebracht hatte. Alle dachten, es wäre ein Unfall gewesen, weil Regan sehr beliebt war.«

»Du wusstest, dass es kein Unfall war.«

»Ich wollte es zumindest glauben. Es gab weitere Vorfälle. Ein Mädchen, mit dem ich mich ein paarmal unterhalten hatte, wurde auf dem Fahrrad von einem großen Stein getroffen. Es stürzte auf die Straße und wurde von einem Wagen angefahren. Zum Glück war es nicht schwer verletzt, doch es hätte auch anders kommen können, und ich stellte Regan zur Rede. Sie gab zu, dass sie den Stein geworfen hatte, dann fing sie an zu weinen und versprach mir, dass so etwas nie wieder passieren würde. Ich wollte ihr glauben, aber sie schien sich selbst nicht mehr helfen zu können.« Er richtete sich wieder auf. »Ich fühlte mich, als würde ich in einer Falle sitzen.«

»Also hast du dich von den Mädchen ferngehalten.«

Er sah sie schließlich an. »Nicht sofort. Ich versuchte zuerst, es vor Regan zu verheimlichen, sie kam mir allerdings immer auf die Schliche. Kurz nachdem sie ihren Führerschein hatte, versuchte sie, eine ihrer besten Freundinnen zu überfahren. Von da an konnte ich kein Risiko mehr eingehen.«

»Du hättest es eurem Vater sagen sollen.«

»Ich habe in der Bibliothek stundenlang Bücher über psychische Erkrankungen gewälzt, und mir wurde klar, dass mit Regan etwas ganz gewaltig nicht stimmte. Ich kam sogar auf eine Diagnose – psychosoziale Zwangsstörung. Meine Vermutung war nicht so weit daneben. Ich hatte Angst, es unserem Vater zu erzählen. Er hätte sie einweisen lassen.«

»Und das konntest du nicht zulassen.«

»Es wäre das Beste für sie gewesen. Ich war damals jedoch noch ein Teenager und sah das anders.«

»Weil es immer ihr zwei gegen den Rest der Welt wart.«

Er erwiderte nichts darauf, Annie wusste dennoch, dass

es stimmte. Sah den hilflosen Jungen, der er früher gewesen war.

»Ich dachte, wenn ich sicherstellte, dass Regan niemals das Gefühl bekam, dass jemand sich zwischen uns drängte, würde alles gut werden«, sagte er. »Und ich hatte recht, bis zu einem gewissen Punkt. Solange sie sich nicht bedroht fühlte, verhielt sie sich ganz normal. Aber die harmloseste Bemerkung konnte sie zum Ausflippen bringen. Ich hoffte immer, dass sie irgendwann einen Freund haben würde und es dann aufhörte. Die Jungen wollten alle mit ihr gehen. Sie interessierte sich für keinen, außer für mich.«

»Hast du nicht angefangen, sie zu hassen?«

»Unsere Bindung war zu stark. Du hast einen Sommer mit ihr verbracht, du weißt, wie liebenswert sie sein konnte. Und diese liebenswerte Art war echt. Bis zu dem Moment, in dem ihre dunkle Seite zum Vorschein kam.«

Annie schob die Fotos wieder in ihre Jackentasche. »Du hast ihr Poesiealbum verbrannt. Du musst sie gehasst haben.«

Sein Mund zuckte. »Dieses Buch enthielt keine Poesie. Vielmehr enthielt es Regans schlimmste Wahnvorstellungen, neben seitenlangen Ergüssen, in denen sie ihr Gift gegen dich verspritzte. Ich hatte Angst, dass es jemand in die Finger bekommen könnte.«

»Und was ist mit ihrer Oboe? Sie hat ihr Instrument geliebt. Du hast es zerstört.«

In seinen Augen lag eine matte Traurigkeit. »Sie hat ihre Oboe verbrannt, als ich ihr damit drohte, Dad zu sagen, was sie dir antat. Sie betrachtete es als eine Art Opfer, um mich zu besänftigen.«

Von allem, was er ihr gerade erzählt hatte, schien dies das Traurigste zu sein – dass Regans ungesunde Geschwisterliebe sie dazu getrieben hatte, das Instrument zu zerstören, das ihr so viel Freude bereitet hatte.

»Du wolltest sie in jenem Sommer schützen«, sagte Annie, »aber du wolltest sie auch daran hindern, mir zu schaden. Du warst in einer unmöglichen Lage.«

»Ich dachte, ich hätte alles unter Kontrolle. Ich verwandelte mich praktisch in einen Mönch – ich unterhielt mich nicht mit Mädchen, schaute sie nicht einmal an, aus Angst vor Regans Reaktion. Und dann warst da plötzlich du, mit uns unter einem Dach. Ich sah dich in deinen roten Shorts herumlaufen, hörte dein Geschnatter, beobachtete, wie du an deinen Haaren spieltest, wenn du in ein Buch vertieft warst. Ich konnte dir nicht aus dem Weg gehen.«

»Jaycie ist viel hübscher als ich. Warum nicht sie?«

»Sie las nicht dieselben Bücher, hörte nicht die Musik, die ich mochte. Ich wurde mit ihr nicht richtig warm. Nicht dass ich mir erlaubt hätte, mit ihr warm zu werden. Ich machte sie vor Regan schlecht. Das habe ich auch mit dir versucht, doch Regan hat es durchschaut.«

»Das alles hatte nur mit Verfügbarkeit zu tun, nicht wahr? Das ist die Ironie dabei. Wären wir uns in der Stadt begegnet, hättest du mir keinen zweiten Blick geschenkt.« Theo gehörte zu schönen Frauen. Sie und er hatten nur wegen der räumlichen Nähe zusammengefunden. Annie steckte ihre kalten Hände in ihre Jacke. »Nach allem, was du mit deiner Schwester durchgemacht hast, wie konntest du dich da in Kenley verlieben?«

»Sie strahlte Unabhängigkeit und Selbstbewusstsein

aus.« Er schnaubte spöttisch über seine eigenen Worte. »All das, was ich bei einer Frau suchte. All das, was Regan fehlte. Kenley und ich waren noch keine sechs Monate zusammen, als sie mich zur Heirat drängte. Ich war verrückt nach ihr, also ignorierte ich meine Bedenken und sagte Ja.«

»Was dich praktisch in dieselbe Zwickmühle brachte wie mit Regan.«

»Nur dass Kenley nicht versucht hat, jemand anderen umzubringen, sie wollte sich selbst umbringen.«

»Um dich zu bestrafen.«

Er krümmte die Schultern. »Mir ist kalt. Ich geh rein.«

Der Mann, der draußen seinen Pullover ausgezogen und sich mit freiem Oberkörper in den Schnee gestellt hatte, fror plötzlich?

»Noch nicht. Erst bringst du die Geschichte zu Ende.«

»Sie ist zu Ende.« Er stolzierte davon und verschwand schließlich im Turm.

Annie nahm die Fotos aus ihrer Jackentasche. Sie brannten in ihren kalten Fingern. Sie betrachtete sie durch den grauen Schneewirbel. Eine Windböe riss ihr die Fotos schließlich aus den Händen. Eins nach dem anderen flatterte in den Dreck auf dem Grund des Swimmingpools.

Kaum war Annie in das Haus zurückgekehrt, verlangte Livia nach Aufmerksamkeit. Annie zeichnete für sie lustige Figuren, während ihr der Kopf schwirrte von dem, was sie gerade erfahren hatte, und sie über das grübelte, was sie noch nicht wusste. Wie abzusehen war, hatte Theo ihr nur einen Teil der Geschichte offenbart. Annie würde den Rest aus ihm herauszwingen müssen. Vielleicht würde das Erzählen die Wand aus Eis, hinter der er lebte, zum Splittern bringen.

Sie drückte Livia einen Kuss auf den Kopf. »Warum spielst du nicht ein bisschen Puppentheater für deine Stofftiere?« Sie tat so, als würde sie Livias Stirnrunzeln nicht sehen, als sie vom Tisch aufstand.

Schon bevor sie den Turm betrat, hörte sie die Rockmusik. Sie ging durch die Verbindungstür in das Wohnzimmer. Die Musik kam von oben aus Theos Arbeitszimmer. Annie stieg die Treppe hoch in die Dachkammer und klopfte an die Tür, erhielt aber keine Antwort. Annie versuchte es wieder, und als er immer noch nicht reagierte, drehte sie den Türknauf. Es überraschte sie nicht, dass die Tür abgeschlossen war. Die Botschaft war klar. Theo war für heute fertig mit ihr.

Annie dachte nach. Die Musik wechselte von Arcade Fire zu den White Stripes. Dann, wie aus dem Nichts, zerriss das angstvolle Kreischen einer Katze die Luft, dicht gefolgt von einem qualvollen Laut, der nur von einem Tier in allerhöchster Gefahr stammen konnte.

Die Tür der Dachkammer flog auf. Theo stürmte hinaus auf den Treppenabsatz und hielt nach seinem Kater Ausschau. Annie glitt unbemerkt in den Raum, während Theo die Treppe hinuntereilte.

Er hatte seine Jacke über einen schwarzen Lederhocker geworfen, der vor seinem Ruhesessel stand. Sein Schreibtisch war aufgeräumter als bei Annies letztem Besuch, allerdings hatte Theo seither meistens im Cottage gearbeitet. Ein paar CD-Hüllen lagen auf dem Boden neben dem Sessel. Das Teleskop stand vor dem Fenster und zeigte auf das Cottage, Annie fand den Anblick nun eher beruhigend als bedrohlich. Theo der Beschützer. Der versuchte, seine psychisch kranke Schwester zu decken, seine wahnsinnige Frau vor sich selbst zu retten und auf Annie aufzupassen.

Sie hörte ihn zielstrebig die Treppe hochkommen. Er erschien im Türrahmen. Blieb dort stehen. Starrte sie an.

»Du warst das …«

Annie zog die Nase kraus. »Ich kann nichts dafür«, sagte sie schuldbewusst. »Ich habe verrückte Fähigkeiten.«

Seine Augenbrauen schnellten zusammen. Mit unheilvoller Miene kam er in das Zimmer. »Ich schwöre dir … wenn du so was noch mal mit mir machst …«

»Werd ich nicht. Zumindest glaube ich das nicht. Wahrscheinlich nicht …«

Außer ich muss, dachte sie.

»Nur damit ich beruhigt bin …«, sagte er zähneknirschend. »Wo ist meine Katze?«

»Ich weiß nicht genau. Wahrscheinlich schläft sie im Atelier. Du weißt, dass sie sich dort gern unter dem Bett verkriecht.«

Sosehr Theo sich vielleicht wünschte, Annie körperliche Schmerzen zuzufügen, so rasch schien er zu realisieren, dass das seiner Natur widersprach.

»Was zum Teufel mache ich bloß mit dir?«

Sie ging zum Angriff über. »Ich sage dir, was du nicht machen wirst. Du wirst dir kein Bein ausreißen, um auf mich aufzupassen. Ich weiß die Idee zwar zu schätzen, aber ich bin körperlich und auch geistig – jedenfalls verglichen mit früher – wieder gesund, und ich kann auf mich selbst aufpassen. Vielleicht auf eine nicht ganz so übliche Art, ich kriege das trotzdem hin, und ich werde es weiter hinkriegen. Es sind also keine Heldentaten von deiner Seite nötig.«

»Ich habe keine Ahnung, wovon du redest.«

Vielleicht hatte er tatsächlich keine. Er schien sich selbst als den Bösewicht zu betrachten, und wenn sie ihn darauf hinwies, dass er eigentlich eher der Beschützer war, würde er wahrscheinlich abwinken.

Sie ließ sich in seinen Ruhesessel plumpsen. »Ich hab Hunger. Lass es uns hinter uns bringen.«

Kapitel 19

Hinter uns bringen?« Wieder einmal gingen seine Augenbrauen auf Kollisionskurs. »Du willst wissen, ob ich Regan umgebracht habe …«

Die einzige Möglichkeit, wie sie den Rest aus Theo herauskitzeln konnte, war, ihn anzustacheln. »Spiel keine Spielchen mit mir. Du hast sie nicht umgebracht.«

»Woher willst du das wissen?«

»Weil ich dich kenne. Meisterbauer von Feenhäusern tun so was nicht.« Sie kannte ihn tatsächlich. Auf Arten, die sie bisher nicht gekannt hatte. Annie bremste ihn, bevor er abstreiten konnte, was er für Livia getan hatte. »Du hast deinen Horror in dein Buch gepackt. Und jetzt hör auf, mich mit dieser gespielten Bedrohung abzulenken. Sag mir endlich, was damals passiert ist.«

»Vielleicht habe ich dir ja genau so viel erzählt, wie ich wollte.«

Er lächelte spöttisch wie Leo, aber sie ließ sich nicht davon abschrecken. »Du und Regan, ihr hattet gerade das College absolviert«, sagte sie. »Und zwar nicht dasselbe College. Wie hast du das eigentlich hinbekommen?«

»Ich habe ihr damit gedroht, dass ich mein Studium hinschmeiße, wenn sie nicht einwilligt, dass wir auf verschiedene Unis gehen. Ich habe ihr gesagt, ich würde eine

Rucksacktour um die Welt machen und niemandem über meinen jeweiligen Aufenthaltsort Bescheid geben.«

Wenigstens war er dazu imstande gewesen, sich selbst zu schützen. »Ihr habt also getrennt studiert …« Man brauchte keine Kristallkugel, um herauszufinden, was als Nächstes passiert war. »Und dann hast du ein Mädchen kennengelernt.«

»Mehr als eins. Hast du eigentlich nichts Besseres zu tun?«

»Nein. Erzähl weiter.«

Er nahm seine Jacke vom Hocker und hängte sie an einen Haken neben der Tür – nicht weil er ein Ordnungsfreak war, sondern weil er Annie nicht ansehen wollte. »Ich war wie ein Ausgehungerter in einem Supermarkt, und obwohl Regans College hundert Meilen entfernt lag, verhielt ich mich sehr vorsichtig. Bis ich mich in meinem Abschlussjahr in ein Mädchen aus meinem Seminar verliebte …«

Annie lehnte sich in dem Sessel zurück und versuchte, einen gelassenen Eindruck zu machen, damit Theo nicht plötzlich wieder dichtmachte.

»Lass mich raten. Sie war wunderschön, klug und verrückt.«

Er brachte den Hauch eines Lächelns zustande. »Zwei Richtige von drei. Deborah ist heute Finanzchefin einer Technologiefirma in Denver. Verheiratet, drei Kinder. Definitiv nicht verrückt.«

»Aber du hattest damals ein großes Problem …«

Er schob einen Notizblock auf seinem Schreibtisch hin und her. »Ich besuchte Regan so oft wie möglich in ihrem College, und sie wirkte auf mich okay. Normal. In ihrem Abschlussjahr fing sie sogar an, mit Typen auszugehen. Ich dachte, sie wäre aus ihren Problemen herausgewachsen.« Er entfernte sich vom Schreibtisch. »Zum Unabhängigkeitstag war ein Familientreffen im Klippenhaus geplant. Deborah konnte nicht daran teilnehmen, aber da sie die Insel unbedingt kennenlernen wollte, fuhr ich mit ihr eine Woche, bevor die anderen kamen, nach Peregrine.« Er schlenderte zu einem der Fenster, die auf das Meer hinauszeigten. »Ich hatte mir vorgenommen, Regan am folgenden Wochenende die Wahrheit zu sagen, doch sie tauchte früher auf.« Annie umklammerte ihre Armlehnen. Sie wollte nicht hören, was als Nächstes kam, obwohl sie wusste, dass es sein musste. »Deborah und ich machten gerade einen Spaziergang am Strand. Wir hielten uns an den Händen. Mehr nicht. Regan sah uns von der Klippenspitze aus.« Theo stützte sich mit gespreizten Händen gegen den Fensterrahmen und starrte hinaus. »Kurz davor hatte es geregnet, und die Klippenstufen waren glitschig, darum ist es mir immer noch ein Rätsel, wie Regan es so schnell zum Strand hinunter schaffte. Ich sah sie nicht einmal kommen, und im nächsten Moment hatte sie sich auch schon auf Deborah gestürzt. Ich packte Regan und zerrte sie von Deborah weg. Deborah flüchtete, sie lief zum Haus hoch.«

Er wandte sich vom Fenster ab, sah sie aber immer noch nicht an. »Ich war stinksauer. Ich habe Regan gesagt, dass ich mein eigenes Leben führen muss und dass sie in psychiatrische Behandlung gehört. Es wurde ziemlich hässlich.« Er deutete auf die Narbe über seiner Augenbraue. »Die hier habe ich von Regan, nicht von dir.« Sein Finger wanderte zu dem viel kleineren Mal an der anderen Augenbraue. »Die hier stammt von dir. Das hab ich dir doch schon einmal gesagt.« Es hatte ihr eine solche Genugtuung bereitet, dass sie ihm eine Verletzung verpasst hatte. Nun wurde ihr von der Erinnerung übel. »Regan flippte völlig aus«, fuhr er fort. »Sie drohte mir, drohte Deborah. Ich bin explodiert. Ich brüllte sie an, dass ich sie hassen würde. Daraufhin sah sie mir in die Augen und sagte, sie werde sich umbringen.« Ein Muskel zuckte in seinem Kiefer. »Ich war so wütend, dass ich erwiderte, dass mir das scheißegal sei.« Annie wurde von Mitgefühl übermannt. Theo schlenderte zu dem Teleskop am anderen Fenster, ohne Annie anzusehen, ohne irgendetwas zu sehen. »Draußen zog ein Sturm auf. Als ich schließlich oben am Haus ankam, hatte ich mich so weit wieder beruhigt, dass ich wusste, ich musste zurückgehen und ihr sagen, dass ich es nicht so gemeint hatte, obwohl das nur teilweise stimmte. Doch es war zu spät. Regan war bereits zu unserem Anleger gelaufen, sie kletterte gerade in das Segelboot. Ich brüllte von den Klippenstufen herunter, sie solle zurückkommen. Ich bin mir nicht sicher, ob sie mich gehört hat. Bevor ich zu ihr gelangen konnte, hatte sie bereits das Segel aufgezogen.« Annie sah die Szene vor sich, als wäre sie selbst dabei gewesen, sie hätte das Bild am liebsten weggewischt. »Das Motorboot war zur Reparatur an Land«, fuhr er fort. »Also sprang ich in das Wasser, weil ich dachte, ich könnte sie einholen. Es herrschte eine starke Brandung. Als Regan mich sah, brüllte sie, ich solle umkehren. Ich kraulte weiter. Die Wellen schlugen über mir zusammen, aber hin und wieder konnte ich einen Blick auf Regan erhaschen. Ihre Miene wirkte so untröstlich, so bedauernd. So verdammt bedauernd. Dann kappte sie das Segel und trieb in den Sturm hinaus.« Er öffnete seine Hände, die er zu Fäusten geballt hatte. »Das war das letzte Mal, dass ich sie lebend gesehen habe.«

Annie ballte nun ihre Hände zu Fäusten. Es war nicht richtig, einen psychisch kranken Menschen zu hassen, doch Regan hatte sich nicht nur selbst zerstört und hätte beinahe Annie umgebracht, sie hatte auch ihr Bestes getan, um Theo zu zerstören.

»Deine Schwester hat es dir ganz schön gegeben, nicht? Die perfekte Rache.«

»Du verstehst das nicht«, sagte er mit einem bitteren Lachen. »Regan hat sich nicht umgebracht, um mich zu bestrafen. Sie tat es, um mich freizugeben.«

Annie schoss aus dem Sessel hoch. »Das weißt du nicht!«

»Doch, ich weiß es.« Er blickte sie schließlich an. »Manchmal konnten wir gegenseitig unsere Gedanken lesen, und das war auch so in dieser Situation.«

Annie musste daran denken, dass Regan einmal wegen einer Möwe mit einem gebrochenen Flügel bittere Tränen vergossen hatte. In ihren geistig gesunden Momenten musste sie diesen anderen Teil von sich gehasst haben.

Annie wusste, sie durfte sich ihr Mitgefühl nicht anmerken lassen, trotzdem war falsch, was Theo sich selbst angetan hatte.

»Regans Plan ist nicht aufgegangen. Du fühlst dich immer noch für ihren Tod verantwortlich.«

Er tat ihr Verständnis mit einer schroffen Handbewegung ab. »Regan … Kenley … Such nach dem gemeinsamen Nenner, und du findest mich.«

»Was ich finde, sind zwei psychisch kranke Frauen und ein Mann mit einem überentwickelten Verantwortungsgefühl. Du konntest Regan nicht retten. Früher oder später hätte sie sich selbst zerstört. Mit Kenley dagegen sieht die Sache etwas anders aus. Du hast gesagt, du fühltest dich zu ihr hingezogen, weil sie das Gegenteil von Regan war. Stimmt das?«

»Du verstehst nicht. Kenley war brillant. Sie wirkte so unabhängig.«

»Das habe ich schon verstanden, trotzdem musst du ihre Bedürftigkeit hinter dieser Fassade gespürt haben.«

»Nein.«

Nun war er wütend, aber Annie ließ nicht locker. »Kann es sein, dass du deine Beziehung mit Kenley als eine Möglichkeit betrachtet hast, die Sache mit Regan wiedergutzumachen? In der Hoffnung, dass du Kenley retten könntest, nachdem du deine Schwester nicht retten konntest?«

Er schüttelte den Kopf. »Dieser Psychokurs, den du im Internet gemacht hast, kommt dir wohl gerade sehr gelegen.«

Annie hatte ihr Wissen über die menschliche Psyche in ihren Theaterworkshops gewonnen, wo es darum ging, die tiefere Motivation einer Figur zu verstehen.

»Du bist von Natur aus ein sehr fürsorglicher Mensch, Theo. Ist dir jemals die Idee gekommen, dass du mit dem Schreiben vielleicht gegen irgendetwas in dir rebellierst, das dich dazu bringt, dich für andere Menschen verantwortlich zu fühlen?«

»Du bohrst viel zu tief«, erwiderte er scharf.

»Denk einfach mal darüber nach, okay? Solltest du

mit Regan recht haben, stell dir vor, wie sehr sie es hassen würde, dass du dich ständig selbst bestrafst.« Seine Feindseligkeit sagte ihr, dass sie ihm nicht weiter zusetzen konnte. Sie hatte die Saat gepflanzt. Nun musste sie zurücktreten und warten, ob sie aufgehen würde. »Für den Fall, dass du dich fragst … Du bist ein toller Mann und ein halbwegs passabler Liebhaber, aber ich würde mich nie und nimmer wegen dir umbringen.«

»Beruhigend.«

»Oder auch nur eine schlaflose Minute wegen dir haben.«

»Klingt leicht beleidigend … Danke dennoch für die klaren Worte.«

»So handhaben das geistig gesunde Frauen. Merk dir das für später.«

»Das werde ich.«

Das plötzliche Gefühl der Enge in ihrer Brust widersprach Annies Schlagfertigkeit. Es brach ihr fast das Herz. Theo war nicht zum Schreiben auf die Insel gekommen. Er war hier, um für zwei Todesfälle zu büßen, für die er sich verantwortlich fühlte. Harp House war nicht seine Zuflucht. Es war seine Strafe.

Am nächsten Morgen, Annie machte gerade Frühstück, fiel ihr Blick auf den Kalender, den sie an die Küchenwand gehängt hatte. Über dreißig Tage waren schon vergangen seit ihrer Ankunft auf der Insel. Theo kam in die Küche und erklärte ihr, dass er auf das Festland fahren müsse.

»Ich habe in Camden einen Termin mit meiner Verlegerin. Sie kommt extra von Portland hoch, damit wir ein paar Dinge besprechen können. Ed Compton bringt mich morgen Abend mit seinem Schiff zurück.«

Annie nahm sich eine Müslischale. »Du Glücklicher. Beleuchtete Straßen, asphaltierte Wege, Starbucks … Nicht dass ich es mir momentan leisten könnte, in ein Starbucks zu gehen.«

»Ich werde für dich in eins gehen.« Er hob eine Hand, als rechnete er mit ihrem Protest, was auch immer er gleich sagen würde. »Ich weiß, du bist bewaffnet und gefährlich. Trotzdem möchte ich, dass du im Klippenhaus bleibst, während ich weg bin. Das ist eine höfliche Bitte, kein Befehl.«

Er hatte versucht, auf Regan und Kenley aufzupassen, und nun versuchte er, auf Annie aufzupassen. »Du bist so ein Weichei«, erwiderte sie. Er antwortete, indem er seinen Körper straffte und sie anfunkelte, jeder Zentimeter von ihm verkörperte erboste Männlichkeit. »Das war ein Kompliment«, sagte sie schnell. »Sozusagen. Diese ganze Fürsorge, die du ständig an den Tag legst … Sosehr ich deine Wachhundattitüde auch schätze – ich bin keine dieser bedürftigen Frauen, die du so gern um dich scharst.«

Er schenkte ihr sein bösestes böses Lächeln. »Übrigens, deine Idee mit der Peitsche … Ich finde mehr und mehr Gefallen daran.«

Am liebsten hätte sie ihm die Kleider vom Leib gerissen und ihn an Ort und Stelle verschlungen. Doch sie antwortete lediglich schnippisch: »Ich werde in Harp House bleiben, damit du, meine liebe Freundin, dir keine Sorgen zu machen brauchst.«

Ihr Spott zeigte den gewünschten Effekt. Er nahm sie

direkt auf dem Küchenboden. Und es war unglaublich beglückend.

Sosehr Annie die Vorstellung missfiel, im Klippenhaus zu übernachten, erklärte sie sich dennoch dazu bereit, um Theo zu beruhigen. Oben angekommen, machte sie einen kurzen Abstecher zum Feenhaus. Theo hatte über dem Eingang einen freitragenden Balkon aus Zweigen gebaut. Außerdem hatte er den Pfad aus Steinen durcheinandergebracht – Beweisspuren für einen nächtlichen Feenspaß. Annie wandte ihr Gesicht der Sonne zu. Nachdem sie so viel Kälte hatte erdulden müssen, würde sie einen sonnigen Wintertag nie mehr als selbstverständlich betrachten.

Der Duft von frisch gebackenem Bananenkuchen schlug ihr entgegen, als sie die Küche betrat. Jaycie konnte besser backen als kochen, und sie verwöhnte Annie mit kleinen Aufmerksamkeiten, seit sie sie mit den Todesumständen ihres Mannes konfrontiert hatte. Es war Jaycies Art, Wiedergutmachung zu leisten dafür, dass sie nicht über ihre Vergangenheit redete.

Reste von Bastelpapier, das Livia für eines ihrer Kunstprojekte verwendet hatte, lagen auf dem Tisch. Annie hatte im Internet stundenlang über schwere traumatische Störungen bei Kindern recherchiert. Ein Artikel über Puppentherapie hatte sie besonders fasziniert. Aber es waren speziell ausgebildete Therapeuten, die sich in dem Artikel geäußert hatten, und die Informationen hatten ihr nur noch stärker bewusst gemacht, wie wenig sie wusste.

Jaycie kam in die Küche gehumpelt. Sie ging jetzt schon seit Wochen auf Krücken, aber sie bewegte sich damit fast immer noch so unbeholfen wie am Anfang.

»Theo hat mir eine SMS geschickt«, sagte sie. »Er ist unterwegs zum Festland.« Ihre Stimme nahm einen untypisch scharfen Ton an. »Ich wette, du vermisst ihn.«

Annie hatte es Jaycie übel genommen, dass sie nicht offen zu ihr war, sie selbst gab sich jedoch nicht weniger verschlossen. Trotzdem, sie konnte sich nicht vorstellen, Jaycie ihre Affäre mit Theo zu gestehen. Sie verdankte Jaycie ihr Leben.

Während der Tag verstrich, sank Annies Stimmung immer tiefer. Sie hatte sich daran gewöhnt, sich auf das Zusammensein mit Theo zu freuen. Und das nicht nur wegen des unglaublichen Sex. Sie fühlte sich in seiner Gesellschaft einfach wohl.

Gewöhn dich daran, sagte Dilly auf ihre direkte Art. *Deine unkluge Liebesaffäre wird nämlich bald vorbei sein.*

Sexaffäre, korrigierte Annie sie im Stillen. Und denkst du wirklich, das wäre mir nicht klar?

Sag du es mir, erwiderte Dilly.

Ob es Annie gefiel oder nicht, der dumpfe Schmerz, den sie über Theos Abwesenheit empfand, war ein Weckruf. Sie zwang sich, ihre Konzentration auf den bevorstehenden Abend zu lenken, entschlossen, ihn zu genießen. Die Artikel über Puppentherapie waren hochinteressant gewesen. Sie recherchierte noch ein bisschen weiter, dann machte sie es sich im Bett mit einem ihrer alten Lieblingsbücher gemütlich, das sie sich mitgebracht hatte. Gab es einen besseren Ort, um einen Schauerroman zu lesen, als das Klippenhaus?

Bis Mitternacht hatte die Geschichte des zynischen Herzogs und seiner jungfräulichen Gesellschafterin jedoch noch immer nicht ihren Zauber entfaltet, und Annie fand einfach nicht in den Schlaf. Ihr Abendessen war spärlich gewesen. Vielleicht konnte sie schlafen, wenn sie etwas gegessen hatte. Sie glitt aus dem Bett und steckte die Füße in ihre Sneakers.

Die Lampe im Flur zeichnete einen langen Schatten an die Wand. Die Treppe knarrte leise, als Annie in das Foyer hinunterging. Der Vollmond warf silberne Lichtsprenkel durch den Glaseinsatz über der Haustür – nicht genug, um den Raum zu erhellen, nur genug, um die düstere Atmosphäre zu verstärken. Das Haus hatte sich nie ungastlicher angefühlt. Annie ging in den hinteren Flur … und erstarrte. Eiskalte Panik lähmte sie. Jaycie marschierte ohne Krücken durch den Flur zu ihrer Wohnung. Ihrem Fuß fehlte nichts. Gar nichts.

Annie klingelten die Ohren bei der Erinnerung an die Kugel, die knapp an ihrem Kopf vorbeigesaust war. Sie sah Crumpet von der Decke hängen, die blutrote Warnung an ihrer Wand. Jaycie hatte ein Motiv, um sie von der Insel zu vertreiben. Hatte Annie das Naheliegende übersehen? War Jaycie diejenige, die das Cottage verwüstet hatte? Hatte sie die Kugel abgefeuert?

Jaycie hatte ihre Wohnungstür fast erreicht, als sie unvermittelt stehen blieb. Sie schaute hoch zur Decke und neigte dabei leicht den Kopf, fast so, als würde sie auf eine Bewegung oben horchen. Und da Annie die einzige Person war, die sich dort aufhalten sollte …

Jaycie setzte sich wieder in Bewegung, allerdings ging sie nicht in ihre Wohnung, sondern den Weg zurück, den sie gekommen war. Annie flüchtete rasch in die dunkle Küche und presste sich flach an die Wand neben dem

Durchgang. Ihre Lähmung fiel jäh von ihr ab. Am liebsten hätte sie Jaycie gepackt und die Wahrheit aus ihr herausgeschüttelt.

Sie wagte gerade noch rechtzeitig einen verstohlenen Blick in den Flur, um zu sehen, dass Jaycie an der Küche vorbeigegangen war und in Richtung Foyer verschwand. Sie folgte ihr in sicherem Abstand, wich im letzten Moment einer von Livias My-Little-Pony-Figuren aus, die auf dem Boden lag. Vorsichtig spähte sie um die Ecke. Jaycie war vor der Treppe stehen geblieben. Annie beobachtete, wie sie nun leichtfüßig die Stufen hochhuschte.

Annie presste ihren Hinterkopf an die Wand. Tränen brannten in ihren Augen. Sie wollte es nicht glauben. Wollte nicht der Wahrheit ins Gesicht sehen. Jaycie hatte sie verraten. Der Zorn loderte immer heftiger in ihr. Sie würde nicht zulassen, dass Jaycie damit davonkam.

Sie löste sich von der Wand, nur um Scamps spöttische Stimme zu hören. *Du willst ihr hinterhergehen? Genau wie die allerdümmste Heldin? Es ist mitten in der Nacht. In diesem Haus gibt es ein ganzes Waffenarsenal, und soviel du weißt, besitzt Jaycie selbst eine Pistole. Sie hat schon ihren Mann umgebracht. Hast du aus deinen Büchern denn nichts gelernt?*

Annie knirschte mit den Zähnen. Es widerstrebte ihr zwar, aber diese Konfrontation musste bis zum Morgen warten, wenn sie einen kühleren Kopf hatte. Und ihre Waffe. Sie zwang sich, in die Küche zurückzukehren, riss ihre Jacke vom Haken und floh aus dem Haus.

Aus dem Stall kam ein leises Wiehern. Die Fichten knackten, und ein Geschöpf der Nacht raschelte durch das Gebüsch. Obwohl der Mond hell schien, war der Abstieg von der Klippe gefährlich. Annie stolperte über einen losen Stein und knickte um. Ein Käuzchen schrie eine Warnung. Annie hatte die ganze Zeit gedacht, jemand hätte es auf Mariahs Vermächtnis abgesehen, doch das war ein Trugschluss gewesen. Vielmehr wollte Jaycie sie loswerden, um Theo für sich allein zu haben. Es war, als hätte Regans Düsterkeit und Boshaftigkeit in Jaycie ein neues Zuhause gefunden.

Als Annie das Moor erreichte, klapperte sie mit den Zähnen. Sie sah zurück zum Haus. In einem der Turmfenster brannte Licht. Sie fröstelte bei der Vorstellung, dass Jaycie zu ihr hinunterstarrte, bis ihr einfiel, dass sie selbst das Licht im Turm angelassen hatte.

Während sie den gewaltigen Schatten des Klippenhauses und das leuchtende Turmfenster betrachtete, hätte sie beinahe gelacht. Die Szenerie erinnerte stark an die Cover ihrer Schauerromane. Aber statt in einem sich bauschenden, hauchdünnen Kleid mitten in der Nacht aus dem Geisterhaus zu fliehen, floh Annie in einem Flanellpyjama mit Weihnachtsmannmuster.

Eine Gänsehaut kroch über ihren Rücken, als sie sich dem dunklen Cottage näherte. Ob Jaycie ihr Verschwinden bereits bemerkt hatte? Annies Zorn loderte erneut auf. Sie würde sich Jaycie am nächsten Tag vorknöpfen, bevor Theo zurück war und die Möglichkeit hatte, das Kommando zu übernehmen. Dies hier war allein ihr Kampf.

Nur dass es nicht allein ihr Kampf war. Sie dachte an Livia. Was würde aus dem Kind werden?

Die Übelkeit, gegen die Annie ankämpfte, seit sie Jaycie ohne Krücken gesehen hatte, schlug nun zurück. Annie kramte in ihrer Jackentasche nach dem Schlüssel und steckte ihn in das Schloss. Die Tür schwang mit einem unheilvollen Knarren auf. Annie ging hinein und tastete nach dem Lichtschalter.

Nichts passierte.

Booker hatte ihr erklärt, wie man den Generator startete, aber Annie wusste nicht, dass sie dies eines Tages im Dunkeln würde tun müssen. Sie schnappte sich die Taschenlampe, die immer neben der Tür lag, und machte kehrt, um wieder hinauszugehen, als ein leises, fast unhörbares Geräusch sie abrupt zum Stehen brachte.

Etwas hatte sich auf der anderen Seite des Zimmers bewegt.

Annie stockte der Atem. Die Pistole lag in ihrem Schlafzimmer. Alles, was sie hatte, war die Taschenlampe. Sie hob den Arm, knipste die Lampe an und richtete den Lichtstrahl in den Raum.

Hannibals gelbe Augen starrten zu ihr zurück, er hielt seine Stoffmaus zwischen den Tatzen.

»Du blöder Kater! Du hast mich zu Tode erschreckt!«, rief Annie.

Hannibal hob die Nase in die Luft und schlug die Maus quer über den Boden. Annie blickte ihn finster an, während sie darauf wartete, dass sich ihr Herzschlag wieder normalisierte. Als sie einigermaßen sicher war, dass sie sich genug erholt hatte, um sich wieder in Bewegung zu setzen, stapfte sie hinaus in die Nacht. Sie war nicht für das Inselleben geboren.

Dafür schlägst du dich allerdings ganz gut, bemerkte Leo.

»Deine neue Cheerleader-Art ist mir nicht geheuer«, murmelte Annie.

Du kritisierst gerade eine Puppe, erinnerte Dilly sie.

Annie erreichte den Generator und versuchte sich in Erinnerung zu rufen, was Booker ihr erklärt hatte. Als sie die einzelnen Schritte im Kopf durchging, vernahm sie ganz schwach ein Motorengeräusch, das sich von der Hauptstraße näherte. Wer fuhr um diese Uhrzeit zu ihr heraus? Es hätte jemand sein können, der wegen eines medizinischen Notfalls Theo aufsuchen wollte, nur dass inzwischen jeder wissen würde, dass Theo sich momentan nicht auf der Insel aufhielt. Und dass Annie hier allein war …

Sie wandte sich von dem Generator ab und rannte zurück ins Haus, um die Pistole aus ihrem Nachttisch zu holen. Sie war sich nicht sicher, ob sie imstande war, auf einen Menschen zu schießen, aber sie war sich auch nicht sicher, ob sie dazu nicht imstande war.

Mit der Pistole in der Hand kehrte sie in das dunkle Wohnzimmer zurück. Sie stellte sich neben das Erkerfenster und hörte, dass der Kies hochspritzte. Scheinwerferlicht schweifte über das Moor. Wer auch immer in diesem Wagen saß, gab sich offenbar keine Mühe, sich leise zu nähern. Vielleicht war es Theo auf dem Festland irgendwie gelungen, eine nächtliche Mitfahrgelegenheit auf die Insel zu ergattern.

Annie umklammerte die Pistole fest und spähte vorsichtig durch das Fenster. Sie sah, dass ein Pick-up vorfuhr und vor dem Cottage hielt. Ein Pick-up, den sie wiedererkannte.

Als sie die Haustür öffnete, stieg Barbara Rose aus dem Wagen, der Motor lief noch. In dem schwachen Lichtschein, der aus der offenen Fahrertür fiel, sah Annie, dass ein pastellrosafarbenes Nachthemd unter Barbaras Mantel hervorschaute.

Barbara eilte auf sie zu. Annie konnte ihr Gesicht nicht sehen, aber sie spürte, dass es etwas Dringendes war.

»Was ist passiert?«

»O Annie …« Barbara presste ihre Hand vor den Mund. »Es geht um Theo …«

Ein Zapfhahn schien sich an Annies Brust zu öffnen und das Blut aus ihrem Körper herauszulassen.

Barbara umklammerte Annies Arm. »Er hatte einen Unfall.«

Barbaras Griff war das Einzige, was Annie aufrecht hielt.

»Er ist in der Notaufnahme«, sagte Barbara weiter.

Nicht tot. Noch am Leben.

»Woher … woher wissen Sie das?«

»Das Krankenhaus hat angerufen. Die Verbindung war furchtbar schlecht. Ich weiß nicht, ob man zuerst versucht hat, Sie zu benachrichtigen. Ich habe nur die Hälfte verstanden.« Barbara war so atemlos, als wäre sie gerade eine große Strecke gerannt.

»Aber … er lebt?«

»Ja. Zumindest das konnte ich verstehen. Es ist allerdings sehr ernst.«

»O Gott …« Die Worte kamen von weit oben aus ihrer Kehle. Ein Stoßgebet.

»Ich habe Naomi verständigt.« Barbara kämpfte mit den Tränen. »Sie wird Sie mit der *Ladyslipper* zum Festland rüberbringen.«

Barbara fragte erst gar nicht, ob Annie zu Theo wollte, und Annie zögerte keine Sekunde. Da gab es nichts zu überlegen. Sie schlüpfte in die erstbesten Klamotten, die sie finden konnte, und bereits wenige Minuten später raste Barbara mit ihr zurück in die Stadt. Annie konnte ohne das Cottage leben, aber die Vorstellung von einer Welt ohne Theo war unerträglich. Er war alles, was ein Mann sein sollte. Er hatte einen brillanten Verstand und einen redlichen Charakter. Er war ein Mann, der sich von seinem Gewissen leiten ließ – vertrauenswürdig, intelligent und fürsorglich. So fürsorglich, dass er sogar die Dämonen anderer übernahm.

Und sie liebte ihn dafür.

Sie liebte ihn. Nun war es passiert. Obwohl sie sich geschworen hatte, dass es niemals passieren durfte. Sie liebte Theo Harp. Nicht nur seinen Körper. Nicht nur den Sex. Nicht nur seine Gesellschaft. Definitiv nicht sein Vermögen. Sie liebte ihn für das, was er war. Für seine schöne, gequälte, liebenswürdige Seele. Wenn er überlebte, würde sie ihm zur Seite stehen. Es war ihr gleich, ob er gelähmt oder hirngeschädigt war. Sie würde für ihn da sein.

Er muss nur überleben. Bitte, lieber Gott, lass ihn leben.

Die Hafenlichter brannten, als sie das Dock erreichten. Annie eilte zu Naomi, die neben dem Motorboot wartete, das sie zu der *Ladyslipper* bringen würde. Naomi machte ein genauso grimmiges Gesicht wie Barbara. Wilde, schreckliche Gedanken schwirrten Annie durch den Kopf. Die beiden Frauen wussten, dass Theo im Sterben lag, aber keine wollte es ihr sagen.

Annie kletterte rasch in das Boot. Wenig später legten Naomi und sie vom Hafen ab, und Annie kehrte der Insel den Rücken zu.

Kapitel 20

»Mein Mann liegt in der Notaufnahme.« Die Worte schmeckten ganz falsch auf Annies Lippen, aber wenn sie sich nicht als Angehörige ausgab, würde sie von den Ärzten keine Auskunft erhalten. »Theo Harp.«

Die Frau hinter der Empfangstheke richtete ihre Aufmerksamkeit auf den Computer. Annie umklammerte nervös den Schlüssel für Naomis Honda Civic, der immer auf dem Festland stand und der viel besser war als die alte Klapperkiste, mit der Annie auf die Insel gekommen war. Die Frau blickte von ihrem Bildschirm auf.

»Wie buchstabiert man den Nachnamen?«

»H-A-R-P. Wie das Instrument.«

»Wir haben hier niemanden mit diesem Namen.«

»Das kann nicht sein!«, rief Annie. »Mein Mann hatte einen schweren Unfall. Die Klinik hat uns verständigt, dass er hier eingeliefert wurde.«

»Lassen Sie mich das kurz gegenchecken.« Die Frau griff zum Telefonhörer und drehte sich auf ihrem Stuhl von Annie weg.

Annie wartete, während ihre Angst von Sekunde zu Sekunde größer wurde. Vielleicht stand Theo nicht im Computer, weil er bereits …

Die Frau legte den Hörer wieder auf die Gabel. »Ein

Theo Harp ist bei uns nicht registriert, Ma'am. Ihr Mann ist nicht hier.«

Annie hätte sie am liebsten angebrüllt, ihr gesagt, dass sie erst einmal richtig lesen lernen sollte. Stattdessen kramte sie nach ihrem Handy.

»Ich werde die Polizei anrufen.«

»Das ist eine gute Idee«, sagte die Frau freundlich.

Aber weder die örtliche Dienststelle noch die Bundespolizei wussten etwas von einem Unfall, in den Theo verwickelt gewesen war. Annies Erleichterung war so groß, dass sie in Tränen ausbrach. Nur langsam wich diese Erleichterung Begreifen.

Es hatte keinen Unfall gegeben. Theo war nicht verletzt. Lag nicht im Sterben. Er schlief gerade in irgendeinem Hotelzimmer.

Annie wählte seine Handynummer, aber es meldete sich nur die Mailbox. Theo hatte die Angewohnheit, sein Handy nachts auszuschalten, selbst im Cottage, wo er gar kein Funksignal empfangen konnte. Wer auch immer Barbara angerufen hatte, hatte es in der klaren Absicht getan, Annie von der Insel zu locken.

Jaycie.

Barbara hatte gesagt, dass die Verbindung sehr schlecht gewesen sei. Natürlich war sie schlecht gewesen. Doch das hatte nicht am Empfang gelegen, sondern daran, dass Jaycie sichergestellt hatte, dass ihre Stimme von Barbara nicht erkannt wurde. Sie wollte Annie vor Ende März von der Insel vertreiben, um Theo ganz für sich allein zu haben.

Am Himmel dämmerte es bereits, als Annie zum Hafen zurückfuhr, wo Naomi auf sie wartete. Die Straßen waren leer, die Geschäfte geschlossen, die Ampeln blinkten gelb. Annie konnte sich wehren – auf mildernde Umstände plädieren –, aber Cynthia war scharf auf das Cottage, Elliott war ein nüchterner Geschäftsmann, und die Vereinbarung war unanfechtbar. Unwiderruflich. Das Cottage würde an die Harps zurückgehen, und was auch immer Cynthia damit vorhatte, würde Theos Problem sein. Annies Problem würde sein, in die Stadt zurückzukommen und dort eine Bleibe zu finden. Theo, Retter bedürftiger Frauen, würde ihr wahrscheinlich ein Zimmer im Klippenhaus anbieten, was sie ablehnen würde. Wie schwierig ihre Situation auch sein mochte, sie wollte nicht, dass er sie als eine weitere Frau betrachtete, die er retten musste.

Hätte sie doch nur vorher im Krankenhaus angerufen, aber in ihrer Panik war ihr das nicht in den Sinn gekommen. Ihr einziges Bedürfnis war nun, Jaycie für den Schaden zu bestrafen, den diese angerichtet hatte.

Naomi saß auf dem Deck der *Ladyslipper* und trank einen Kaffee, als Annie zum Dock zurückkehrte. Sie sah genauso erschöpft aus, wie Annie sich fühlte. Annie schilderte ihr kurz, was passiert war. Bis jetzt hatte sie mit keiner der Frauen – nicht einmal mit Barbara – über die Konditionen gesprochen, die an den Besitz des Cottage geknüpft waren, aber die würden sich ohnehin bald herumsprechen, und es gab keinen Grund mehr, sie länger zu verheimlichen. Was Annie Naomi nicht erzählte, war, dass Jaycie hinter dem Anruf steckte. Bevor sie diese Information weitergab, wollte sie sich Jaycie persönlich vorknöpfen.

Die *Ladyslipper* näherte sich dem Hafen von Peregrine in der Morgendämmerung, als die Hummerfischer ihren Arbeitstag begannen und auf das Meer hinaustuckerten. Barbara wartete am Kai, ihr Pick-up stand nicht weit entfernt von Theos Range Rover. Naomi hatte Barbara während der Überfahrt verständigt, und als Barbara nun auf Annie zukam, sickerte das schlechte Gewissen aus jeder Pore ihres matronenhaften Körpers.

»Annie, tut mir leid. Ich hätte mehr Fragen stellen sollen.«

»Es ist nicht Ihre Schuld«, erwiderte Annie matt. »Ich hätte misstrauischer sein sollen.«

Barbaras wiederholte Entschuldigungen während der Rückfahrt zum Cottage bewirkten nur, dass Annie sich noch schlechter fühlte, und sie war froh, als sie ihr Ziel erreichten. Obwohl sie kaum geschlafen hatte, wusste sie, dass sie keine Ruhe finden würde, bevor sie nicht Jaycie mit ihrem Tun konfrontiert hatte. Vandalismus, versuchter Mord, und nun das hier. Annie hatte sämtliche Bedenken, die Polizei einzuschalten, verloren. Sie wollte Jaycie direkt in die Augen sehen und ihr auf den Kopf zusagen, dass sie ihr Treiben durchschaute.

Sie zwang sich, eine Tasse Kaffee zu trinken und ein paar Happen Toast zu essen. Ihre Pistole lag an dem Platz, an dem sie sie am Abend zuvor abgelegt hatte. Annie konnte sich zwar nicht vorstellen, die Waffe zu benutzen, aber sie wollte auch nicht leichtsinnig sein. Annie steckte die Pistole in ihre Jackentasche und verließ das Cottage.

Während Annie das Moor überquerte, stellte sie sich Theos Bauernhaus am anderen Ende der Insel vor – die üppige Wiese, den Ausblick auf das Meer in der Ferne, den Frieden, der über allem ruhte. Wie schön musste es an diesem Ort erst im Frühling sein.

Die Küche im Klippenhaus war verwaist. Annie behielt ihre Jacke an und durchquerte den Flur zur Hausmeisterwohnung. Die ganze Zeit über hatte sie sich bemüht, ihre Schuld zu begleichen, ohne zu ahnen, dass ihre Schuld schon mit Jaycies erstem Einbruch im Cottage vollständig beglichen worden war.

Die Tür der Hausmeisterwohnung war geschlossen. Annie öffnete sie, ohne anzuklopfen. Jaycie saß am Fenster in dem alten Schaukelstuhl, Livia kauerte auf ihrem Schoß, an die Brust ihrer Mutter geschmiegt. Jaycies Wange ruhte auf dem Kopf ihrer Tochter, und es schien sie nicht zu empören, dass Annie einfach so hereinplatzte.

»Livia hat sich den Daumen in der Tür eingeklemmt«, erklärte sie Annie. »Wir kuscheln gerade ein bisschen. Ist es jetzt besser, Mäuschen?« Annies Magen zog sich zusammen. Egal was Jaycie getan hatte, sie liebte ihre Tochter, und ihre Tochter liebte sie. Wenn Annie sie bei der Polizei anzeigte … Livia vergaß ihren gequetschten Daumen und hob den Kopf, um zu sehen, ob Scamp sich hinter Annies Rücken versteckte. Jaycie spielte an Livias Haaren. »Ich hasse es, wenn mein Kind sich wehtut.«

Mit Livia im Raum kam Annie das Gewicht der schweren Waffe in ihrer Jackentasche eher anstößig als umsichtig vor.

»Livia«, sagte Annie, »deine Mommy und ich müssen ein paar Dinge unter Erwachsenen besprechen. Hast du vielleicht Lust, mir ein Bild zu malen? Vielleicht eins vom Strand?«

Livia nickte, glitt von Jaycies Schoß und ging zu dem kleinen Tisch, auf dem ihre Stifte lagen. Jaycies Stirn legte sich in Falten.

»Ist etwas nicht in Ordnung?«

»Gehen wir in die Küche zum Reden.« Annie musste sich abwenden, als Jaycie nach ihren Krücken angelte.

Jaycies Humpelgang folgte Annie durch den Flur. Ihr kam der Gedanke, dass Männer ihre Gefechte traditionellerweise an öffentlichen Schauplätzen austrugen: auf dem Duellierplatz, im Boxring und auf dem Schlachtfeld. Frauen dagegen trugen ihre Auseinandersetzungen eher an privaten Schauplätzen aus, wie hier in dieser Küche.

Annie wartete, bis Jaycie hinter ihr hereingekommen war, bevor sie sich umdrehte, um sie zur Rede zu stellen. »Die hier nehme ich.«

Sie zog ihr die Krücken so abrupt weg, dass Jaycie hingefallen wäre, hätte sie nicht zwei gesunde Füße gehabt, um sich aufrecht zu halten.

Jaycie zischte erschrocken: »Was machst du?« Zu viele Sekunden verstrichen, bevor ihr einfiel, sich an der Wand abzustützen. »Ich brauche die Krücken.«

»Gestern Abend hast du sie nicht gebraucht«, erwiderte Annie ausdruckslos. Jaycie wirkte erschrocken. Gut so. Annie wollte sie aus der Bahn werfen. Sie ließ die Krücken auf den Boden fallen und schob sie mit dem Fuß weg. »Du hast mir die ganze Zeit was vorgemacht.«

Jaycie wurde blass. Annie hatte das Gefühl, endlich durch den unsichtbaren Schleier zu sehen, hinter dem Jaycie sich versteckte. »I… Ich wollte nicht, dass du es weißt«, stammelte Jaycie.

»Offensichtlich.«

Jaycie entfernte sich von der Wand und umklammerte die Rückenlehne des Stuhls, der am Kopfende des Tisches stand, so fest, dass ihre Fingerknöchel weiß hervortraten.

»Deswegen hast du dich gestern Abend aus dem Staub gemacht«, sagte sie.

»Ich habe gesehen, wie du nach oben gegangen bist. Was hattest du vor?«

Jaycie sah auf ihre Hände. »Ich ... Das möchte ich nicht sagen.«

Annie empfand das erneut als Kränkung. »Du hast mich hintergangen. Und zwar auf die schlimmstmögliche Art.«

Kummer verdüsterte Jaycies Gesicht. Sie ließ sich auf den Stuhl sinken. »Ich ... Ich war verzweifelt. Das ist keine Entschuldigung, das weiß ich selbst. Ich wollte dir schon die ganze Zeit sagen, dass es meinem Fuß besser geht, aber ... Versuch bitte, mich zu verstehen. Ich war so einsam.«

Der Nachgeschmack ihrer Angst, Theo könnte tot sein, hatte etwas in Annie verhärtet. »Zu schade, dass Theo sich nicht zur Verfügung gestellt hat, um dir Gesellschaft zu leisten.«

Statt Feindseligkeit zeigte Jaycie nur Resignation. »Das wird auch nie passieren, das weiß ich jetzt. Ich bin hübscher als du, und eine Weile dachte ich, das würde reichen.« Sie klang nicht angeberisch, nur sachlich. »Aber ich bin nicht so interessant wie du. Ich bin nicht so gebildet. Du weißt immer, was du mit ihm reden sollst, ich nicht. Du bist ihm gewachsen, ich nicht. Das ist mir alles bewusst.«

Annie hatte nicht mit so viel Offenheit gerechnet, es

linderte dennoch nicht ihr Gefühl, verraten worden zu sein.

»Warum bist du gestern Abend hochgegangen?«

Jaycie konnte sie nicht ansehen. »Ich möchte nicht noch rückgratloser erscheinen, als es bereits der Fall ist.«

»Das ist kaum das Wort, das ich benutzen würde.«

Jaycie starrte auf ihre Hände. »Ich hasse es, in diesem Haus nachts allein zu sein. Es war nicht so schlimm, solange ich wusste, dass Theo im Turm war, aber inzwischen ... Ich bekomme kein Auge zu, bevor ich nicht in allen Zimmern nachgeschaut habe, und selbst dann noch muss ich meine Wohnungstür nachts abschließen. Es tut mir leid, dass ich dich getäuscht habe. Hätte ich dir die Wahrheit gesagt ... hätte ich dir gesagt, dass es meinem Fuß besser geht und ich die Krücken nicht mehr brauche, dass ich auf deine Hilfe nicht mehr angewiesen bin, wärst du nicht mehr gekommen. Schließlich bist du deine Freundinnen in der Stadt gewohnt, die sich mit Literatur und Theater auskennen. Ich bin nur ein einfältiges Inselmädchen.«

Nun war Annie diejenige, die das Gefühl hatte, aus der Bahn zu geraten. Alles, was Jaycie sagte, klang aufrichtig. Aber was war mit dem, das sie nicht sagte? Annie verschränkte die Arme.

»Ich habe letzte Nacht die Insel verlassen. Das weißt du sicher schon.«

»Die Insel verlassen?« Jaycie tat erstaunt, als wäre ihr das neu. »Das darfst du doch gar nicht, oder? Hat dich jemand gesehen? Warum hast du die Insel verlassen?«

Eine leise Spur des Zweifels begann, sich einen Weg durch Annies Zorn zu bahnen. Andererseits war sie schon immer geschickten Lügnern auf den Leim gegangen.

»Dein Anruf war ein voller Erfolg.«

»Was für ein Anruf? Annie, wovon redest du?«

Annie hielt an ihrer Entschlossenheit fest. »Barbara wurde gestern Abend darüber verständigt, dass Theo im Krankenhaus liegt. Von diesem Anruf rede ich.«

Jaycie sprang von ihrem Stuhl auf. »Im Krankenhaus? Geht es ihm gut? Was ist passiert?«

Lass dich nicht von ihr einwickeln, warnte Dilly. *Sei nicht naiv.*

Warte, warf Scamp dazwischen, *ich glaube, sie sagt die Wahrheit.*

Jaycie musste diejenige sein, die hinter diesen Anschlägen steckte. Sie hatte gelogen, sie besaß ein Motiv, und sie war immer über Annies Kommen und Gehen informiert.

»Annie, sag schon!«, drängte Jaycie.

Sie war so hartnäckig, so untypisch fordernd, dass Annie noch mehr ins Wanken geriet. Sie verschaffte sich Zeit. »Barbara Rose hat gestern einen Anruf bekommen, angeblich vom Krankenhaus ...« Annie erzählte Jaycie von ihrem Ausflug auf das Festland und davon, was sie dort vorgefunden – beziehungsweise nicht vorgefunden – hatte. Sie schilderte die Einzelheiten kühl und sachlich, achtete sorgfältig auf Jaycies Reaktion.

Als sie fertig war, standen Tränen in Jaycies Augen. »Du denkst, ich würde hinter dem Anruf stecken? Nach allem, was du für mich getan hast, denkst du, ich könnte dir so etwas antun?«

Annie nahm ihren Mut zusammen. »Du bist in Theo verliebt.«

»Theo ist eine Fantasie! Von Theo zu träumen, hielt mich davon ab, all das, was ich mit Ned durchgemacht habe, wieder und wieder zu durchleben. Das mit Theo ist nicht real.« Die Tränen kullerten nun über ihre Wangen. »Ich bin nicht blind. Denkst du, ich wüsste nicht, dass ihr was miteinander habt? Tut es weh? Ja. Gibt es Momente, in denen ich dich beneide? Zu viele. Du bist in allem so gut. So kompetent. Aber in einer Sache bist du nicht gut. Du bist nicht gut darin, andere Menschen richtig einzuschätzen.«

Jaycie kehrte Annie den Rücken zu und stolzierte aus der Küche.

Annie ließ sich mit einem flauen Gefühl im Magen auf einen Stuhl plumpsen. Wie konnte dieses Gespräch derart schieflaufen? Oder vielleicht war es gar nicht schiefgelaufen. Jaycie könnte ihr etwas vorspielen.

Aber sie spielte ihr nichts vor. Das wusste Annie.

Annie konnte nicht im Klippenhaus bleiben, also ging sie zu Fuß zurück zum Cottage. Hannibal begrüßte sie an der Tür und folgte ihr ins Schlafzimmer, wo sie die Pistole wieder in ihrem Nachttisch verschwinden ließ. Sie nahm ihn hoch und trug ihn zur Couch.

»Ich werde dich vermissen, mein kleiner Freund.«

Ihre Augen brannten vom Schlafmangel, und ihr Magen brodelte. Während sie zum Trost den Kater streichelte, ließ sie den Blick um sich schweifen. Es war fast nichts mehr übrig, was sie mitnehmen konnte, wenn sie die Insel verließ. Die Möbel gehörten Theo, und ohne eine eigene Küche hatte sie keine Verwendung für die Töpfe und Pfannen. Sie würde ein paar Seidentücher ihrer Mutter und den scharlachroten Umhang einpacken, Mariahs restliche Garderobe würde auf der Insel bleiben. Was Annies Erinnerungen an Theo betraf … Irgendwie würde sie einen Weg finden müssen, um auch diese hinter sich zu lassen.

Sie zwinkerte gegen die Tränen in ihren Augen an, kraulte Hannibal ein letztes Mal unter dem Kinn, setzte ihn dann auf den Boden und ging hinüber zu dem Bücherregal, das bis auf ein paar zerfledderte Taschenbücher und ihr altes Traumbuch ausgeräumt war. Sie fühlte sich besiegt. Leer. Als sie das Traumbuch in die Hand nahm, fiel einer der Programmzettel heraus, die Annie darin eingeklebt hatte, neben Zeitschriftenbildern von Models mit ganz glatten Haaren, denen sie damals in einem Anfall von pubertärem Irrglauben hatte nacheifern wollen.

Der Kater schmiegte sich an ihre Beine. Sie blätterte durch die Seiten und entdeckte eine selbst verfasste Kritik zu einer Theateraufführung, in der sie der imaginäre Star gewesen war. Dieser ganze jugendliche Optimismus … Annie ging in die Hocke, um die Blätter aufzuheben, die herausgefallen waren, darunter zwei braune Umschläge, in denen sie früher Urkunden aufbewahrt hatte. Sie spähte in den ersten Umschlag hinein und sah ein dickes Blatt Zeichenpapier. Sie nahm es heraus, eine Tuschezeichnung, an die sie keine Erinnerung hatte. Sie öffnete den zweiten Umschlag und fand eine weitere Skizze. Annie ging mit den Blättern hinüber zum Erkerfenster. Beide waren unten rechts in der Ecke signiert. Annie zwinkerte. *N. Garr.*

Ihr Herz setzte einen Takt lang aus. Sie betrachtete die Signaturen genauer, musterte die Skizzen, schaute wieder auf die Signaturen. Es gab keinen Zweifel. Diese beiden Tuschezeichnungen waren von Niven Garr signiert worden.

Annie begann hektisch, ihr Gedächtnis danach zu durchforsten, was sie über Garr wusste. Er hatte sich als postmoderner Maler einen Namen gemacht, bevor er sich ein paar Jahre vor seinem Tod an Fotorealismus wagte. Mariah hatte sein Werk immer kritisch betrachtet, was seltsam anmutete in Anbetracht des Umstands, dass Annie gleich drei Fotobände über seine Kunst hier im Cottage gefunden hatte.

Sie legte die Skizzen auf den Tisch, wo das Licht am besten war. Diese Bilder hier mussten das Vermächtnis sein, von dem Mariah gesprochen hatte. Und was für ein Vermächtnis!

Annie sank auf einen der Stühle mit den schmalen, leiterartigen Rückenlehnen. Wie war Mariah an diese Zeichnungen gelangt, und wozu die ganze Geheimniskrämerei? Sie hatte nie erwähnt, dass sie mit Niven Garr bekannt gewesen war, und er hatte definitiv nicht zu ihrem Gesellschaftskreis gehört in jenen Tagen, als sie noch einen gehabt hatte. Annie musterte die Bilder genauer. Sie waren zwei Tage auseinander datiert. Beide stellten einen detaillierten weiblichen Akt dar. Trotz der kräftigen Tuschestriche und der präzisen Schattierungen verlieh die Zärtlichkeit im Gesicht der Frau, die dem Betrachter entgegenblickte, den Bildern etwas Verträumtes. Die Frau bot dem Künstler alles.

Annie verstand die Emotionen dieser Frau, als wären es ihre eigenen. Sie wusste genau, wie sich diese Art von Liebe anfühlte. Das Aktmodell war langgliedrig –

hübsch, aber nicht schön. Es hatte ein grobknochiges Gesicht und langes glattes Haar. Es erinnerte Annie an alte Fotos von Mariah. Beide hatten dieselbe …

Annies Hand flog zu ihrem Mund. Das hier war Mariah. Warum hatte sie sie nicht sofort erkannt?

Weil sie ihre Mutter nie so gesehen hatte – zart, jung und verletzlich.

Hannibal sprang auf Annies Schoß. Sie saß still da, die Tränen liefen ihr die Wangen hinunter. Hätte sie doch nur ihre Mutter damals gekannt. Hätte sie doch nur … Wieder fiel ihr Blick auf das Datum der Bilder – auf das Jahr, den Monat. Sie rechnete nach.

Die Zeichnungen waren sieben Monate vor ihrer Geburt entstanden.

Dein Vater war ein verheirateter Mann. Es war nur eine flüchtige Affäre, nicht mehr. Er hat mir nichts bedeutet.

Eine Lüge. Dies hier waren die Porträts von einer Frau, die den Mann, der ihr Ebenbild eingefangen hatte, zutiefst liebte. Einen Mann, der, dem Datum der Skizzen nach zu urteilen, Annies Vater gewesen sein musste.

Niven Garr.

Annie vergrub ihre Finger in Hannibals Fell. Sie erinnerte sich an Fotos, die sie von Garr gesehen hatte. Seine wilde Lockenmähne war sein Markenzeichen gewesen – ganz andere Haare als Mariah hatte er gehabt, genau solche wie sie selbst, Annie. Ihre Zeugung war also nicht das Ergebnis einer flüchtigen Affäre gewesen, wie ihre Mutter behauptet hatte, und Niven Garr war zu jener Zeit auch nicht verheiratet gewesen. Seine einzige Ehe war er erst viel später eingegangen, mit dem Mann, der schon seit vielen Jahren sein Lebensgefährte gewesen war.

Annie wurde nun alles klar. Mariah hatte Niven Garr geliebt. Die offenkundige Zärtlichkeit, mit der er sie dargestellt hatte, ließ vermuten, dass er genauso empfunden hatte. Aber nicht stark genug. Letzten Endes hatte er mit seiner wahren Natur Frieden schließen und Mariah zurücklassen müssen.

Annie fragte sich, ob Garr gewusst hatte, dass er eine Tochter hatte. Hatte Mariahs Stolz – oder vielleicht ihre Verbitterung – sie dazu verleitet, ihm die Wahrheit vorzuenthalten? Mariah hatte früher kein gutes Haar an Annies Malexperimenten gelassen, hatte Annies Locken und Schüchternheit immer abschätzig betrachtet. Das alles waren schmerzhafte Erinnerungen an Garr gewesen. Mariahs scharfe Kritik an Garrs Bildern hatte nichts mit seiner Arbeit und alles mit dem Umstand zu tun gehabt, dass sie ihn mehr liebte, als er jemals fähig gewesen wäre, sie zu lieben.

Hannibal wand sich aus Annies Griff. Diese herrlichen Aktporträts von einer verliebten Frau würden Annies Probleme auf einen Schlag lösen. Sie würden ihr so viel Geld einbringen, dass sie damit mehr tun konnte als nur ihre Schulden zu tilgen. Sie würden ihr die Zeit und das Geld verschaffen, um ihren nächsten Lebensabschnitt vorzubereiten. Die Zeichnungen würden alles in Ordnung bringen.

Nur dass Annie niemals fähig sein würde, sich von ihnen zu trennen.

Die Liebe, die Mariahs Gesicht ausstrahlte, ihre Hand, die beschützend auf ihrem Bauch lag, drückten so viel Zärtlichkeit aus. Diese Skizzen waren Annies wahres Erbe. Sie waren der Beweis dafür, dass sie in Liebe gezeugt worden war. Vielleicht hatte ihre Mutter sie genau das sehen lassen wollen.

In den letzten vierundzwanzig Stunden hatte Annie so viel gewonnen. Sie hatte endlich Mariahs Vermächtnis gefunden. Dafür gehörte ihr das Cottage nicht mehr, ihre finanzielle Situation war so trostlos wie eh und je, und sie musste sich eine neue Bleibe suchen. Sie hatte außerdem eine Freundin enttäuscht. Die Erinnerung an Jaycies tief gekränkte Miene wollte sie nicht loslassen. Annie musste zu ihr zurückgehen und sich entschuldigen.

Sei kein Dummkopf, sagte Peter. *Du bist so dämlich.*

Sie blendete ihn aus, und obwohl ihr Körper sich nach Schlaf sehnte, machte sie sich zum zweiten Mal an diesem Tag auf den Weg zur Klippenspitze. Während sie den Anstieg begann, dachte sie darüber nach, was es bedeutete, die Tochter von Mariah Hewitt und Niven Garr zu sein, doch letzten Endes war die einzige Person, die sie zu sein wusste, sie selbst.

Jaycie war in ihrer Wohnung. Sie saß am Fenster und starrte auf den Seitengarten hinaus. Die Tür stand offen, und Annie klopfte an den Türrahmen.

»Darf ich reinkommen?« Jaycie zuckte mit den Schultern. Annie interpretierte das als ein Ja. Sie schob die Hände in ihre Jackentaschen. »Jaycie, es tut mir aufrichtig leid. Ich kann meine Worte nicht zurücknehmen, aber ich bitte dich trotzdem, mir zu verzeihen. Ich weiß nicht, wer hinter diesen ganzen Anschlägen steckt …«

»Ich dachte, wir sind Freundinnen!«, fiel Jaycie verbittert dazwischen.

»Das sind wir doch.«

Jaycie stemmte sich von ihrem Stuhl hoch und rauschte an Annie vorbei. »Ich muss nach Livia sehen.«

Annie versuchte nicht, sie aufzuhalten. Der Schaden, den sie dieser Freundschaft zugefügt hatte, war zu groß, um ihn einfach beheben zu können. Sie kehrte in die Küche zurück in der Absicht, dort so lange zu warten, bis Jaycie bereit war zu reden. Sie tauchte fast unmittelbar nach ihr auf, und wieder ließ sie sie stehen. Ohne Annie eines Blickes zu würdigen, ging sie zur Hintertür und öffnete sie.

»Livia! Livia, wo bist du?«

Annie war es so sehr gewohnt, loszugehen und Livia zu suchen, dass sie sich zwangsläufig in Richtung Hintertür bewegte, doch Jaycie war bereits draußen.

»Livia! Komm sofort hierher!«

Annie folgte ihr hinaus. »Ich gehe vorne nachschauen.«

»Spar dir die Mühe«, erwiderte Jaycie schroff. »Das mache ich selbst.«

Annie ignorierte sie und checkte die Vorderveranda. Livia war nicht dort. Annie kehrte zu Jaycie zurück. »Bist du sicher, dass sie nicht im Haus ist? Sie könnte sich dort überall verstecken.«

Die Sorge um ihre Tochter drängte Jaycies Wut auf Annie vorübergehend in den Hintergrund. »Ich gehe drinnen noch mal nachsehen.«

Die Stalltür war fest verriegelt. Livia war auch nicht bei den Bäumen hinter dem Gartenpavillon, und Annie ging in einem Bogen wieder zur Vorderseite des Hauses. Die Veranda war immer noch verwaist, aber als sie von der Klippenspitze zum Strand hinuntersah, entdeckte Annie zwischen den Felsen etwas Rosafarbenes. Sie eilte zu den Klippenstufen. Livia hielt sich zwar weit genug vom Wasser entfernt, trotzdem durfte sie nicht allein dort unten sein.

»Livia!«

Die Kleine schaute zu ihr hoch. Ihre Jacke war offen, die glatten Haare wehten im Wind.

»Bleib, wo du bist!«, befahl Annie und näherte sich dem Ende der Stufen. »Ich habe sie gefunden!«, rief sie hoch, nicht sicher, ob Jaycie sie hören konnte. Livia machte ein störrisches Gesicht. In der einen Hand hielt sie ein Blatt Papier und in der anderen ihre Wachsmalstifte. Annie hatte sie gebeten, ein Bild vom Strand zu malen. Offenbar hatte die Vierjährige beschlossen, dies am Originalschauplatz zu tun. »Oh, Liv … Du darfst nicht allein zum Strand runtergehen.« Annie musste an all die Geschichten über riesige Wellen denken, die sogar erwachsene Männer ins Meer gerissen hatten. »Lass uns zu deiner Mommy gehen. Sie wird nicht glücklich über das hier sein.«

Als sie nach Livias Hand griff, bemerkte sie eine Gestalt, die sich ihnen vom Cottage aus über den Strandpfad näherte. Groß und breitschultrig, vom Wind zerzaustes dunkles Haar. Annies Herz stolperte über sich selbst vor lauter Liebe, die sie für diesen Mann empfand. Gleichzeitig war sie wild entschlossen, ihre Gefühle nicht zu zeigen. Sie wusste, dass Theo sich um sie sorgte, genau wie sie wusste, dass er sie nicht liebte. Aber sie liebte ihn genug, um sicherzustellen, dass sie ihm mit ihren Gefühlen nicht eine weitere Schuld aufbürden konnte. Ausnahmsweise einmal in Theo Harps Leben würde eine Frau auf sein Wohl achten statt umgekehrt.

»Hallo, Liebster«, sagte sie, als er schließlich vor ihr stehen blieb.

Seine Augenbrauen schossen in die Höhe. »Spar dir die Süßholzraspelei. Ich habe gehört, was passiert ist. Bist du verrückt? Was ist bloß in dich gefahren, dass du die Insel Hals über Kopf verlassen hast?«

Die Liebe ist in mich gefahren.

Annie zwang ihre starren Kiefermuskeln, sich zu lockern. »Es war mitten in der Nacht, und ich war nicht richtig wach. Ich dachte, du hättest einen schlimmen Unfall gehabt und wärst schwer verletzt. Entschuldige, dass ich mir Sorgen gemacht habe.«

Er ignorierte ihre spitze Bemerkung.

»Selbst wenn ich im Sterben gelegen hätte, war das Letzte, was du hättest tun dürfen, die Insel zu verlassen.«

»Wir sind Freunde, oder? Willst du etwa behaupten, du hättest an meiner Stelle nicht genauso reagiert?«

»Nicht wenn das zur Folge gehabt hätte, dass ich mein einziges Dach über dem Kopf verliere!«

Wie unwahr. Er hätte genau dasselbe für jeden seiner Freunde getan. Er war so gestrickt.

»Geh«, sagte sie. »Ich will nicht mit dir reden.«

Ich will dich küssen. Dich schlagen. Mit dir schlafen.

Aber mehr als all das wollte sie ihn vor seiner eigenen Natur retten.

»Alles, was du in diesem Winter zu tun hattest, war eine einzige simple Sache: an Ort und Stelle zu bleiben. Und warst du dazu fähig? Nein.«

»Schrei mich nicht an.«

Er schrie nicht, wie er sofort richtigstellte. »Ich schreie nicht.«

Er hatte allerdings seine Stimme erhoben, also erhob Annie auch ihre. »Das Cottage ist mir egal«, log sie. »Der beste Tag meines Lebens wird der Tag sein, an dem ich diese Insel verlasse.«

»Und wo genau willst du hin?«

»Zurück in die Stadt, wo ich hingehöre!«

»Und was willst du dort machen?«

»Das, was ich immer mache!«

»Verdammt, Annie. Ich mache mir Sorgen um dich.«

Er hatte sich schließlich beruhigt, und sie konnte nicht widerstehen, ihn zu berühren. Sie legte ihre Hand auf seine Brust, fühlte seinen Herzschlag.

»Das liegt in deiner Natur. Und jetzt hör auf damit.«

Er schlang den Arm um ihre Schultern, und sie wandten sich zu den Klippenstufen. »Ich habe etwas ...«

Annie sah plötzlich ein weißes Blatt Papier über die Felsen flattern. Livia war verschwunden.

»Liv!« Keine Antwort. »Livia!«

Annie drehte sich instinktiv zum Meer, aber sie hätte es sicher aus den Augenwinkeln mitbekommen, wenn das Mädchen nah ans Wasser gegangen wäre.

»Hast du sie gefunden?« Jaycie erschien oben auf der Klippenspitze. Sie hatte keine Jacke an, und ihre Stimme klang schrill. »Sie ist nicht im Haus. Ich habe alles abgesucht.«

Theo hatte sich schon in Bewegung gesetzt. Er näherte sich dem verschütteten Höhleneingang, doch es dauerte einen Moment, bis Annie sah, was ihn dazu veranlasst hatte: ein Stück rosafarbener Stoff, das zwischen zwei Steinen feststeckte. Annie kletterte Theo eilig hinterher. Der Höhleneingang war seit Jahren von Felsen blockiert.

Es gab nur eine kleine Öffnung, einen schmalen Spalt, breit genug, dass ein Kind durchschlüpfen konnte. Und gleich daneben lagen vier Wachsmalstifte.

»Hol eine Taschenlampe!«, rief Theo zu Jaycie hoch. »Ich glaube, sie ist in die Höhle geklettert.«

Die Flut war noch ein paar Stunden entfernt, aber sie wussten nicht, wie hoch das Wasser in der Höhle stand. Annie beugte sich hinunter und rief durch den Spalt: »Livia, bist du da drin?« Sie hörte das Echo ihrer eigenen Stimme, das Schwappen des Wassers gegen die Höhlenwände, sonst nichts. »Livia! Engelchen, gib mir bitte eine Antwort, damit ich weiß, dass alles in Ordnung ist.« Glaubte sie wirklich, dass sie von einem stummen Kind verlangen konnte, sich zu melden?

Theo schob sie zur Seite. »Liv, hier ist Theo. Ich hab ein paar tolle Muscheln für unser Feenhaus gefunden, ich werde allerdings Hilfe brauchen, um die Möbel zu bauen. Kannst du rauskommen und mir helfen?«

Theo starrte Annie an, während sie warteten. Sie hörten nichts.

Annie nahm einen zweiten Anlauf. »Liv, falls du da drin bist, kannst du für uns ein kleines Geräusch machen? Zum Beispiel einen Stein werfen, damit wir dich hören können? Nur damit wir wissen, ob du da drin bist.«

Sie lauschten angestrengt. Ein paar Sekunden später hörten sie es. Das leise Platschen eines Steins, der ins Wasser plumpste.

Theo begann, sich mit aller Kraft gegen die Felsen zu stemmen, ohne sich von der Tatsache beirren zu lassen, dass selbst die kleineren Steinbrocken zu groß waren, als dass ein Einzelner sie hätte bewegen können. Jaycie kam die Klippenstufen heruntergeeilt, eine Taschenlampe in der Hand. Theo hielt kurz inne und starrte Jaycie entgegen, die ohne ihre Krücken zu ihnen über die Felsen kletterte. Es war nicht Annies Aufgabe, das zu erklären, und Theo machte sich wieder ans Werk.

»Sie ist in der Höhle.«

Annie wich zur Seite, damit Jaycie sich vor den Spalt knien konnte.

»Livia, hier ist Mommy!« Jaycie leuchtete mit der Taschenlampe in die Höhle. »Siehst du das Licht?« Nur die Wellen antworteten. »Livia, du musst da rauskommen. Sofort! Ich werde auch nicht sauer sein. Versprochen.« Sie drehte sich ruckartig zu Annie um. »Sie kann dort drinnen ertrinken.«

Theo hob ein schweres Stück Treibholz auf. Er setzte es unter dem obersten Felsen an, als einen provisorischen Hebel, zögerte dann jedoch.

»Ich kann das nicht riskieren. Wenn ich den Stein in Bewegung versetze, besteht die Gefahr, dass der Eingang ganz verschüttet wird.«

Jaycies Gesicht war kreidebleich. Sie umklammerte den Stofffetzen von der Jacke ihrer Tochter. »Warum ist sie in die Höhle gegangen?«

»Keine Ahnung«, sagte Annie. »Livia erkundet gern die Gegend. Vielleicht ...«

»Sie fürchtet sich im Dunkeln! Warum sollte sie ausgerechnet hier reinklettern?«

Annie hatte darauf keine Antwort.

»Livia!«, rief Jaycie. »Du musst jetzt sofort rauskommen!«

Theo hatte angefangen, den festen Sand vor dem Spalt mit den Händen wegzuschaufeln. »Ich werde zu ihr reingehen, aber dafür muss ich erst die Öffnung vergrößern.«

»Du bist zu groß«, sagte Jaycie. »Das wird zu lange dauern.«

Eine Welle stieg hoch bis zum Höhleneingang, spritzte gegen ihre Beine und schwemmte einen Teil des Sands zurück, den Theo ausgebuddelt hatte. Jaycie versuchte, Theo zur Seite zu schieben.

»Ich geh rein.«

Er blockte sie ab. »Du wirst nicht durchpassen. Wir müssen erst noch mehr Sand wegschaufeln.«

Er hatte recht. Er hatte die Öffnung zwar vergrößert, aber das Meerwasser versuchte immer wieder, den Sand zurückzubefördern, und außerdem waren Jaycies Hüften zu breit für die Lücke.

»Ich muss«, widersprach sie. »Livia könnte jeden Moment …«

»Ich geh rein«, sagte Annie. »Macht Platz.«

Sie schob Jaycie aus dem Weg, nicht sicher, ob sie selbst durchpassen würde.

Theo sah sie an. »Das ist zu gefährlich.«

Statt zu diskutieren, schenkte sie ihm ihr großspurigstes Lächeln. »Aus dem Weg, Mann. Ich komm schon klar.«

Er wusste genauso gut wie sie, dass sie von allen dreien die beste Chance hatte, sich durch den Spalt zu quetschen, aber das linderte nicht den inneren Kampf, der sich in seinen Augen widerspiegelte.

»Sei vorsichtig, hörst du?«, sagte er schließlich grimmig. »Keine waghalsigen Manöver.«

»Hab ich nicht vor.« Sie streifte ihre Jacke ab und gab sie Jaycie. »Hier, zieh du sie an.«

Sie musterte kurz die schmale Öffnung, dann zog sie sich ihren Pullover über den Kopf und warf ihn achtlos zur Seite, sodass sie nur noch in Jeans und einem leuchtend orangefarbenem Bustier dastand. Die Kälte verursachte ihr eine Gänsehaut.

Theo grub hektisch weiter im Sand, um Annie mehr Raum zu verschaffen. Sie ging in die Hocke und zuckte zusammen, als ein eisiger Schwall Gischt sie traf.

»Liv, hier ist Annie. Ich komme jetzt zu dir rein.«

Ihr stockte kurz der Atem, als sie sich auf den kalten Sand legte. Während sie ihre Füße durch den Spalt steckte, malte sie sich aus, dass sie darin stecken blieb wie Winnie Puuh in einem Honigtopf.

»Langsam.« Theos Stimme klang ungewohnt angespannt. »Mach ganz langsam.« Er tat sein Bestes, um Annie zu helfen, gleichzeitig nahm sie einen kaum wahrnehmbaren Widerstand bei ihm wahr, als wollte er sie nicht gehen lassen. »Vorsichtig. Sei bloß vorsichtig.«

Vorsichtig war ein Wort, das er ein halbes Dutzend Mal wiederholte. Annie drehte ihren Körper, sodass sie sich seitlich durch die Öffnung zwängen konnte. Die nächste Gischtwolke sprühte sie ein. Theo änderte seine Position, um sie vor den Wellen abzuschirmen.

Ihre Sneakers waren in der Höhle unter Wasser, was Annies Sorge über die Wassertiefe wieder wachrief. Gleich darauf blieb sie mit dem Po zwischen den Felsen stecken.

»Du wirst es so nicht schaffen«, sagte Theo. »Komm wieder raus. Dann grabe ich noch ein bisschen tiefer.«

Sie ignorierte ihn und zog den Bauch ein. Annie stemmte sich mit aller Kraft, die sie besaß, durch den Spalt.

»Annie, hör auf!«

Sie hörte nicht auf. Sie biss sich auf die Unterlippe, als sie die scharfen Felskanten spürte, und bohrte ihre Füße in den sandigen Untergrund. Mit einer letzten Schulterdrehung war sie schließlich in der Höhle.

Als Annie im Innern verschwand, hatte Theo das Gefühl, dass er mit ihr hineingesogen wurde. Er reichte ihr die Taschenlampe durch den Spalt. Er selbst sollte in der Höhle sein. Er war der kräftigere Schwimmer, obwohl er zu Gott betete, dass das Wasser in der Höhle nicht tief genug war, um das zu einem entscheidenden Faktor zu machen.

Jaycie stand hinter ihm und jammerte hilflos vor sich hin. Theo grub weiter im Sand. Er sollte der Retter sein, nicht Annie. Er versuchte, nicht daran zu denken, wie dieses Szenario ausgehen würde, wenn er es schreiben würde, aber die hässlichen Bilder spulten sich wie ein Film in seinem Kopf ab. Wäre dies hier eine Szene in seinem Buch, würde im Innern der Höhle Dr. Quentin Pierce lauern, und eine ahnungslose Annie würde das nächste Opfer seiner bestialischen Schlachterei werden. Theo beschrieb die brutalen Morde an seinen weiblichen Figuren nie näher, er streute jedoch genügend Andeutungen in den Text, sodass die Leser sich die grausamen Details selbst denken konnten. Und nun tat er in seinem Kopf gerade dasselbe mit Annie.

Der eigentliche Grund, warum er sich dem Horrorgenre zugewandt hatte, verspottete ihn nun. Das Schreiben von makabren Geschichten über geisteskranke Mörder verlieh ihm ein Gefühl der Kontrolle. In seinen Büchern hatte er die Macht, das Böse zu bestrafen und für eine gewisse Gerechtigkeit zu sorgen. Wenigstens in der Fiktion konnte er einer gefährlichen, chaotischen Welt eine Ordnung aufzwingen.

Er schickte im Geiste Diggity Swift in die Höhle, um Annie zu helfen. Diggity, der klein genug war, um durch den Spalt zu schlüpfen, und einfallsreich genug, um Annie zu beschützen. Diggity, die Figur, die er hatte sterben lassen.

Theo grub schneller und immer tiefer. Er ignorierte die blutigen Kratzer an seinen Händen und rief Annie hinterher: »Sei um Gottes willen vorsichtig!«

In der Höhle vernahm Annie Theos Worte, aber sie war in ihren alten Albtraum zurückgeworfen worden und konnte nicht reagieren. Sie knipste die Taschenlampe an. Durch die Erosion stand das Wasser im Eingang der Höhle höher als früher, es reichte Annie bereits bis zu den Waden. Ihre Kehle schnürte sich vor Angst zu.

»Liv?« Sie richtete den Lichtstrahl auf die Höhlenwände, dann auf das Wasser. Keine zerrissene rosafarbene Jacke schwamm auf der Oberfläche. Kein kleines Mädchen mit braunen Haaren trieb mit dem Gesicht nach unten im Wasser. Aber das bedeutete nicht zwingend, dass Livia nicht im Wasser war … Annies Worte kamen erstickt heraus. »Liv, Herzchen, bitte mach ein Geräusch, damit ich weiß, wo du bist.« Nur das Schwappen des Wassers gegen die Granitwände hallte zurück. Annie bewegte sich tiefer in die Höhle hinein, vor ihren Augen beschwor sie das Bild von einer Livia herauf, die in einer der versteckten Nischen kauerte. »Livia, bitte ... Mach für mich ein Geräusch. Irgendein Geräusch.« Die anhaltende Stille dröhnte in Annies Ohren. »Deine Mommy wartet gleich draußen vor der Höhle auf dich.«

Der Lichtstrahl der Taschenlampe erfasste den Felsvorsprung an der Rückwand, den Annie so gut in Erinnerung hatte. Sie rechnete damit, dort immer noch einen aufgeweichten Karton zu sehen. Das Wasser schwappte ihr inzwischen um die Knie. Warum gab Livia keine Antwort? Annie hätte vor lauter Frust am liebsten laut geschrien.

Und dann flüsterte eine Stimme: *Lass mich das machen.*

Annie knipste die Taschenlampe aus.

»Schalt sie wieder an!«, rief Scamp mit zitternder Stimme. *»Wenn du das Licht nicht sofort wieder anmachst, werde ich loskreischen, und das wird für niemanden ein Vergnügen sein. Wenn ich es mal kurz demonstrieren darf ...«*

»Bitte nicht, Scamp!« Annie verdrängte die Möglichkeit, dass sie eine Puppenshow für ein Kind vorführte, das vielleicht bereits ertrunken war. »Ich habe die Taschenlampe ausgemacht, um die Batterien zu schonen.«

»Liv und ich möchten aber, dass das Licht anbleibt, nicht, Liv?«

Ein leises, ersticktes Wimmern wehte über das Wasser. Annies Erleichterung war so immens, dass sie Mühe hatte, Scamps Stimme zu imitieren.

»Siehst du, Livia ist derselben Meinung wie ich. Livia, beachte Annie einfach nicht. Sie hat bloß eine ihrer Launen. Könnten wir nun bitte wieder Licht haben?«

Annie knipste die Taschenlampe wieder an und watete tiefer in die Höhle hinein, verzweifelt nach einer Bewegung Ausschau haltend.

»Das ist keine Laune, Scamp«, sagte sie. »Und falls die Batterien schlappmachen, gib nicht mir die Schuld.«

»Liv und ich beabsichtigen, längst hier raus zu sein, wenn deine blöden Batterien schlappmachen«, erwiderte Scamp.

»Du sollst nicht ›blöd‹ sagen«, mahnte Annie, auch ihre eigene Stimme zitterte. »Das ist unhöflich, nicht, Livia?«

Keine Antwort.

»Ich entschuldige mich«, sagte Scamp. *»Ich bin nur unhöflich, weil ich Angst habe. Du verstehst das, Livia, oder?«*

Wieder kam ein gedämpftes Wimmern aus dem hinteren Teil der Höhle. Annie richtete den Lichtstrahl nach rechts und leuchtete dann einen schmalen Absatz entlang, der sich knapp über dem Wasserspiegel befand und hinter einer Felsnase verschwand. Konnte Livia darauf entlanggeklettert sein?

»Es ist hier sehr dunkel«, beschwerte sich Scamp. *»Und das bedeutet, dass ich große Angst habe. Ich werde ein Lied singen, damit ich mich besser fühle. Ich nenne es das Höhlenlied. Komponiert von mir, Scamp.«*

Annie war so kalt, dass sie ihre Beine nicht mehr richtig spürte, doch sie watete durch das Wasser, während Scamp zu singen begann.

Ich saß in einer dunklen Höhle,
versteckte mich auf einem hohen Stein.
Ich wollte gar nicht in der Höhle sein.

Da kam eine nette Spinne vorbei,
sie hockte sich neben mich und rief: Ei, ei, ei.
Wie kommt eine Spinne wie ich eine bin
in eine finstere Höhle wie diese nur hin?

Annie umrundete vorsichtig die Felsnase und erhaschte einen Blick auf ein rosafarbenes Bündel, das sich auf dem Vorsprung zusammenkauerte. Am liebsten wäre sie sofort zu Livia geeilt, um sie an sich zu drücken. Stattdessen wich sie zurück, außer Sichtweite der Kleinen, und richtete die Taschenlampe auf das dunkle Wasser.

»Annie«, sagte Scamp, *»ich habe immer noch Angst. Ich muss sofort Livia sehen. Dann werde ich mich besser fühlen.«*

»Ich verstehe, Scamp«, sagte Annie. »Aber ... ich kann Livia nirgendwo finden.«

»Du musst sie finden! Ich muss mit einem Kind reden, nicht mit einem Erwachsenen! Ich brauche Livia!« Scamp wurde immer unruhiger. *»Livia ist meine Freundin, und Freunde helfen sich gegenseitig, wenn sie sich fürchten.«* Scamp fing leise an zu weinen, sie wimmerte kläglich. *»Warum will sie mir nicht sagen, wo sie ist?«*

Eine Welle traf Annies Unterleib, und von der Höhlendecke fielen eiskalte Tropfen auf ihren Rücken. Scamps Weinen wurde immer heftiger, ihr Wimmern lauter. Bis drei leise, süße Worte über das Wasser schwebten ...

»Ich bin hier.«

Kapitel 21

Annie hatte nie etwas so Schönes gehört wie diese leisen, zaghaften Worte. *Ich bin hier.* Sie durfte jetzt keinen Fehler machen ...

»*Livia*«, flüsterte Scamp. »*Bist das wirklich du?*«

»Mmh.«

»*Ich dachte, ich wäre allein hier, nur mit Annie.*«

»*Ich bin auch hier.*«

Livias Stimme klang ein wenig heiser und eingerostet, weil sie sie so lange nicht benutzt hatte.

»*Jetzt geht es mir besser.*« Scamp schniefte. »*Hast du Angst?*«

»Mmh.«

»*Ich auch. Ich bin froh, dass ich nicht die Einzige bin.*«

»Das bist du nicht.«

Livia konnte das S nicht richtig aussprechen, sie lispelte leicht, was so niedlich klang, dass Annies Herz sich zusammenzog.

»*Willst du noch länger hierbleiben, oder bist du bereit zu gehen?*«, fragte Scamp.

Eine lange Pause. »Ich weiß nicht.«

Annie unterdrückte ihre Angst und zwang sich zu warten. Die Sekunden verrannen sehr langsam.

»Scamp?«, fragte Livia schließlich. »Bist du noch da?«

»*Ich denke gerade nach*«, antwortete Scamp. »*Und ich*

finde, du solltest das mit einem Erwachsenen besprechen. Ist es okay, wenn ich Annie zu dir rüberschicke?«

Annie wartete wieder, voller Furcht, zu weit gegangen zu sein. Aber Livia antwortete mit einem leisen »Okay«.

»Annie!«, rief Scamp. *»Komm mal bitte hier rüber. Livia möchte mit dir reden. Livia, mir ist ganz kalt, ich werde mir eine heiße Schokolade besorgen. Und eine saure Gurke. Wir sehen uns später.«*

Annie watete um die Felsnase und betete, dass ihr Erscheinen nicht bewirkte, dass Livia wieder verstummte. Livia kauerte immer noch in der Hocke, die Knie an die Brust gezogen. Ihr Kopf lag darauf, ihre Haare verbargen ihr Gesicht.

Annie war sich nicht sicher, ob Jaycie draußen mitbekommen hatte, dass Livia unversehrt war, doch sie wollte nicht laut rufen aus Angst, Livia dadurch zurückzuwerfen.

»Hey, Dummerchen«, sagte sie.

Livia hob schließlich den Kopf.

Was hatte ein Kind, das sich im Dunkeln fürchtete, in diese Höhle hineingetrieben? Das konnte nur ein zutiefst verstörendes Erlebnis gewesen sein. Als Annie die Kleine am Strand gefunden hatte, hatte sie eher einen bockigen als einen traumatisierten Eindruck gemacht. Irgendetwas musste danach passiert sein, abgesehen davon, dass Theo aufgetaucht war …

In diesem Moment begriff Annie.

Obwohl sie mit den Zähnen klapperte und der Felsvorsprung sehr schmal war, hievte sie sich hoch. Sie zwängte sich so gut es ging neben Livia und legte ihr den Arm um die Schulter. Sie roch nach modrigem Wasser und Shampoo.

»Weißt du, dass Scamp sauer auf mich ist?«, fragte Annie.

Livia schüttelte den Kopf. Annie wartete, die scharfe Felsspitze ignorierend, die ihr in die Schulter bohrte. Sie drückte Livia eng an sich. Schließlich bewegte sich Livias Kiefer an Annies Arm.

»Was hast du gemacht?«

Diese Stimme! Diese süße kleine Stimme. »Ich hab mich mit Theo gestritten. Sie ist sauer auf mich, weil wir uns vor dir gestritten haben, obwohl du immer Angst kriegst, wenn Erwachsene sich streiten. Scamp hat gesagt, dass du deshalb in die Höhle gegangen bist.«

Ein kaum wahrnehmbares Nicken an ihrer Schulter.

»Und deine Angst kommt daher, dass dein Dad deiner Mommy wehgetan hat, und dann hat sie ihm wehgetan, und dann ist er gestorben.« Annie sprach so kindlich wie möglich.

»Da habe ich ganz doll Angst gekriegt.« Ein herzzerreißendes Schniefen.

»Das ist kein Wunder. Ich hätte da auch Angst bekommen. Deine Mommy hat das aber nicht mit Absicht getan. Scamp meinte außerdem, ich hätte dir erklären sollen, dass ein Streit zwischen Erwachsenen nicht immer bedeutet, dass etwas Schlimmes passieren wird. Theo und ich zum Beispiel streiten uns immer mal wieder, aber wir würden uns nie gegenseitig wehtun.« Livia betrachtete Annie mit schief gelegtem Kopf, während sie ihre Worte verarbeitete. Annie hätte das Mädchen von dem Felsvorsprung heben und mit ihm aus der Höhle waten können, aber sie zögerte. Was konnte sie sonst noch sagen, um den Schaden rückgängig zu machen? Sie strich sanft mit dem Daumen über Livias Wange. »Menschen streiten sich manchmal. Kinder und Erwachsene. Deine Mommy und ich zum Beispiel, wir hatten heute Morgen einen Streit. Es war meine Schuld, und ich werde ihr nachher sagen, dass es mir leidtut.«

»Mommy und du?«, fragte Livia.

»Ich war durcheinander. Aber die Sache ist die, Livia, wenn du jedes Mal Angst bekommst, wenn du jemanden streiten hörst, wirst du ganz oft Angst haben, und keiner von uns möchte das.«

»Theo hat richtig laut geschrien.«

»Ich auch. Ich war ziemlich sauer auf ihn.«

»Du kannst ihn erschießen«, sagte Livia im Bemühen, eine Situation zu lösen, die für sie zu kompliziert war.

»O nein, das würde ich nie machen.« Annie versuchte, einen anderen Weg zu finden. Zögerte kurz. »Kann ich ein Geheimnis frei haben?«

»Mhm.«

Annie legte ihre Wange auf Livias Kopf. »Ich liebe Theo«, flüsterte sie. »Und ich könnte niemals jemanden lieben, der versucht, mir wehzutun. Aber das bedeutet nicht, dass ich nicht sauer auf ihn werden kann.«

»Du liebst Theo?«

»Das ist mein Geheimnis, schon vergessen?«

»Nein.« Ein süßes Geräusch, Livias Atem, summte in Annies Ohren. Die Kleine wand sich aus ihrem Arm. »Kann ich auch ein Geheimnis frei haben?«

»Sicher.« Annie wappnete sich innerlich, aus Angst vor dem, was gleich kommen würde.

Livia drehte den Kopf, um ihr ins Gesicht zu sehen. »Scamps Lied hat mir nicht gefallen.«

Annie lachte und gab ihr einen Kuss auf die Stirn. »Wir werden ihr nichts davon sagen.«

Das freudige Wiedersehen zwischen Mutter und Tochter hätte Annie zu Tränen gerührt, wäre ihr nicht so kalt gewesen. Theo zog sie in das schwache Sonnenlicht und untersuchte ihre Verletzungen. Sie trug nur ihr orangefarbenes Bustier und ihren weißen Slip, ihre nassen Strümpfe hingen in Origamifalten um ihre Fußknöchel. Nachdem sie Livia durch die Öffnung in Theos Arme gedrückt hatte, musste Annie feststellen, dass ihre mit Meerwasser vollgesogenen Jeans sie daran hinderten, sich erneut durch den Spalt zu zwängen. Ihr war nichts anderes übrig geblieben, als ihre Hose auszuziehen.

»Du bist voller Schrammen.« Er streifte rasch seinen Parka ab und wickelte sie darin ein. »Ich schwöre bei Gott, ich bin um zehn Jahre gealtert, während du da drinnen warst.« Theo zog sie an seine Brust, ein Ort, an dem Annie sich nur allzu gern ausgeruht hätte.

Jaycie hatte vor lauter Dankbarkeit ihre Wut auf Annie vergessen. Sie riss schließlich ihren Blick von Livia los. »Ich kann dir gar nicht genug danken«, sagte sie.

Annie versuchte erfolglos, nicht mehr mit den Zähnen zu klappern. »Du ... du wirst mir viel... vielleicht nicht mehr so dankbar sein, wenn ... wenn du erfährst, warum Livia ... in die Höhle geklettert ist.«

»Du kannst später mit Jaycie reden«, sagte er. »Du musst dich dringend aufwärmen.«

»Gleich.« Jaycie saß im Schutz eines Felsens, Livia an

sich gedrückt, beide waren in Annies Jacke gehüllt. Annie sah Livia an. »Liv, ich ... ich hab Angst, ich könnte mich falsch ausdrücken, deshalb erklärst du es deiner Mommy besser selbst.«

Jaycie war sichtlich verwirrt. Livia vergrub das Gesicht an der Brust ihrer Mutter.

»Es ist okay«, besänftigte Annie. »Du kannst es ihr ruhig sagen.«

Würde Livia das tun? Vielleicht hatte sie das Bedürfnis zu reden verloren, nachdem sie sich nun außerhalb der Höhle befanden. Annie zog Theos Parka eng um sich und wartete, hoffte, betete ... Die Worte, die schließlich herauskamen, klangen gedämpft, weil Livia an der Brust ihrer Mutter sprach.

»Ich hatte Angst.«

Jaycie keuchte auf. Sie umfasste die Wangen ihrer Tochter und sah ihr erstaunt in die Augen. »Liv ...«

»Weil Annie und Theo sich gestritten haben«, erklärte Livia. »Da hab ich Angst bekommen.«

Theos gemurmelter Fluch war zwar leise, aber nicht weniger inbrünstig.

»O mein Gott ...« Jaycie drückte Livia fest an sich.

Die Freudentränen, mit denen sich Jaycies Augen füllten, ließen Annie vermuten, dass Jaycie nicht erfasste, was Livias Worte bedeuteten, so verblüfft war sie über das Wunder, dass ihre Tochter ihre Stimme wiedergefunden hatte. Nun, auf dem Höhepunkt der Emotionen, war vielleicht der richtige Zeitpunkt, um mit der Geheimniskrämerei Schluss zu machen.

Annie schöpfte Mut, als Theo sich beschützend hinter sie stellte. »Jaycie, vielleicht ist es dir nicht bewusst, aber immer wenn Livia Erwachsene miteinander streiten hört, erinnert sie das daran, was zwischen dir und ihrem Vater passiert ist.« Jaycie sah sie voller Qual an. Annie setzte schnell nach. »Als sie Theo und mich vorhin streiten sah, bekam sie Angst davor, dass ich ihn erschießen könnte. Deshalb hat sie sich in der Höhle versteckt.«

Theo beteuerte vehement: »Das würde Annie niemals tun, Livia.«

Jaycie legte die Hände auf Livias Ohren und versiegelte sie symbolisch. Die Dankbarkeit, die sie gegenüber Annie empfunden hatte, schien ihrem Gesichtsausdruck nach plötzlich vergessen.

»Wir müssen nicht darüber reden.«

»Livia schon«, bemerkte Annie sanft.

»Hör auf Annie«, sagte Theo. »Sie kennt sich damit aus.« Er drückte Annies Schulter. Sein Vertrauensvorschuss bedeutete ihr alles.

»Livia und Scamp und ich haben vorhin darüber gesprochen, dass Livia große Angst vor ihrem Vater hatte«, sagte sie zu Jaycie, »und dass du ihn nicht mit Absicht getötet hast.« Die Kälte hatte Annies Verstand zu sehr betäubt, um sie vorsichtig sein zu lassen. »Livia ist vielleicht sogar ein bisschen froh darüber, dass er nicht mehr lebt – Scamp ist jedenfalls erleichtert. Und jetzt muss Livia mit dir reden.«

»Scamp?«, fragte Jaycie.

»Scamp ist auch ein Kind«, erklärte Annie. »Deshalb versteht sie Livia in mancher Hinsicht besser als wir Erwachsene sie verstehen.«

Jaycie wirkte nun eher verwundert als wütend. Sie musterte das Gesicht ihrer Tochter, versuchte zu begreifen, war dazu jedoch nicht fähig. Ihre Hilflosigkeit erinnerte Annie daran, dass Jaycie genauso sehr traumatisiert sein musste wie Livia.

Annie war nie so dankbar gewesen für das, was sie in ihren Theaterworkshops gelernt hatte. Sie lehnte sich gegen Theos Brust. »Scamp würde auch gern ein paar Dinge besser verstehen«, fuhr sie fort. »Vielleicht können wir uns morgen mal alle zusammensetzen und uns gemeinsam über das unterhalten, was passiert ist.«

Morgen ... Annie fiel auf einmal ein, dass ihre Tage auf Peregrine Island gezählt waren.

»Ja, ich will Scamp sehen!« Livia zeigte die Begeisterung, die ihrer Mutter fehlte.

»Eine gute Idee«, sagte Theo. »Und jetzt, denke ich, ist es für uns alle Zeit, dass wir uns aufwärmen.«

Livia hatte sich rascher erholt als die Erwachsenen, und sie kletterte vom Schoß ihrer Mutter. »Zeigst du mir die Muscheln, die du für mein Feenhaus gesammelt hast?«, fragte sie Theo.

»Ja. Aber zuerst muss ich mich um Annie kümmern.« Er deutete mit dem Kopf zur Klippenspitze. »Möchtest du hochreiten?«

Livia thronte auf Theos Schultern, während sie schweigend die Klippenstufen zum Haus emporstiegen.

Als Annie und Theo zurück im Cottage waren, füllte er die Wanne und ließ Annie dann im Bad allein. Ihre Haut war überall aufgeschürft, und Annie zuckte zusammen, als sie in das Wasser hineinglitt, aber bald war ihr wieder warm. Sie kletterte aus der Wanne und wickelte sich in ihren Bademantel. Auch Theo hatte seine nassen Sachen gegen trockene Kleidung getauscht – gegen eine Jeans, die über dem Knie aufgerissen war, und ein langärmliges schwarzes T-Shirt, das er, wie er erklärte, nicht mehr angezogen habe, seit Jaycie es zu heiß gewaschen hatte. Jeder einzelne Muskel seines Oberkörpers zeichnete sich unter dem Stoff auf eine Art ab, die ihm nicht gefiel, die Annie jedoch sehr begrüßte.

An diesem Tag war so viel passiert. Annie hatte eine Unschuldige beschuldigt, ihr schaden zu wollen, ihre eigenen Wurzeln entdeckt und ein kleines Mädchen gerettet. Wichtiger als all das war jedoch, dass sie erkannt hatte, wie sehr sie den Mann liebte, den sie nicht haben konnte.

Theo hatte sie verarztet und machte jetzt in der Küche Grilled Cheese Sandwiches. Annie sah nachdenklich zu, wie er einen Klumpen Butter in die heiße Pfanne gab. In ihrem Kopf tickte eine Uhr, auf der die restliche Zeit herunterlief, die sie noch mit ihm hatte.

»Ich habe Elliott angerufen«, sagte er. »Gleich nachdem ich erfahren habe, dass du mit einem Trick von der Insel gelockt wurdest.«

Sie zog den Gürtel ihres Bademantels enger. »Lass mich raten. Cynthia wusste es bereits – dank Lisa McKinley – und stieß zur Feier mit einem Cocktail darauf an.«

»Der erste Punkt ist richtig, der zweite falsch. Cynthia war tatsächlich schon informiert, aber es gab keine Feier.«

»Nein? Ich bin überrascht, dass Cynthia nicht direkt angefangen hat, Pläne zu entwerfen, um das Cottage in ein zweites Stonehenge zu verwandeln.«

»Jedenfalls hatte ich die Absicht, Elliott umzustimmen.

Ihm zu drohen. Alles zu tun, was in meiner Macht steht, um sicherzustellen, dass du das Cottage so lange behalten kannst, wie du willst. Es stellte sich heraus, dass Elliott eine Änderung vorgenommen hat, von der niemand von uns etwas wusste.«

»Was für eine Änderung?«

»Das Cottage fällt nicht an die Familie zurück.« Er wandte sich vom Herd ab und sah Annie an. »Es geht an die Peregrine-Island-Stiftung.«

Sie starrte ihn ungläubig an. »Ich verstehe nicht.«

Er drehte sich wieder zum Herd und wendete die Sandwiches in dem brutzelnden Fett. »Unter dem Strich heißt das, dass du das Cottage trotzdem verloren hast, was ich mehr bedaure, als du dir vorstellen kannst.«

»Aber warum hat dein Vater diese Änderung vorgenommen?«

»Er hat mir keine Details genannt – Cynthia war im Zimmer. Was ich allerdings deutlich gemerkt habe, ist, dass er nicht gerade glücklich darüber ist, was Cynthia aus dem Klippenhaus gemacht hat. Ich nehme an, er wollte sicherstellen, dass das Cottage so bleibt, wie es ist. Statt also Cynthia die Stirn zu bieten, ging er lieber hinter ihrem Rücken zum Notar und veranlasste die Änderung.«

Annie schwirrte der Kopf. »Mariah hat davon nie was erwähnt.«

»Sie wusste es nicht. Offenbar wusste niemand davon, außer den Inseltreuhändern.«

Das Geräusch eines Fahrzeugs, das sich näherte, unterbrach ihr Gespräch. Theo gab Annie den Pfannenwender. »Behalt die Sandwiches im Auge.«

Während er zur Vordertür ging, versuchte Annie, die Bruchstücke der Geschichte zusammenzufügen, aber ihre Gedanken wurden von einer fremden männlichen Stimme an der Tür unterbrochen. Kurz darauf steckte Theo den Kopf in die Küche.

»Was ist passiert?«, fragte sie.

»Ich muss weg. Wieder ein Notfall. Du brauchst dir keine Sorgen mehr zu machen, dass hier einer einbrechen könnte, schließ trotzdem die Türen ab.«

Nachdem er gegangen war, nahm Annie sich ein Sandwich und setzte sich an den Tisch. Theo hatte einen guten Cheddar verwendet und das Sandwich mit ihrem Lieblingssenf verfeinert, doch sie war zu erschöpft, als dass sie etwas hätte essen können. Sie benötigte dringend Schlaf.

Am nächsten Morgen hatte Annie wieder einen klaren Kopf. Sie fuhr mit Jaycies Chevrolet in die Stadt. Die verdreckten Pick-ups vor Barbaras Haus deuteten darauf hin, dass die montägliche Strickgruppe gerade dort tagte. Am vergangenen Abend vor dem Einschlafen hatte Annie genügend Zeit zum Nachdenken gehabt, und jetzt betrat sie entschlossen Barbaras Haus, ohne vorher zu klingeln.

Das Wohnzimmer war mit Krimskrams überfrachtet. Laienhafte Ölgemälde von Schiffen und Bojen schmückten die Wände, neben einem Dutzend Porzellantellern. Überall standen Familienfotos: Lisa, die ihre Geburtstagskerzen ausblies, Lisa und ihr Bruder beim Öffnen der Weihnachtsgeschenke. Barbaras Enkelkinder.

Barbara saß mitten im Raum auf einem Schaukelstuhl. Judy Kester und Louise Nelson saßen auf der Couch.

Naomi, die um diese Zeit eigentlich draußen auf dem Meer sein sollte, hatte das Zweiersofa für sich allein. Marie und Tildy saßen auf Sesseln. Keine der Frauen strickte.

Barbara stand so rasch auf, dass ihr Schaukelstuhl gegen die Wand stieß und einen Porzellanteller zum Klirren brachte, auf dem zwei Golden-Retriever-Welpen abgebildet waren.

»Annie! Das ist aber eine Überraschung! Ich nehme an, Sie haben das mit Phyllis Bakely schon gehört.«

»Nein, ich habe nichts gehört.«

»Phyllis hatte letzte Nacht einen Schlaganfall«, erklärte Tildy. »Ben, Phillys Mann, hat sie aufs Festland gebracht, und Theo hat die beiden begleitet.«

Das erklärte, warum Theo nicht ins Cottage zurückgekehrt war. Aber Annie war nicht in die Stadt gefahren, um Theo zu suchen. Sie ließ sich Zeit dabei, die Frauen zu mustern, und stellte schließlich die Frage, wegen der sie gekommen war.

»Wer von euch hat auf mich geschossen?«

Kapitel 22

Ein kollektives Aufkeuchen wanderte durch die Strickgruppe. Louise beugte sich vor, als ob ihren alten Ohren etwas entgangen wäre. Judy stieß ein gequältes Stöhnen aus, Barbara wurde ganz starr, Naomi schob ihr Kinn vor, und Tildy verknotete ihre Hände im Schoß. Marie erholte sich am schnellsten. Ihre Lippen schürzten sich, und ihre kleinen Augen wurden schmal.

»Wir haben keine Ahnung, wovon Sie reden.«

»Ach nein?« Annie machte ein paar Schritte in das Zimmer hinein, ohne dass es sie kümmerte, dass sie auf dem Teppich Schneematschspuren hinterließ.

»Und warum glaube ich das nicht?«

Barbara setzte sich wieder und kramte in einem Korb, der neben ihrem Schaukelstuhl stand. »Ich denke, Sie gehen jetzt besser«, sagte sie. »Sie sind offensichtlich ziemlich mitgenommen nach allem, was passiert ist, aber das ist kein Grund …«

Annie fiel ihr ins Wort. »Mitgenommen beschreibt es nicht einmal ansatzweise.«

»Also wirklich, Annie«, schnaubte Tildy empört.

Annie wandte sich an Barbara, die nun ihr Strickzeug aus dem Korb holte.

»Sie sind Mitglied im Stiftungsvorstand der Insel. Wissen die anderen, was Sie getan haben?«

»Wir haben gar nichts getan«, brummte Naomi.

Marie nahm ebenfalls ihr Strickzeug zur Hand. »Sie haben kein Recht, hier einfach so hereinzuplatzen und solche Anschuldigungen zu erheben. Sie verschwinden jetzt besser.«

»Das ist genau das, was Sie von Anfang an gewollt haben«, sagte Annie. »Dass ich verschwinde. Und Sie, Barbara, haben so getan, als wären Sie meine Freundin, dabei wollten Sie mich nur loswerden.«

Barbaras Nadeln bewegten sich schneller. »Ich habe nicht nur so getan. Ich habe Sie wirklich sehr gern.«

»Sicher.« Annie machte einen weiteren Schritt in den Raum hinein, um den Damen zu verstehen zu geben, dass sie nicht die Absicht hatte zu gehen. Ihr Blick schweifte über die Runde, auf der Suche nach dem schwächsten Glied, und sie fand es. »Judy, was ist mit Ihren Enkelkindern? Wie wollen Sie dem kleinen Jungen, dem Theo auf die Welt geholfen hat, jemals in die Augen schauen, ohne daran denken zu müssen, was Sie getan haben?«

»Judy, beachte sie gar nicht.« In Tildys Befehl schwang leichte Verzweiflung mit.

Annie konzentrierte sich weiter auf Judy mit ihren leuchtend roten Haaren, ihrem sonnigen Gemüt und ihrem großzügigen Wesen. »Und was ist mit Ihren anderen beiden Enkelkindern? Glauben Sie wirklich, dass sie niemals Wind von der Sache bekommen werden? Sie haben ein Exempel statuiert. Von Ihnen lernen Ihre Enkel, dass es in Ordnung ist, seinen Willen mit allen Mitteln durchzusetzen, ganz egal, ob man anderen dadurch Schaden zufügt.« Judy war für Frohsinn gemacht, nicht für Konfrontation. Sie vergrub das Gesicht in den Händen und fing an zu weinen. Annie bekam vage mit, dass hinter ihr die Haustür geöffnet wurde, ließ sich davon aber nicht abhalten. Es war Theo. Sie konnte ihn nicht sehen, doch sie war sicher, dass er derjenige war, der den Raum betreten hatte. »Judy«, fuhr sie fort, »Sie sind doch eine gläubige Frau. Wie können Sie das, was Sie mir angetan haben, mit Ihrem Glauben in Einklang bringen?« Sie musterte die ganze Runde. »Wie schaffen Sie das alle?«

Tildy drehte an ihrem Ehering. »Ich weiß ja nicht, was wir verbrochen haben sollen …« Ihre Stimme stockte kurz. »Aber … Sie irren sich.«

»Wir wissen alle, dass ich mich nicht irre.«

»Sie können uns nichts beweisen«, rief Marie trotzig, doch es klang nicht überzeugend.

»Halt den Mund, Marie«, fuhr Judy die Freundin scharf an. »Das geht jetzt schon lange genug so. Zu lange.«

»Judy …«

Naomis Stimme klang warnend, gleichzeitig schlang sie die Arme um ihren Oberkörper, als würde sie Schmerzen leiden.

Louise meldete sich nun zum ersten Mal zu Wort. Sie hatte zwar eine krumme Wirbelsäule, aber ihr Kopf war hoch erhoben. »Es war meine Idee. Ganz allein meine. Ich war das alles. Die anderen versuchen nur, mich zu schützen.«

»Wie edel«, erwiderte Annie spöttisch.

Theo trat an Annies Seite. Er war ungewaschen und unrasiert, aber sein Auftreten verlangte jedermanns Aufmerksamkeit. »Mrs. Nelson, Sie waren es sicher nicht, die das Cottage verwüstet hat«, sagte er. »Und ich bitte um Verzeihung, aber Sie würden mit einem Gewehr nicht einmal die Längsseite einer Scheune treffen.«

»Wir haben nichts kaputt gemacht!«, rief Judy. »Wir waren sehr vorsichtig!«

»Judy!«

»Nun, das stimmt doch!«, rechtfertigte sich Judy.

Sie waren besiegt, und sie wussten es. Annie konnte es in ihren Gesichtern lesen. Sie waren von Judys Gewissen zur Strecke gebracht worden, und vielleicht auch von ihrem eigenen. Naomi ließ den Kopf hängen, Barbara ließ ihr Strickzeug sinken, Louise sackte in die Couch zurück, und Tildy presste ihre Hand vor den Mund. Nur Marie wirkte trotzig, in ihrem eigenen Interesse.

»Die Wahrheit kommt eben immer ans Licht«, sagte Annie. »Wessen Idee war es denn, meine Puppe an einem Galgenstrick aufzuhängen?«

Das Bild der von der Decke herunterbaumelnden Crumpet verfolgte sie noch immer. Puppe oder nicht Puppe, Crumpet war ein Teil von ihr.

Judy sah Tildy an, die sich die Wange rieb. »Das hab ich mal in einem Film gesehen«, sagte Tildy leise. »Ihre Puppe hat keinen Schaden genommen.«

Annie spürte, dass Theo seinen Arm auf ihre Schulter legte. »Die wichtigere Frage lautet allerdings … Wer hat auf mich geschossen?«

Als niemand reagierte, richtete Theo seinen kühlen Blick auf die Frau im Schaukelstuhl. »Barbara, warum antworten Sie nicht?«

Barbara umklammerte die Armlehnen ihres Stuhls. »Das war ich natürlich. Oder glauben Sie, ich hätte jemand anderen dieses Risiko eingehen lassen?« Sie sah

Annie an, mit beschwörender Miene. »Sie waren nie wirklich in Gefahr. Ich gehöre zu den besten Schützinnen im ganzen Nordosten. Ich habe zahlreiche Schießwettbewerbe gewonnen.«

Theos Kommentar war bissig. »Ein Jammer, dass Annie das erst jetzt erfährt.«

Judy kramte in ihrer Hose nach einem Taschentuch. »Wir wussten, dass unser Handeln nicht richtig war. Wir wussten es von Anfang an.«

Marie rümpfte verächtlich die Nase, als würde sie dieses Handeln nicht ganz so schlimm finden, aber Tildy warf ihr einen bösen Blick zu. »Wir können es nicht länger hinnehmen, unsere Familien zu verlieren. Unsere Kinder und Enkel.«

»Ich kann meinen Sohn auf keinen Fall verlieren.« Louises knotige Hände umklammerten ihren Gehstock. »Er ist alles, was ich noch habe, und wenn Galeann ihn dazu bringt, von hier wegzugehen ...«

»Ich weiß, Sie können das nicht verstehen«, sagte Naomi, »aber hier geht es um mehr als nur um unsere Familien. Es geht um die Zukunft von Peregrine Island und um unser Überleben.«

Theo blieb unbeeindruckt. »Erklären Sie es uns. Machen Sie uns begreiflich, warum es dermaßen wichtig war, Annie das Cottage abzuluchsen, dass anständige Frauen sich in Kriminelle verwandelten.«

»Weil sie eine neue Schule brauchen«, sagte Annie.

Theo stieß leise einen Fluch aus.

Judy schluchzte in ein zerknittertes Taschentuch, Barbara wandte ihren Blick ab. Die Kutterkapitänin übernahm das Wort. »Wir haben nicht das Geld, um einfach so eine neue Schule zu bauen. Aber ohne Schule werden wir unsere restlichen jungen Familien verlieren. Und das können wir nicht zulassen.«

Barbara kostete es sichtlich Mühe, sich zusammenzureißen. »Die jungen Mütter waren nicht so unzufrieden, bevor die Schule abbrannte. Der Container ist jedoch untragbar. Lisa redet inzwischen von nichts anderem mehr, als von hier wegzuziehen.«

»Und Ihre beiden Enkeltöchter mitzunehmen«, ergänzte Annie.

Selbst Marie brach jetzt ein. »Eines Tages werden Sie wissen, wie sich das anfühlt.«

Barbaras Augen flehten um Verständnis. »Wir brauchen das Cottage. Es gibt keine angemessene Alternative.«

»Das war keine plötzliche Eingebung.« Aus Tildy sprach eine Art verzweifelte Begeisterung, offenbar wollte sie Annie anstecken. »Das Cottage ist wegen seiner Aussicht etwas Besonderes. Und im Sommer lässt es sich ganz einfach in eine Unterkunft für Feriengäste verwandeln.«

»Es gibt auf der Insel nicht genügend anständige Ferienhäuser, um die Nachfrage zu bedienen«, erklärte Naomi. »Von den Mieteinnahmen der Sommertouristen könnten wir die Schule das ganze Jahr finanzieren.«

Louise nickte. »Und die Straße ausbessern, damit der Weg dorthin nicht so beschwerlich ist.«

Annie konnte das Cottage nicht vermieten, weil die Vereinbarung, die ihre Mutter unterzeichnet hatte, dies ausdrücklich verbot. Es war keine Überraschung, dass Elliott mit den Inselbewohnern nachsichtiger gewesen war als mit Mariah.

Naomis herrische Miene war einem bittenden Ausdruck gewichen. »Wir mussten es tun. Es war im Interesse des Gemeinwohls.«

»Es war ganz sicher nicht im Interesse von Annies Wohl«, konterte Theo. Er stemmte die Hände in die Hüften. »Ihnen ist klar, dass Annie das der Polizei melden wird.«

Judy schnäuzte sich. »Ich habe euch gesagt, dass das passieren würde. Ich habe euch von Anfang an gewarnt. Ich wusste, dass wir im Gefängnis enden werden.«

»Wir werden alles abstreiten«, erklärte Marie. »Es gibt keine Beweise.«

»Bitte, Annie, zeigen Sie uns nicht an«, flehte Tildy. »Sonst sind wir ruiniert. Ich könnte meinen Laden verlieren.«

»Daran hätten Sie vorher denken sollen«, sagte Theo.

»Falls das herauskommt …«, sagte Louise.

»*Wenn* das herauskommt«, verbesserte Theo. »Sie sitzen in der Falle. Das ist Ihnen allen doch klar, oder?«

Marie saß so aufrecht da wie immer, aber Tränen kullerten aus ihren Augen. Die anderen Frauen sanken auf ihren Sitzen zurück, suchten nach den Händen der anderen, pressten ihre Gesichter in Taschentücher. Sie wussten, dass sie geschlagen waren.

Barbara schien um Jahre gealtert. »Wir werden das in Ordnung bringen. Bitte, Annie, sagen Sie niemandem etwas. Wir biegen das wieder hin. Wir werden dafür sorgen, dass Sie das Cottage behalten können. Versprechen Sie uns nur, dass Sie uns nicht verraten.«

»Sie wird gar nichts versprechen«, sagte Theo.

In diesem Moment flog die Haustür auf, und zwei

rothaarige Mädchen stürmten herein. Sie sausten quer durch das Zimmer und stürzten sich in die Arme ihrer Großmutter.

»Granny, Granny, Mr. Miller war schlecht, und er musste sich übergeben. Das war so ekelhaft!«, rief die Ältere.

»Er hat keinen Ersatzlehrer gefunden«, krähte die Jüngere. »Deshalb hat er uns alle nach Hause geschickt. Mom ist zu Jaycie gefahren, also sind wir zu dir gegangen.«

Während Barbara die Mädchen an sich drückte, sah Annie die Tränen, die über die gepuderten Wangen der Großmutter rannen. Theo sah sie auch. Er warf Annie stirnrunzelnd einen Blick zu und schloss seine Hand um ihren Arm.

»Lass uns gehen.«

Theos Wagen stand hinter dem Chevrolet in der Einfahrt. »Wie bist du ihnen auf die Schliche gekommen?«, fragte er, als sie die Vordertreppe hinuntergingen.

»Weibliche Intuition. Nachdem du mir von den neuen Besitzverhältnissen erzählt hast, wusste ich, dass nur die Inselfrauen dahinterstecken konnten.«

»Du weißt, dass du sie in der Hand hast, nicht? Du wirst das Cottage zurückbekommen.«

Sie seufzte. »Sieht ganz so aus.«

Er hörte ihren Mangel an Begeisterung. »Annie, tu es nicht.«

»Was nicht?«

»Was dir gerade durch den Kopf geht.«

»Woher weißt du, was mir gerade durch den Kopf geht?«

»Ich kenne dich. Du spielst mit dem Gedanken aufzugeben.«

»Aufgeben ist nicht das richtige Wort.« Sie zog den Reißverschluss ihrer Jacke zu. »Mich weiterorientieren trifft es eher. Die Insel … Sie tut mir nicht gut.«

Du tust mir nicht gut. Ich will alles – alles, was du nicht zu geben bereit bist.

»Die Insel bekommt dir großartig«, widersprach er. »Du hast nicht nur den Winter überstanden, du bist hier richtig aufgeblüht.«

Auf eine Art stimmte das. Annie dachte daran, dass sie ihr Erbe nach ihrer Ankunft auf Peregrine Island, körperlich und finanziell angeschlagen, als ein Symbol für ihr Versagen betrachtet hatte – als eine handfeste Mahnung, sich all das in Erinnerung zu rufen, was sie nicht erreicht hatte. Inzwischen hatte sich ihre Perspektive verschoben, ohne dass sie es wahrgenommen hatte. Die Bühnenkarriere, von der sie immer geträumt hatte, war vielleicht niemals Wirklichkeit geworden, dafür war so viel anderes Gutes geschehen. Allein dass sie einem stummen kleinen Mädchen geholfen hatte, seine Stimme wiederzufinden, wog das, was an Schrecklichem passiert war, wieder auf.

»Fährst du mit mir zur Farm raus?«, fragte Theo. »Ich muss das neue Dach checken.«

Annie dachte daran, was beim letzten Mal passiert war, als sie beide die Farm besucht hatten, und es waren nicht die Puppen, die sie in ihrem Kopf hörte, sondern ihr eigener Überlebensinstinkt.

»Die Sonne scheint«, sagte sie. »Lass uns lieber einen Spaziergang machen.« Er protestierte nicht. Sie marschierten die zerfurchte Einfahrt hinunter zur Straße. Die

Schiffe hatten den Hafen bei Tagesanbruch verlassen, die leeren Bojen schaukelten im Wasser wie Badewannenspielzeug. Annie versuchte, Zeit zu gewinnen. »Wie geht es der Frau, die du gestern notversorgt hast?«

»Wir haben sie rechtzeitig aufs Festland gebracht. Sie wird zwar nicht um eine Reha herumkommen, aber ihre Heilungschancen stehen gut.« Der Kies knirschte unter ihren Schuhen, als Theo Annie am Ellenbogen über die Straße führte. »Bevor ich von hier verschwinde, werde ich dafür sorgen, dass einige Inselbewohner eine Ausbildung zum Rettungshelfer machen. Es ist gefährlich, überhaupt keine medizinische Unterstützung hier zu haben.«

»Sie hätten sich schon längst darum kümmern sollen.«

»Niemand möchte allein die Verantwortung übernehmen, aber wenn mehrere von ihnen den Schein machen, können sie sich abwechseln.« Er nahm ihre Hand und lotste sie um ein großes Schlagloch. Sie löste sich sofort von ihm, nachdem die Gefahr hinter ihnen lag. Theo blieb stehen und sah Annie mit bekümmerter Miene an. »Ich begreife das nicht. Warum spielst du mit dem Gedanken, das Cottage aufzugeben und die Insel zu verlassen?«

Wie konnte es sein, dass er sie so gut kannte? Viel besser als jeder andere. Sie plante, wieder zu jobben. Was sie nicht mehr machen würde, war, für Rollen vorzusprechen. Dank Livia hatte sie eine neue Richtung gefunden, eine, die in ihrem Kopf so schleichend Form angenommen hatte, dass sie es gar nicht richtig mitbekommen hatte.

»Es gibt für mich keinen Grund zu bleiben«, antwortete sie.

Ein Geländewagen mit einer fehlenden Tür und einem kaputten Auspuff knatterte an ihnen vorbei.

»Sicher gibt es einen Grund«, entgegnete er. »Das Cottage gehört dir. Diese Frauen werden sich überschlagen, um eine Lösung zu finden, wie sie die alten Besitzverhältnisse wiederherstellen können – als Gegenleistung für dein Schweigen. Nichts hat sich geändert.«

Alles hatte sich geändert. Annie war in Theo verliebt, und sie konnte nicht länger im Cottage bleiben, wo sie ihn jeden Tag sehen würde, jeden Abend mit ihm schlafen würde. Wohin sollte sie nur gehen? Sie war wieder gesund, ausreichend bei Kräften, um sich etwas einfallen zu lassen.

Sie schlenderten in Richtung Kai. Die amerikanische Flagge an dem Mast zwischen den Bootshütten flatterte in der Morgenbrise. Annie wich einem Stapel Hummerfallen aus und stieg die Rampe hoch.

»Ich muss aufhören, das Unvermeidliche vor mir herzuschieben. Das Cottage war von Anfang an nur eine Notlösung. Es ist Zeit für mich, nach Manhattan zurückzukehren. In mein richtiges Leben.«

»Du bist immer noch mittellos«, sagte er. »Wo wirst du wohnen?«

Ich kann eine der Tuschezeichnungen von Garr verkaufen …

Nein, sie hatte längst beschlossen, dass sie das nicht tun würde. Sie würde ihre ehemaligen Kunden kontaktieren, für die sie als Hundesitter gearbeitet hatte. Manche von ihnen verreisten ständig. Annie hatte auch schon fremde Häuser gehütet, und wenn sie Glück hatte, brauchte einer ihrer Kunden über den Sommer jemanden, der während seiner Abwesenheit bei den Haustieren blieb. Falls das nicht klappte, würde ihr ehemaliger Chef vom Coffeeshop sie bestimmt noch einmal vorübergehend auf dem Futon im Lagerraum schlafen lassen. Sie würde sich schon irgendwie durchschlagen.

»Der Kunsthändler hat mir bereits Geld überwiesen«, erklärte sie Theo. »Ich bin also nicht völlig mittellos. Und da ich auch wieder gesund bin, kann ich arbeiten gehen wie jeder andere.«

Sie stiegen über eine Kette, die an einem Steinpoller befestigt war. Theo bückte sich, um einen losen Stein aufzuheben.

»Ich möchte nicht, dass du gehst.«

»Ach nein?«

Sie sagte es scheinbar unbekümmert, so als hätte Theo nichts Wichtiges offenbart, aber ihre Muskeln spannten sich an, während sie darauf wartete, was als Nächstes kommen würde.

Er schleuderte den Stein ins Wasser. »Falls du das Cottage räumen musst, bis die Inselmafia ihr Chaos in Ordnung gebracht hat, kannst du oben im Klippenhaus wohnen und dich ganz nach Belieben dort breitmachen. Elliott und Cynthia werden nicht vor August hier eintreffen, bis dahin bist du längst wieder dort, wo du hingehörst.«

»Stimmt.«

Hier sprach gerade Theo der Fürsorgliche, nicht mehr. Und ja, sie gehörte in die Stadt, musste dort ihr Leben wieder aufnehmen.

Die Flagge am Fahnenmast knallte im Wind. Annie kniff die Augen vor der Sonne zusammen, die vom Wasser reflektiert wurde. Der Winter war bald vorbei, sie hatte sich erholt. Hatte erkannt, wo sie herkam, und wusste nun, wo sie hinwollte.

»In der Stadt erwartet dich eine ungewisse Zukunft«, sagte Theo. »Du solltest wirklich besser hierbleiben.«

»Damit du auf mich aufpassen kannst? Ich glaube nicht.«

Er schob seine Hände in die Taschen seines Parkas. »So wie du es sagst, klingt es schrecklich. Wir sind Freunde. Du bist vielleicht die beste Freundin, die ich jemals hatte.«

Sie zuckte zusammen, aber sie konnte nicht auf ihn wütend sein, weil er nicht in sie verliebt war. Es war nicht vorherbestimmt. Falls Theo sich überhaupt jemals wieder in eine Frau verliebte, würde das nicht sie, Annie, sein. Es würde keine Frau sein, die so eng mit seiner Vergangenheit verbunden war.

Annie musste die Sache sofort beenden. Sie hoffte, dass ihre Stimme fest klang.

»Wir haben eine Affäre«, sagte sie. »Und das ist viel komplizierter als Freundschaft.«

Er schleuderte wieder einen Stein ins Wasser. »Das muss nicht so sein.«

»Unsere Beziehung hatte von Beginn an ein Verfallsdatum, und ich denke, wir haben es nun erreicht.«

Er wirkte eher beleidigt als bekümmert. »Das hört sich an, als wären wir vergammelter Fisch.«

Sie musste es richtig machen. Sie musste sich selbst befreien und gleichzeitig vermeiden, sein allzu bereites Schuld- und Verantwortungsgefühl zu wecken.

»Wohl kaum vergammelt«, widersprach sie. »Du siehst

umwerfend aus. Du bist klug. Und sexy. Habe ich erwähnt, dass du reich bist?« Er ließ sich kein Lächeln entlocken. »Du kennst mich, Theo. Ich bin eine Romantikerin. Wenn ich hier noch länger herumhänge, verliebe ich mich womöglich in dich.« Sie brachte ein Schaudern zustande. »Stell dir vor, wie unschön das sein würde.«

»Du wirst dich nicht in mich verlieben«, erwiderte er todernst. »Dafür kennst du mich zu gut.«

Als würde das, was er ihr über sich offenbart hatte, ihn nicht liebenswert machen.

Sie ballte ihre Hände in den Jackentaschen zu Fäusten. Wenn sie dies hier hinter sich gebracht hatte, würde sie bestimmt das Gefühl haben, in eine Million Teile zu zerbrechen, aber noch war es nicht so weit. Sie konnte das. Sie musste.

»Lass mich kurz etwas klarstellen. Ich möchte gern eine Familie gründen. Das bedeutet, solange ich auf der Insel bleibe, ohne dass ich das muss, solange ich mich mit dir vergnüge, verschwende ich meine Zeit. Ich muss mich disziplinieren.«

»Davon hast du mir nie was gesagt.« Er wirkte verärgert, vielleicht gekränkt, aber definitiv nicht untröstlich.

Sie tat verwirrt. »Warum sollte ich?«

»Weil wir uns gegenseitig Dinge erzählen.«

»Ich mache das. Ich erzähle dir Dinge. Und es ist überhaupt nicht kompliziert.«

Er zuckte mit den Achseln. Ihr Herz zog sich noch mehr zusammen. Er krümmte die Schultern gegen den Wind.

»Ich schätze, es ist egoistisch von mir, dass ich möchte, dass du bleibst.«

Sie hatte genug Kummer für einen Tag erlebt. »Mir

wird langsam kalt. Und du warst die ganze Nacht auf den Beinen. Du brauchst Schlaf.«

Er blickte den Kai entlang, dann wieder zu ihr. »Ich weiß es wirklich zu schätzen, was du in den vergangenen Wochen für mich getan hast.«

Seine Dankbarkeit schlug eine weitere Kerbe in ihr Herz. Sie drehte sich in den Wind, damit er das Zittern in ihrer Stimme nicht hörte.

»Danke gleichfalls, Kumpel.« Sie straffte ihre Schultern. »Ich muss ganz dringend aufs Klo. Wir sehen uns später.«

Annie zwinkerte gegen die Tränen an, die sie sich nicht erlauben durfte. Er hatte sie so leicht aufgegeben. Das war nicht wirklich überraschend, Doppelzüngigkeit lag nicht in seiner Natur. Er war ein Held, und wahre Helden boten nicht zum Schein an, was sie nicht zu geben bereit waren.

Sie überquerte die Straße zu ihrem Wagen. Sie musste die Insel sofort verlassen. Heute. Aber sie konnte nicht. Sie brauchte ihren Kia, und die Autofähre würde erst wieder in acht Tagen ablegen. Acht Tage, in denen Theo jederzeit im Cottage auftauchen konnte, wann er wollte. Unerträglich. Sie musste dafür eine Lösung finden.

Auf der Rückfahrt zum Cottage sagte Annie sich, dass ihr Herz weiterschlagen würde, ob sie es wollte oder nicht. Die Zeit heilte alle Wunden – das wusste jeder –, und die Zeit würde schließlich auch ihre Wunden heilen. Sie würde sich auf ihre Zukunft konzentrieren und Trost schöpfen aus der Gewissheit, dass sie das Richtige getan hatte.

Nur im Moment war kein Trost zu finden.

Kapitel 23

Zu Annies Erleichterung war Livia nicht wieder verstummt, die Kleine zeigte ihr fröhlich eine Schildkröte, die sie aus Knete geformt hatte. »Ich weiß nicht, was ich zu ihr sagen soll«, murmelte Jaycie. »Ich bin ihre Mutter, aber ich weiß nicht, wie ich mit ihr reden soll.«

»Ich gehe Scamp holen«, sagte Annie.

Annie holte die Puppe, dankbar für die Ablenkung von ihren eigenen schmerzlichen Gedanken. Sie hoffte inständig, dass Scamp das Gespräch in die Wege leiten konnte, das Jaycie brauchte. Sie setzte die Puppe auf den Küchentisch, Mutter und Tochter gegenüber, und konzentrierte sich auf Jaycie.

»Du bist also Jaycie, Livias Mutter. Du bist sehr hübsch. Ich glaube, wir sind uns noch nicht offiziell vorgestellt worden. Ich bin Scamp, auch bekannt als Genevieve Adelaide Josephine Brown.«

»Oh … hallo«, sagte Jaycie, weniger befangen, als Annie erwartet hatte.

»Ich werde dir kurz beschreiben, was ich so alles mache.« Scamp begann, ihre Fähigkeiten aufzuzählen. Sie bezeichnete sich als talentierte Sängerin, Tänzerin, Schauspielerin, Anstreicherin und Rennfahrerin. *»Ich kann außerdem Leuchtkäfer fangen und meinen Mund gaaanz weit aufmachen.«* Livia kicherte, als Scamp es demonst-

rierte, und Jaycie entspannte sich. Scamp schnatterte weiter, bis sie schließlich ihre Locken schüttelte und sagte: *»Und weißt du, welches Spiel mir am besten gefällt? Ein Geheimnis frei. Es hilft mir, über schlimme Dinge zu reden. Schlimme Dinge wie die, die dir, Livia, und deiner Mommy passiert sind. Aber … Oh, deine Mommy kennt das Spiel ja gar nicht.«*

Wie Annie gehofft hatte, gab Livia ihrer Mutter eine Erklärung. »Ein Geheimnis frei heißt, du kannst jemandem was erzählen, und derjenige darf dann nicht sauer auf dich sein.«

Scamp beugte sich zu Jaycie und flüsterte: *»Livia und ich würden sehr gern ein Geheimnis von dir hören. Wir würden gern mehr über diesen schlimmen, furchtbaren, schrecklichen Abend erfahren, an dem Livias Vater mausetot umfiel. Und da wir ›Ein Geheimnis‹ frei spielen, darf niemand hinterher sauer sein.«*

Jaycie wandte sich ab.

»Ist schon okay, Mommy.« Livia redete, als wäre sie die Erwachsene. »Bei dem Spiel kann dir nichts passieren.«

Jaycie nahm ihre Tochter in den Arm, und ihre Augen füllten sich mit Tränen. »Oh, Liv …«

Sie fing sich wieder. Zuerst stockend, dann zunehmend sicherer redete sie über Ned Grayson und seine Alkoholsucht. In einer Sprache, die auch eine Vierjährige gut verstehen konnte, erklärte sie, wie der Alkohol ihn gewalttätig gemacht hatte.

Livia lauschte andächtig. Jaycie, die Wirkung ihrer Worte fürchtend, unterbrach sich mehrmals, um Livia zu fragen, ob sie auch alles verstand, aber das Mädchen machte eher einen neugierigen als einen verstörten Eindruck. Als das Gespräch zu Ende war, saß Livia auf dem Schoß ihrer Mutter, ließ sich von ihr herzen und verlangte ihr Mittagessen.

»Zuerst müsst ihr beide mir versprechen, dass ihr dieses Gespräch weiterführt, wann immer ihr das Bedürfnis dazu habt«, sagte Scamp. *»Versprecht ihr mir das?«*

»Versprochen«, sagte Livia feierlich.

Scamp zappelte vor Jaycies Gesicht herum. Jaycie lachte. »Versprochen.«

»Hervorragend!«, rief Scamp. *»Meine Arbeit ist hiermit getan.«*

Nach dem Essen, als Livia mit ihrem Kinderroller auf die Vorderveranda wollte, begleitete Annie Mutter und Tochter hinaus und setzte sich mit Jaycie auf die Treppe.

»Ich hätte von Anfang an mit ihr reden sollen«, sagte Jaycie und sah zu, wie der Roller über die Holzdielen ratterte. Livia hatte Mühe, das Gleichgewicht zu halten. »Aber sie war noch so klein. Ich hatte immer gehofft, sie würde es vergessen. Wie dumm von mir. Du hast sofort gewusst, was sie brauchte.«

»Nicht sofort. Ich habe viel recherchiert. Und als Außenstehende ist es einfacher, objektiv zu sein.«

»Keine gute Ausrede, trotzdem danke.«

»Ich bin diejenige, die sich bedanken muss«, sagte Annie. »Dank Livia weiß ich jetzt, was ich mit meinem Leben anfangen möchte.« Jaycie legte fragend den Kopf schief, und Annie erklärte ihr, was sie bisher noch niemandem anvertraut hatte. »Ich werde eine Ausbildung zur Puppentherapeutin machen – um mit Sprechpuppen traumatisierten Kindern zu helfen.«

»Annie, das ist wunderbar! Das passt perfekt zu dir!«

»Findest du? Ich habe schon mit einigen Fachleuten telefoniert, um mich ein wenig schlauzumachen, und ja, ich habe das Gefühl, es ist das Richtige für mich.«

Diese Berufsrichtung passte besser zu ihr, als die Schauspielerei jemals zu ihr hätte passen können. Dafür würde sie wieder studieren müssen, was sie sich vorerst nicht leisten konnte, doch sie hatte ein gutes akademisches Abschlusszeugnis, und zusammen mit ihrer beruflichen Erfahrung mit Kindern würde ihr das vielleicht zu einem Stipendium verhelfen. Falls nicht, würde sie einen Kredit aufnehmen. So oder so, Annie war fest entschlossen, ihren Plan in die Tat umzusetzen.

»Ich bewundere dich wirklich.« Jaycies Augen bekamen einen entrückten Ausdruck. »Ich war genauso gefangen wie Livia ... habe mich selbst bemitleidet, habe von Theo fantasiert, statt mit meinem Leben weiterzumachen.« Annie wusste genau, was Jaycie meinte. »Wenn du nicht hier aufgetaucht wärst ...« Jaycie schüttelte den Kopf, als wollte sie ihn freibekommen. »Ich meine nicht nur wegen Livia, sondern wegen der Art, wie du dein Leben in die Hand genommen hast. Ich wünsche mir ebenso einen Neuanfang, und ich werde mich endlich dahinterklemmen.« Annie kannte sich auch damit aus. »Was hast du jetzt mit dem Cottage vor?«, fragte Jaycie.

Annie wollte ihr nicht sagen, was die Großmütter getan hatten, beziehungsweise ihr gestehen, dass sie sich in Theo verliebt hatte.

»Ich werde sofort ausziehen und die Insel nächste Woche mit der Autofähre verlassen.« Sie zögerte kurz. »Die

Dinge mit Theo sind … zu kompliziert geworden. Ich musste es beenden.«

»Oh, Annie, das tut mir leid.« Jaycie zeigte keine Schadenfreude, nur aufrichtiges Mitgefühl. Sie sah die Dinge tatsächlich realistisch. »Ich hatte gehofft, dass du nicht so bald abreisen würdest. Du weißt, dass ich dich sehr vermissen werde.«

Annie umarmte sie spontan. »Ich werde dich auch vermissen.« Jaycie hörte ruhig zu, während Annie ihr erklärte, dass sie eine andere Unterkunft finden müsse, bis die Autofähre nächste Woche kam. »Ich möchte Theo nicht ständig im Cottage begegnen. Ich … brauche etwas Privatsphäre.«

Sie hatte vor, Barbara darauf anzusprechen, dass sie eine vorübergehende Bleibe suchte. Sie könnte ein goldenes Einhorn verlangen, und die Großmütter würden eine Möglichkeit finden, ihren Wunsch zu erfüllen. Alles, um ihr Schweigen zu erkaufen.

Wie sich herausstellte, brauchte Annie Barbara gar nicht. Mit einem einzigen Anruf besorgte Jaycie ihr eine neue Unterkunft.

Les Childers' Hummerfänger, die *Lucky Charm*, ankerte vorübergehend am Christmas Beach, weil sein Besitzer auf ein wichtiges Maschinenteil wartete, das mit derselben Fähre ankommen würde, die Annie in der kommenden Woche auf das Festland zurückbringen sollte. Les kümmerte sich gut um die *Lucky Charm*, aber sie roch trotzdem nach Fischködern und Diesel. Annie war das egal. Der Kutter hatte eine kleine Kombüse mit einer Mikrowelle und sogar eine winzige Dusche. Die Kajüte war trocken, ein Heizlüfter sorgte für ein bisschen Wärme und, das Wichtigste, Annie würde Theo nicht sehen müssen. Für den Fall, dass sie bei ihrem Spaziergang nicht deutlich genug gewesen war, hatte sie ihm im Cottage eine Nachricht hinterlassen.

Lieber Theo,
ich ziehe für ein paar Tage in die Stadt, um mich unter anderem an die deprimierende (huh) Tatsache zu gewöhnen, keinen sagenhaften Sex mit dir mehr haben zu können. Ich bin mir sicher, mit ein bisschen Aufwand kannst du mich ausfindig machen, aber ich habe ein paar Dinge zu erledigen, und ich bitte dich daher, mich in Ruhe zu lassen. Sei ein Freund, okay? Mit den Hexen von Peregrine Island werde ich selbst fertig, also halt dich von ihnen fern.
A

Die Nachricht traf genau den locker-leichten Ton, den Annie beabsichtigt hatte. Sie enthielt nichts Sentimentales, nichts, was darauf hindeutete, wie lange Annie gebraucht hatte, um sich zu sammeln, und rein gar nichts, das erkennen ließ, wie schlimm sie sich in Theo verliebt hatte. Sie würde ihm mit einer E-Mail endgültig den Laufpass geben. Wenn sie wieder in der Stadt war. *Du wirst es nicht glauben, aber ich habe einen ganz außergewöhnlichen Mann kennengelernt, bla, bla, bla ...* Vorhang fällt. Keine Zugabe.

Zwischen ihrem emotionalen Chaos, dem lauten Knarzen des Tauwerks, mit dem das Schiff festgemacht war, und dem ungewohnten Schaukeln fiel es Annie schwer einzuschlafen. Sie wünschte sich, sie hätte ihre Puppen mitgenommen, statt sie bei Jaycie im Klippenhaus zurückzulassen. Es wäre ein Trost gewesen, sie in der Nähe zu haben.

Im Verlauf der Nacht rutschten ihre Decken herunter, und sie wachte bei Tagesanbruch fröstelnd auf. Sie rollte sich aus der Koje und steckte die Füße in ihre Sneakers. Dann wickelte sie sich in Mariahs roten Umhang, kletterte zum Ruderhaus hoch und trat auf das Deck hinaus.

Pfirsich- und lavendelfarbene Wolkenfetzen zogen sich über den Himmel, das Meer war perlmuttgrau. Wellen schwappten gegen den Schiffsrumpf, und der Wind verfing sich in Annies Umhang, versuchte, ihn in Flügel zu verwandeln. Gleich darauf entdeckte sie etwas auf dem Achterdeck, das am Abend zuvor dort nicht gewesen war: ein gelber Picknickkorb stand dort. Annie ging hinüber, um sich den Korb näher anzusehen.

Er enthielt eine Kanne Orangensaft, zwei hartgekochte Eier, eine dicke Scheibe noch warmen Zimtkuchen und eine altmodische rote Thermoskanne. Annie witterte Bestechung. Die Großmütter versuchten, ihr Schweigen mit Nahrung zu erkaufen.

Sie schraubte die Kanne auf und schloss die Augen. Der frisch gebrühte Kaffee duftete himmlisch. Sie schenkte sich eine Tasse ein. Er schmeckte kräftig und köstlich. Während Annie an ihrem Kaffee nippte, vermisste sie plötzlich Hannibal. Sie hatte sich daran gewöhnt, dass der Kater morgens zum Schmusen zu ihr kam, wenn sie ihren ersten Kaffee trank. Sie hatte sich daran gewöhnt, dass Theo …

Hör auf!

Annie setzte sich auf das Achterdeck und beobachtete die Fischer in ihrer orangefarbenen und gelben Schutzausrüstung, die sich für ihren Arbeitstag rüsteten. Der Seetang, der an den Pfählen des Anlegers haftete, schwebte im Wasser wie die Haare einer Meerjungfrau. Ein Eiderentenpaar schwamm in Richtung Kai. Am Himmel wurde es hell. Annie spürte, wie ihr Herz plötzlich von Wärme überflutet wurde. Die Insel, die sie so sehr verabscheut hatte, verwandelte sich in eine Schönheit.

Theo entdeckte Annie am äußersten Ende des Fähranlegers, wo sie in ihrem roten Umhang auf das offene Meer hinaussah wie eine Kapitänswitwe, die auf die Rückkehr ihres ertrunkenen Mannes wartete. Er hatte sie den ganzen gestrigen Tag über in Ruhe gelassen, und das war lange genug.

Annie hätte im Klippenhaus unterkommen können. Oder gleich im Cottage bleiben – die Inselhexen würden von nun an einen weiten Bogen darum machen. Aber nein! Neben Annies Herzensgüte lauerte eine große Portion Gehässigkeit. Sie konnte es nennen, wie sie wollte, aber sie war auf Les Childers' Kutter geflüchtet, um sich *ihn*, Theo, vom Leib zu halten!

Er marschierte den Steg entlang. Ein bisschen genoss er seinen Zorn. Zum ersten Mal in seinem Leben konnte er sich über eine Frau in der Gewissheit aufregen, dass sie nicht zu einem schluchzenden Häufchen Elend zusammenbrechen würde, wenn er mit ihr sprach. Sicher, er war zunächst erleichtert gewesen, dass die Dinge zwischen Annie und ihm nicht komplizierter werden würden, doch das war eine instinktive Reaktion gewesen, nicht die Realität. Ihre Beziehung hatte keineswegs ihr Verfallsdatum überschritten, wie Annie es ausgedrückt hatte. Diese Form von Nähe ging nicht einfach weg. Annie hatte deutlich gemacht, dass das zwischen ihnen beiden nicht die große Liebesgeschichte war. Also wo lag das Problem? Er hatte verstanden, dass sie eine Familie gründen wollte. Aber was hatte das mit ihnen zu tun? Früher oder später würden sie ihre Kleider anbehalten müssen, ja. Da Annie jedoch nicht vorhatte, den Vater ihrer Kinder auf der Insel zu finden, hatte sie keinen Grund, die Affäre jetzt schon zu beenden, nicht wenn sie ihnen beiden so viel bedeutete.

Oder vielleicht bedeutete sie auch nur ihm so viel.

Er war immer sehr vorsichtig gewesen, was sich mit Annie geändert hatte. Er wusste nie, was sie als Nächstes sagen oder tun würde, wusste nur, dass sie zäh war, dass er nicht darauf achten musste, was er sagte, beziehungsweise nichts vorspiegeln musste, was er nicht war. Wenn er mit Annie zusammen war, fühlte er sich, als ob er … sich selbst gefunden hatte.

Sie trug keine Mütze, und ihre Locken machten wie immer, was sie wollten. Theo gab sich cool.

»Na, gefällt dir dein neues Zuhause?« Sie hatte ihn nicht kommen hören und zuckte zusammen. Gut so. Dann runzelte sie die Stirn, nicht glücklich darüber, ihn zu sehen, und das tat auf eine Weise weh, die in ihm das Bedürfnis weckte, ihr auch wehzutun. »Wie lebt es sich auf einem Fischkutter?«, fragte er mit einem, wie er hoffte, spöttischen Grinsen. »Ist bestimmt saugemütlich.«

»Die Aussicht ist spitze.«

Er würde sich von ihr nicht so abspeisen lassen. »Die ganze Insel weiß, dass du auf Les' Boot wohnst. Das ist so, als würdest du diesen Frauen das Cottage kostenlos überlassen. Ich wette, die haben alle schon blaue Flecken vom Abklatschen.«

Ihre kleine Nase schoss in die Luft. »Wenn du nur gekommen bist, um mich zu provozieren, dann verschwinde wieder. Genauer gesagt, selbst wenn du nicht deshalb gekommen bist, verschwinde wieder. Ich habe dir geschrieben, dass ich einige Dinge zu erledigen habe, und ich werde mich nicht ablenken lassen von deiner …«, sie machte eine abfällige Geste in seine Richtung, »… Attraktivität. Siehst du eigentlich immer so aus, als wärst du gerade einem Buchcover entstiegen?«

Theo hatte keine Ahnung, wovon Annie redete, er registrierte lediglich, dass es wie eine Beleidigung klang. Er kämpfte gegen das Bedürfnis, seine Hände in ihre wilde Mähne zu tauchen.

»Und, wie läuft die Suche nach der Liebe deines Lebens?« Jetzt schenkte er ihr wieder sein spöttisches Grinsen.

»Ich weiß nicht, was du meinst.«

Am liebsten hätte er sie hochgenommen und zum Cottage zurückgetragen, wo sie hingehörte. Wo sie beide hingehörten.

»Der Grund, warum du mir den Laufpass gegeben hast. Schon vergessen? Du wolltest frei sein, um einen Ehemann zu finden. Les Childers ist übrigens Single. Er hat zwar schon siebzig Jahre auf dem Buckel, aber dafür ist sein Schiff abbezahlt. Warum rufst du ihn nicht mal an?«

Sie seufzte, als wäre er einfach nur lästig. »Oh, Theo … Hör auf, dich so idiotisch zu benehmen.«

Er benahm sich tatsächlich idiotisch, doch er schaffte es nicht, sich zu beherrschen. »Ich nehme an, ich definiere Freundschaft anders als du. In meinem Leben ziehen Freunde nicht einfach eines Tages einen Schlussstrich.«

Sie vergrub die Hände in ihrem Umhang. »Freunde, die den Fehler begehen, mit dir zu schlafen, schon.«

Es war kein Fehler gewesen. Für ihn zumindest nicht. Er hakte einen Daumen in seine Jeans.

»Du machst es zu kompliziert.«

Sie sah hinaus auf das Meer und dann wieder zu ihm. »Ich habe versucht, es auf die nette Art zu machen …«

»Dann lass es!«, rief er. »Erklär mir, warum du ohne Vorwarnung beschlossen hast, die Insel zu verlassen. Ich will es hören. Sag schon. Mach es ruhig auf die hässliche Art.«

Und das tat sie. Auf eine Art, mit der er hätte rechnen müssen. Indem sie ihm die Wahrheit sagte.

»Theo, ich wünsche dir das Beste, aber … ich möchte mich verlieben … und das geht nicht mit dir.« *Warum nicht, zum Teufel?* Einen schrecklichen Moment lang dachte er, er hätte die Worte laut ausgesprochen. Ihr Blick war fest. Stark. Sie berührte seinen Arm und sagte mit einer Freundlichkeit, die ihn beinahe dazu gebracht hätte, sich die Haare zu raufen: »Du schleppst zu viel Ballast mit dir herum.«

Er hätte sie nicht dazu verleiten sollen, es auszusprechen. Er hätte es ahnen müssen – er hatte es geahnt. Er brachte ein schroffes Nicken zustande.

»Kapiert.«

Das war alles, was er hören musste. Die Wahrheit.

Er ließ Annie auf dem Steg stehen. Als er wieder zu Hause war, sattelte er Dancer, stieg auf und trieb ihn hart an. Nach dem Ausritt verbrachte er eine lange Zeit im Stall, wo er sein Pferd trockenrieb und anschließend striegelte, sich darauf konzentrierte, die Dornen aus dem Fell zu bürsten und die Hufe auszukratzen. So lange hatte er sich gefühlt, als wäre er innerlich erstarrt, aber durch Annie hatte sich das geändert. Sie war seine Geliebte gewesen, seine Motivatorin – und seine Psychologin. Sie hatte ihn gezwungen, sein Unvermögen, Kenley glücklich zu machen, auf eine neue Art zu betrachten, hatte ihm eine neue Sichtweise auf Regan vermittelt, die sich das Leben genommen hatte, um ihn freizugeben. Irgendwie war es Annie gelungen, durch die Finsternis, die ihn umgab, zu ihm vorzudringen.

Seine Hände ruhten auf Dancers Widerrist. Theo stand da, in Gedanken versunken, die vergangenen Wochen in seinem Kopf rekapitulierend. Seine Grübelei wurde von einer Stimme unterbrochen.

»Theo!«

Livia ...

Er verließ den Stall. Livia löste sich von ihrer Mutter und rannte zu ihm. Als sie gegen seine Beine prallte, empfand er das überwältigende Bedürfnis, sie hochzuheben und zu umarmen. Also tat er es.

Livia wollte nichts davon wissen. Sie stemmte ihre Hände gegen seine Brust, schob ihren Oberkörper zurück und starrte ihn böse an.

»Das Feenhaus sieht immer noch gleich aus!«

Endlich ein Fehler, den er beheben konnte. »Weil ich einen Schatz habe, den ich dir zuerst zeigen muss.«

»Einen Schatz?«

Er hatte ohne zu überlegen gesprochen, aber er wusste sofort, was für ein Schatz das sein würde. »Strandjuwelen.«

»Strandjuwelen?« Livia hauchte Staunen in das Wort.

»Warte hier.«

Er setzte sie wieder auf den Boden und machte sich auf den Weg ins Haus, wo er die Treppe hoch in sein ehemaliges Zimmer ging.

Das große Glas mit Regans gesammelten Strandsteinen stand ganz hinten im Schrank, wohin es schon vor Jahren verbannt worden war, weil es, wie so vieles andere im Haus, schlechte Erinnerungen hervorrief. Als Theo es herausnahm und damit das Zimmer verließ, hob sich seine düstere Laune an diesem Tag zum ersten Mal. Der liebenswürdigen, großzügigen Seite von Regan hätte es gefallen, dass ihre kostbaren Steine an Livia weitergegeben wurden, von einem kleinen Mädchen zum anderen.

Als er die Treppe hinunterging, die seine Schwester ein Dutzend Mal am Tag rauf- und runtergerannt war, spürte er plötzlich etwas Warmes, Unsichtbares. Er verharrte kurz auf den Stufen und schloss die Augen. Das Gesicht seiner Schwester erschien ganz deutlich in seinem Kopf.

Regan lächelte ihn an. Ein Lächeln, das sagte: *Sei glücklich.*

Jaycie ließ Livia und ihn allein. Das kleine Mädchen redete ununterbrochen, während sie die Glassteine zum Feenhaus brachten. All die Worte, die sie in ihrem Kopf gespeichert hatte, schienen nun auf einmal herauskommen zu müssen. Theo staunte, wie aufmerksam sie war und wie viel sie verstand.

»Ich hab dir mein Geheimnis erzählt«, sagte Livia schließlich. Sie drückte den letzten Glasstein in das neue Moosdach des Hauses. »Jetzt bist du dran.«

Theo saß in seinem Turm, ein einsamer Prinz, der darauf wartete, dass eine Prinzessin zu ihm hochstieg und ihn befreite.

Du schleppst zu viel Ballast mit dir herum ...

Er versuchte zu schreiben, aber er ertappte sich dabei, dass er stattdessen aus dem Fenster in die einbrechende Dunkelheit starrte und an Annie dachte. Er hatte keine Lust, die verworrenen Pfade in Quentin Pierce' Kopf zu betreten, und er konnte die Wahrheit nicht länger leugnen. Welche Nomadengeister auch immer seine Fantasie beflügelt hatten, sie waren geflohen und hatten seine Karriere mit sich genommen.

Er schloss die Datei und lehnte sich in seinem Bürostuhl zurück. Sein Blick fiel auf die Skizze, die er Annie stibitzt hatte, auf den wissbegierigen Jungen mit den zerzausten Haaren und der sommersprossigen Nase.

Theos Hände wanderten zur Tastatur. Öffneten eine neue Datei. Einen Moment lang saß er einfach nur da und fing dann schließlich an zu schreiben. Die Worte strömten nur so aus ihm heraus, Worte, die zu lange in ihm gefangen gewesen waren.

Diggity Swift lebte in einem großen Apartment direkt am Central Park und ging in die siebte Klasse.

Diggity litt an Asthma, und wenn zu viele Pollen in der Luft waren und er seinen Inhalator vergessen hatte, fing sein Atem an zu pfeifen. Fran, die auf ihn aufpasste, während seine Eltern arbeiteten, sorgte dann dafür, dass er den Park verließ. Diggity kam sich bereits wie ein Sonderling vor. Er war der Kleinste in seiner Klasse. Warum musste er auch noch diese Atemnot haben?

Fran sagte immer, es sei besser, klug zu sein als stark, aber Diggity glaubte ihr nicht. Er fand es viel besser, stark zu sein.

Eines Tages, nachdem Fran ihn wieder aus dem Park geholt hatte, passierte eine seltsame Sache. Diggity ging in sein Zimmer, um sein Lieblingsvideospiel zu spielen, doch als er den Joystick berührte, wanderte plötzlich ein elektrischer Schlag seinen Arm hoch und dann weiter durch seinen Oberkörper bis hinunter in die Beine. Das Letzte, was Diggity mitbekam, war, dass alles um ihn herum schwarz wurde …

Theo schrieb weiter bis in die Nacht hinein.

Annie stöhnte. Jeden Morgen nach dem Aufstehen fand sie ein neues Brandopfer auf dem Achterdeck der *Lucky Charm*. Die Muffins, der Eierauflauf und das Müsli waren natürlich nicht wirklich verbrannt, aber sie waren trotzdem Opfergaben – verwurzelt in Schuld, Annies Schweigen erbittend und – was den frisch gepressten Orangensaft betraf – Verzicht signalisierend.

Nicht alles, was morgens wie von Zauberhand gebracht auf dem Deck stand, war essbar. So tauchte eine Tube parfümierte Handcreme auf, dann eine Sweatjacke mit dem Aufdruck *PEREGRINE ISLAND*, an der noch das Preisschild aus Tildys Souvenirladen hing. Hin und wieder erhaschte Annie einen Blick auf die Spenderin: Naomi, die eine Schüssel Fischsuppe vorbeibrachte. Marie, die Zitronenkekse gebacken hatte.

Da es im Hafen ein anständiges Funksignal gab, hatte Annie begonnen, ihre ehemaligen Hundesitterkunden zu kontaktieren. Sie telefonierte auch mit ihrem früheren Chef vom Coffeeshop, um zu fragen, ob sie ihren alten Job wiederhaben und auf dem Futon im Lager schlafen könne, bis sie einen Job als Housesitter gefunden hatte. Aber sie hatte immer noch zu viele Stunden, die sie füllen musste, und ihre quälende Traurigkeit ließ nicht nach.

Theo war wütend auf sie, und er war nicht wiedergekommen. Der Schmerz, ihn zu verlieren, war ein kreisender Geier, der sich weigerte davonzufliegen. Ein Schmerz, hielt Annie sich vor Augen, den nur sie empfand.

Sie dachte viel über Niven Garr nach, doch sie konnte nur ein bestimmtes Maß an Zurückweisung auf einmal ertragen. Sie nahm sich fest vor, seine Angehörigen ausfindig zu machen, aber sie würde damit warten, bis sie die Insel verlassen und ihr größter Kummer wegen Theo sich gelegt hatte.

Ein paar der jüngeren Inselfrauen besuchten sie auf dem Schiff und erkundigten sich neugierig, warum sie das Cottage verlassen habe, sodass Annie wusste, dass die Neuigkeit über den Besitzerwechsel noch nicht durchgedrungen war. Sie murmelte etwas davon, dass sie in der Nähe der Stadt sein müsse, was ihre Besucherinnen offenbar zufriedenstellte.

Eines Tages kam Lisa an Bord und begrüßte sie mit

einer stürmischen Umarmung. Da Lisa sich sonst eher kühl ihr gegenüber verhielt, hatte Annie zunächst keine Erklärung dafür, woher dieser plötzliche Enthusiasmus kam, bis Lisa sie schließlich losließ.

»Ich kann nicht glauben, dass Sie Livia zum Reden gebracht haben. Ich habe die Kleine heute gesehen. Es ist ein Wunder.«

»Ein Wunder mit vereinten Kräften«, erwiderte Annie, worauf Lisa ihr sofort wieder um den Hals fiel und ihr versicherte, dass sie Jaycies Leben wieder lebenswert gemacht habe.

Lisa war nicht Annies einzige Besucherin an diesem Tag. Annie war gerade in der Kajüte und wusch ihre Unterwäsche, als sie oben auf dem Deck Schritte hörte.

»Annie?«

Es war Barbara. Annie drapierte ihren nassen BH zum Trocknen über den Feuerlöscher, schnappte sich ihre Jacke und stieg dann zum Deck hoch.

Barbara stand im Ruderhaus, in der Hand ein selbst gebackenes Zopfbrot, eingewickelt in Frischhaltefolie. Ihre blonde Turmfrisur war zusammengefallen, alles, was von ihrem Make-up noch übrig war, war ein blutroter Lippenstift, der sich in die Fältchen um ihren Mund gesetzt hatte. Sie legte den Zopf neben das Echolot.

»Es ist jetzt sechs Tage her. Sie haben die Polizei nicht verständigt. Sie nicht und auch Theo nicht. Sie haben es niemandem gesagt.«

»*Noch* nicht«, entgegnete Annie.

»Wir sind dabei, unseren Fehler wiedergutzumachen. Ich möchte, dass Sie das wissen.« Es war eher ein Appell als eine Feststellung.

»Schön.«

Barbara zupfte an einem der Knebelknöpfe ihres Mantels. »Naomi und ich sind am Donnerstag auf das Festland gefahren und haben mit einem Notar gesprochen. Er bereitet gerade die Papiere vor, um Ihnen das Cottage für immer zu überschreiben.« Sie sah an Annie vorbei zu der Fischhalle, nicht länger imstande, den Blickkontakt aufrechtzuerhalten. »Alles, worum wir Sie bitten, ist, niemandem etwas zu sagen.«

Annie befahl sich, auf stur zu schalten. »Sie haben kein Recht, mich um irgendwas zu bitten.«

»Ich weiß, aber ...« Barbaras Augen waren blutunterlaufen. »Die meisten von uns Großmüttern sind hier geboren. Wir hatten zwar im Laufe der Jahre unsere Meinungsverschiedenheiten, und nicht jede von uns ist gleich beliebt, die Leute respektieren uns dennoch. Das ist etwas Wertvolles.«

»Nicht so wertvoll, dass Sie nicht bereit waren, es wegzuwerfen. Und nun verlangen Sie, dass Theo und ich schweigen, damit ich *mein* Cottage zurückbekomme.«

Der verschmierte rote Lippenstift ließ Barbaras Gesicht grau erscheinen. »Nein. Wir bitten Sie nur ...«

»... dass ich mich besser benehme als Sie?«

Barbaras Schultern sackten herunter. »Das ist richtig. Besser als wir alle.«

Annie konnte nur für eine gewisse Zeit die Herzlose mimen. Sie hatte ihre Entscheidung bereits gefällt, als die zwei rothaarigen Mädchen in das Wohnzimmer ihrer Großmutter gestürmt und Barbara um den Hals gefallen waren.

»Blasen Sie die Sache mit dem Notar ab«, sagte sie. »Das Cottage gehört Ihnen.«

Barbara starrte sie mit offenem Mund an. »Das meinen Sie nicht ernst.«

»Doch, das meine ich ernst.« Annie konnte nicht zurückkehren. Wenn sie an dem Cottage festhielt, wäre das nur aus Boshaftigkeit. »Das Cottage ist ein Teil der Insel. Ich nicht. Es gehört Ihnen. Ohne irgendwelche Einschränkungen. Machen Sie damit, was Sie wollen.«

»Aber ...«

Annie hörte nicht länger zu. Sie wickelte ihre Jacke fester um sich und sprang auf den Anleger. Ein Mann spachtelte einen Schiffsrumpf ab. Die Fischer verrichteten überall hier ihre Wartungsarbeiten. Das ganze Inselleben war diesem Rhythmus unterworfen – abhängig von den Gezeiten und dem Wetter, von den Fischen und den Launen der Natur.

Annie schlenderte weiter in die Stadt. Sie fühlte sich so leer wie die Hummerfalle, die an Tildys geschlossenem Souvenirladen lehnte. Sie schreckte aus ihren Gedanken auf, als ihr Handy klingelte. Es war der Kunsthändler aus Manhattan. Annie lehnte sich gegen ein verwittertes Schild, das für Fischsuppe und Hummerbrötchen warb, und lauschte in den Hörer, aber was der Mann ihr mitteilte, war so unbegreiflich, dass sie ihn gleich zwei Mal bitten musste, es zu wiederholen.

»Es ist wahr«, bekräftigte er. »Die Summe ist ungeheuerlich, doch bei dem Käufer handelt es sich um einen Sammler, und der Nixenstuhl ist ein Unikat.«

»Aus gutem Grund!«, rief sie. »Er ist so hässlich!«

»Glücklicherweise liegt Schönheit im Auge des Betrachters.«

Sie hatte das Geld, um einen Großteil ihrer Schulden

zu tilgen. Mit einem einzigen Anruf änderte sich ihr Leben. Einem Neuanfang stand jetzt nichts mehr im Weg.

Die Autofähre sollte am kommenden Nachmittag anlegen. Annie musste zum Klippenhaus hinausfahren und die Sachen holen, die sie bei Jaycie gelassen hatte – ihre Puppen, ihre restliche Kleidung, einige Erinnerungsstücke an Mariah. Nach sieben Nächten auf einem Fischkutter war Annie mehr als bereit, auf das Festland umzusiedeln. Sie wünschte sich zwar, dass das Festland nicht der Futon im Lager des Coffeeshops sein würde, aber es war ja nicht für lange. Einer ihrer ehemaligen Kunden wollte, dass sie demnächst seine Hunde und sein Haus hütete, während er in Europa war.

Eine Mitteilung am Anschlagbrett für amtliche Bekanntmachungen informierte über eine Gemeindeversammlung am Abend. Da das Cottage dort sicher zur Sprache kommen würde, wollte Annie daran teilnehmen, sie musste sich allerdings erst vergewissern, dass Theo nicht da war.

Annie wartete, bis die Versammlung begonnen hatte, bevor sie den Gemeindesaal betrat. Lisa bemerkte sie sofort und deutete auf den freien Stuhl neben sich. Die sieben Inseltreuhänder saßen an einem langen Tisch am Kopfende des Saales. Barbara sah nicht besser aus als bei ihrer letzten Begegnung mit Annie. Sie war unfrisiert und trug kein Make-up, was für sie sehr ungewöhnlich war. Die anderen älteren Damen saßen im Raum verteilt, manche nebeneinander, andere bei ihren Männern. Nicht eine erwiderte Annies Blick.

Die Tagesordnung wurde abgehandelt: der Haushalt,

Hafenreparaturen, wie man den immer größer werdenden Berg von Schrottfahrzeugen loswerden konnte. Es gab Spekulationen über das ungewöhnlich warme Wetter in diesen Tagen und den Sturm, den es mit sich bringen sollte. Kein Wort über das Cottage.

Die Versammlung neigte sich dem Ende zu, als Barbara sich erhob und vortrat. »Bevor wir für heute Schluss machen, habe ich noch eine Neuigkeit zu vermelden.« Sie wirkte unscheinbarer ohne ihre getuschten Wimpern und die roten Lippen. Lisas Mutter stützte sich gegen den Tisch, als würde sie Halt suchen. »Ihr werdet euch sicher alle freuen zu hören, dass …«, sie räusperte sich kurz, »… Annie Hewitt das Moonraker Cottage der Insel vermacht hat.«

Im Saal brach lautes Stimmengewirr aus. Stühle quietschten, alle drehten sich nach Annie um. »Annie, ist das wirklich wahr?«, fragte Lisa.

»Davon habt ihr nie was erwähnt«, sagte Barbaras Mann in der ersten Reihe, an seine Frau gewandt.

Einer der Inseltreuhänder ergriff das Wort. »Wir haben es selbst eben erst erfahren, Booker.«

Barbara wartete, bis die Aufregung sich gelegt hatte, und fuhr dann fort: »Dank Annies Großzügigkeit werden wir das Cottage als unsere neue Schule nutzen können.« Wieder erhob sich lautes Stimmengewirr, neben etwas Applaus und einem Pfiff. Ein Mann, den Annie nicht kannte, klopfte ihr auf die Schulter. »Und im Sommer können wir das Haus an Feriengäste vermieten und die Einnahmen in das Schulbudget stecken«, sagte Barbara weiter.

Lisa ergriff Annies Hand. »Oh, Annie … Das wird für die Kinder eine unglaubliche Veränderung sein.«

Barbara schien trotz der freudigen Reaktion der Inselbewohner noch mehr in sich zusammenzusinken. »Wir möchten, dass die Jüngeren wissen, wie sehr sie uns am Herzen liegen.« Sie blickte in Lisas Richtung. »Und wozu wir bereit sind, um sie auf der Insel zu halten.« Sie senkte den Blick auf den Tisch, und Annie hatte das beunruhigende Gefühl, dass Barbara gleich in Tränen ausbrechen würde, aber als sie schließlich den Kopf wieder hob, waren ihre Augen trocken. Sie nickte jemandem im Saal zu. Nickte wieder. Die Frauen, mit denen sie sich verschworen hatte, standen nacheinander auf und gesellten sich zu ihr. Annie rutschte nervös auf ihrem Stuhl herum. »Es gibt da noch etwas, das wir euch sagen müssen«, sagte Barbara schließlich.

Kapitel 24

Annie fühlte sich so unbehaglich wie nie zuvor in ihrem Leben. Sie sah, dass Barbara die anderen hilflos ansah. Naomi fuhr mit der Hand durch ihr kurzes grau meliertes Haar. Sie machte einen Schritt von den anderen weg.

»Annie Hewitt hat das Cottage nicht freiwillig aufgegeben«, erklärte sie. »Wir haben sie vertrieben.«

Durch das Publikum ging ein verwirrtes Raunen. Annie schnellte von ihrem Stuhl hoch.

»Niemand hat mich vertrieben. Ich möchte euch das Cottage einfach schenken. Und was ich noch fragen wollte ... Täusche ich mich, oder rieche ich frischen Kaffee? Ich beantrage hiermit, die Versammlung zu schließen.«

Sie war keine Grundstückseigentümerin, und sie konnte gar nichts beantragen, aber ihr Rachebedürfnis war verflogen. Die Frauen hatten etwas Falsches getan, und sie litten darunter. Sie waren dennoch keine schlechten Menschen. Sie waren Mütter und Großmütter, die so sehr an ihren Familien hingen, dass sie das Gespür für Richtig oder Falsch verloren hatten. Annie hatte die Frauen trotz all ihrer Fehler gern, und sie wusste besser als jeder andere, wie leicht die Liebe die Menschen von ihrem Weg abbringen konnte.

»Annie ...« Barbara schien ihre Autorität wiedergefunden zu haben. »Wir sind uns hier alle einig, dass wir das tun müssen.«

»Nein, das müssen Sie nicht«, widersprach Annie. »Wirklich nicht.«

»Annie, bitte setzen Sie sich wieder.« Barbara hatte erneut das Kommando übernommen.

Annie ließ sich auf ihren Stuhl plumpsen.

Barbara erklärte kurz die rechtliche Vereinbarung zwischen Elliott Harp und Mariah. Tildy umklammerte angespannt ihre scharlachrote Jacke und sagte: »Wir sind anständige Frauen. Ich hoffe, ihr alle wisst das. Wir dachten, eine neue Schule würde unsere Kinder davon abhalten, in Scharen abzuwandern.«

»Es ist eine Schande, dass unsere Kinder in einem Container unterrichtet werden!«, rief jemand von hinten.

»Wir haben uns eingeredet, dass der Zweck die Mittel heiligt«, sagte Naomi.

»Ich bin diejenige, die die Sache ins Rollen gebracht hat.« Louise Nelson stützte sich schwer auf ihren Gehstock und sah ihre Schwiegertochter in der ersten Reihe an. »Galeann, du hast hier immer gern gelebt, bis die Schule abgebrannt ist. Ich konnte die Vorstellung nicht ertragen, dass du und John der Insel den Rücken kehrt. Ich habe mein ganzes Leben auf Peregrine verbracht, aber ich bin trotzdem schlau genug, um zu wissen, dass ich ohne meine Familie hier nicht bleiben kann.« Das Alter hatte ihre Stimme geschwächt, und im Saal wurde es ganz still. »Wenn ihr auf das Festland zieht, werde ich mit euch gehen müssen, obwohl ich hier sterben möchte. Deshalb habe ich angefangen, über Möglichkeiten nachzudenken, euch zu halten.«

Naomi fuhr sich wieder durch das Haar. »Wir waren alle etwas übermotiviert.«

Sie schilderte, was die Damen im Einzelnen unternommen hatten, ohne eine von ihnen zu verschonen. Sie erzählte, wie sie Annies Lebensmittellieferung sabotiert hatten, wie sie das Cottage verwüstet hatten. Alles.

Annie sank auf ihrem Stuhl immer tiefer. Die Frauen ließen sie wie eine Heldin und gleichzeitig wie ein Opfer aussehen, obwohl sie keines von beidem sein wollte.

»Wir haben immer gut aufgepasst, dass wir nichts kaputt machen!«, warf Judy dazwischen, ein Taschentuch umklammernd.

Naomi erklärte, dass sie Annies Puppe gehenkt und die Drohbotschaft an die Wand gepinselt und dass sie schließlich sogar auf Annie geschossen hatten.

Barbara senkte den Kopf. »Das war ich. Das war das Schlimmste, und ich erkläre mich dafür verantwortlich.«

Lisa keuchte erschrocken auf. »Mom!«

Marie schürzte die Lippen. »Es war meine Idee, Annie weiszumachen, dass Theo Harp schwer verunglückt war, damit sie mit Naomi die Insel verließ. Ich war immer ein anständiger Mensch, und ich habe mich noch nie so sehr für mein Verhalten geschämt. Ich hoffe, Gott vergibt mir, weil ich mir selbst nämlich nicht vergeben kann.«

Das musste Annie ihr lassen: Marie mochte vielleicht miesepetrig sein, aber sie hatte ein Gewissen.

»Annie kam uns schließlich auf die Schliche und stellte uns zur Rede«, sagte Barbara. »Wir haben sie angefleht, über die Geschichte Stillschweigen zu bewahren, damit keiner von euch etwas davon erfährt, doch sie wollte uns dieses Versprechen nicht geben.« Barbara richtete sich auf und sah in die Runde. »Am Sonntag war ich bei ihr, um sie noch einmal zu bitten, unser Geheimnis zu wahren. Sie hätte mich zum Teufel jagen können, stattdessen sagte sie zu mir, dass sie uns das Cottage schenken wolle. Dass es zu der Insel gehöre und nicht zu ihr.«

Annie wand sich auf ihrem Stuhl, während die Leute sich wieder nach ihr umdrehten.

»Zuerst waren wir einfach nur erleichtert«, sagte Tildy. »Aber je öfter wir darüber redeten, desto schwerer fiel es uns, uns gegenseitig in die Augen zu sehen. Wir schämten uns so sehr.«

Judy schnäuzte sich. »Wie sollten wir euch allen, vor allem unseren Kindern, jeden Tag gegenübertreten in dem Wissen, was wir getan hatten?«

Barbara straffte ihre Schultern. »Wir wussten, dass es für den Rest unseres Lebens an uns nagen würde, wenn wir nicht reinen Tisch machen.«

»Beichten ist gut für die Seele«, sagte Marie fromm. »Also beschlossen wir, dass wir beichten mussten.«

»Wir können unsere Taten nicht rückgängig machen«, sagte Naomi. »Alles, was wir tun können, ist, ehrlich dazu zu stehen. Ihr könnt uns dafür verurteilen. Ihr könnt uns dafür hassen, wenn es sein muss.«

Annie hielt es jetzt nicht mehr aus, sie sprang wieder auf. »Die einzige Person, die das Recht hat, euch zu hassen, bin ich, und ich hasse euch nicht, deshalb sollten die anderen euch auch nicht hassen. Ich beantrage nun, die Versammlung zu beenden.«

»Antrag angenommen«, rief Booker Rose und sah über Annies Nichtbewohnerstatus großzügig hinweg.

Die Versammlung war aufgehoben.

Annie hätte sich gern aus dem Staub gemacht, aber sie wurde von Menschen umringt, die mit ihr reden, ihr danken und sich bei ihr entschuldigen wollten. Barbara und ihre Freundinnen wurden gemieden, Annie war sich jedoch sicher, dass die Frauen das Schlimmste hinter sich hatten. Die zähen Inselbewohner würden eine Weile brauchen, um das alles in ihren Köpfen zu sortieren, und nach einer Weile vergessen, dass sie die Frauen geächtet hatten.

Es war stürmisch, als Annie zur *Lucky Charm* zurückkehrte, ein Blitz fuhr vom Himmel und schien den Horizont zu teilen. Es würde eine unruhige Nacht werden, ein perfektes Romanende zu der Nacht, in der Annie angekommen war. Morgen um diese Zeit würde sie fort sein. Sie betete, dass Theo nicht auftauchte, um sich von ihr zu verabschieden. Das würde sie kaum ertragen.

Eine Welle spülte über das Heck, aber Annie hatte noch keine Lust, sich in der Kajüte zu verkriechen. Sie wollte beobachten, wie der Sturm heranrollte, wollte seine Urgewalt in sich aufnehmen. In einer großen Truhe an Deck entdeckte sie die Wetterschutzausrüstung. Die übergroße Jacke roch nach Fisch, doch sie schützte Annie bis zu den Oberschenkeln vor Nässe. Sie stellte sich auf das Achterdeck und verfolgte das wilde Farbenspiel am Himmel. Erst als die Blitze immer näher kamen, ging Annie unter Deck.

In der Kabine wurde es taghell, dann wieder dunkel, während der Sturm die Gewalt über die Insel übernahm. Als Annie sich schließlich die Zähne putzte, war ihr vom Schaukeln des Schiffes ganz flau im Magen. Sie legte sich in die Koje, ohne sich auszuziehen, versuchte das Schwanken, so gut sie konnte, zu ertragen, doch die Übelkeit wurde schlimmer. Annie wusste, sie würde sich übergeben müssen, wenn sie noch länger hier unten blieb.

Sie griff nach der Öljacke und kletterte schwankend auf das Deck hoch. Der Regen schlug ihr durch die offene Seite des Ruderhauses entgegen, aber diesen Preis war sie gern bereit, für frische Luft zu bezahlen.

Obwohl das Schiff hin und her gepeitscht wurde und immer wieder gegen den Anleger stieß, beruhigte Annies Magen sich. Nach einer Weile zog das Gewitter vorüber, und der Regen wurde schwächer. Irgendwo in der Nähe schlug ein Fensterladen gegen eine Hauswand. Da Annie glaubte, nicht noch nasser werden zu können, kletterte sie an Land, um nachzusehen, ob der Sturm Schäden hinterlassen hatte.

Abgeknickte Zweige und Äste lagen überall verstreut, Wetterleuchten in der Ferne enthüllte dunkle Löcher im Dach des Gemeindehauses, wo etliche Ziegel heruntergeweht worden waren. Strom war auf der Insel teuer, und normalerweise ließ niemand nachts seine Außenbeleuchtung an, nun brannten unzählige Verandalichter, sodass Annie wusste, dass sie nicht die Einzige war, die auf den Beinen war.

Sie ließ den Blick über die Insel schweifen und bemerkte einen seltsamen rötlichen Schein am Himmel im Nordosten der Insel. Und dann sah sie das Flackern. Ein Feuer. Das war ein richtiges Feuer. Das Cottage …

Annie erster Gedanke war, dass ein Blitz in das Cottage eingeschlagen hatte. Nach allem, was sie wegen des

Häuschens durchgemacht hatte, war es schließlich dem Sturm zum Opfer gefallen. Nun würde es keine neue Schule geben. Keine Mieteinnahmen von Sommergästen. Es war alles umsonst gewesen.

Sie rannte zurück zum Schiff, um ihren Autoschlüssel zu holen. Gleich darauf lief sie wieder den Steg entlang in Richtung Fischhalle, wo sie ihren Wagen geparkt hatte. Der Regen hatte die Straße in eine Schlammgrube verwandelt, und Annie wusste nicht, wie weit sie mit ihrem Kia kommen würde, nur dass sie es trotzdem versuchen musste.

In immer mehr Häusern brannte nun Licht. Annie sah, dass der Pick-up der Roses gerade rückwärts aus der Einfahrt setzte. Barbara saß auf der Beifahrerseite, Booker steuerte den Wagen. Mit dem Allradantrieb würde er keine Mühe haben, die Straße zu passieren, und Annie stürmte hinüber. Sie schlug mit der Faust gegen die Seitenkarosserie, bevor die Roses davonbrausen konnten, und der Wagen bremste. Als Barbara sie durch das Fenster sah, öffnete sie die Beifahrertür und rutschte in die Mitte hinüber, damit Annie einsteigen konnte. Da sie und ihr Mann keine Erklärung verlangten, wusste Annie, dass sie das Feuer auch gesehen hatten. Regentropfen rannen an Annies Öljacke herunter.

»Es ist das Cottage«, sagte sie. »Ich weiß es.«

»Das kann nicht sein«, erwiderte Barbara. »Nicht nach dem ganzen Drama. Das kann einfach nicht sein.«

»Beruhigt euch, ihr zwei«, befahl Booker, während er auf die Straße bog. »Da hinten gibt es jede Menge Wald, und das Cottage liegt ziemlich weit unten. Es ist viel wahrscheinlicher, dass es ein paar Bäume getroffen hat.«

Annie betete, dass er recht hatte, aber insgeheim glaubte sie nicht daran.

Die Stoßdämpfer waren schon lange hinüber, und aus einem Loch im Armaturenbrett ragten Kabel heraus, doch der Pick-up kam trotzdem besser durch den Morast, als Annies Wagen es jemals vermocht hätte. Je weiter sie fuhren, desto größer wurde der rötliche Schein am Himmel. Die Gemeinde besaß lediglich ein Löschfahrzeug, einen alten Tanklaster, der defekt war, wie Barbara Annie erklärte. Booker bog schließlich in die Zufahrt, die zum Cottage führte. Gleich darauf öffnete sich die Landschaft vor ihnen, und sie sahen, dass nicht das Cottage in Flammen stand.

Es war das Klippenhaus.

Annies erster Gedanke war Theo, dann dachte sie an Jaycie und Livia.

Lieber Gott, lass sie alle drei in Sicherheit sein.

Barbara klammerte sich an das Armaturenbrett. Ein Funkenschauer explodierte in den Himmel. Sie fuhren die holperige Auffahrt hoch. Gleich darauf hielt Booker in sicherer Entfernung zu dem brennenden Haus. Annie stürmte aus dem Wagen und rannte los.

Das Feuer war gefräßig. Es verschlang knisternd und hungrig die Holzschindeln, gierte mit seinen heißen Klauen nach mehr. Die alten Zeitungen und Zeitschriften, die auf dem Speicher lagerten, waren der perfekte Zunder, das Dach war schon fast ganz verbrannt. Der Schornstein ragte wie ein Skelett in die Nacht. Annie entdeckte Jaycie in der Nähe der Einfahrt, wo sie mit Livia auf dem Boden kauerte. Sie rannte zu ihnen hinüber.

»Annie!«, rief Livia.

»Es ging alles so schnell!«, erklärte Jaycie. »Plötzlich gab es so was wie eine Explosion im Haus. Ich konnte die Hintertür nicht öffnen, weil wohl irgendwas umgefallen ist und sie von außen blockierte.«

»Wo ist Theo?«, rief Annie.

»Er hat ein Fenster eingeschlagen, damit wir rausklettern konnten.«

»Wo ist er jetzt?«

»Er ... er ist wieder ins Haus gelaufen. Ich hab ihm hinterhergebrüllt, dass er draußen bleiben soll.«

Annies Magen krampfte sich zusammen. Es gab im Haus nichts, was wichtig genug war, dass Theo sein Leben dafür riskierte. Außer Hannibal hielt sich darin auf. Theo würde nie etwas im Stich lassen, für das er sich verantwortlich fühlte, nicht einmal eine Katze.

Annie wandte sich in Richtung Haus, aber Jaycie packte sie am Ärmel ihrer Öljacke und hielt sie fest. »Du gehst da nicht rein!«

Jaycie hatte recht. Das Haus war zu groß, und Annie hatte keine Ahnung, wo genau Theo sich darin aufhielt. Sie musste warten. Beten.

Jaycie nahm Livia hoch. Annie bekam mit, dass weitere Fahrzeuge eintrafen und dass Booker jemandem erklärte, dass das Haus nicht mehr zu retten sei.

»Ich will zu Theo!«, jammerte Livia.

Annie vernahm ein schrilles, verängstigtes Wiehern. Sie hatte Dancer ganz vergessen. Als sie sich zum Stall wandte, sah sie Booker und Darren McKinley bereits hineingehen.

»Sie holen den Wallach raus«, sagte Barbara, die nun zu ihnen herübergeeilt kam.

»Theo ist noch im Haus«, erklärte Jaycie.

Barbara legte erschrocken die Hand an ihren Mund.

Die Luft war heiß und von Rauch erfüllt. Wieder krachte ein brennender Holzbalken herunter und schickte einen Funkenschauer in den Himmel. Annie beobachtete wie betäubt das Inferno von der Einfahrt aus. Ihre Angst wurde von Sekunde zu Sekunde größer, in ihrem Kopf lief ein Film ab, in dem Thornfield Hall niederbrannte und Jane Eyre bei ihrer Rückkehr einen blinden Edward Rochester vorfand.

Blind wäre gut. Mit blind konnte sie sich arrangieren. Aber nicht mit tot. Niemals.

Etwas streifte ihren Fußknöchel. Sie senkte ihren Blick und entdeckte Hannibal. Schnell hob sie den Kater hoch. Die Angst nahm ihr den Atem. Es war gut möglich, dass Theo in den Flammen noch immer nach dem Tier suchte, ohne zu ahnen, dass es bereits in Sicherheit war.

Booker und Darren hatten Mühe, Dancer aus dem Stall zu lotsen. Sie hatten ihm die Augen verbunden, aber das panische Pferd witterte den Rauch und sträubte sich.

Wieder gab ein Teil des Dachstuhls nach. Das Haus konnte nun jeden Moment einstürzen. Annie wartete. Betete. Drückte den Kater so fest an sich, dass er miauend protestierte und sich aus ihrem Arm wand. Sie hätte Theo sagen sollen, dass sie ihn liebte. Sie hätte es ihm sagen und auf die Folgen pfeifen sollen. Das Leben war zu kostbar. Die Liebe war zu kostbar. Nun würde Theo nie erfahren, wie sehr er geliebt wurde – und nicht begleitet von erdrückenden Forderungen oder kranken Drohungen, sondern so, dass er sich frei fühlen konnte.

Plötzlich tauchte eine Gestalt aus dem Haus auf. Annie

stürmte los. Es war Theo, der nach Luft rang. In seinen Armen hielt er etwas umklammert, das Annie durch den Qualm nicht erkennen konnte. Hinter ihnen explodierte ein Fenster, als Annie ihn erreichte. Sie versuchte, ihn zu stützen, ihm abzunehmen, was auch immer er in seinen Armen barg, aber er ließ es nicht los.

Zwei Männer kamen herbeigerannt, schoben Annie aus dem Weg und schleiften Theo aus dem dichten Qualm. Erst jetzt konnte sie sehen, was er aus dem brennenden Haus gerettet hatte. Wofür er sich wieder hineingewagt hatte. Nicht für den Kater. Für zwei rote Koffer. Er war zurück in das Haus gegangen, um ihre Puppen zu holen …

Annie war kaum in der Lage zu denken. Theo war in dieses Inferno zurückgekehrt, um ihre albernen, geliebten Puppen zu retten. Am liebsten hätte sie ihn angebrüllt, ihn geküsst, bis ihnen beiden die Luft ausging, ihm das Versprechen abgenötigt, dass er nie wieder so eine Dummheit begehen sollte. Aber er hatte sich von den Männern losgerissen, um zu seinem Pferd zu gehen.

»Mein Feenhaus!«, schrie Livia. »Ich will zu meinem Feenhaus!«

Jaycie versuchte, sie zu beruhigen, doch das alles war für die Vierjährige zu viel, sie war jenseits aller Vernunft.

»Hast du es vergessen?«, fragte Annie. Sie umfasste Livias gerötete Wangen. »Es ist mitten in der Nacht, die Feen könnten gerade dort sein. Und du weißt ja, dass sie von den Menschen nicht gesehen werden möchten.«

Livias schluchzte zitternd. »Ich will sie trotzdem sehen.«

Es gibt so viele Dinge auf der Welt, die wir begehren und nicht haben können …

Die Flammen waren nicht in die Nähe des Feenhauses gekommen, das sah Annie mit einem Blick. »Ich weiß, Herzchen, aber sie wollen dich nicht sehen.«

»Kannst du …«, sie hickste, »… kannst du mich morgen früh hinbringen?« Annie zögerte zu lange, und Livia fing an zu weinen. »Ich will das Feenhaus sehen!«

Annie warf Jaycie, die genauso erschöpft wirkte wie ihre Tochter, einen Blick zu. »Wenn das Feuer morgen früh ausgebrannt ist«, sagte Annie, »werde ich dich hinbringen.«

Dies stellte Livia zufrieden, bis ihre Mutter sagte, dass sie die restliche Nacht in der Stadt verbringen müssten. Prompt ging das Geheul wieder los.

»Annie hat gesagt, dass sie mich morgen früh zum Feenhaus bringt! Ich will hierbleiben!«

Eine heisere männliche Stimme erklang hinter ihnen. »Warum verbringt ihr drei die Nacht nicht im Cottage?« Annie fuhr herum. Theo sah aus, als wäre er direkt der Hölle entstiegen. Seine blauen Augen leuchteten aus dem rußgeschwärzten Gesicht, auf dem Arm trug er seinen Kater. Er hielt Annie Hannibal entgegen. »Nimm ihn bitte mit, ja?«

Bevor sie etwas sagen konnte, war er wieder verschwunden.

Barbara fuhr Annie, Jaycie und Livia zum Cottage. Annie brachte Hannibal ins Haus und ging dann wieder hinaus zu dem Pick-up, um die beiden roten Koffer von der Ladefläche zu nehmen. Alles andere, was sie im Klippenhaus deponiert hatte, war verloren: ihre Kleidung, die Erinnerungen an Mariah und das Traumbuch. Dafür hatte sie noch ihre Puppen. Und auf dem Boden eines der Koffer, zwischen dicke Pappen gepresst, lagen die Tuschezeichnungen von Niven Garr. Viel wichtiger war jedoch, dass Theo am Leben war und in Sicherheit.

Eine Funkenexplosion erleuchtete plötzlich die Nacht, als wären sie auf einem Nebenkriegsschauplatz des Teufels. Das Klippenhaus war zusammengestürzt.

Annie überließ Jaycie und Livia das Schlafzimmer im Cottage und schlief selbst auf der Couch. Das Bett im Atelier hielt sie für Theo frei, aber am nächsten Morgen war er noch nicht zurückgekehrt. Annie ging hinüber zum Erkerfenster und sah hinaus. Wo vorher über allem das Harp House gethront hatte, erhoben sich nun lediglich Rauchschwaden aus den Ruinen.

Livia erschien nun im Wohnzimmer, in dem Schlafanzug, den sie in der Nacht zuvor anhatte, und rieb sich die Augen.

»Lass uns zum Feenhaus gehen.«

Annie hatte gehofft, dass die Kleine nach der vergangenen Nacht lange schlafen würde, aber die Einzige, die noch im Bett lag, war Jaycie. Annie hatte auch gehofft, dass Livia die Sache mit dem Feenhaus vergessen würde. Sie hätte es besser wissen müssen.

Sie erklärte dem Mädchen behutsam, dass womöglich jemand während des Feuers versehentlich auf das Haus getreten war, doch Livia wollte nichts davon wissen.

»Die Feen würden das niemals zulassen. Können wir jetzt los? Bitte, Annie!«

»Livia, ich fürchte, du wirst enttäuscht sein.«

Livia verzog das Gesicht. »Ich will zum Feenhaus!«

Am Abend würde Annie zurück auf dem Festland sein, und statt ein Kind, das sich gern an sie erinnerte, würde sie ein enttäuschtes Kind zurücklassen.

»Also gut«, sagte sie deshalb widerstrebend. »Geh deine Jacke holen.«

Annie war bereits in eine von Mariahs zu kurzen Bleistifthosen und einen schwarzen Pullover geschlüpft. Sie zog die Öljacke an, die nach Rauch stank, und schrieb kurz eine Notiz für Jaycie. Dann fiel ihr ein, dass sie Livia kein Frühstück gemacht hatte. Sie schlug vor, zuerst eine Kleinigkeit zu essen, aber Livia lehnte ab, und Annie brachte es nicht übers Herz, mit ihr zu diskutieren.

Irgendjemand hatte Jaycies Chevrolet vor dem Cottage abgestellt. Annie schnallte Livia im Kindersitz an und fuhr hoch zum Klippenhaus. Theos Wagen parkte in der Nähe der Klippenspitze, wo er schon in der vergangenen Nacht gestanden hatte. Annie hielt direkt hinter ihm und half dann Livia aus dem Wagen. Sie nahm das Mädchen fest an die Hand, bevor sie den restlichen Weg zu Fuß hochgingen.

Die Wasserspeier und der Turm aus Stein hatten überlebt, genau wie der Stall und die Garage, aber vom Haus selbst war außer den vier Schornsteinen und einem Teil der Treppe nichts übrig. Hinter den Ruinen war das Meer zu sehen. Das Haus versperrte nun nicht länger die Sicht darauf.

Es war paradox, dass Livia Theo als Erste entdeckte, obwohl Annie die ganze Zeit an niemand anderen denken konnte. Livia riss sich von ihr los und rannte zu ihm hinüber, der Saum ihrer Pyjamahose schleifte über den Boden.

»Theo!«

Er war immer noch völlig verschmutzt. Unrasiert. Er trug eine zu kleine dunkelblaue Jacke, die ihm einer der Männer geliehen haben musste, seine Jeans war an der Wade aufgerissen. Annies Herz zog sich zusammen. Nach allem, was er durchgemacht hatte, nach allem, was er auf sich genommen hatte, kniete er nun im Dreck und baute Livias Feenhaus wieder auf.

Er schenkte der Kleinen ein mattes Lächeln. »Das Feuer hat die Feen wütend gemacht. Sieh nur, was sie angerichtet haben.«

»O nein.« Livia stemmte die Hände in die Hüften wie eine kleine Erwachsene. »Sie waren sehr, sehr böse.«

Theo sah zu Annie hoch. Schmutz hatte sich in den Fältchen um seine Augen eingenistet, sein linkes Ohr war völlig verrußt. Er hatte sein Leben riskiert, um ihre Puppen zu retten. So typisch für ihn.

»Du warst die ganze Nacht hier«, sagte sie leise. »Wolltest du den Untergang des Hauses live mitverfolgen?«

»Und verhindern, dass das Feuer auf den Stall übergreift.«

Nun, da er in Sicherheit war, wich Annies Drang, Theo ihre Gefühle zu offenbaren, der Realität. Nichts hatte sich geändert. Sie würde sein Wohl nicht opfern, nur um ihr Herz zu erleichtern.

»Ist Dancer in Ordnung?«, fragte sie.

Theo nickte. »Er ist wieder im Stall. Wie geht es unserem Kater?«

Ihre Kehle schnürte sich zusammen. »Unserem Kater geht es blendend. Besser als dir.«

Livia betrachtete sein Werk. »Du hast einen richtigen Weg gebaut. Das wird den Feen gefallen.«

Er hatte das neue Haus niedriger und breiter angelegt, und statt des Pfads aus einzelnen Steinen hatte er die glatt gespülten Strandsteine halbmondförmig um den Eingang gesetzt. Er gab Livia einige durchsichtige Scherben. »Schau einfach mal, wie weit du kommst. Ich muss mich kurz mit Annie unterhalten.«

Livia kauerte sich in die Hocke. Annie musste ihre Hände zu Fäusten ballen, um sich daran zu hindern, Theo über das Gesicht zu streichen.

»Du bist ein Idiot«, sagte sie und konnte doch die Zärtlichkeit, die sie empfand, nicht verbergen. »Puppen sind ersetzbar. Du bist es nicht.«

»Ich weiß, was sie dir bedeuten«, erwiderte er.

»Nicht so viel, wie du mir bedeutest.« Er legte den Kopf schief. »Ich werde auf Livia aufpassen«, sagte sie rasch. »Du fährst zum Cottage und ruhst dich ein bisschen aus.«

»Ich werde später schlafen.« Er blickte auf die Ruinen des Hauses und dann wieder zu ihr. »Und du reist wirklich heute ab?«

Sie nickte.

»Wer ist jetzt hier der Idiot?«, fragte er.

»Es ist ein Unterschied, ob man in ein brennendes Haus läuft oder zum Festland übersetzt«, erklärte sie.

»Beides hat seine Schattenseiten.«

»Ich sehe an meiner Abreise keine Schattenseiten.«

»Vielleicht nicht für dich. Für mich schon.«

Er war völlig abgekämpft. Natürlich machte es ihm etwas aus, dass sie die Insel verließ. Aber etwas ausmachen war nicht dasselbe wie Liebe, und Annie würde seine Erschöpfung nicht mit einer plötzlichen Bereitschaft verwechseln, ihr sein Herz zu öffnen.

»Wenn du dich nicht wieder auf irgendwelche verrückten Frauen einlässt, wirst du schon klarkommen«, sagte sie.

Sein Lächeln, müde aber aufrichtig, erstaunte sie. »Eigentlich sollte es mich stören, dass du so über die Frauen in meinem Leben sprichst.«

»Und? Stört es dich?«

»Die Wahrheit ist die Wahrheit. Zeit für mich, erwachsen zu werden.«

»Das hat nichts mit Erwachsenwerden zu tun«, sagte sie. »Sondern damit, dass du die Tatsache akzeptieren musst, dass du nicht jeden retten kannst, den du gernhast.«

»Glücklicherweise musst du nicht gerettet werden.«

»Verdammt richtig.«

Er rieb mit dem Handrücken über seine Wange. »Ich habe Arbeit für dich. Bezahlte Arbeit.«

Annie gefiel die Richtung nicht, die das Gespräch nahm, und sie versuchte abzulenken. »Ich weiß, ich bin gut im Bett, ich hatte allerdings keine Ahnung, dass ich so gut bin.«

Er seufzte. »Hab Erbarmen, Antoinette. Ich bin heute Morgen zu erledigt, um mit dir mithalten zu können.«

Sie brachte ein Augenrollen zustande. »Als wärst du dazu überhaupt in der Lage.«

»Es handelt sich um eine Arbeit, die du von der Stadt aus erledigen kannst.«

Er wollte ihr aus Mitleid einen Job anbieten, und sie konnte es nicht ertragen. »Ich habe schon von Skype-Sex gehört, aber das reizt mich nicht.«

»Ich möchte, dass du ein Buch illustrierst, an dem ich gerade arbeite.«

»Sorry. Selbst wenn ich eine Illustratorin wäre, was ich nicht bin, habe ich nicht die geringste Erfahrung darin, ausgeweidete Menschen zu zeichnen.«

Oh, sie war in Fahrt, und wie. Sie walzte direkt über ihr Herz hinweg.

Er seufzte wieder. »Ich habe seit einer Woche kaum geschlafen, und ich kann mich nicht erinnern, wann ich das letzte Mal was gegessen habe. Ich habe Schmerzen in der Brust. Meine Augen fühlen sich an wie Sandpapier. Meine linke Hand ist voller Brandblasen. Und alles, was dir einfällt, ist, Sprüche zu reißen.«

»Deine Hand? Lass mal sehen.« Sie griff danach, worauf er seine Hand hinter dem Rücken versteckte.

»Ich werde mich selbst um meine Hand kümmern, aber zuerst möchte ich, dass du mir zuhörst.«

Er wollte offenbar nicht lockerlassen. »Kein Bedarf. Ich habe bereits mehr Arbeit, als ich bewältigen kann.«

»Annie, könntest du es mir nur ein einziges Mal nicht so schwermachen?«

»Irgendwann vielleicht, doch nicht heute.«

»Annie, du machst Theo traurig.« Keiner der beiden hatte bemerkt, dass Livia ihre Unterhaltung verfolgte. Sie spähte hinter Theos Beinen hervor. »Ich glaube, du solltest ihm dein Geheimnis erzählen.«

»Nein!« Annie warf Livia einen tödlichen Blick zu. »Und du sagst es ihm besser auch nicht.«

Livia sah zu Theo hoch. »Dann solltest du wohl Annie *dein* Geheimnis erzählen.«

Er versteifte sich. »Annie will mein Geheimnis gar nicht hören.«

»Du hast ein Geheimnis?«, fragte Annie.

»Ja, hat er.« Livia blies sich mit vier Jahre alter Wichtigkeit auf. »Und ich kenne es.«

Nun war Theo derjenige, der Livia einen tödlichen Blick zuwarf. »Geh Kiefernzapfen sammeln. Viele.« Er zeigte auf die Bäume hinter dem Gartenpavillon. »Dort drüben.«

Annie konnte es nicht mehr ertragen. »Später«, sagte sie. »Liv, wir müssen zurück zum Cottage und schauen, ob deine Mom schon wach ist.«

Livias Gesicht verwandelte sich in eine Gewitterwolke. »Ich will aber nicht gehen!«

»Liv, mach es Annie nicht so schwer«, sagte Theo. »Ich werde das Feenhaus fertig bauen. Du kannst es dann später begutachten.«

Das Feuer hatte Livias Welt durcheinandergebracht. Sie hatte nicht genug geschlafen, und sie war so ungenießbar, wie es nur eine überdrehte Vierjährige sein konnte.

»Ich gehe nicht!«, schrie sie. »Und wenn ich nicht hierbleiben darf, werde ich eure Geheimnisse verraten!«

Annie griff nach Livias Arm. »Man darf die Geheimnisse von anderen nicht verraten!«

»Auf keinen Fall!«, bekräftigte Theo.

»Ich glaub schon!«, konterte Livia. »Wenn beide Geheimnisse gleich sind!«

Kapitel 25

Theo konnte seinen Verstand nicht zum Laufen bringen. Er stand da wie am Boden festgewurzelt, während Annie es irgendwie schaffte, die widerspenstige Vierjährige in den Wagen zu befördern. Er beobachtete benommen, wie sie davonfuhren.

Ich glaub schon! Wenn beide Geheimnisse gleich sind!

Annie hatte ihm ganz klar gesagt, dass er zu viel Ballast mit sich herumschleppte. Aber so fühlte er sich jetzt nicht mehr. Die schwelenden Ruinen von Harp House standen symbolisch für all das, was er gerade hinter sich ließ. Alles, was ihn davon abgehalten hatte, in sein eigenes Herz zu schauen und der Mann zu sein, der er sein wollte. Er liebte Annie Hewitt aus tiefster Seele.

Annie hatte Livia anvertraut, dass sie ihn liebte? Was genau hatte sie gesagt? Theo hatte das ungute Gefühl, dass sie nicht dasselbe gemeint hatte wie er.

Die Realität hatte ihm an dem Tag ins Gesicht geschlagen, an dem er Regans Strandsteine hervorgekramt hatte. Als Livia ihm erklärt hatte, er habe ein Geheimnis frei, und ihm dann die Regeln des Spiels erläuterte, waren die Worte ungehindert aus ihm herausgeströmt wie sein Atem. Er hatte das Gefühl, als würde er Annie schon lieben, seit er sechzehn war – und vielleicht war das auch so.

Du schleppst zu viel Ballast mit dir herum.

Annies Worte hatten ihn in einen Feigling verwandelt. Er hatte eine jämmerliche Erfolgsbilanz bei Frauen, und obwohl Annie gern über seinen Reichtum witzelte, wollte sie sein Geld nicht. Wenn sie jemals dahinterkam, dass er derjenige war, der den Nixenstuhl gekauft hatte, würde sie ihm das nie verzeihen. Alles, was er ihr geben konnte, war sein Herz – etwas, das sie nicht haben wollte, wie sie unmissverständlich klargestellt hatte.

Aber er war nicht zu feige, um sich zu wehren. Er hatte sich vorgenommen, Annie bis zum letzten Tag Zeit zu lassen, damit sich die Gemüter nach ihrem Streit im Hafen beruhigen konnten. Sein Plan war gewesen, das beste Frühstück seines Lebens zuzubereiten und Annie an diesem Morgen auf der *Lucky Charm* damit zu überraschen. Irgendwie hätte er eine Möglichkeit gefunden, sie davon zu überzeugen, dass sein Ballast der Vergangenheit angehörte – dass er frei war, um sie zu lieben, ganz gleich, ob sie seine Liebe erwidern konnte oder nicht. Doch das Feuer hatte ihm einen Strich durch die Rechnung gemacht.

Er brauchte einen klaren Kopf. Ein paar Stunden Schlaf. Definitiv eine Dusche. Für all das hatte er keine Zeit. Annie musste seine Dringlichkeit so stark spüren wie er selbst. Es war die einzige Möglichkeit, wie er sie überzeugen konnte, ihn nicht abzuschreiben.

Viel Glück damit. Du hast es bereits vermasselt.

Sein Schlafmangel spielte ihm Streiche. Nun hörte er in seinem Kopf schon die Stimme ihrer Puppe Scamp. Er kehrte den Ruinen des Klippenhauses den Rücken zu, marschierte zügig zu seinem Wagen und raste dann hinunter zum Cottage.

Sie war bereits weg. Sie hatte Livia bei Jaycie abgegeben und war dann eilig in Richtung Stadt aufgebrochen, als würde ihr Leben davon abhängen, von ihm fortzukommen. Sein Magen brodelte vor Nervosität, als er die Verfolgung aufnahm.

Der Chevrolet konnte sich mit dem Range Rover nicht messen, und Theo holte sie rasch ein. Er drückte auf die Hupe, aber Annie hielt nicht an. Er hupte wieder. Sie musste es hören, dachte jedoch gar nicht daran zu bremsen, im Gegenteil, sie beschleunigte sogar noch.

Ich habe es dir gesagt, sagte die verdammte Puppe. *Du kommst zu spät.*

Von wegen!

Sie befanden sich schließlich auf einer Insel, und bis zur Stadt war es nicht mehr weit. Alles, was er zu tun hatte, war, Geduld zu bewahren und Annie auf den Fersen zu bleiben. Aber er wollte keine Geduld bewahren. Er wollte sofort mit Annie reden, und wenn sie nicht begreifen wollte, wie ernst es ihm war, würde er es ihr eben zeigen.

Er fuhr dicht auf den Chevrolet auf und rammte ihn von hinten. Nicht hart genug, um Annie ins Schleudern zu bringen. Nur so, dass sie wusste, dass er es ernst meinte. Offenbar meinte sie es genauso ernst, weil sie weiterfuhr. Jaycies Rostlaube hatte bereits so viele Beulen, dass ein paar mehr keinen Unterschied machen würden, dasselbe ließ sich von seinem Range Rover leider nicht behaupten. Es war ihm egal. Er verpasste dem Chevrolet wieder einen Stoß. Und noch einen. Schließlich leuchtete das einzig überlebende Bremslicht auf.

Der Wagen kam ruckartig zum Stehen, die Tür flog auf, und Annie sprang heraus. Theo stieg ebenfalls aus, nur um sie brüllen zu hören: »Ich will nicht darüber reden!«

»Gut!«, schrie er zurück. »Dann werde ich das Reden übernehmen. Ich liebe dich, und bei Gott, ich schäme mich nicht dafür, und es mag ja sein, dass du nicht so viel Ballast mit dir herumschleppst wie ich, aber tu nicht so, als hättest du gar keinen, bei all den Losern, denen du dein Herz geschenkt hast.«

»Es waren nur zwei!«

»Bei mir waren es auch nur zwei, also sind wir quitt!«

»Nicht einmal ansatzweise!« Sie standen keine fünf Meter voneinander entfernt, doch Annie dachte nicht daran, ihre Stimme zu senken. »Meine zwei waren egoistische Arschlöcher! Deine waren gemeingefährliche Irre!«

»Das ist nicht wahr!«

»Aber dicht davor. Und außerdem, das Einzige, was ich nach meinen Trennungen getan habe, war, mir endlos Wiederholungen von *The Big Bang Theory* anzusehen und fünf Pfund zuzunehmen. Das ist nicht dasselbe, wie sich für den *Rest seines Lebens* zu kasteien!«

»Nicht mehr!« Er schrie genauso laut wie sie, und er hatte sich genauso wenig von der Stelle bewegt. In seinem Kopf herrschte ein großes Durcheinander. Sein Hals fühlte sich wund an. Jeder Teil seines Körpers tat ihm weh. Sie dagegen, mit ihren elektrisierten Haaren und ihren glühenden Augen, sah aus wie eine Rachegöttin auf dem Höhepunkt ihrer Macht. Er ging einen Schritt auf sie zu. »Ich möchte mein Leben mit dir verbringen, Annie. Ich möchte mit dir schlafen, bis du nicht mehr laufen kannst. Und ich möchte Kinder mit dir haben. Es tut mir leid, dass ich so lange gebraucht habe, um das herauszufinden, aber ich bin es nicht gerade gewohnt, dass Liebe sich gut anfühlt.« Er zeigte mit dem Finger auf sie. »Du hast gesagt, du bist eine Romantikerin. Romantik ist nichts! Es ist ein winziges Wort, das nicht annähernd an das herankommt, was ich für dich empfinde. Und ich weiß, früher oder später wirst du hinter die Sache mit dem verdammten Stuhl kommen, aber so regle ich das eben! Und von nun an …«

»Stuhl?« *Scheiße.* Nun blickte er in aufgeblähte Nasenlöcher und lodernde haselnussbraune Dämonenaugen. »Du bist derjenige, der den Nixenstuhl gekauft hat!«, rief sie.

Er durfte keine Schwäche zeigen. »Wer zum Teufel liebt dich so sehr, dass er dieses hässliche Ding kauft? Es gehört auf den Schrott.«

Ihr Kiefer klappte herunter. Theo war so gerädert, dass ihm selbst die Kopfhaut wehtat, trotzdem ließ er nicht locker. »Der Job, den ich dir anbieten möchte, ist *real*. Ich habe ein neues Buch angefangen – eins, das dir sogar gefallen wird, aber darüber möchte ich jetzt nicht reden. Vielmehr möchte ich jetzt über ein gemeinsames Leben mit dir reden und darüber, ob du mir eine Chance gibst, dir zu zeigen, dass meine Gefühle stark sind, dass sie keine Schattenseiten haben. Genau das möchte ich dir beweisen.«

Er hatte das große Bedürfnis, ihr von Diggity zu erzählen. Und ihr noch einmal zu sagen, dass er mit ihr Kinder haben wollte, für den Fall, dass es ihr beim ersten Mal entgangen war. Er wollte sie küssen, bis ihr schwindlig wurde. Mit ihr schlafen, bis sie nicht mehr klar denken konnte. Er hätte das alles gleich jetzt getan, bloß dass sie sich plötzlich hinsetzte. Mitten auf die matschige Straße. Als wären ihre Beine nutzlos. Das setzte seinem Redefluss ein Ende, wie nichts anderes es vermocht hätte.

Er ging zu ihr. Kniete sich zu ihr hinunter. Ein schwacher Sonnenstrahl bahnte sich einen Weg durch die Bäume und spielte Verstecken mit Annies Wangenknochen. Das honigbraune Lockengewirr, das Theo so sehr liebte, lieferte sich ein hartes Gefecht mit ihrem Gesicht – dem schönsten Gesicht, das er jemals gesehen hatte, vor Leben übersprudelnd, beseelt von all den Emotionen, die Annies Persönlichkeit ausmachten.

»Alles okay?«, fragte er.

Sie gab keine Antwort, und da eine wortlose Annie ihm Angst machte, fing er wieder an. »Ich wünsche mir ein gemeinsames Leben mit dir. Ich kann mir mit niemandem sonst ein gemeinsames Leben vorstellen. Würdest du wenigstens darüber nachdenken?«

Sie nickte, aber es war ein zögerliches Nicken, ein zweifelndes. Wenn er nun einen Rückzieher machte, würde er sie vielleicht für immer verlieren, also erzählte er ihr von seiner Geschichte über Diggity und dass er sich wünschte, dass Annie sein Buch illustrierte, dass er es für Jugendliche schrieb statt für Erwachsene und dass er überzeugt war, dass seine neuen Leser Annies ulkige Zeichnungen lieben würden. Er setzte sich zu ihr in den Matsch und erklärte ihr, dass er Liebe immer mit einer Katastrophe gleichgesetzt habe und dass dies der Grund sei, weshalb er so lange gebraucht habe, um einzuordnen, was er für sie empfand – die Leichtigkeit, die Verbundenheit, die Zärtlichkeit. Am letzten Wort hätte er sich beinahe verschluckt. Nicht weil er es nicht ernst meinte, sondern weil es sich – selbst für einen Schriftsteller – unmännlich anfühlte, ein Wort wie »Zärtlichkeit« laut auszusprechen. Aber Annies Augen waren fest auf sein Gesicht geheftet, also wiederholte er es und fügte hinzu, dass sie wunderschön aussehe, wenn er in ihr sei.

Dies erregte definitiv ihre Aufmerksamkeit, also redete er ein bisschen über verruchte Dinge. Senkte seine Stimme. Flüsterte ihr ins Ohr. Sagte ihr, was er mit ihr anstellen wollte. Was er mit sich anstellen lassen wollte. Ihre Locken kitzelten seine Lippen, ihr Gesicht rötete sich, und seine Jeans wurde viel zu eng, aber er fühlte sich wieder wie ein Mann – ein Mann, der hoffnungslos der Gnade einer Frau ausgeliefert war, die mit Puppen spielte und stummen kleinen Mädchen zum Reden verhalf und ihn vor seiner eigenen Verzweiflung rettete. Einer skurrilen, verführerischen, geistig vollkommen gesunden Frau.

Er berührte ihr Gesicht. »Ich glaube, ich liebe dich, seit ich sechzehn war.« Sie legte den Kopf schief, als würde sie auf etwas warten. »Ich bin mir dessen sicher«, bekräftigte er, obwohl er sich überhaupt nicht sicher war.

Wer konnte schon auf seine Teenagerjahre zurückblicken und sich über irgendetwas im Klaren sein? Aber Annie erwartete mehr von ihm, und er musste es ihr geben, selbst wenn er keine Ahnung hatte, was es war.

Wie aus dem Nichts vernahm er die Stimme einer Puppe. *Küss sie, du Blödmann.*

Es gab nichts, was er lieber getan hätte, doch er stank nach Rauch, sein Gesicht war ölverschmiert, und seine Hände starrten vor Dreck.

Tu es einfach.

Und so tat er es. Er vergrub seine schmutzigen Hände

in ihren Haaren und küsste sie atemlos. Ihren Hals, ihre Augen, ihre Mundwinkel. Er küsste sie auf die Lippen, als würde sein Leben davon abhängen. Küsste ihre gemeinsame Zukunft in sie hinein. Alles, was sie haben konnten und was sie sein konnten. Die leisen Laute, die sie beide von sich gaben, klangen in seinen Ohren wie Poesie.

Ihre Hände umklammerten seine Schultern, nicht um ihn wegzustoßen, sondern um ihn enger an sich zu ziehen. Er verlor sich in ihr. Fand sich selbst.

Als der Kuss schließlich endete, legte Theo seine schmutzigen Hände auf Annies nun gleichfalls schmutzige Wangen. Ihre Nasenspitze war rußverschmiert. Ihre Lippen waren leicht geschwollen von seinem Kuss. Ihre Augen glänzten.

»Ein Geheimnis frei«, flüsterte sie.

Sein Magen zog sich zu einem engen Knoten zusammen. Er stieß langsam die Luft aus. »Sag mir was Gutes.«

Sie näherte ihren Mund seinem Ohr und flüsterte ihr Geheimnis hinein.

Es war gut. Wirklich gut. Tatsächlich hätte es nicht besser sein können.

Epilog

Die Sommersonne hüpfte über die Wellenkronen und prallte von den Masten zweier Segelschiffe ab, die gegen den Wind aufkreuzten. Kobaltblaue Stühle standen auf der Gartenterrasse hinter dem alten Bauernhaus, die so angelegt worden war, dass man von dort den besten Blick auf das Meer in der Ferne hatte. Rosen, Rittersporn, Duftwicken und Kapuzinerkresse blühten im Garten, ein kurviger Pfad führte von der Steinterrasse zu der Wiese vor dem Haus, das nun doppelt so groß war wie früher. Links davon, geschützt durch eine Baumgruppe, befand sich ein kleiner Gästebungalow mit einer winzigen Veranda, auf der ein hässlicher Nixenstuhl stand.

Auf der Gartenterrasse ragte ein Sonnenschirm, der wegen der Nachmittagsbrise geschlossen war, aus der Mitte eines langen Holztisches empor, der Platz genug für eine ganze Großfamilie bot. Ein alter Wasserspeier mit einer schief sitzenden Mütze auf dem Kopf hatte früher ein Haus auf der anderen Seite der Insel bewacht. Nun stand er beschützend neben einem Tontopf, aus dem Geranien quollen. Überall lagen die Überbleibsel eines Sommers in Maine verstreut: ein Fußball, ein pinkfarbenes Kinderfahrzeug, Schwimmbrillen, Seifenblasenringe und nasse Straßenkreide.

Ein Junge mit glatten dunklen Haaren und einem finsteren Gesicht saß im Gras zwischen zwei Gartenstühlen und unterhielt sich mit Scamp, die von der Armlehne eines der Stühle zu ihm hinuntersah.

»Und deshalb«, sagte der Junge, »habe ich mit den Füßen gestampft. Weil ich mich ganz, ganz doll über ihn geärgert habe.«

Die Puppe schüttelte ihre Locken. *»Schrecklich! Sag mir noch mal genau, womit er dich geärgert hat.«*

Der Junge – sein Name war Charlie Harp – schob ungeduldig die dunklen Haare aus seiner Stirn und blies empört die Backen auf.

»Er wollte mich seinen Pick-up nicht fahren lassen!«

Scamp presste ihre Stoffhand an ihre Stirn. *»Dieser Schuft!«*

Ein langer Stoßseufzer kam von der Lehne des anderen Stuhles. Scamp und Charlie ignorierten ihn.

»Und dann«, fuhr Charlie fort, »hat er mit mir geschimpft, weil ich meiner Schwester den Turbo Car weggenommen habe. Dabei ist das *meiner*!«

»Unerhört!« Scamp machte eine abfällige Geste in Richtung des Kleinkinds mit den lockigen Haaren, das auf einer alten Quiltdecke im Gras schlief. *»Nur weil du jahrelang nicht mehr mit diesem Auto gespielt hast, ist das noch lange kein Grund, dass deine Schwester es haben darf. Deine Schwester ist nichts als eine Plage. Sie kann dich nicht einmal leiden.«*

»Na ja …« Charlie runzelte die Stirn. »Irgendwie kann sie mich schon leiden.«

»Kann sie nicht.«

»Doch! Sie lacht immer, wenn ich Grimassen ziehe,

und wenn ich mit ihr spiele und dabei lustige Geräusche mache, flippt sie richtig aus.«

»*Très intéressant*«, sagte Scamp, die nach wie vor etwas für Fremdsprachen übrig hatte.

»Manchmal wirft sie ihr Essen auf den Boden, und das ist dann ziemlich lustig.«

»*Hmmm ... vielleicht ...*« Scamp tippte an ihre Wange. »*Nein, vergiss es.*«

»Sag schon.«

»*Na ja ...*« Die Puppe tippte an ihre andere Wange. »*Ich, Scamp, überlege gerade, dass dein Turbo Car eigentlich ein Babyspielzeug ist, und wenn jemand dich damit spielen sieht, könnte er vielleicht auf die Idee kommen, dass du noch ein ...*«

»Niemand wird auf irgendeine Idee kommen, weil ich ihr das Babyspielzeug schenke!«

Scamp sah Charlie mit vor Staunen offenem Mund an. »*Darauf hätte ich selbst kommen müssen. Nun gut, ich denke, ich sollte ein Lied komponieren auf ...*«

»Kein Lied! Bitte ...«

»*Na schön.*« Scamp rümpfte die Nase, tief gekränkt. »*Wenn du mir so kommst, werde ich dir mal sagen, was Dilly mir erzählt hat. Sie hat mir erzählt, dass du kein richtiger Superheld bist, bevor du nicht lernst, zu kleinen Kindern nett zu sein. Genau das hat sie gesagt.*«

Charlie hatte kein gutes Gegenargument, also zupfte er an dem Pflaster um seinen großen Zeh und verlegte sich wieder aufs Schmollen.

»Ich bin ein Inselkind.«

»*Tragischerweise nur im Sommer*«, sagte Scamp. »*Das restliche Jahr bist du ein Stadtkind.*«

»Aber der Sommer zählt auch! Ich bin trotzdem ein Inselkind, und Inselkinder dürfen Auto fahren.«

»Wenn sie zehn sind.« Die Stimme, tief und selbstbewusst, kam von Leo, Charlies zweitliebster Puppe – viel interessanter als der langweilige alte Peter oder die dumme, alberne Crumpet oder Dilly, die ihn immer ans Zähneputzen und solche Sachen erinnerte. Leo schaute von der Armlehne des anderen Stuhls zu Charlie. *»Inselkinder müssen mindestens zehn sein, bevor sie ans Lenkrad dürfen, und du, compadre, bist sechs.«*

»Ich werde bald zehn.«

»Nicht so bald, dem Teu… Gott sei Dank.«

Charlie funkelte die Puppe an. »Ich bin richtig sauer.«

»Sicher bist du das. Supersauer.« Leo ließ seinen Kopf erst nach links kreisen, dann nach rechts. *»Ich habe eine Idee.«*

»Was denn für eine?«

»Sag ihm, dass du sauer bist. Und dann mach ein ganz klägliches Gesicht und frag ihn, ob er mit dir zum Wellenreiten an den Strand fährt. Wenn du bemitleidenswert genug aussiehst, wette ich mit dir, dass er so ein schlechtes Gewissen bekommt, dass er mit dir rausfährt.«

Charlie war nicht von gestern. Er sah über Leo hinweg zu dem Mann, der der Puppe seine Stimme geliehen hatte. »Wirklich? Können wir sofort los?«

Sein Vater legte Leo auf die Seite und zuckte mit den Schultern. »Die Wellen sehen gut aus. Warum nicht? Hol deine Sachen.«

Charlie sprang auf und rannte auf seinen kurzen Beinen zum Haus. Als er die Verandatreppe erreichte, bremste er plötzlich ab und wirbelte herum.

»Aber ich darf fahren!«

»Nein, darfst du nicht!«, entgegnete seine Mutter, während sie Scamp von ihrer Hand zog.

Charlie stapfte beleidigt ins Haus, und sein Vater lachte. »Ich liebe diesen Bengel.«

»Was für eine Überraschung.«

Annie betrachtete das schlafende Kleinkind. Seine wilden honigblonden Locken hätten keinen größeren Kontrast bilden können zu den glatten dunklen Haaren seines Bruders, aber beide Kinder hatten die blauen Augen ihres Vaters geerbt. Beide hatten auch die Persönlichkeit ihrer Mutter geerbt. Annie lehnte sich auf ihrem Stuhl zurück.

Theo bekam nie genug davon, das Gesicht seiner Frau anzuschauen. Er beugte sich zu ihr hinüber und nahm ihre Hand, strich mit den Fingern über den diamantbesetzten Ehering, den sie fast ein bisschen zu extravagant fand, aber trotzdem liebte.

»Um wie viel Uhr sind wir sie los?«

»Wir geben sie um vier bei Barbara ab. Sie macht ihnen das Abendessen.«

»Was uns den ganzen Abend Zeit gibt für alkoholische Ausschweifungen.«

»Ich bin mir nicht ganz sicher, was den Alkohol betrifft, aber es wird definitiv Ausschweifungen geben.«

»Das ist gut. Ich liebe die kleinen Monster von ganzem Herzen, leider ruinieren sie unser Sexleben.«

Annie legte ihre Hand auf Theos Oberschenkel. »Nicht heute Abend.«

Er stöhnte. »Du machst mich fertig.«

»Ich hab noch gar nicht angefangen.«

Er streckte die Hand nach ihr aus.

Als Annie seine Hand in ihren Haaren spürte, fragte sie sich, ob es falsch von ihr war, dass sie so gern die Femme fatale spielte, dass sie die Macht liebte, die sie über ihn hatte – eine Macht, die sie benutzte, um die Schatten fernzuhalten. Theo war inzwischen ein anderer Mann als der, den sie vor sieben Jahren wiedergetroffen hatte – mit einer Duellierpistole in der Hand. Sie waren beide nicht mehr dieselben. Die Insel, die Annie früher gehasst hatte, war nun ihr liebster Ort auf der Welt, eine Zuflucht vor dem Trubel in ihrem normalen Leben.

Neben ihrer Arbeit mit traumatisierten Kindern leitete sie Puppentherapieseminare für Ärzte, Kinderkrankenschwestern, Lehrer und Sozialarbeiter. Annie hätte nie gedacht, dass sie ihre Arbeit einmal so sehr lieben würde. Ihre größte Herausforderung war, ihren Beruf und ihre Familie, die ihr alles bedeutete, unter einen Hut zu bekommen und außerdem ihre Freundschaften zu pflegen. Hier auf der Insel hatte sie die Zeit, sich um Dinge zu kümmern, die im restlichen Jahr manchmal untergingen, wie zum Beispiel die Feier zu Livias elftem Geburtstag, die sie in der vergangenen Woche organisiert hatte, als Jaycie mit ihrer neuen Familie vom Festland zu Besuch gekommen war.

Annie drehte das Gesicht in die Sonne. »Wie schön, hier einfach so zu sitzen.«

»Du arbeitest zu hart«, bemerkte Theo, nicht zum ersten Mal.

»Da bin ich nicht die Einzige.« Es war nicht überraschend, dass die Diggity-Swift-Bücher sich zu einem großen Erfolg entwickelt hatten. Diggitys Abenteuer führten seine jugendlichen Leser an den Abgrund des Schreckens, ohne sie hineinzustoßen. Annie war begeistert darüber, dass ihre lustigen Skizzen ihren Mann inspirierten und seinen Lesern Freude bereiteten.

Charlie kam nun aus dem Haus gestürmt. Theo stand seufzend auf, gab Annie einen Kuss, nahm sich einen der selbst gebackenen Kekse aus der Dose, die er am Morgen vor der Haustür vorgefunden hatte, warf einen Blick auf seine schlafende Tochter und machte sich dann mit seinem Sohn auf den Weg zum Strand. Annie zog ihre Füße auf die Stuhlkante und umklammerte ihre Knie.

In ihren alten Schauerromanen erfuhr der Leser nie, wie es dem Helden und der Heldin erging, wenn für das Paar das wahre Leben begann und es mit dem ganzen Alltagschaos fertigwerden musste: mit dem Haushalt, mit zankenden Kindern, Grippeviren und den Herausforderungen, die eine Großfamilie stellte – seine, nicht ihre. Elliott war mit den Jahren milder geworden, aber Cynthia war überheblich wie eh und je und trieb Theo in den Wahnsinn. Annie brachte mehr Toleranz für sie auf, weil Cynthia sich als eine erstaunlich gute Granny entpuppte, die viel besser mit Kindern umgehen konnte als mit Erwachsenen, und die Kinder waren in sie vernarrt.

Was Annies Familie betraf … Niven Garrs verwitwete Schwester Sylvia würde bald, zusammen mit Nivens Lebensgefährten Benedict – oder Grandpa Bendy, wie Charlie ihn nannte –, zu ihrem jährlichen Sommerbesuch auf der Insel eintreffen. Sylvia und Benedict waren Annie zuerst mit Misstrauen begegnet, nach einem DNA-Test und ein paar steifen ersten Treffen waren sie so enge Freunde geworden, dass man glauben konnte, sie würden sich schon ihr ganzes Leben lang kennen.

Aber an diesem Abend würden Theo und Annie ganz für sich allein sein. Am kommenden Vormittag würden sie die Kinder abholen und mit ihnen zum anderen Ende der Insel fahren. Sie würden der Familie aus Providence, die das Schulcottage für den Sommer gemietet hatte, einen kurzen Besuch abstatten, bevor sie die tief zerfurchte Auffahrt zur Klippenspitze hochfahren würden, wo man den besten Ausblick der Insel hatte.

Die Nebengebäude des Klippenhauses waren vor langer Zeit abgerissen worden, der Swimmingpool aus Sicherheitsgründen verfüllt. Allein der mit Reben überwucherte Turm war übrig von dem, was einmal gewesen war. Annie und Theo würden es sich auf einer Decke gemütlich machen und einen guten Wein genießen, während Charlie frei umhertoben konnte. Theo würde schließlich seine Tochter hochnehmen, ihr einen Kuss auf den Kopf drücken und sie zu einem alten Fichtenstumpf tragen. Er würde mit ihr in die Hocke gehen, die Strandsteine einsammeln, die dort noch immer verstreut herumlagen, und ihr ins Ohr flüstern: »Lass uns ein Feenhaus bauen.«